DATE DUE

JUL 0 5 2008			
NOV 0 5 2009			

Demco, Inc. 38-293

LA LLAVE
MAESTRA

LA LLAVE MAESTRA

Agustín Sánchez Vidal

© 2005, Agustín Sánchez Vidal

© De esta edición: 2005, Santillana Ediciones Generales, S. L.

Torrelaguna, 60. 28043 Madrid

Teléfono 91 744 90 60

Telefax 91 744 92 24

Diseño de cubierta: Eduardo Ruiz

Imagen de cubierta: M. C. Escher, Double Planetoid © 2005

The M. C. Escher Company – Baarn – Holanda. Todos los derechos reservados.

Imágenes de interior:

– páginas 208, 209, 210 ar, 210 ab, 211, 266 y 245

proceden de *A New Kind of Science,* de Stephen Wolfram

(páginas 1190, 371, 370, 357, 402 y 334 del original respectivamente).

Copyright © 2002 by Stephen Wolfram, LLC

– p. 350, Oronoz

– p. 58, 76 ar, 76 ab, 118, 119, 120, 123, 213 ar, 213 c, 213 ab,

317, 356, 357 ar, 357 ab, 507 ar, 507 ab, 508, archivo del autor.

Primera edición: abril de 2005

ISBN: 84-96463-04-4

Depósito Legal: M-9891-2005

Impreso en España por Unigraf S. L. (Móstoles, Madrid)

Printed in Spain

Para Ana y sus hermanas, Cristina y Pilar

Para Carlos Saura

ÍNDICE

1

La serpiente multicolor

EL comisario John Bielefeld se sobresaltó al oír su teléfono móvil. Lo vio brillar en la oscuridad, y cuando logró encontrar el interruptor de la luz comprendió que no estaba en su cama, sino en algún hotel. En España. En la ciudad de Antigua. Mientras respondía con voz somnolienta, le asaltaron las ráfagas del viaje desde Nueva York.

Todavía se sobresaltó más al reconocer a su interlocutor, el arzobispo Luigi Presti. Inconfundible, con sus silbantes *eses* arrastrándose entre dientes:

—Disculpe por despertarle tan temprano, señor Bielefeld, pero tiene que venir enseguida.

El comisario se apretó las sienes con la mano izquierda y recorrió las profundas arrugas de su frente, intentando reaccionar. Una llamada de Presti sólo podía significar problemas graves. Recibía el eufemístico tratamiento oficial de *nuncio apostolico con incarichi speciali*. Pero todo el mundo lo conocía como «el espía del Papa». El jefe de la policía secreta del Vaticano.

—¿Qué sucede? —acertó a articular.

—Escuche.

Apretó el teléfono contra el pabellón de la oreja, intentando discernir aquellos sonidos que le llegaban en oleadas de interferencias. Y tan escalofriantes que parecían proceder de una terrible agonía.

—¡Dios mío! ¿Desde dónde me llama, monseñor?

—Desde la Plaza Mayor.

—¿Qué es lo que está pasando? ¿De dónde salen esos ruidos?

—De la propia plaza.

—Está bien —aceptó resignado—. Voy para allá.

—Espere un momento. Necesito que me haga un favor. Pase antes por el convento de los Milagros y recoja a Sara Toledano. No venga sin ella.

Así que ése era el verdadero objeto de la llamada. Más problemas. El arzobispo interpretó su silencio como una reticencia. Y añadió con aquel deje de violencia contenida, tan suyo:

—¿Pero es que no se da cuenta, comisario? Está sucediendo exactamente lo que Sara predijo, lo que anda investigando en ese proceso inquisitorial del archivo del convento. ¿Cómo se llama ese individuo del siglo XVI...?

—Raimundo Randa... De acuerdo. Pasaré por el convento, la recogeré, y nos reuniremos con usted en la Plaza Mayor.

—No tarden.

El comisario John Bielefeld miró el reloj mientras trataba de espabilarse. Eran las cinco y media de la madrugada.

Le bastó una breve ducha para reconciliarse con su corpulenta envergadura. A medida que se aproximaba al espejo y se despejaba el vaho, éste le devolvió su rostro de rotundos trazos, nariz aplastada de boxeador, la piel curtida y terrosa, los azules ojos mal dormidos al fondo de unas amplias bolsas. Suspiró, preguntándose qué hacía él tan lejos de casa y tan cerca de un nuevo embrollo.

Recogió sus acreditaciones y salió al pasillo. Mientras esperaba el ascensor se lo pensó mejor, regresó a la habitación, abrió el armario y pulsó la combinación de la pequeña caja fuerte. Apartó los tres sobres numerados que había en su interior, con el nombre de cada destinatario escrito con la picuda e inconfundible letra de Sara Toledano. Y cogió la pistola.

«Tal como vienen las cosas —pensó—, más vale andarse con cuidado».

Cuando salió al vestíbulo del hotel, todo parecía tranquilo. Apretó el paso para no dar explicaciones al agente español que servía de enlace con la delegación americana. Una vez en el patio, rechazó también el concurso del chófer de guardia, que esperaba con un reluciente Mercedes negro. Le pidió las llaves y se dispuso a conducirlo él mismo.

Trataba de evitar testigos incómodos. Los preparativos para las futuras conversaciones de paz entre palestinos e israelíes que iban a celebrarse en Antigua tenían en vilo a toda la ciudad. Sara Toledano sólo parecía una pieza más de aquel complicado engranaje, una simple asesora del presidente de Estados Unidos. Lo bastante importante, sin embargo, como para encomendarle a él su protección. Así es como había tenido que dejar su tranquilo destino en Nueva Jersey. No podía negarse. Su mujer era una vieja amiga de Sara, quien había sugerido su nombre en estos expeditivos términos:

—Si he de soportar a alguien, que sepa al menos con quién me juego los cuartos. Quiero una persona de mi confianza, no un guardaespaldas, un escolta u otros gorilas en la niebla. Todo claro y a la luz del día. Además, John habla bien el español y es católico. Sabrá estar en su sitio.

Era un encargo muy bien pagado. Y no carecía de compensaciones. En aquellos últimos días había tenido la oportunidad de conocer mejor a tan singular mujer. Admiraba su integridad y coraje frente a aquella cuadrilla de burócratas de colmillo retorcido enviados por la Casa Blanca para ir planeando la estrategia de su presidente.

A medida que se acercaba a la catedral, sus sospechas no tardaron en confirmarse. Le habían asegurado que siempre había expectación en la ciudad cuando se celebraba la procesión del Corpus Christi. Pero aquel año se estaba superando todo lo conocido. Mucho tenía que ver en ello el Papa, quien iba a presidir el acto, en un gesto que carecía de precedentes. Era un secreto a voces que las medidas de seguridad se estaban reforzando severamente por las amenazas recibidas.

A Bielefeld le parecía que sus jefes guardaban de momento las distancias, como meros observadores: los norteamericanos no querían comprometerse antes de tiempo. Por eso sorprendía la actitud de Sara Toledano. Cualquier otra persona se habría mantenido a la expectativa. Ella, no. Era de las pocas con iniciativa e ideas claras. Parecía guiada por un plan bien meditado. Y eso no gustaba a todo el mundo. En realidad, no le gustaba a nadie.

Redujo la velocidad al aproximarse al convento de los Milagros. Gracias a sus credenciales pudo acceder, sin bajarse del coche, hasta el paseo peatonal flanqueado por escuetos cipreses. Aparcó junto a ellos y se encaminó hacia el pórtico, iluminado por un farolón.

Ni siquiera le dio tiempo a pulsar la campanilla de la portería. Ya le estaban esperando. Al otro lado de la cancela, salió a su encuentro la madre superiora, Teresa de la Cruz. La recordaba dicharachera, muy lejos de la retraída suspicacia que ahora asomaba a sus

ojos. Se la veía inquieta. Peor aún: atemorizada. Parecía más acha-
parrada, como si hubiera encogido.

—Buenos días, madre, vengo a recoger a Sara Toledano.

—Lo sé… Me ha telefoneado monseñor Presti… —la monja balbuceaba buscando las palabras—. El problema es que ha desaparecido.

La noticia le cayó como un mazazo.

—¿Está segura?

—La he buscado por todos lados: en su celda, en el archivo…
—al observar la desolada expresión del comisario creyó conveniente
aclarar—. Durante estos últimos días se quedaba toda la noche revisando los legajos. Según ella, no podía dormir, y estaba investigando
algo muy importante.

—Ese proceso inquisitorial, supongo.

—Me temo que sí. Venga por aquí.

La superiora le condujo hasta la celda donde se alojaba Sara. Un
dormitorio espacioso, que aún olía a pintura reciente y a apresurados
arreglos para hospedar a una visitante recomendada. Bielefeld examinó el lugar con un rápido vistazo y reparó en el ordenador portátil que había sobre la mesa, junto a algunas carpetas, cuidadosamente ordenadas. Entre ellas destacaba una en la que podía leerse
con grandes letras rojas: «Proceso a RAIMUNDO RANDA».

—Madre Teresa, ¿echa usted algo de menos? ¿Nota algo raro?

—Creo que todo está como solía.

—¿Cuándo vio a Sara por última vez?

—Ayer por la mañana. Luego ya no vino a comer. Algo normal
cuando tenía cosas que hacer por la ciudad —aclaró—. Pero es que tampoco vino a cenar. Y eso no había sucedido nunca.

—Si hubiese salido, me habría avisado —dijo Bielefeld, añadiendo para su coleto: «A no ser que llevara algún secreto entre
manos». Luego preguntó, en voz alta—: ¿Es posible entrar y salir sin
el control de la hermana portera?

—Por la iglesia, durante la misa de la mañana. Se abre al público.

—¿Y ha dejado algo, una nota, algún papel…?

La monja negó con la cabeza. Ambos guardaron silencio hasta
alcanzar la puerta del convento. Una vez allí, el comisario preguntó:

—¿Quién más lo sabe?

—Sólo usted. Aunque tendré que decírselo ahora mismo a monseñor Presti.

—No lo comente con nadie más —se despidió.

Todos los accesos a la Plaza Mayor estaban interceptados por excepcionales medidas de seguridad. Cuando logró acceder al recinto se sorprendió al comprobar que habían cesado los angustiosos ruidos escuchados a través del teléfono. A lo lejos, por entre el tablado de la ceremonia y la tribuna de invitados, pudo ver al arzobispo Luigi Presti, que despedía a las autoridades. El alcalde y el delegado del Ministerio del Interior se retiraban dejando tras ellos un pequeño retén de funcionarios, entre los que alcanzó a reconocer al inspector Gutiérrez.

Le temía. Era un hombrecillo premioso y ceniciento, al que sus conocidos solían dejar con la palabra en la boca, por su inveterada costumbre de intentar explicar hasta los más nimios detalles. Todo en él infligía cansancio: su atribulada calva y adormilados párpados, sobre unos ojillos desenfocados, los labios exangües y anémicos, sólo interrumpidos por un menesteroso bigote, a juego con sus esfumados rasgos. Rezó por que no se lo hubieran endosado, convirtiéndolo en su interlocutor.

Como si le adivinase el pensamiento, el inspector vino hasta él acompañado de un elegante anciano de barba blanca, que corregía su leve cojera apoyándose en un bastón. Se lo presentó:

—Juan Antonio Ramírez de Maliaño, nuestro arquitecto municipal.

—Sara ya me había hablado de usted —atajó el anciano, tomando a Bielefeld del brazo y llevándole aparte, para evitar a Gutiérrez como intermediario.

—¿Qué ha pasado en la plaza? —le preguntó el comisario cuando estuvieron solos.

—No lo sabemos —contestó el arquitecto—. Mi gente está comprobando el estado de los edificios, y todo parece más o menos en orden.

Se oyó un siseo, y Maliaño calló atendiendo a los gestos de un hombre provisto de auriculares que les pedía silencio. Estaba agachado, en cuclillas, sobre una batería de micrófonos conectados a un complejo dispositivo de cables que se esparcían por el recinto. Bielefeld interrogó con la mirada al arquitecto. Éste bajó la voz para decirle al oído:

—Está grabando los sonidos.

—¿Qué sonidos? Ya han desaparecido.

—No del todo… Tenía que haberlo oído cuando comenzó. Daba miedo.

—Lo escuché a través del teléfono. ¿Dónde podemos hablar sin molestar a ese hombre?

—Mi despacho está aquí mismo. Espere a que monseñor Presti termine de despedir a las autoridades y subiremos allí.

—¿Hay vecinos en la Plaza Mayor?

—No. Son dependencias municipales.

Cuando advirtió que el arzobispo venía hacia ellos, Maliaño hizo gestos al hombre de los auriculares para indicarle la ventana de su despacho. El otro asintió, dándole a entender que enseguida se les uniría.

Presti entró en el edificio, ignorando de un modo ostensible al inspector Gutiérrez, quien no ocultó su contrariedad por no ser invitado a aquel cónclave. Era evidente que el prelado no deseaba convertir la reunión en un debate sobre la seguridad del lugar. Mientras subían las escaleras, hizo un aparte con Bielefeld y se dignó doblegar su espinazo para advertirle:

—Ya sé lo de Sara Toledano. Evite mencionarla por todos los medios.

Luego, volvió a enderezarse para recomponer su magro y afilado perfil, mientras el comisario experimentaba de nuevo la desagradable sensación de que aquel hombre se consideraba su superior por el simple hecho de saberle católico, apostólico y romano.

Aunque, en realidad, Presti parecía sentirse superior a todo el mundo. Lo primero que hizo cuando hubieron entrado en el despacho fue sentarse en el sillón que presidía el tresillo, tomando posesión del lugar. Y cuando comenzó a hablar no fue para darles las gracias por su presencia ni pedir su opinión, sino para advertirles:

—Dispongo de poco tiempo. Está clareando, y he de encontrarme junto a Su Santidad cuando se despierte, para ponerle al tanto de lo que está sucediendo.

Todo esto lo dijo mientras limpiaba sus gafas con montura de oro. Tras ello, se las caló y ajustó sobre la nariz aguileña, para preguntar al arquitecto:

—¿Ha sufrido daños la plaza?

—No. Pero sigo desaconsejando el acto que se disponen a celebrar.

—Por Dios, Maliaño, no le he pedido su opinión sobre ese punto —le atajó Presti, desabrido—. Deduzco que firmará un informe en el que se dirá que la plaza está intacta...

—... y en el que seguiré haciendo constar mi desacuerdo —matizó el arquitecto.

No había en sus palabras énfasis alguno, pero sí la firmeza de quien ya consideraba suficientemente invadidos sus dominios. El prelado decidió ignorarlas, y volvió a la carga con impaciencia, señalando hacia el balcón.

—¿Y qué dice ese hombre, el que está grabando los sonidos?

—¿Víctor Tavera? Vendrá de un momento a otro —replicó Maliaño.

Apenas lo había dicho, cuando el aludido entró sin ningún protocolo. Los auriculares habían descendido desde su flequillo rebelde y le ceñían ahora el cuello, tan curtido como su rostro sin afeitar, decididamente silvestre. El nuncio miró con desagrado su atuendo de campaña, de un desaliño para él inaceptable. Sin esperar instrucción alguna de nadie, Tavera se sentó junto al arquitecto, con quien parecía entenderse con breves monosílabos.

—¿Y bien? —le interrogó Presti, dejando claro que era él quien presidía aquel conciliábulo.

Por toda respuesta, Víctor Tavera colocó la grabadora sobre una mesa baja, se inclinó sobre ella y pulsó una tecla. Del altavoz salió un confuso borbotón de sonidos, entre los cuales Bielefeld creyó reconocer algunos de los oídos a través del teléfono.

—Permítanme que limpie un poco este follón —dijo Tavera.

Manipuló el aparato, hasta que el zumbido de fondo y los espeluznantes alaridos parecieron articularse en una rítmica melopea.

—*Et em en an ki sa na bu apla usur na bu ku dur ri us ur sar ba bi li ar ia ari ar isa ve na a mir ia i sa, ve na a mir ia a sar ia.*

—¿Qué diablos son esos ruidos? —preguntó Presti mientras consultaba su reloj.

—Son algo más que ruidos —explicó Tavera—. Y empezaron desde el mismo momento en que molestaron a la plaza con los preparativos para la ceremonia. Me temo que alguien está hurgando debajo de ella.

—¿Molestar a la plaza? ¿Qué quiere usted decir?

—Sara Toledano se lo explicará mejor que yo.

—Se lo pregunto a usted. Si no, ¿para qué lleva tantos años grabando los sonidos de esta ciudad?

Pero Tavera se mantuvo en sus trece, limitándose a apartar el flequillo de entre los ojos. La irritación del arzobispo crecía de modo ostensible. Había comenzado a repasar compulsivamente su sotana con la mano, como si tratase de arrancar de ella hilos o pelos. Y en el entrechoque de miradas de aquel molesto silencio, Bielefeld pudo captar el juego de suspicacias. Era evidente que Presti no quería datos ni razones que le contradijeran. Y menos aún considerar desaparecida a Sara Toledano. Sólo estaba exigiendo que todos y cada uno de ellos le arroparan con su complicidad. Ni por un momento se le pasaba por la cabeza suspender al acto que debía celebrarse en aquel lugar, porque habría de enfrentarse a la cólera del Papa, cuyos devastadores arranques de ira resultaban de sobra conocidos por toda la curia vaticana.

El comisario experimentaba la incómoda sensación de que, incluso ausente, Sara seguía dando problemas. Nadie desenterraba en vano asuntos tan largamente sepultados a piedra y lodo en el archivo del convento de los Milagros. Y una sospecha empezó a abrirse paso en su mente al recordar el extraño comportamiento observado por ella durante los últimos días. Como si supiera lo que iba a suceder. Si no, ¿por qué le había dejado aquellos tres sobres numerados, que ahora estaban a buen recaudo en la caja fuerte de su habitación? «Por si me ocurre algo», había dicho al entregárselos.

—Si desaparezco —le había insistido ella—, no pierdas el tiempo buscándome en Antigua. Toma el primer avión para Nueva York y entrega estos tres sobres. Es muy importante que lo hagas en mano, a los propios destinatarios. Y en el orden que te he marcado.

Bielefeld se preguntaba también por qué había decidido alojarse en el convento. ¿Cuál era el papel de Sara en todo aquello? No pudo evitar romper el silencio para preguntar al arquitecto:

—¿Hay alguna comunicación entre el convento de los Milagros y la Plaza Mayor?

Sintió de inmediato la mirada reprobatoria de Presti. Pero ya era tarde, porque Maliaño le estaba respondiendo:

—Supongo que piensa en algún conducto subterráneo. Es posible, porque esta ciudad es un queso de Gruyère. Pero el acceso a la Plaza Mayor resulta extremadamente difícil desde abajo. Sus cimientos cortan todos los caminos hasta topar con la roca viva. Y las casas edificadas sobre esos cimientos carecen de sótanos o bodegas. De hecho, es una de las principales funciones de la plaza, impedir que nadie excave en este espacio.

—¿Por qué razón?

—Eso es lo que estaba investigando Sara.

—¿La plaza tiene que ver con el proceso a Raimundo Randa?

—Se construyó en la misma época, durante el siglo XVI. Según ella, por los problemas con ese hombre, para sellar el subsuelo en una parte de la ciudad donde habían sucedido cosas espantosas. La única comunicación son unos resonadores acústicos, unos respiraderos o amplificadores que permiten el paso del sonido, pero no de una persona.

Presti miró de nuevo su reloj y cortó el diálogo entre el comisario y Maliaño para dirigirse a Víctor Tavera.

—Sigo esperando su informe —le apremió.

—Lo único que le puedo decir es que esto que acaban de oír mantiene ciclos regulares. Pautas. Quizá un lenguaje articulado.

—Veamos si le entiendo bien. ¿Asegura usted que ahí abajo *alguien* trata de decir algo? —y, ante el ambiguo gesto de Tavera, añadió—: ¿Sí o no? ¿Se le ocurre alguna explicación?

—Para eso deberá hablar con Sara Toledano. Yo sólo soy un técnico.

Bielefeld se dio cuenta de que el arzobispo estaba al límite de su paciencia. Y creía saber por qué. Sara le había pedido que la acompañara en su última entrevista con Presti. Parecía querer un testigo de confianza, y no tardó en entender las razones. Ella se oponía a la utilización que iba a hacerse de la Plaza Mayor. No creía prudente que la procesión del Corpus pasara por allí, ni que se celebrase la solemne ceremonia que la culminaría, ni que el Papa estuviera al frente de la misma. Si algo iba mal en aquella manifestación testimonial, de puro tanteo, la futura conferencia de paz entre palestinos e israelíes se vería comprometida. Se retrasaría. O quizá nunca llegara a celebrarse.

Lo más irritante de aquella mujer era la solidez de sus argumentos, que erosionaba seriamente la posición del arzobispo. Presti había autorizado a Sara el acceso al archivo del convento de los Milagros porque no podía desairar la carta de presentación de la Casa Blanca para una asesora del presidente de Estados Unidos. Menos aún tratándose de una investigadora del prestigio de Sara, y de una familia como los Toledano, tan ligada a la ciudad de Antigua, a Oriente Medio y a la prensa americana. Sin embargo, lo que aquella mujer había ido descubriendo le provocaba una alarma cada vez mayor. Y para lo único que había servido era para echar más leña al fuego a los ánimos ya caldeados contra la ceremonia que iba a celebrar el Santo Padre.

Con tales antecedentes, la desaparición de su principal opositora sólo venía a complicar las cosas, y el arzobispo no podría sustraerse a las sospechas que recaerían sobre él. Se le sabía capaz de eso y de mucho más. Suya era una imposición que había creado gran malestar entre los habitantes de Antigua: exhibir al frente de la procesión su custodia, la celebérrima custodia labrada con el primer oro traído del Perú y envidia de toda la cristiandad.

Todo esto intuía Bielefeld mientras Tavera y Presti sobrellevaban sus tiras y aflojas gracias a la intermediación de Maliaño. Hubo de atender de nuevo a la reunión cuando el nuncio se levantó para ponerle fin y preguntó, dirigiéndose a él:

—¿Y si Sara Toledano apareciera durante la procesión de hoy?

—Es posible —aceptó el comisario, conciliador—. Ella me pidió que la acreditara. —Luego hizo un aparte con Presti para preguntarle—: ¿Piensa seguir adelante con sus planes?

—¡Qué remedio! —bufó el prelado.

—En ese caso, ¿podría acreditarme entre los escoltas? —ante la sorpresa del arzobispo, continuó—: Quiero moverme con libertad, para buscar a Sara.

—Hable con el coronel Morelli, del Corpo della Vigilanza. Aunque ya le advierto que, por razones de seguridad, no repartiremos esas acreditaciones hasta el último momento.

* * *

Bastaron unas pocas horas para calibrar los problemas. No cabía ni un alfiler en las calles del recorrido procesional, tomadas desde hacía horas por los más madrugadores devotos locales y los equipos de televisión de medio mundo.

La catedral era el punto de partida de la comitiva, que al final de su itinerario se encaminaría hasta la Plaza Mayor para que el Pontífice culminara la ceremonia con un llamamiento a la paz. En aquel trance final, estaría flanqueado por líderes de otras doce religiones, que le arroparían en su clamor por el fin de las guerras hechas en nombre de cualquier Dios. De ahí que esa solemne proclama no pudiera llevarse a cabo en el interior de un templo católico, sino en un punto de encuentro más neutral. También por esa razón la custodia no sería alzada hasta el estrado desde el cual pronunciaría el Santo Padre su discurso, sino que se colocaría en el centro, sobre un altar de reposo. El broche de oro lo pondría un acto ecuménico, algo muy étnico y multicultural, con cantos litúrgicos de distintos lugares del mundo. Y terminaría con una suelta de palomas, todas ellas blancas.

Sara Toledano le había comentado a Bielefeld que, desde el punto de vista diplomático, aquel discurso era clave, pues iba a permitir al Vaticano tomar posiciones en los planes que se avecinaban para Jerusalén dentro de la futura conferencia de paz entre palestinos e israelíes. Pero antes de llegar allí, aún quedaba la procesión. Y veía a Presti correr de un lado a otro, procurando que el Pontífice estuviera protegido desde su mismo arranque en la catedral.

El comisario se había situado frente a la puerta principal del templo, donde debía componerse el desfile en un orden estricto y preciso. Más allá de las primeras filas, se perdía toda visibilidad. Sólo era posible recuperarla desde la plataforma reservada a la prensa. Decidió subir allí.

Nunca lo hubiera hecho. A su lado se apostó la locutora estrella de la radio episcopal, dispuesta a retransmitir el evento micrófono en mano. En su preocupación por localizar a Sara desde la tribuna, Bielefeld quedó a merced de aquella cháchara implacable, y muy a su pesar hubo de enterarse de multitud de detalles sobre aquella abigarrada tropa de uniformes, cofradías y hermandades, «cuyas capas se extienden a lo largo de la calle como una serpiente multicolor». Eso dijo.

Pronto llamó la atención del comisario un grupo bien definido, que cerraba el capítulo de las cofradías. Los trajes de terciopelo negro de sus componentes, con una doble golilla para aliviar el cuello, les hacía parecer salidos de un cuadro de El Greco. Y llevaban un estandarte rematado no por las convencionales cruces planas de cuatro direcciones, sino por una cruz cúbica de seis brazos, tridimensional. Su sorpresa aumentó al comprobar que el prioste era el arquitecto municipal Juan Antonio Ramírez de Maliaño. Inconfundible, componiendo la figura apoyado en el bastón, con su larga barba blanca.

—¿Qué cofradía es ésa? —preguntó a un periodista.

—La más antigua, la Hermandad de la Nueva Restauración.

Puesto sobre aviso por el repicar de las campanas, el cortejo se organizó para recibir a las autoridades, que saldrían de la catedral tan pronto terminaran de abrirse las dos enormes hojas de la puerta principal, claveteadas de bronce. Bielefeld protegió sus ojos del sol haciendo visera con la mano y recorrió los rostros de la multitud uno a uno, buscando el de Sara Toledano. Si pensaba acudir a la procesión, debería estar allí, pues ése era uno de los momentos que mayor expectación despertaba. Pero no la vio por ningún lado.

La concurrencia recibió con alivio la vaharada de frescura que escapaba de las lóbregas entrañas de la catedral. Tras el acerico de las bayonetas de la guardia de honor, empezó a percibirse una borrosa mancha de color pajizo contra la penumbra de las bóvedas, como un dragón que se desperezara en su caverna. Poco a poco, en lenta concreción, fue configurándose la mole metálica que se cimbreaba de pies a cabeza. Hasta que la formidable custodia fue cobrando cuerpo, pieza a pieza, a medida que era bañada por la luz.

Al salir del portalón, le fue alcanzando el sol de media mañana, limpio y cálido, rebotando en las interminables aristas de aquella joya monumental, cuyos tres metros cumplidos de oro puro se alzaban como una llamarada cuajada de zafiros, rubíes, esmeraldas y perlas. De inmediato, un sacerdote se situó al lado, acarreando un sagrario portátil, para guarecer el Santísimo en caso de accidente.

—Ante nosotros está la mayor custodia del mundo —explicó la locutora—. Nueve años de trabajo le costó a todo un taller de platería. Es tan complicada de montar que su diseñador hubo de dejar un libro con instrucciones para ajustar sus tres mil seiscientas piezas y doscientas sesenta estatuillas, ensambladas por mil quinientos tornillos…

Aún seguía leyendo cifras de un papel cuando Bielefeld se alejó de la plataforma de prensa para acercarse a la comitiva del Papa. Éste era transportado sobre una muy discreta peana móvil, de la que cuidaban unos robustos guardias de seguridad vestidos de negro, para pasar más desapercibidos. A su lado caminaba el arzobispo Presti, con los ojos alerta bajo el ceño fruncido, la aguileña nariz cabalgada por las gafas, venteando el ambiente. Se colocó junto a él para preguntarle:

—¿Por dónde piensa desalojar, si pasa algo?

El nuncio señaló una calle adyacente por la que se deslizaba como una sombra la ambulancia con la unidad móvil de reanimación.

—Hemos establecido un circuito paralelo al de la procesión, completamente despejado. ¿Alguna novedad sobre Sara Toledano?

—Ni rastro —admitió Bielefeld.

La entrada del Santo Padre en la Plaza Mayor elevó la expectación de la multitud congregada en aquel cuadrilátero de armoniosa factura herreriana. El agitar de pañuelos y banderas le daba un aire alegre, en contraste con el tono mucho más sombrío de esa misma madrugada. Se había cortado el agua de la fuente de gran porte situada en el centro y cubierto su taza con un altar de reposo, de modo que nada restara protagonismo al acto. Tras acomodar allí la custodia, el séquito del Papa avanzó hasta la fachada oeste de la plaza.

Bielefeld se dirigió a la tribuna del lado norte, pegada al ayuntamiento. Enseñó su invitación, buscando el lugar que tenían reservado Sara y él. Cuando vio los dos asientos vacíos, explicó al guardia que no iba a ocupar el suyo, que prefería quedarse de pie junto al tablado hacia el que ahora se encaminaba el Pontífice.

Pero antes, por un instinto heredado de su época de agente de seguridad, el comisario echó un rápido vistazo a las gradas. Y reparó en aquel hombre chupado, de rasgos angulosos y vestido de negro, que observaba con fijeza el avance del Papa. Distinguió con alivio los vigilantes con prismáticos y tiradores con rifles de mira telescópica distribuidos por los tejados. Aun así, la concurrencia era tanta que su propia densidad constituía un peligro.

Una vez que el Santo Padre hubo alcanzado la tarima, el arzobispo dio las órdenes para que se le ayudara a bajar de la peana móvil y alcanzar su trono. Cuando se hubo acomodado, esperó a que le colocaran el atril de madera entre los brazos del sillón. Miró alrededor para cerciorarse de que todo estaba en orden y recabar silencio. Luego, el Papa se volvió hacia su secretario para recoger los folios del parlamento que iba a pronunciar ante los asistentes.

En un español trabajoso, pero firme y enérgico, abogó por el éxito de la futura conferencia de paz. Reiteró su confianza en la tolerancia que desde siempre había caracterizado a la ciudad de Antigua. Hizo votos para que reinara ese espíritu sobre los participantes. Y, según todos los indicios, empezó a desplegar lo que se prometía como una rutilante culminación, subrayando la importancia de Jerusalén, también para los cristianos:

—Y hemos de recordar, en fin, el irrenunciable valor simbólico de la Explanada de las Mezquitas y del Templo de Salomón allí erigido, que es una prefiguración de la propia Iglesia...

En ésas estaba, cuando su aperreado castellano empezó a atropellarse y resonar de modo extraño en toda la plaza. Era una reverberación bien distinta de la que procuraban micrófonos y altavoces al resto del discurso. Como si todo el recinto se hiciera eco del mismo, desde el suelo hasta los pináculos de pizarra en que remataban los tejados.

A Bielefeld, situado en un lateral, bajo la plataforma, le bastó con mirar a Presti para advertir que algo iba mal. El arzobispo se había vuelto hacia el secretario encargado de revisar las alocuciones que pronunciaba Su Santidad. Aquel hombre estaba lívido, y sólo fue capaz de devolverle una aterrada mirada. De un zarpazo, Presti le arrancó la copia del discurso con la que seguía las palabras del Papa.

—¿Es esto lo que está leyendo? —le interrogó el nuncio, mostrando los folios.

—Es la versión que se ha repartido a la prensa —contestó el secretario.

El arzobispo comprobó que aún quedaba, al menos, medio folio. Acababa de devolver los papeles al secretario, cuando sintió en el tobillo una vigorosa tenaza. Era John Bielefeld, quien, desde debajo de la plataforma, le señalaba al Pontífice.

—Tiene que hacer algo, Presti. Y pronto.

En efecto, el Papa parecía congestionado. Pero no era a eso a lo que se refería el comisario, sino al incomprensible farfullo que parecía salir de sus labios:

—*Et em en an ki sa na bu apla usur na bu ku dur ri us ur sar ba bi li.*

Tras ello, pareció entrar en trance, con los ojos muy abiertos y las mandíbulas tensas. A decir verdad, era como si se estuviera atragantando y balbucease una melopea extrañamente rítmica:

—*Ar ia ari ar isa ve na a mir ia i sa, ve na a mir ia a sar ia.*

—¿No se da cuenta, monseñor? —insistió Bielefeld—. Son los mismos sonidos que hemos escuchado esta madrugada.

La concurrencia apenas reparaba en ellos, pues podían pasar por un simple balbuceo debido al cansancio y la edad del Santo Padre. Pero los más allegados contenían el aliento pendientes de sus menores gestos. Fue al examinar la tribuna de autoridades cuando el comisario vio que alguien se levantaba, abandonando el lugar discretamente. Era aquel hombre chupado, de rostro anguloso, vestido de negro.

Y, de pronto, comenzó a oírse un zumbido sordo, una ronca vibración que estremeció toda la plaza, haciendo entrechocar los sillares de arenisca dorada. Era difícil adivinar de dónde procedía aquella trepidación, que ascendía por los edificios convulsionando sus estructuras, provocando en las ventanas el temblor de los cristales y en los tejados el castañeteo de sus lajas de pizarra.

Un murmullo de desasosiego brotó de quienes abarrotaban la Plaza Mayor, mientras se cruzaban miradas nerviosas. En el centro del recinto, la alfombra roja por la que había llegado el Pontífice se agitaba con rápidos estertores, mientras crujía con gran estrépito todo el tablado del escenario y la custodia manifestaba síntomas alarmantes de inestabilidad.

Para entonces, el arzobispo Presti ya había tomado una decisión. A un gesto suyo, todo el avezado comando del Cuerpo de Vigilancia del Vaticano subió a la tribuna. Rodearon al Papa y, en un santiamén, lo sacaron en volandas por la rampa trasera. El nuncio gritaba órdenes en italiano mientras los guardaespaldas, sin demasiados miramientos, se abrían paso a empellones hasta ganar el automóvil que ya aguardaba con el motor en marcha. Tan pronto depositaron en su interior al Pontífice, salió a toda velocidad, precedido por las sirenas de los motoristas.

Bielefeld se volvió entonces hacia el centro de la plaza, donde los adoquines estaban cediendo a partir de una grieta de considerables proporciones. La crispación de la multitud había estallado en gritos y carreras. Quienes estaban de pie en la parte más cercana a los soportales retrocedieron hasta ellos para ganar alguna de las salidas hacia las calles laterales, provocando avalanchas que taponaban los accesos. Los sentados en las primeras filas se apresuraron a hacer otro tanto, derribando a su paso sillas y barreras.

El cortejo de políticos y autoridades que rodeaba la custodia tardó más en reaccionar, abrigando quizá la nebulosa idea de que les correspondía dar ejemplo de serenidad y sosiego. Pero una vez que constataron que aquello iba en serio, se produjo una estampida en toda regla.

El agujero del centro había crecido a tal velocidad que ahora mismo ya se estaba tragando la custodia más grande y admirable de la cristiandad, en medio de crujidos informes que daban cuenta del desguace —por aquellas malignas profundidades apenas entrevistas— del altar y la plataforma que la portaban.

De los bordes de la sima, en imparable crecimiento, surgía un traqueteo de chatarra, como si se estuviesen descuajaringando una tras otra las tres mil seiscientas piezas de oro puro con todas las pedrerías que decoraban aquella descomunal alhaja.

Las fuerzas del orden apenas habían comenzado a reaccionar, cuando en el fondo del agujero se oyó un estruendo aún más ominoso que los anteriores, hasta convertirse en un chorro de agua a gran presión, un surtidor del que empezó a brotar lodo y, después, cascotes, maderas, un zapato...

El caos más absoluto se adueñó del lugar. Aparecieron los primeros camilleros para socorrer a los heridos, que gritaban intentando hacerse oír entre los aullidos de las sirenas, los intercomunicadores policiales y los teléfonos móviles.

A medida que el surtidor fue cediendo y las ambulancias despejaban el lugar, las autoridades y miembros del cabildo se acercaron al centro de la plaza, escrutando y esquivando los más diversos objetos esparcidos por ella. Aquel géiser había escupido de todo, excepto cualquiera de las tres mil seiscientas piezas de la custodia.

En un urgente cambio de impresiones, John Bielefeld tuvo oportunidad de escuchar las más peregrinas hipótesis. Dado el valor de la joya desaparecida —proponían algunos— no parecía que se tratara de un mero accidente, sino quizá de un atentado. El comisario se ajustaba los tirantes y movía la cabeza para sacudir su incredulidad. Aún se estremeció más al ver allí al inspector Gutiérrez.

—¿Qué piensa usted? —le preguntó Bielefeld.

—Todo esto es muy raro —respondió el inspector encogiéndose de hombros.

—No tanto —objetó el comisario con toda intención—. Sara Toledano ya lo había advertido.

—Ahora que lo dice: no la he visto por aquí.

—Ni la verá. Creo que debería hacer una visita al convento de los Milagros.

—Usted es su escolta. ¿No va a acompañarme?

—Yo ya he estado.

—¡Cómo que ya ha estado! —por primera vez, Gutiérrez pareció sentirse concernido.

—Ahora donde me gustaría entrar es ahí —y señaló el agujero que se abría en el centro de la plaza.

—¿Bajar ahí? ¿Pero es que no ha visto cómo ha quedado? Ni lo sueñe. En cuanto se evacue a los heridos habrá que empezar a recuperar las piezas y joyas de la custodia una a una. Llevará su tiempo.

—Estaré de vuelta en un par de días —concluyó Bielefeld—. Consígame un permiso para entonces. Y, por favor, manténgame informado de sus investigaciones sobre Sara Toledano.

Apenas había dado unos pasos cuando se encontró con el arquitecto Juan de Maliaño, que mesaba su larga barba blanca con consternación. Se acercó a saludarle:

—¿Era a esto a lo que se refería usted al hablar de las extrañas condiciones acústicas de la Plaza Mayor?

—No se lo tome a broma, comisario. Demasiada gente —añadió señalando en torno suyo con el bastón—. Demasiado ruido. Era de esperar que la plaza reaccionara como lo ha hecho... —Oyó que alguien gritaba su nombre—. Y disculpe, que me reclaman.

Tras la perplejidad inicial, Bielefeld tuvo la impresión de que allí todos callaban algo. En cuanto a él, conocía bien sus obligaciones: regresar al hotel, recoger aquellos tres sobres que guardaba en la caja fuerte y tomar el primer avión de vuelta a Nueva York. Aún recordaba las palabras de Sara Toledano al entregárselos, cuando él le preguntó:

—¿Tienen que ver con ese proceso que estás investigando?

—Sí.

—¿Por qué tanto interés?

—Por el procesado, Raimundo Randa —había contestado Sara—. Lo suyo fue una odisea increíble. Nadie se toma tantas fatigas por algo que no sea verdaderamente importante. Está claro que ese hombre alcanzó a tocar con la mano secretos que le sobrepasaban.

—¿Qué clase de secretos?

—Algo terrible. Los mayores que alcances a imaginar. Y te quedarás corto.

I

El bizcocho y el corbacho

RAIMUNDO Randa es conducido por un lóbrego laberinto de pasadizos y escaleras. Están subiendo. Pasan junto a las mazmorras donde los presos, descoyuntados, apenas tienen fuerzas para un gemido de socorro.

Él no puede verlos, ni ellos a él. Un capuchón negro de áspera sarga le cubre la cabeza. Pero sí escucha su rebullir, como de bestias, ahogado por la paja del suelo que tapiza las celdas. También le alcanza la humedad mohosa y el insoportable hedor.

Cuando todo eso va quedando atrás, los guardianes que le sujetan llaman a una puerta, que se abre. Le alzan en volandas, para que no tropiece en el travesaño. El interior se estrecha. Nota las paredes, el retumbar de los pasos en las bóvedas. Al final, un pasillo. Caminan por él largo rato. Se detienen. Oye cerrojos. Un prolijo y laborioso chirrido de cerrojos.

—Hay que engrasar esa cerradura —dice uno.

Le hacen entrar. No le arrojan ni empujan, sino que lo sostienen por los brazos al bajar los peldaños de piedra. Lo desatan y le quitan la caperuza que le cubre el rostro. Se frota los ojos con incredulidad. Mira a su alrededor. Está solo en una extraña habitación. ¿Qué lugar es aquél?

Mientras lo recorre con la mirada, oye cómo cierran al otro lado. El recinto no parece una celda. Alargado, empotrado entre dos recios muros maestros en los laterales, y clausurado al fondo por un tercero no menos imponente. Sus sillares tampoco ofrecen esperanza alguna de escapatoria. En el cuarto muro está la maciza puerta de hierro, gobernada por aquella cerradura. Tan complicada, a juzgar por su largo entrechoque de resortes y muelles. Arriba, muy arriba, se despliega una bóveda de cañón dando forma al techo. En su centro se abre una mínima tronera enrejada, que da al patio de la guardia. La luz entra por ella, cae desde lo alto tomándose su tiempo y se derrama negligente por la estancia.

Husmea el aire. Huele raro, pero no mal. Parece mortero de albañil. Han debido hacer obra para reforzar la puerta.

El único aderezo de la celda es un simple poyo de piedra en el que apenas cabe un hombre tumbado. Y sobre él se acuesta Raimundo Randa. Cansado. De tantos viajes. De aquel absurdo. De aquella ciega maquinaria que le ha llevado de encierro en encierro hasta el que parece ser definitivo. Barrunta que no saldrá de allí con vida o que, si lo hace, será para dar en el potro del tormento o en la hoguera.

Tantea con las manos su rostro escuálido. La barba, el pelo desgreñado y sucio. Le escuecen los ojos. Aprieta los párpados mientras rememora la pesadilla que le ha dejado en semejante estado. Ahora sólo desea que todo acabe. No teme la ejecución. Ni siquiera los suplicios. No desea vivir. ¿Para qué, después de conocer la muerte de su mujer? Sólo le ata vagamente a este mundo la suerte de su hija, tan muchacha. Pero ella ya tiene quien le cuide.

Lamenta, si acaso, haber pasado tantas fatigas para quedarse, al final, a dos pasos de aquellos terribles misterios y secretos que se esconden en lo más profundo de la ciudad, y que han regido su suerte y la de su familia durante dos generaciones, al menos. Daría cualquier cosa por bajar allí, y conocerlos, aunque le esperen, como supone, peligros sin cuento. Pero ya es demasiado tarde. Y en aquel baile de imágenes, en el que se entrecruzan desiertos y ciudades, montañas y mares, siente cómo le va ganando la modorra...

Le despierta el esforzado trajín de la llave girando en la cerradura. Se alza, inquieto. ¿Cuánto tiempo ha estado durmiendo?

Al abrirse la pesada puerta de hierro, aparece un soldado. Se aparta para que entre una mujer. No puede verle la cara, sumida en contraluz. Cuesta advertir sus formas, porque está vestida con un sayal basto, una estameña parda.

Raimundo Randa se pone en pie y sigue con atención los movimientos de la mujer al bajar los peldaños. Es muy joven. Cree reconocerla mientras camina hacia él.

—¡No puede ser! —dice entre dientes.

Al pasar bajo el rayo de luz que cae de lo alto de la bóveda, distingue primero la larga melena rubia que se desparrama sobre los hombros. Después, los rasgos de su rostro adolescente, endurecidos por la luz cenital.

—¡Ruth! —exclama el cautivo.

La muchacha corre hacia él y le abraza. Se estremece al sentirlo rígido como un leño.

—Padre, ¿qué os han hecho?

El guardián que vigila la entrada se retira para ceder el paso a una vieja que baja las escaleras, se aproxima al poyo de piedra y deja en él una jofaina con una jarra de agua, una toalla y ropa limpia.

Entonces, al alzar la vista hacia la puerta, Randa advierte por primera vez allí arriba la presencia de aquel hombre embozado, su amenazadora silueta recortada contra el umbral. A un gesto suyo, se retiran los soldados, dejando al prisionero a solas con su hija. Chirrían los goznes.

—No os olvidéis de engrasar esa cerradura —se oye afuera, amortiguado el sonido por la gruesa barrera de hierro.

Cuando se apagan sus voces y pasos, el silencio se apodera del lugar.

—Venid, padre, sentaos —le dice la muchacha llevándole con tiento hasta el poyo.

Ruth busca su mirada, el contacto con sus ojos opacos. Aquel hombre prematuramente envejecido continúa ausente, vuelto hacia adentro, ido. No hay brusquedad en sus gestos. Pero nota que algo se ha roto dentro de él. Siente la sorda desesperación que le inunda, la resistencia y tensión de los rasgos del rostro cuando le acaricia.

La joven llega junto a la jarra. Se agacha para cogerla y verter el agua en la palangana. Toma la toalla, la humedece y comienza a lavar a su padre. Éste parece reaccionar cuando ella le pide que sujete la jofaina. Quizá sea por el frío. Quizá porque al sostener el recipiente y acercárselo a su propia cara, torpe y lentamente, Raimundo ve su reflejo en el agua. Se le ensombrece aún más el gesto. Luego, se deja hacer.

—¿Y Rafael...? —pregunta, al fin, Randa—. ¿Dónde está tu marido?

La muchacha le sonríe. Trata de mostrarse alegre.

—No os preocupéis por él. Está bien, aunque oculto, por precaución... Daos la vuelta.

Ruth desviste a su padre hasta la cintura y limpia sus hombros, el torso, la espalda.

—¿Por qué te han dejado entrar? —pregunta él volviendo la cabeza, mientras ella le levanta el brazo para lavárselo.

—No lo sé —responde Ruth con aquella voz limpia y clara, heredada de su madre—. El hombre que me trajo sólo me ha dicho: «Quizá logres convencer a tu padre para que hable. Será su última oportunidad. Tendréis doce días en que no se practicarán las diligencias ordinarias, por el cambio del calendario. Sólo es una tregua que todos, del rey abajo, debemos respetar. Después, comenzarán los procedimientos inquisitoriales y ya no podrás verle, hasta que sea llevado a la plaza pública para ser quemado en la hoguera».

—¿Qué cambio del calendario es ése?

—Se han de suprimir los doce días que sobran para un nuevo modo de contar los meses. Y así, hoy y los once que siguen habrá sido como si no existieran. Pero, decidme, padre, ¿qué es lo que debéis confesar?

—Es historia muy larga —se escabulle él, fatigada la voz y el gesto—. Háblame de cómo te han traído aquí.

—Esto es el Alcázar, lleno de soldados. Me han obligado a dejar mis ropas y ponerme este sayal.

—Para que no puedas introducir o sacar nada de la celda. ¿Por qué no me han llevado a una cárcel ordinaria?

—Rafael sospecha que es para que nadie pueda sobornar al alcaide o los guardianes y dejaros escapar, como sucede con harta frecuencia.

—Creo que tu marido lleva razón. Por eso han puesto esa puerta de hierro, con semejante cerradura.

Ruth deja la jofaina sobre el poyo de piedra, se aparta a un lado y se lleva la mano al vientre.

—¿Qué te pasa?

—Son náuseas. Estoy embarazada.

—Ven, hija, siéntate aquí y descansa.

Por primera vez reconoce Ruth a aquel hombre que la cuidaba de niña. Cuando aún parecía capaz de caricias. Quizá aliente todavía en él algún rescoldo que le empuje a vivir. Pero, ¿cómo atizarlo antes de que se apague para siempre?

—No tenemos mucho tiempo —le previene la joven tomando asiento a su lado—. No podéis guardar dentro de vos toda esa amargura. Os hará bien contarme a mí lo que no pudisteis decir a mi madre. Debo saber lo que os ha sucedido. La razón de vuestras largas ausencias y viajes. Por qué os han perseguido y encerrado. Por qué molestaron a mi madre hasta su lecho de muerte y por qué arruinaron al padre de mi marido. Y qué es lo que nos espera a nosotros, y a nuestro hijo...

—Ya veo... —Randa mueve la cabeza contrariado—. Por eso te han dejado entrar aquí. Para que me ablande. Saben que a mí no lograrán sonsacarme nada.

—Pero ¿qué es lo que quieren saber? —insiste Ruth.

—Si te lo contara, sólo conseguiría poner en peligro tu vida. Por eso tu madre no te quiso decir nada.

—A mí no me llevarán al potro del tormento. No lo hacen con una mujer embarazada. Pero sí que estará en peligro Rafael si no conocemos de dónde nos puede venir el daño. Y no quiero que mi marido y mi hijo se pasen la vida huyendo de aquí para allá, como vos. Ni deseo verme como mi madre, siempre pendiente del camino por donde nunca os vio regresar.

Raimundo Randa esconde el rostro entre las manos y guarda silencio largo rato. Cuando lo descubre, su voz acusa los más encontrados sentimientos:

—No sé si podré contarte ciertas cosas. Ni si estaré preparado para ello. O tú para escucharlo... Y mi memoria flaqueará a menudo.

—Yo puedo irlo poniendo por escrito.

Hay una chispa de luz esperanzada en los ojos de Randa cuando le pregunta:

—¿Harías eso?

—Tengo buena letra. Y mejor memoria.

—¿Y podrías mantener lo escrito a buen recaudo?

—No temáis. Rafael y yo contamos con un buen escondrijo a través del cual nos comunicamos.

—Tienes que estar segura, hija mía. Se trata de secretos que vienen de muy atrás y no deben perderse. Pero sería mucho peor que cayeran en manos inadecuadas. Algunos de ellos ni siquiera alcanzo a entenderlos. Sin embargo, quizá os sirvan a vosotros, o a vuestros descendientes. Por eso has de recogerlo todo con fidelidad, hasta en sus menores detalles, porque esas minucias pueden tener una importancia que no sospechamos.

—También quiero saber cosas de mi madre que ella nos ocultó para que el pasado no cegara nuestro futuro... Además, os hará bien descargar vuestra conciencia. Y quién sabe si podremos atar cabos, averiguar cómo burlar a vuestros perseguidores y haceros salir con vida de aquí.

—Sobre eso no abrigo ninguna esperanza —dice Randa, sombrío, secándose con la toalla.

Mientras su hija se da la vuelta, empieza a despojarse de los andrajos. Queda desnudo. Se coloca la ropa limpia. Suspira con alivio al sentirla sobre la piel.

Y comienza su narración.

—Todo empezó en esta ciudad de Antigua, hace ya muchos años. Cuando vivíamos en el palacio que está junto a la Casa de la Estanca.

—¿La misma Casa de la Estanca donde mi madre y yo hemos vivido hasta hace poco con Rafael y su padre?

—Sí. No hay otra. Ni la podría haber. Por lo singular. Ya entonces, cuando mi familia la habitaba, era un lugar extraño. A los niños nunca nos dejaron entrar en aquellos subterráneos...

Se detiene. Le cuesta hablar. Ruth echa mano del jarro de agua que hay junto al poyo y le da de beber.

—¿Por qué no os dejaban entrar?

—Nos amenazaban diciéndonos que por ellos se llegaba hasta las entrañas de la tierra, guardadas por un dragón. Supongo que lo hacían para asustarnos. Pero lo cierto es que por las noches brotaban de allá abajo ruidos espantosos. Nunca supe si eran reales o formaban parte de mis pesadillas.

—¿Qué clase de ruidos?

—Rugidos como de fiera, sobre un fondo de agua cayendo de gran altura. Cuando tenía miedo y no podía dormir, iba a refugiarme a la cama de mis padres. Después, al nacer las gemelas, eran ellas las que venían a la mía, y aunque yo estaba temblando, disimulaba para que ellas se tranquilizaran... Así transcurría nuestra vida, hasta que un día, cuando yo apenas había cumplido los diez años, llegó a nuestra casa un correo de palacio. Con una carta de don Felipe.

—¿Ya era rey Felipe II?

—Regente. Por ausencia de su padre, el emperador Carlos V, que estaba lejos de España. Aquel correo no traía buenas noticias. Oí discutir a mis padres. Luego, él tomó su capa, salió a la calle y no volvió hasta la noche. Venía un poco bebido. Hubo nueva disputa. Gritos. Se despertaron las gemelas, vinieron a mi cuarto llorando. Fui a buscar a mi madre y le pregunté qué sucedía. «Nada, hijo, acuéstate tú también». Fingí obedecer, pero no tardé en bajar junto a mi padre, que se calentaba en la chimenea, rehuyendo subir a la alcoba. Le pregunté qué pasaba. Me sentó en su regazo y contestó: «Que me destinan a Andalucía». Le dije: «¿Y tú quieres ir?». Él suspiró: «He de obedecer». Le pregunté: «¿Por qué, si no quieres?». Me respondió: «Mi hermano, el fraile, necesita soldados. Y por disciplina. Algún día te sucederá lo mismo y lo entenderás…». Porque yo era el primogénito de la familia. El único varón. Quería que fuese militar como él, y por eso me enseñaba a montar a caballo, pues pasaba por ser el mejor jinete del reino, y así me familiaricé con estos animales desde muy niño. También me adiestró en el manejo de las armas. Y me llevaba a cazar. Se me daba bien, pero no estaba seguro de que fueran ésas mis verdaderas inclinaciones.

—¿Cuáles eran, entonces? —le pregunta Ruth.

—Ya lo irás viendo, si hay lugar para ello. ¿Hasta cuándo te van a dejar estar aquí, conmigo?

—No me recogerán hasta la tarde. Tenemos tiempo. Continuad, os lo ruego.

—La nueva guarnición encomendada a mi padre estaba en las montañas de Granada, donde vivían los moriscos más belicosos. Fuimos primero a ver a su hermano menor, que era el abad de un monasterio misionero, encargado de preparar a quienes habían de evangelizar a aquellos musulmanes. Estuvimos allí unas dos semanas, y al ver mi buena disposición para los estudios, mi tío pidió a su hermano que me dejara con él, para ocuparse de mi instrucción. Pero éste le contestó: «Con un fraile en la familia ya tenemos bastante. Diego será militar, como yo».

—¿Diego?

—Sí. Mi verdadero nombre no es Raimundo Randa, sino Diego de Castro, hijo de Álvaro de Castro y de Clara Toledano, que así se llamaba mi madre. Si me escuchas con atención, verás por qué hube de cambiármelo.

Los primeros tiempos de nuestra estancia en la sierra de Granada fueron buenos. Mi padre suavizó el trato y las cautelas con los moriscos. Pero ya no podía ocuparse de mí como lo hacía en Antigua, ni yo jugar con las gemelas. Y viéndome vagar solitario por el castillo que ocupábamos, decidió darme una sorpresa. El día en que yo cumplía los trece años, entró al galope en el patio de la fortaleza, gritando mi nombre. Cuando acudí, le vi montado en su caballo, junto a un muchacho de una edad algo mayor que la mía, oscuro de piel, y vestido a la morisca. Un soldado intentó ayudar al chico a desmontar, pero él bajó por sí mismo de un salto. Parecía buen jinete.

—Es tuyo, lo he comprado para ti —me dijo mi padre tomándolo por el hombro.

El muchacho de tez oscura se desasió de mi padre, dio un paso adelante, se acercó a mí y se quedó mirándome frente a frente. Tenía una mirada negrísima y desafiante.

—¿Cómo te llamas? —le pregunté.

—Ishaq ben al Kundhur —contestó alzando la cabeza con orgullo.

Terminé llamándole *Alcuzcuz,* por la mucha afición que tenía a esta comida. Mi padre lo había comprado para regalármelo como esclavo, al saber que era huérfano de una noble familia morisca, emparentada con el último rey de Granada. Sabía leer y escribir, y muy bien, por cierto, de manera que él podría enseñarme el árabe.

Cuando hablaba su lengua, aquel muchacho se transformaba, como si detrás de él se agolparan muchas tribus y gentes. Su voz parecía remitirse a otro tiempo, cuando sus antepasados vivían en la Alhambra y habitaban en una maraña de historias, tan fantásticas como sus entrelazos de yeso. Por aquel entonces, yo no podía saber hasta qué punto me iban calando, descubriéndome un mundo que estaba dormido en mi interior. Mucho más tarde descubrí que el ansia de viajar que me embargaba como una enfermedad no era sino el modo de conocer esos parajes agazapados dentro de mí. Todo aquello me empezó a atraer de un modo irresistible, marcando mi vida para siempre. Ishaq y yo nos convertimos en inseparables. Durante tres años crecimos juntos, casi como hermanos. Hasta que un día sucedió algo que resultaría trágico.

Nos peleamos. Lo hacíamos a menudo. Formaba parte de nuestros juegos. Pero esta vez Alcuzcuz me arrojó al suelo y caí por un barranco donde me di un golpe tan fuerte que perdí el conocimiento. Debió de verme desde lo alto de la hondonada, creyó haberme dejado malherido, quizá muerto. Tuvo miedo, y se escapó. Lo mío no fue nada. Al recobrar el sentido, me lavé la sangre en un arroyo y pude regresar al castillo por mi propio pie.

Cuando conoció lo sucedido a su único hijo varón, mi padre ordenó la búsqueda y captura de Ishaq. Yo le hice ver que había sido sin querer, cosas de muchachos, y me ofrecí a encontrarlo, para evitar males mayores. Lo hallé en un lugar donde solíamos ir, un patio en el que se juntaban las hilanderas moriscas a trenzar sus consejas. Alcuzcuz no quería regresar, porque temía las represalias. Yo le dije que no sufriría ningún castigo. Se lo prometí, y respondí por ello. Nos sirvió de testigo una vieja que nos quería bien y nos regalaba con dulces. Tenía fama de ser algo bruja, y cuando supo la historia nos pidió que colocáramos las cabezas junto a una rueca. Nos situamos uno a cada lado y ella la hizo girar, mientras recitaba algunas palabras en árabe. «Esto avivará vuestro entendimiento», dijo.

A continuación, nos mandó sostener a cada uno varios hilos de colores, que se fueron entretejiendo en nuestras manos mientras por el otro extremo los embutía en una filigrana de la alfombra que estaba urdiendo y que, según ella, encerraba en su diseño conocimientos ancestrales. Luego cortó los cabos con unas tijeras y nos entregó la mitad a cada uno: «Esto os hará inseparables», sentenció.

—Todavía lo llevo —y Randa señala a su hija unos hilos descoloridos que cuelgan de su cuello.

Tranquilizado por estas ceremonias, y por mis promesas, Ishaq accedió a venir conmigo. Cuando volvimos al castillo, expliqué a mi padre lo sucedido, y el compromiso adquirido. Él lo aceptó: «Ya te lo dije, no habrá ningún castigo. Pero va siendo hora de que lo marquemos». Yo sabía que los esclavos eran herrados a fuego en la cara. Sin embargo, había esperado que se hiciera una excepción con Alcuzcuz.

—Padre, le he prometido que no sufriría ningún castigo —insistí.

—No es un castigo —respondió él—. Tiene edad más que sobrada para ser marcado. Si vuelve a escaparse, cualquiera podría quedárselo, y si yo lo reclamara me preguntarían: «¿Dónde está vuestra marca?». Además, ¿con qué autoridad voy a gobernar a los demás moriscos si no pongo orden en mi propia casa?

De nada sirvieron mis ruegos. Mientras le acercaban el hierro candente a las dos mejillas, oí a Ishaq recitar en árabe: *La taqabbahu al-wajha, fa-inna allaha khalaqa adama 'ala suratihi.* Sólo yo entendí aquellas palabras del Corán: «No desfiguréis el rostro, pues Dios creó a Adán a su propia imagen».

Por lo demás, no dio un solo grito de dolor, ni lloró. Quien lloraba era yo. Pero desde aquel día, Alcuzcuz tartamudeó. Nunca volvió a compartir conmigo aquellas historias de sus antepasados. Ni a mirarme de la misma manera. Ni a comportarse de igual modo. Pude ver cómo su orgullo había quedado herido en lo más hondo y sentir cómo crecía el odio en su interior. Me veía como un traidor, un enemigo más.

Tampoco me volvió a hablar en árabe, excepto para recitar con rabia una especie de letanía, blandiéndola como una amenaza, y que en romance viene a decir: «Cuando la trompeta suene, ya no habrá lazos de amistad ni de parentesco... La nodriza dejará caer al niño que amamante; toda mujer embarazada abortará; los hombres andarán como ebrios y locos... Llegará un día en que la tierra será profundamente agitada; las montañas, hechas polvo, serán juguete de los vientos».

Me las recitaba cada vez que yo le proponía jugar, negando con la cabeza, para concluir:

—No soy tu amigo, sino tu esclavo —y señalaba la marca que llevaba en el rostro.

Me sentía más solo que nunca. No volví a ver a mi padre del mismo modo. Empecé a rehuirle. Tampoco podía volver ahora con mi madre y mis hermanitas. Era ya un hombre. Iba a cumplir los dieciocho años. Luego lo lamenté. Si hubiera sabido que apenas les quedaban unos meses de vida, me habría comportado de otro modo. Pero no lo sabía. No podía sospechar lo que se nos venía encima.

Aquella había sido zona de escaramuzas, desórdenes, saqueos, intrigas, emboscadas, degollinas, perfidias, deslealtades y felonías sin cuento. Aparentemente, mi padre había logrado pacificarla. Pero no era sino una tregua. Y durante ella los moriscos habían venido fabricando armas en fraguas clandestinas. Hasta que un buen día cayeron sobre nosotros con gran erizar de lanzas y espadas.

No habrían podido tomar nuestra fortaleza de no contar con ayuda desde dentro. Fue Alcuzcuz quien les proporcionó la información y les guió por el pasadizo que bajaba hasta el río. Para cuando la guardia se quiso dar cuenta, ya estaban dentro. Y el propio Ishaq les ayudó abriendo la puerta principal. Yo estaba en el granero situado sobre el establo y, alertado por los gritos, me asomé y pude verlo todo, cuando ya era demasiado tarde. Me quedé mirándole desde lo alto de mi observatorio, mientras él descorría tranca y cerrojos y bajaba el puente levadizo para que entrasen los moriscos emboscados en los alrededores. Él también me vio. Alzó el rostro hacia mí, torció sus labios con una mueca torva, y les franqueó el paso. Pero no denunció mi presencia. Me sorprendió, de nuevo, el control que podía tener de sí mismo.

Los asaltantes entraron en tromba, matando todo lo que se movía. Recuerdo el patio de armas. El graznido alborotado de los cuervos en el tejado. Los gritos, el estruendo, la sangre, los cuerpos pasados a cuchillo. Cuando apresaron a mi padre, vi cómo Alcuzcuz lo señalaba. Respetaron su vida, dejándolo aparte. Y encerraron a mi madre y a las gemelas en una de las estancias. Pensé que querían protegerlas, pero pronto tuve que desechar esta idea. Temí que en cualquier momento Alcuzcuz también señalara mi escondrijo, haciéndome bajar junto a mi padre, al que habían maniatado. Pero no fue así. Ishaq retiró la escalera de madera que conducía hasta el lugar donde yo estaba, y que habría delatado mi presencia. Y yo permanecí oculto en lo alto del establo, aterrorizado.

Desde allí vi cómo Alcuzcuz cuchicheaba con el cabecilla de la rebelión. Parecían esperar a alguien. Al cabo de un rato, se oyó el galope de un caballo sobre la madera del puente levadizo y un jinete entró en el patio. Los moriscos se apartaron para abrirle paso. A juzgar por su vestimenta, no era musulmán, sino cristiano. Cuando se bajó del caballo y se dio la vuelta, intenté verle la cara. Pero la ocultaba con un embozo negro.

Se encaró con mi padre y me pareció que le interrogaba. Desde donde yo estaba no podía oír las preguntas del recién llegado, porque me daba la espalda. Sin embargo, cuando empezó a golpearle, sí que pude ver el rostro de mi padre. Se lo había destrozado. Me asusté de tal modo, que no alcanzaba a entender cómo sangraba tanto. Hasta que vi con qué le golpeaba. Aquel hombre se sacó el guante derecho, y durante un momento brilló al sol su mano metálica. Pensé entonces que era de hierro. Supe, más tarde, que estaba hecha de plata.

Cuando se calmó, el embozado limpió la sangre de su mano postiza y la volvió a cubrir con el guante. Comprendí que aquello significaba la sentencia de muerte para mi padre. Lo que nunca pude imaginar fue el modo en que la ejecutaron.

El hombre de la mano metálica se dirigió al cabecilla de los rebeldes y pareció darle órdenes. Éste gritó un nombre y apareció un moro gigantesco. El embozado le señaló un viejo carro desvencijado que había en un rincón del patio. El gigante se dirigió hasta él, forcejeó con una de sus ruedas, y regresó alzándola sobre su cabeza. Mientras se abría paso entre los asaltantes, estallaron los gritos de alborozo de aquella chusma. Llegó hasta el brocal de la cisterna que había en medio del patio y colocó la rueda tumbada sobre él, tapando el pozo. Desnudaron a mi padre a zarpazos, lo alzaron hasta tumbarlo sobre ella, boca arriba, en forma de aspa, con los miembros muy estirados. Las articulaciones de su cuerpo quedaban entre los radios de madera.

El embozado se inclinó sobre el prisionero y volvió a interrogarle. No obtuvo ninguna respuesta. Acercó su rostro al de mi padre y alzó la voz, amenazándole con gritos terribles. La respuesta de mi padre fue escupirle a los ojos. El embozado se apartó, limpiándose el rostro, e hizo un gesto al gigante. Éste tomó una maciza y pesada barra de hierro, la alzó con ambas manos y le asestó un violentísimo golpe en uno de los pies, que sobresalía de la rueda. Se oyó el chasquido del hueso al romperse, y quedó colgando, inerte, apenas sujeto por los tendones y la piel. Las uñas habían saltado y la sangre goteaba de cada dedo.

Repitió aquel hombre la pregunta, con el mismo resultado. A una señal suya, el verdugo golpeó de nuevo con la barra, destrozando el otro pie. Los gritos de la morisma me impedían oír los de mi padre, mientras continuaba el interrogatorio. Siguió después con las piernas, que partió en dos, dejando asomar el hueso astillado. La sangre salía aguada, amarillenta, mezclada con grasa. Paralizado por el espanto, pude ver el tuétano que caía sobre las losas del patio.

Aquel gigante hacía su trabajo a conciencia. A lo largo de un tiempo interminable, sin prisas, fue machacando hueso tras hueso y articulación tras articulación: rodillas, muslos, caderas, hombros, brazos, codos, muñecas... Su diabólica habilidad consistía en asestar golpes dolorosísimos, pero que no llegaban a matar.

Lo que quedaba de mi padre estaba allí, colgando entre los radios de la rueda. Un amasijo de carne sin forma, que aullaba de un modo insoportable, retorciéndose como un gran pulpo de cuatro tentáculos, entre sangre, sebo y astillas de huesos rotos...

Randa calla. Está agotado, y el sudor gotea por su frente. En voz muy baja, concluye:

—Aún sigo oyendo sus gritos después de todos estos años, en medio de mis pesadillas. Es la agonía más larga y atroz con la que se puede atormentar a un ser humano.

—Calmaos —le dice Ruth mientras le enjuaga las sienes con un paño húmedo—. ¿Qué pasó después?

—Antes de marcharse, el embozado señaló las habitaciones donde estaba encerrada mi madre con las niñas, y ordenó a los moriscos que les prendieran fuego. No quería testigos. Llamó luego a Alcuzcuz, y supuse que le preguntaría por mí. Podía haberme denunciado. Pero no lo hizo. Supe luego que aseguró hallarme yo en el monte. Más hizo, mi antiguo esclavo. Cuando comprendió que las llamas no tardarían en alcanzar los establos donde me escondía, fue hasta allí.

Y, con el pretexto de soltar a los animales, aprovechó para colocar la escalera en la parte de atrás, de modo que yo pudiera bajar fuera de la vista de todos. De ese modo, me salvó la vida.

Me oculté en uno de los aljibes, metido en el agua, para protegerme de las llamas. No sé cuánto tiempo estuve así, encerrado en la oscuridad, tiritando y hambriento. Hasta que oí voces que ordenaban dar a los muertos «cristiana sepultura». Grité para que me sacaran.

Retiraron los escombros que taponaban la entrada. Y al salir, entumecido y medio cegado por el sol, me encontré ante un grupo de monjes. Uno de ellos me llamó por mi nombre, y a pesar del aturdimiento comprendí que era Víctor de Castro, el hermano de mi padre.

—Ya pasó todo, no llores —dijo mientras yo trataba de contarle lo sucedido—. Vendrás conmigo al monasterio.

Randa calla de nuevo al recordar su despedida de aquel lugar, mientras el caballo de su tío tanteaba el camino pedregoso al bajar de la sierra y él se sujetó a la silla para mirar hacia atrás por última vez. Lo que vio le parecía ahora irreal. Acababa de perder a su familia y, sin embargo, la primavera estallaba por todos lados, entre el canto de los pájaros que se perseguían de rama en rama y los regueros de amapolas que zigzagueaban hiriendo los trigales. No podía quitarse de la cabeza a Alcuzcuz abriendo la puerta para que entraran los asaltantes. Esa imagen borraba las que tenía de él durante todos aquellos años: mientras jugaban; cuando le enseñaba a hablar y escribir su idioma; los momentos en que guardaban silencio, con los ojos muy abiertos, junto a los juncos del río, para no espantar a los peces que se acercaban al anzuelo; la vieja morisca trenzando los hilos en la rueca; la mirada de odio del muchacho mientras era marcado en las mejillas por el hierro al rojo...

Repara Raimundo, entonces, en la mirada expectante de su hija, y vuelve a la realidad de la celda para continuar su relato:

—Mi tío, el abad, dio por hecho que él se ocuparía de completar mi educación y de darme refugio. Así me lo hizo saber al cabo de algunos días. También me previno sobre lo ocurrido, advirtiéndome: «Fuera de este monasterio, nadie sabe tu paradero, ni que eres el único testigo. Es mejor así, por tu seguridad. Tienes que dejar pasar el tiempo, hasta que se olvide. Llegado el momento, aquí podrás profesar, si ése es tu deseo. Y deberás cambiar tu nombre. Con Diego de Castro no llegarás muy lejos».

Pensó unos momentos, paseó por la celda un pequeño trecho, ojeó los libros de su biblioteca, y dijo al cabo:

—¿Qué te parece Raimundo Randa?

—¿Por qué lo has elegido? —le pregunté.

—Algún día lo entenderás —contestó con una sonrisa enigmática.

Me convertí en su secretario, y le ayudaba a ordenar los libros y papeles del monasterio. Fue allí donde descubrí que lo mío eran las lenguas, para las que tenía una gran facilidad. Mi tío había estudiado en el Colegio Trilingüe, y al saber que me desempeñaba en árabe, insistió en que aprendiera el hebreo, el latín y el griego. Un día, mientras me escuchaba recitar *La Odisea,* de la que llegué a saber pasajes enteros de memoria, me dijo:

—Lo tuyo es un don. Y con un bagaje así, nunca te faltará trabajo. Ni amigos.

—Me gustaría perfeccionar el árabe —le respondí.

—Eso no será ningún problema. Hay un joven morisco converso que me ayuda a recoger y ordenar los manuscritos en ese idioma y a revisar las inscripciones musulmanas que pueblan estos territorios, para que no ofendan la fe cristiana.

Se llamaba aquel joven Alonso del Castillo, y era algo mayor que yo. Había nacido de padres ya bautizados, una de aquellas familias aristocráticas moras que auxiliaron a los Reyes Católicos durante la conquista de Granada. También conocía a Alcuzcuz y, aunque me cuidé muy mucho de hablar de mi relación con él, supe que —como tantos de los suyos— mi antiguo esclavo había huido a África tras el asalto a nuestra fortaleza.

Pasaron los años. Le correspondió un día a Alonso del Castillo traducir las inscripciones del palacio de la Alhambra. Fiado de la tranquilidad observada y el tiempo transcurrido —tan en calma—, solicité permiso a mi tío para ir con él. Había oído hablar a Alcuzcuz de aquel lugar en unos términos tales que ardía en deseos de verlo. No pensaba que fuera tan hermoso como él solía pintarlo en sus peroratas cargadas de nostalgia, que yo tomaba por exageraciones de su obstinado orgullo. Sin embargo, hube de admitir que se quedaba corto. Me deslumbraron sus salones. Y mientras caminaba embobado por ellos experimenté un deseo irresistible de saber más, mucho más, sobre aquellas gentes capaces de concebir el mundo de semejante forma.

Porque seguía persiguiéndome el recuerdo de mis padres, la visión de su muerte y la incomprensión por el comportamiento de Ishaq. Quería entender cómo la creencia en un Dios distinto podía llegar a separar tanto. Sospechaba que a mi tío le sucedía algo parecido. Y así se lo dije un día que paseábamos por el claustro del monasterio.

—Me hago cargo muy bien de lo que sientes —admitió—. Tus propias razones no valdrán nada si no escuchas las del adversario. Eso demuestra que tu verdadera vocación es el estudio. A mí me sucede lo mismo, pero fuera de aquí no podría hacer lo que hago. Ni siquiera leer los libros que leo. Dentro de estos muros tengo la libertad y la paz.

Y como percibiera alguna reticencia en mi mirada, añadió:

—No creas que es cobardía. He visto correr mucha más sangre de la que puedes imaginar. No es el miedo lo que me retiene aquí, como suponía mi hermano. Sino la convicción de que es inútil combatir a los moriscos sin intentar comprenderles.

—¿Por qué destinaron a mi padre a estas sierras? —me atreví a preguntarle.

—No debes hablar de eso con nadie —respondió, severo—. Te delatarás. Y sabrán que sigues vivo.

—¿Quién, en concreto, no debe saberlo?

Rehuyó la cuestión. Ya entonces me di cuenta de que conocía muchas cosas que callaba. Sobre la Casa de la Estanca en la que habíamos vivido en Antigua. Sobre las razones del traslado de mi padre. Sobre el responsable de su muerte. Y que nunca me las diría. Por su seguridad. Y por la mía.

Empecé a hacer averiguaciones a través de quienes nos visitaban. Pero las noticias de mis preguntas debieron de llegar a los oídos de aquellos a quienes mi tío trataba de evitar. Y, un buen día, Víctor de Castro vino a mi celda y me ordenó:

—Tienes que huir. Tu vida corre peligro.

—Huir ¿a dónde?

—A Nápoles. Te daré una carta para el superior de un convento, amigo mío. Mañana salen unos romeros que se dirigen en peregrinación a ver al Papa. Irás con ellos y te embarcarás en la misma nave que les espera en la costa...

Raimundo Randa parece fatigado. Toma en sus manos el cántaro de agua, bebe un largo trago y pregunta a su hija:

—¿Cuánto rato te queda de estar a mi lado?

—No lo sé, padre. Continuad. Si en este primer día no apuramos el tiempo, quizá se me lleven antes.

—Es que la historia que viene es larga.

—Continuad.

—Está bien... Como te decía, embarqué con destino a Italia. Pero fuimos capturados por los turcos poco antes de llegar. Sucedió la víspera de Nuestra Señora de las Nieves, que es el cuatro de agosto. Seis galeras cayeron sobre nosotros, saliendo de detrás de una pequeña isla. Cuando nos condujeron hasta el grueso de su armada, advertimos que eran muchos más, y que traían cerca de un centenar de velas bien en orden.

Subió a nuestra nave un oficial preguntando los oficios, con un renegado que le servía de intérprete. De los nuestros, separaron a los que tenían por útiles, particularmente médicos y barberos, que éstos valen tanto como cirujanos. También carpinteros y otros artesanos: herreros, cerrajeros, armeros o artilleros. Pues les sirven para que los instruyan en nuestras armas y artes de la guerra. Sin embargo, noté que no hicieron este distingo entre los que estaban en edad parecida a la mía, sino que nos echaron a todos al remo, que era tanto como condenarnos a muerte lenta. Algo que entonces no entendí, pero sí más tarde.

A los del remo nos llevaron a una de las galeras turcas y prepararon las cadenas para aherrojarnos. Me pusieron al pie una con doce eslabones y me ataron a un banco junto con otros cuatro cautivos. Y así empecé a padecer aquella espantosa vida del forzado, tan miserable que a cada hora le es dulce la muerte. Y a padecer el bizcocho y el corbacho; éste, porque es así como llaman al látigo, del que hay mucha ración; y el bizcocho, porque ésa era la comida las más de las veces. O, si acaso, un puñado de mazamorra, que es una pasta de harina recogida sin cernir, con hartas chinches muertas y no pocas motas de paja y estiércol de los ratones, que por allá corretean a caza de migajas. El agua también andaba muy tasada, y medio podrida.

En cuanto al corbacho o látigo, las fatigas eran innumerables. Al cabo de pocas semanas de llevar esta vida supe que no sobreviviría muchos meses en aquella galera, una de ésas que llaman bastardas. Pertenecía a persona principal, y era nave ágil, muy marinera. Ya podía serlo: cada uno de sus cincuenta remos llevaba amarrados hasta cinco forzados, en vez de los tres que son más frecuentes. Y los galeotes de reserva pasaban de los cuarenta. No sólo por razones de mayor empuje, sino también por la dureza y crueldad del cómitre que, látigo en mano, nos vigilaba para que remásemos hasta dejarnos extenuados y causar a muchos la muerte.

Llevaba al cuello un pequeño silbato, y con él hacía todas las señales para marcar las diferencias en el remar. Y bastaba que te rascaras

Winter Survival Tip: Cozy up with a good book.

Welcome to Glenview Public Library.Your
Glenview Public Library card is the best value in
town. Use it!

Title: La llave maestra
ID: 31170007216892
Due: 12/3/2017,23:59

Total items: 1
Total fines: $0.70
11/12/2017 3:16 PM
Checked out: 1
Overdue: 0
Hold requests: 0
Ready for pickup: 0

Remember to sign up for Email Notification.

Please remember Overdue fines for DvDs, Blu-
Rays, and Videogames are $1.50 a day

la oreja para que llovieran sobre ti los palos, con aquella fusta que llevaba, que había untado con pez para que no se le destrenzase. Más de una vez vi a mi lado el cuerpo de un compañero que seguía el ritmo, hacia delante y hacia atrás, subiendo y bajando, arrastrado por la boga, para comprobar —cuando se aquietaban los remos— que hacía rato que era ya cadáver, reventado por el esfuerzo.

De tal modo odiábamos los galeotes a aquel nuestro verdugo, que en una ocasión en que nos quedamos rezagados, cerca de la costa, haciendo aguada, muchos de los forzados vieron llegada la hora de su libertad y su venganza. El cómitre se encontraba sobre el estanterol que soportaba el toldo, dándonos latigazos a diestro y siniestro y gritándonos que remásemos a músculo cumplido, para vencer una corriente y ganar la mar abierta. Por mejor golpear con ella, se sujetaba la fusta al brazo con una ligadura. Y eso fue su perdición. Porque dos de los cautivos más fuertes, puestos de acuerdo, asieron el látigo y tiraron de él, dando con el cómitre de bruces sobre los remos. Lo fueron pasando de banco en banco desde la popa a la proa, dándole tal cantidad de dentelladas, que antes de llegar al mástil ya estaba muerto a bocados.

Yo me hallaba en el centro, en la posición que llaman del tercerol. Quiso la mala suerte que me lo hubieran pasado a mí en el momento de irrumpir la guardia de jenízaros en la sentina, alarmados por sus gritos. Y así fui sorprendido, con el cómitre muerto sobre mi banco y remo. Ambos maderos, como yo mismo, estaban empapados de sangre.

Con estos cargos y tal recomendación, fui conducido a empellones hasta la presencia del almirante, al que llamaban Alí. Había oído hablar de su ferocidad, y supuse que allí mismo me esperaría el peor de los tormentos. Por de pronto, el almirante Alí escuchó impávido la relación de los hechos que le hizo el jefe de la guardia. O eso fue lo que supuse, pues, por entonces, si bien yo hablaba el árabe, no comprendía el turco en que ellos parlamentaban.

El almirante dio una orden al jenízaro y éste se llegó hasta mí. Me sujetó por el cuello y sacó una daga, con la que tuve por seguro que me degollaría. La acercó, en efecto, hasta mi garganta, y soltó un rápido tajo. Pero no fue la carne lo que cortó, sino el entrelazo que la tejedora morisca nos había puesto a Alcuzcuz y a mí a modo de collar.

Se lo entregó al almirante, quien lo examinó brevemente y puso al jenízaro un par de preguntas que éste no pareció capaz de responder.

Su amo le hizo un gesto para que bajara hasta los remos. Vuelto que hubo de allí, contestó a lo que el comandante de la nave le preguntaba, y éste pareció darse por satisfecho.

Me devolvieron el entrelazo —que volví a ponerme al cuello de inmediato, pues parecía haber protegido mi vida de momento— y fui encerrado a buen recaudo, separado de los demás forzados. Pasaron los días, y con ellos fue renaciendo en mí cierta esperanza, al comprobar que se ocupaban de darme agua y algún alimento. Conocí luego que nos dirigíamos a Estambul, y supuse que esperarían a llegar allí para someterme a una ejecución ejemplar.

Más tarde tendría ocasión de saber quién gobernaba aquella nave y la armada toda. Se llamaba Alí y era hombre en extremo severo. Pero justo. Le apodaban *Fartax*, que en lengua turca quiere decir *Tiñoso*. Lo era, en efecto, con el cabello ralo y caído por su dolencia, lo que le afeaba el rostro y le daba un aspecto temible. No era turco de nacimiento, sino de oficio. Esto es, renegado de la fe cristiana. Había nacido en Calabria, de orígenes muy humildes. Siendo aún un muchacho, estaba pescando un día en una barca —que así se ganaba la vida—, cuando fue apresado por los turcos junto con su madre viuda. Uno de los más famosos corsarios otomanos, Jeridín Barbarroja, reparó en su habilidad, y lo empleó como cómitre, y luego como capitán de una de sus naves. Pronto fue conocido por su destreza, hasta llegar a ser nombrado almirante por el sultán Solimán el Magnífico.

Éste era Alí Fartax, el hombre en cuyas manos estaba mi vida. Me tranquilizó un tanto saber que había sido cristiano. Y averiguar que había sido galeote. Lo malo —pensé a continuación— era que también había sido cómitre. En estos suspiros y temblores se me fueron pasando los días.

Al cabo de ellos, enderezada la ruta por rumbos más seguros, Alí Fartax se vio con calma para dictar sentencia. No se apartó ésta de la fama que tenía de justiciero. Al ver que me acusaban de la muerte del cómitre, había mandado averiguar si los forzados que me precedieron en las dentelladas tenían sangre en la boca. A lo que el jefe de la guardia, tras bajar a la sentina, hubo de contestar que sí. Luego, Fartax hizo notar a su oficial que yo estaba todo lleno de la sangre del cómitre, pero no mi boca. En consecuencia, me declaró inocente y me devolvió al remo.

Es Estambul gran puerto, no lo hay mejor en el Mediterráneo. Allí fuimos recibidos con muchas salvas de saludo. La quinta parte de los esclavos, que siempre corresponden al sultán, fueron encerrados como ovejas en corral. Son los que llaman cautivos *del almacén*, que sirven en las obras públicas del concejo y tienen muy dificultosa su libertad, pues no hay con quién tratar su rescate. Aquellos desdichados nada valen, y en ellos se ceban. Pues, para dar ejemplo a los demás, a la menor ocasión son desorejados, desnarigados o ahorcados.

No fue ése mi caso, porque Alí Fartax, el *Tiñoso*, averiguada mi destreza con las lenguas y el cálamo, decidió reservarme para sí como secretario. Me llevaron a su casa y me raparon cabellos y barbas. Repitieron luego esto cada quince días, tanto por la limpieza como por la señal de esclavo que ello significa, con lo que somos fáciles de apresar si nos escapamos.

Toda la suerte de un cautivo está en el amo que le toca. Y el mío no fue malo. Creo que también yo fui un buen servidor, y diligente, por lo que Fartax no tardó en cobrarme gran afición. Así pasaron los meses, en los que fui ascendiendo en su estima, hasta el punto de moverme con gran libertad por todo su palacio.

Algo tuvo que ver en esta privanza el buen crédito que merecí a un hombre ya entrado en años que frecuentaba la casa. Debido a su condición de médico, se tocaba con un bonete rojo. Su nombre era Laguna, y su linaje de los judíos que llaman sefardíes, pues su familia procedía de La Puebla de Montalbán, en tierras toledanas. Y aunque conmigo hablaba en ladino, se congratuló mucho al comprobar que yo sabía el hebreo.

—Vuestra cultura y excelente caligrafía os harán muy apreciado como secretario, creedme —me dijo.

Así fue. Tan adelante pasó la afición de Alí, que me encargó trabajar en sus archivos y biblioteca. Que la tenía, y grande, pues a pesar de su aparente rudeza era hombre muy leído y conseguía libros de los cristianos a través de sus agentes en otros países.

Mantienen los turcos correspondencia con diversos lugares de Europa a través de la estafeta veneciana de los Taxis, donde operan los mejores correos y criptógrafos. Y fue trabajando en la cifra de éstos donde aprendí a leer los más enrevesados documentos, aunque me guardé muy mucho de decírselo a mi amo.

Un día que estaba yo ordenando sus papeles reparé en un documento cifrado en una clave de las llamadas regias, porque sólo se utilizan para asuntos muy principales. Me llevó semanas descifrarlo, al cabo de las cuales pude comprobar que era un aviso para

Fartax. En él se le advertía sobre una nave sin escolta ni apenas armas, de la que podría sacar gran provecho. Era la que me había traído desde España hasta Italia. Lo único que pedía el informante a cambio de la noticia es que se echara al remo a los comprendidos entre tal y tal edad, que yo entendí al punto que era la mía. Aunque la nota le había llegado a Fartax desde Italia, bien se echaba de ver que las noticias e instrucciones venían de España, a través de su red de espías. Y de tan arriba, que sólo podía proceder de alguien muy cercano al rey.

Todavía me asombró más advertir que en ella se mencionaba la Casa de la Estanca, donde mi familia había vivido en Antigua. Y se hablaba, en términos más vagos, de un gran botín para repartir. Parecían referirse a un tesoro, aunque no quedaba claro este punto, pues la redacción estaba llena de sobreentendidos. Pero a partir de entonces volvieron a abrirse en mi interior todas las heridas que creía haber superado: el traslado de mi padre desde la Casa de la Estanca a la sierra de Granada, el cruel interrogatorio al que había sido sometido hasta su muerte, el temor de mi tío el abad a que me descubrieran en el monasterio, mi huida precipitada de este lugar, el apresamiento más que intencionado de nuestra nave…

¿Qué secreto era aquél que parecía perseguir a mi familia? ¿O no éramos nosotros, sino la Casa de la Estanca? ¿Tan grande era como para que mi padre prefiriese morir en un tormento horrible, poniendo en peligro la vida de los suyos?

Mucho me hizo pensar todo aquello, ya que de no averiguarlo pesarían sobre mí amenazas de las que mal podría guarecerme. Busqué y rebusqué en el archivo de Fartax para tratar de encontrar más detalles. Pero todo resultó en vano. Y fue este descubrimiento lo que me impulsó a escaparme. O a intentarlo. Porque, con la precipitación, me sorprendieron en una de las puertas de la ciudad y, al no llevar salvoconducto, fui devuelto a mi amo.

Me había disfrazado para la fuga con camisa y zaragüelles de arnaute, que así llaman a los albaneses. Mientras me conducían a su presencia me sentía ridículo en aquellas trazas, que tan sin argumentos me dejaban. Y me hacía a la idea de que el castigo sería doblemente terrible, por haber burlado la confianza y generosidad de Alí Fartax.

Atravesamos el patio, entramos en el corredor que conducía hasta la habitación en la que despachaba públicamente y llegamos, por fin, ante él. El Tiñoso parecía sumido en sus pensamientos. Al oírme entrar, alzó aquel rostro suyo, feroz y desmadejado, y me miró de tal modo que no necesitó decir nada. Vino el verdugo con un hierro rusiente y me sujetaron para marcarme.

En ese momento, uno de los consejeros alzó la voz y dijo:

—*La taqabbahu al-wajha, fa-inna allaha khalaqa adama 'ala suratihi.*

Eran unas palabras del Corán que yo conocía bien. Las había dicho Alcuzcuz cuando mi padre le había herrado la cara: «No desfiguréis el rostro, pues Dios creó a Adán a su propia imagen».

Alí Fartax llamó a uno de sus lugartenientes y vi —pero no oí— cómo le hablaba, mientras el verdugo esperaba con el hierro al rojo, a pocos dedos de distancia de mi cara.

Así pues, era cierto lo que decía Alcuzcuz. A diferencia de nosotros, que marcamos a nuestros esclavos en la cara, entre los turcos no está bien vista esta costumbre. Dicen algunos que no por piedad, sino porque bajan de valor. Sólo lo hacen con los falsos testigos, para que nunca puedan volver a alzar testimonio.

—Le trataré como un falso testigo —dijo el Tiñoso—. Marcadle en la mano izquierda, que la derecha bien diestra la tiene para escribir.

Randa muestra a Ruth la señal, ya desvaída, que aún lleva en el dorso de la mano izquierda.

—Ésa es mi marca, y todo el mundo la conoce —me advirtió Fartax—. Con ella, no habrá lugar donde puedas esconderte de mi cólera. Cualquiera que la vea te entregará a la primera galera turca, que te traerá hasta mí, porque saben que pagaré una fuerte recompensa.

Mandó retirarse al verdugo y después, muy tranquilo y sin alzar la voz, me dijo: «Puedes estar seguro de que si intentas escapar otra vez te haré empalar».

—¿Es empalar lo que supongo? —le interrumpe Ruth.

—Es muerte terrible. Toman un palo grande, lo afilan muy agudamente en una de sus puntas, como se hace con los espetones en los que se pone un asado, apoyan en tierra uno de los extremos, dejándolo derecho, y al condenado lo sientan sobre él y lo espetan por el fundamento, atravesándole todo el vientre y el pecho hasta que le salga por la boca. Y lo dejan así vivo, que suele durar dos y hasta tres días.

Con este coscorrón de la suerte, anduve sosegado durante una buena temporada, observando un comportamiento ejemplar. Pero la escasa libertad de que había gozado se me había metido dentro como un veneno, y las averiguaciones que había hecho me inquietaban sobremanera.

Pasaron los meses, y un buen día vino al palacio un comerciante griego, gran viajero. Le hablaron de mi intento de fuga, me preguntó por lo sucedido, y yo se lo conté. Me miró un largo trecho, y aseguró que él me facilitaría la huida. Trabajo me costó prestarle oídos, escarmentado como estaba. El griego me aseguró que mi error había consistido en intentar la fuga solo, sin experiencia ni ayuda, y que esta vez no habría fallos. Él se dedicaba a esos menesteres, entre otros muchos. Formaba parte de su negocio.

—Nunca se me ha descabalado una evasión. Y llevo más de treinta —añadió—. Lo principal es asegurarse un barco donde primero podáis refugiaros, y luego huir. Yo os apalabraré sitio en uno, que estará esperándoos en tal lugar del muelle, tal día y a tal hora.

Me pidió una sustanciosa cantidad como adelanto. Le dije que le daría ahora la mitad, y la otra parte cuando estuviésemos en lugar seguro. Rechazó el trato:

—Si no os fiáis de mí, no hay nada más que hablar —dijo muy digno.

Accedí. Satisfice la cantidad apalabrada empeñando mis ahorros y sisas, y quedó todo concertado para la fuga.

El día estipulado salí de casa de mi amo sin ser notado, y me dirigí a la marina, con el corazón golpeándome en el pecho. La recorrí de cabo a rabo, pero en el muelle no estaba el barco convenido. Decidí esconderme entre las mercancías y esperar. Transcurrió toda la tarde, luego la noche... Al cabo de muchas horas, cada vez más angustiado, empezó a abrirse paso en mí la idea de que había sido engañado.

Para entonces, Alí Fartax ya me habría echado de menos y sus hombres estarían buscándome para empalarme. Cuando amaneció, pude ver desde mi escondite, entre las mercancías del embarcadero, que allí abundaba su gente. Pues ese verano se había quedado sin ir al corso por despalmar y dar carena a su galera, que tenía en astillero. No podía salir, porque me reconocerían de inmediato.

Con las horas, me apretaban la sed y el hambre, y crecía en mí la zozobra. No me atrevía a moverme del escondrijo. Pero éste no iba a durar mucho. Con el amanecer, el puerto empezó a cobrar vida, y vi con auténtico terror que un capataz se dirigía hasta el lugar en el que yo me encontraba y, cuando estuvo cerca, empezó a dar órdenes a sus hombres para que hiciesen entrega de los fardos entre los que me escondía.

Uno tras otro, fueron retirando los bultos. Avanzaban hacia mí, y sólo quedaban unos pocos para que fuera descubierto...

Randa se interrumpe, porque oye los pasos de los carceleros que se acercan hasta la puerta de la celda. De nuevo suena la llave en la cerradura, y aparecen los hombres armados.

—Me temo que vienen a por ti, hija mía. ¿Cuándo volveré a verte?

—No lo sé, padre. No lo sé. Espero que mañana.

La reclaman desde la puerta. Ruth se dirige hacia la salida, sube los escalones y antes de salir se despide con un gesto tímido y desmañado. Al observarla, a Raimundo le cuesta creer que su niña, apenas una adolescente, vaya a ser madre, disponiéndose a prolongar la estirpe en medio de tantas adversidades. Y, junto a la preocupación, no puede evitar el orgullo al reconocer el mismo coraje del que tantas muestras dio su mujer, Rebeca Toledano, cuyo solo recuerdo le hace agachar la cabeza, apesadumbrado.

Cuando sale de la celda y se vuelve por última vez, la muchacha ve a su padre desde lo alto, sentado en el poyo de piedra, cabizbajo. Y le angustia la soledad en que le deja.

Pero esta congoja le dura poco, porque siente en el brazo la férrea presión de una mano que no parece humana, sino tenaza. Quien la agarra por el codo es aquel hombre embozado que está al mando. La aparta de la puerta, tira del picaporte con la izquierda y, con la derecha, que lleva enguantada, esgrime una llave que hace girar en la complicada cerradura. Con el esfuerzo, se desencaja el guante, y la joven advierte lo que hay debajo. No es carne, sino una mano metálica. De plata, sin duda.

2

El criptógrafo

D AVID Calderón fue hasta la ventana y descorrió la cortina que mantenía la habitación en penumbra. Guiñó los
ojos al recibir la luz, el borroso paisaje que le llegaba a través de los vidrios emplomados. Estaba nervioso y no podía concentrarse. Miró el reloj, inquieto, y se dijo:

—Este hombre ya tendría que haber llegado.

Pasó el dedo por las junturas de los vitrales, perfilando el escudo de la Fundación. Las letras A & T, de intenso color rubí, destacaban sobre el fondo ocre de un bloque cúbico que encuadraba la
cruz de seis direcciones. Abrió la ventana de par en par y dejó que
entrase el aire. Tras las primeras ráfagas, impregnadas por el asfalto
recalentado del parking, agradeció la brisa del lago, con su olor a hierba recién cortada.

Volviéndose hacia el interior de la habitación, se acercó a la maciza mesa de trabajo prestada por Sara Toledano, y se detuvo ante la
vieja foto enmarcada. En ella se la veía de pie en un balcón de la Plaza Mayor de Antigua, junto al padre de David, Pedro Calderón. En
realidad, no estaban juntos. Se interponía Abraham Toledano, sentado en una silla, con su aire de anciano patriarca severo y ceñudo.
A través de la puerta abierta, al fondo del despacho, se asomaba el arquitecto Juan Antonio Ramírez de Maliaño. Y tras él Peggy, la mujer de Abraham, que cruzaba los brazos, enfurruñada. Su marchita
distinción no ocultaba que se había apartado para no salir en la fo-

to junto a su hija Sara y Pedro Calderón. Y aún había un sexto personaje, desgarbado, hirsuto, de fuerte complexión, con el rostro sumido en la sombra.

Sara vestía de un modo extraño, y Pedro mostraba algo en una mano. Lo enseñaba como un trofeo, pero no acababa de verse bien. El balcón estaba engalanado, de fiesta. Una fiesta que quizá empezaba a torcerse, aunque sus protagonistas aún mostrasen aquella disponibilidad que les otorgaba su radiante, casi insultante, juventud.

Al inclinarse hacia la mesa para apreciar un detalle de la fotografía, David Calderón se vio a sí mismo reflejado en el cristal, y le sorprendió el parecido con Pedro. Debía de tener ahora una edad cercana a la de su padre entonces, y en su rostro apuntaba el mismo aire desprevenido y tímido, bajo el negro pelo ensortijado. Era idéntica aquella mirada vivaz, fruto de una curiosidad sin límites, pero con un deje de tristeza, empañados los ojos por un fatalismo que también había heredado de él. La boca firme, limpiamente dibujada, permitía adivinar su tenaz independencia, aquel montaraz pensar por su cuenta, que tantos problemas le había traído, junto a la dificultad para el medro y un decidido desapego por los convencionalismos sociales.

Se preguntó cuántos años llevaba Sara Toledano trabajando en aquel despacho, con esa foto encima de la mesa. Ahora, más que nunca, le conmovía aquel detalle. Al dejarla allí antes de marchar a Antigua, se había convertido en toda una declaración de principios, el mensaje más claro en la compleja tarea encomendada. Y proclamaba sin rebozo lo mucho que debió de significar Pedro Calderón en la vida de ella. Al menos en aquel entonces, cuando se abría ante los dos jóvenes todo un mundo que el tiempo se encargó de desbaratar.

No debía de haberle resultado fácil hacerlo, reivindicar su relación en aquel sanctasanctórum de los Toledano. O llamarle a él, el hijo de Pedro, para cubrir aquel puesto durante una misión que se revelaba decisiva para Sara. Corroboraba la impresión de David al despedirse de ella: esta vez no iba a ser como las anteriores. Y así lo estaba confirmando todo lo sucedido con posterioridad.

Se disponía a volver al trabajo, cuando alguien llamó a la puerta. «¡Por fin!» —pensó, antes de decir en voz alta—: ¡Adelante!

Se giró a tiempo para ver asomar el rostro del gerente, Anthony Carter, más conocido por su apodo de *Overbooking*. Sus gafas de cristales al aire, la pajarita y su inefable perilla contrastaban con aquel hombre corpulento al que acababa de ceder el paso. Llevaba la chaqueta sobre el hombro, tirantes, gafas de sol y una gorra de béisbol. En la mano, una sobada cartera de cuero.

—El comisario John Bielefeld —anunció el atildado gerente.

David se sorprendió de que Carter se prestara a hacer de recepcionista. El recién llegado debía de ser alguien importante. Más de lo que había supuesto al hablar con él por teléfono.

Al acercarse Bielefeld a la mesa, las irisaciones de los vitrales barrieron su rostro, acentuando los rotundos trazos del comisario y su nariz de boxeador, aplastada como una patata. Sólo cuando se acercó para estrecharle la mano y se quitó las gafas de sol pudo apreciar David los escrutadores ojos azules.

Para su sorpresa, Carter también se dispuso a avanzar hacia él con sus nerviosos pasos cortos, como si el gerente fuese el interlocutor natural de cuanto sucediera en aquella Fundación. Sin embargo, Bielefeld tendió la mano a Overbooking y le dijo con gélida cortesía:

—Ha sido usted muy amable. Más tarde pasaré por su despacho para despedirme.

—No se demoren... —el gerente disimuló su contrariedad atusándose la pajarita—. Tenemos que cerrar en media hora.

El comisario dejó la cartera de cuero en una silla y las gafas de sol encima de la mesa, se quitó la gorra de béisbol, alisó su escaso pelo con la mano, se volvió hacia Carter y le dijo muy despacio:

—Creo que nos apañaríamos con una hora y media, ¿verdad, señor Calderón?

El gerente iba a objetar algo. Hinchó los carrillos, se empinó sobre la punta de los impolutos zapatos y empezó a gesticular como gallina que quiere poner.

—Está bien —se rindió Carter, resignado—. Pasaré a recogerles antes de cerrar. En hora y media.

Bielefeld guiñó un ojo a David, y éste pensó, desde ese mismo momento, que aquel hombre le iba a caer bien. Esperó a que Overbooking hubiese abandonado la habitación para señalar al comisario una silla frente a él e invitarle a hablar. Pero el recién llegado no apartaba la vista de los vitrales.

—¿Le molesta la luz? —preguntó David.

—No. Miraba ese escudo de la ventana, porque vi algo así en la procesión del Corpus de Antigua, en el estandarte que llevaba una de las cofradías. Dejando aparte las letras A & T, que supongo que serán las iniciales de Abraham Toledano.

—Últimamente las utilizan también como siglas de Arte y Tecnología. El gerente que acaba de presentarnos pretende captar fondos especializando la Fundación en ese campo. Pero el escudo que a usted le interesa representa una cruz cúbica, de seis direcciones. Según algunos, es un viejo símbolo masónico, que indica la duplicidad de cada una de las tres dimensiones que marcan las coordenadas internas del cubo: lo alto se comunica con lo bajo, lo diestro con lo siniestro y lo anterior con lo posterior... Aunque ya sabrá que con los Toledano todo se vuelve mucho más complicado.

—Eso me temo —masculló el comisario—. Corríjame si me equivoco, señor Calderón. Antes de marcharse a Antigua, Sara Toledano le contrató a usted para que la ayudara en su trabajo como asesora en esa conferencia de paz entre palestinos e israelíes que pretenden organizar allí.

—Correcto.

—Le pidió que viniera a trabajar a esta Fundación, le prestó su despacho, autorizó el acceso a sus papeles, y ha estado usted en permanente contacto con ella.

—Casi a diario.

—¿Cuándo hablaron por última vez?

—Hoy estamos a viernes, ¿verdad? Pues me telefoneó antes de ayer, el miércoles.

—Quizá pueda proporcionarme algunos detalles de esa conversación. Y de las anteriores. Todo lo que juzgue importante para aclarar su desaparición y ayudarnos a localizarla.

—Hablamos de estos documentos que hay aquí —y David apuntó hacia una mesita auxiliar—. Ella me tenía al tanto de sus descubrimientos en el archivo del convento de los Milagros, y yo los iba compulsando con los papeles que se guardan en esta Fundación. Sara llevaba años intentando entrar ahí, pero no se lo permitían. Y lo mismo le había sucedido a mi padre, Pedro Calderón.

—¿Por qué razón no se lo permitían?

—Es un convento de clausura. Y ese archivo está sin inventariar. Sólo se sabe de una persona que accediese a él, el padre de Sara, Abraham Toledano, que fue quien lo guardó en uno de sus sótanos durante la Guerra Civil española, para que no lo destruyeran. Por eso, en cuanto ella consiguió un permiso especial, me llamó para que la ayudara. Era un trabajo contrarreloj y necesitaba tener en esta mesa a alguien de toda confianza. Alguien acostumbrado a trabajar en documentos antiguos, aunque estuvieran en cifra.

—¿Le comentó algo sobre la Plaza Mayor?

—En los archivos de ese convento hay todo un pleito sobre el terreno que ocupa, antes y después de que se construyera. Pero supongo que también se lo diría a usted.

—Desde luego —admitió Bielefeld—. Y no sólo a mí. A todo el que quiso oírla. Insistió mucho en que no se celebrara allí la ceremonia presidida por el Papa.

—No entiendo cómo se les ocurrió organizar ese acto en la Plaza Mayor.

—Por el ecumenismo y todo eso. Y porque quieren que de ahí salga *la* conferencia de paz definitiva. Una prioridad absoluta del presidente de Estados Unidos. No se pueden dar palos de ciego.

—Pues ya han dado unos cuantos. Ni siquiera entiendo por qué han elegido Antigua. Ustedes los de seguridad tienen que volverse locos allí.

—Yo no soy exactamente de seguridad. Tuve bastante experiencia en ese campo cuando trabajaba aquí al lado, en Nueva York, y terminé harto. Ahora soy comisario de policía aquí, en este distrito, que es mucho más tranquilo. Pero ¿qué quiere que haga si me llaman de la Casa Blanca porque ha dado mi nombre Sara Toledano? Y en cuanto a la elección de Antigua, usted conoce mejor que yo las razones históricas, ¿no?

—Es cierto que nací y viví allí, señor Bielefeld. Y puedo entender las razones histórico-sentimentales. Con ellas se han escrito algunas óperas y zarzuelas de medio pelo, pero una conferencia de paz es otro cantar. Y la prueba es que ayer por poco se les descalabra el Papa. Eso sin contar los heridos.

—Luego volveremos a ese punto, porque es el que más complica la futura visita del presidente. Sus consejeros han intentado que la cancele, sin que él accediese. Pueden aplazarla hasta que se aclare lo sucedido, pero no dar marcha atrás. Se ha puesto mucho esfuerzo, tiempo y dinero en este asunto. Hay demasiados intereses en juego, y no se pueden dejar cabos sueltos.

—¿Sara Toledano es uno de esos cabos sueltos?

—No se imagina usted hasta qué punto —resopló Bielefeld.

—Me lo imagino perfectamente. Una de las especialidades de Sara son los líos.

—Creía que se llevaban bien. Sara habla maravillas de usted.

—No estaría aquí de no ser por ella...

El comisario pareció recibir con alivio esta confirmación. Echó mano a su cartera y extrajo el sobre que llevaba el número 1.

—Es la carta que le mencioné por teléfono.

David reconoció su nombre, escrito con la letra de Sara Toledano. Observó aquellos trazos angustiados, que surcaban el papel como arañazos. A él también le tembló la mano al manejar el cortaplumas, una espada repujada en miniatura, el más socorrido souvenir de Antigua. Extrajo dos folios cuidadosamente doblados. Sintió su inconfundible perfume de magnolia, que aumentó al desdoblarlos, dejando caer sobre la mesa cuatro fragmentos triangulares de pergamino, en forma de cuña.

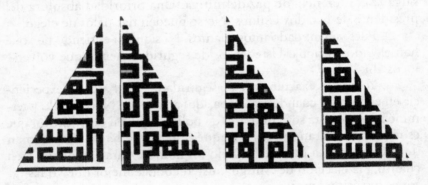

David contuvo la respiración al ver los laberínticos trazos que cubrían su superficie. Algo, en algún remoto recoveco de su cerebro, restalló con un latigazo de reconocimiento, haciéndole parpadear, aturdido.

—¿Se encuentra bien? —se interesó Bielefeld.

Asintió lentamente, moviendo la cabeza de un modo mecánico. Le costó reaccionar, e intentó ganar tiempo palpando aquel soporte entre las yemas de los dedos, tanteando su textura de finísima piel.

—Ahora comprendo por qué Sara me aseguró que había hecho un descubrimiento extraordinario —cabeceó al fin, sin ocultar su preocupación.

—Eso me dijo a mí también —confirmó el comisario.

David apartó a un lado los fragmentos del pergamino y se dispuso a leer la carta.

A medida que lo fue haciendo, no pudo evitar que la emoción le secara la boca y empañara los ojos. Bielefeld escrutaba su rostro, y a través de las reacciones del joven empezó a sopesar la gravedad de la situación. Como se había temido, a las implicaciones políticas —ya de por sí bastante oscuras— estaban a punto de añadirse las complicaciones personales y familiares.

Al finalizar la lectura David parecía anonadado. Pero se esforzó por mantener la calma. Dejó los dos folios a un lado, y volvió a examinar los cuatro fragmentos triangulares del pergamino. Pareció ensayar distintas combinaciones, intentando encajarlos. Al cabo de un rato, desistió de su empeño.

—¿Y bien? —le apremió el comisario.

Sin contestar a su pregunta, David se levantó y comenzó a pasear de arriba abajo por el amplio despacho. Salió de la zona iluminada por el leve resol de la ventana para avanzar hacia el fondo, perdiéndose en la penumbra y en un mar de dudas.

John Bielefeld era consciente de los esfuerzos del joven por controlar sus sentimientos y durante varios minutos respetó su silencio. Al fin, no pudo más, y volvió a la carga:

—¿Me va a contar lo que sucede, o no?

David se acercó a la mesa y le tendió la carta. El comisario dudó un momento, antes de inmiscuirse en algo tan privado. Sin embargo, cuando él insistió, sacó unas gafas de su cartera, se las caló y comenzó a recorrer aquellos tensos renglones, que sólo la férrea disciplina de Sara parecía capaz de ordenar en circunstancias tan dramáticas para ella:

Querido David:

No intentéis encontrarme. Será inútil. Para cuando leas estas líneas es posible que ya me haya reunido con tu padre. Sé lo que me aguarda, pero pienso llegar hasta el final. Debo hacerlo. No puedo esperar más tiempo. No puedo seguir con estas dudas que me impiden conciliar el sueño. Y después de entregar toda una vida a mi familia quiero disponer libremente de lo poco que me queda y cumplir aquello que siempre se me negó.

Nunca lo hemos hablado, pero tú sabes cómo pienso. Lo he leído muchas veces en tu mirada. ¿Ves esa fotografía que hay encima de la mesa? Lo que pasó en Antigua nos arruinó la vida a todos los que estamos ahí. No debéis dejar que os suceda lo mismo a vosotros, a Raquel y a ti.

Aunque todo empezó mucho antes, con ese Programa AC-110. *Tu padre descubrió algo trascendental, sólo que no podía divulgarlo por el contrato de confidencialidad de por vida que tenía con la Agencia de Seguridad Nacional. Durante muchos años, también yo he tenido que guardar este secreto. Porque no acababa de creérmelo y porque temía sus consecuencias. Ahora sé que Pedro estaba en lo cierto. Además, ahora todo me da igual. Me queda poco tiempo y soy consciente de que la vida seguirá sin mí. Ya lo he aceptado. Sólo me preocupáis vosotros, lo que pueda pasaros, y no quiero que se repita la historia que nos impusieron a tu padre y a mí. Tenéis todo el derecho a libraros de esa amenaza.*

No es algo que se pueda explicar en dos palabras. Lo entenderás si examinas en tu ordenador el CD que te adjunto. Le estoy enviando otra copia de ese disco a mi hija, a través del comisario John Bielefeld. Te mando también cuatro fragmentos de pergamino. Seguramente ocultan una clave y, en ese caso, sólo tú la podrás descifrar. Por los papeles que he consultado en el archivo, y por otra serie de indicios, deduzco que son muy importantes y están relacionados con otro fragmento que hay en la Fundación, el que lleva por detrás la inscripción ETEMENANKI / La llave maestra.

Conozco su valor histórico, y sé que lo que voy a pedirte es ilegal, pero llévatelo. Coge también el archivador azul que hay en un cajón de mi mesa, en el que pone: «Notas para el libro DE BABEL AL TEMPLO. Lenguaje, religión, mito y símbolo en los orígenes de la conciencia». *Diga lo que diga Anthony Carter, el gerente, en ningún caso dejes ahí esos documentos.*

Debes hacerte con los otros tres gajos del pergamino que le fueron requisados a mi padre por la Agencia de Seguridad Nacional. Cuando te hayas reunido con mi hija Raquel, habéis de ir allí, a la Agencia, pedírselos a James Minspert y traerlos con vosotros a Antigua. Es muy importante: nada podréis hacer sin ellos. Insisto: nada.

Lo digo porque sé lo que te costará dar ese paso, volver a la Agencia, hablar con Minspert, y soy consciente de lo peligroso que es ese individuo. A ti no necesito prevenirte de ello. Sólo te pido que intentes hacérselo entender a mi hija. Conozco tu terquedad y me hago cargo de que todavía te resultará más embarazoso ir allí junto con Raquel. Pero de nada valdrá si no vais juntos, como le repito a ella en otra carta parecida a ésta, que le entregará Bielefeld.

También sé los problemas que has tenido con mi hija en el pasado y lo que pensáis el uno del otro. Vuestros enfrentamientos han sido para mí algo muy duro de sobrellevar y no pretendo hurgar en esa herida. Lo que sucede es que sólo ella dispone de un acceso legal a esos documentos; y sólo tú podrás autentificarlos. Os necesitáis el uno al otro. El comisario os allanará el camino: tiene autoridad para ello, pues ya me encar-

gué yo de que la tuviera cuando acepté asesorar al presidente. Nunca hubo una oportunidad como ésta, ni volverá a haberla.

Te prevengo: la historia en la que vais a veros envueltos os resultará muy ardua en todos los sentidos y, sobre todo, difícil de creer. La incredulidad —vuestra y, sobre todo, ajena— será el principal obstáculo que habréis de vencer para seguir adelante. Iréis de sorpresa en sorpresa, como me ha sucedido a mí, y como le sucedió a tu padre.

Si después de meter en el ordenador el CD que te adjunto, aún sigues dudando de mi salud mental, permanece atento a los sucesos de la Plaza Mayor. Espero que, tras ello, esa gente se lo tome en serio. Deberás hablar con el arquitecto Juan Antonio Ramírez de Maliaño. Es el padrino de Raquel y la quiere como a una hija. Preguntadle por La lluvia de los viernes. *Él entenderá. Fue la última conversación que mantuvimos, durante nuestra visita a El Escorial.*

No lo olvides y ten presente lo que hemos hablado tantas veces, y lo que han supuesto estos días de trabajo. Aunque haya sido a distancia, hemos formado un buen equipo, ¿no te parece?

Con todo mi afecto,

Sara

P. S. En cuanto a la fotografía que hay encima de la mesa, me gustaría que la conservaras tú. Así lo habría querido tu padre.

Bielefeld dobló la carta y se quitó las gafas lentamente. El silencio era tan absoluto que sólo se oía el leve crujido del parqué en las idas y venidas de David. El comisario seguía preguntándose por el extraño comportamiento de Sara. Sobre todo, que le hubiera encomendado visitar a David Calderón antes que a su propia hija, Raquel. Pero el orden de los sobres no dejaba lugar a dudas. Estaba claro que si no conseguía convencer a David para que le acompañase, de poco le valdría entrevistarse con Raquel. Y sin el acuerdo de ambos sería inútil ir a la Agencia de Seguridad Nacional para entregar el tercer sobre a James Minspert.

—Desde luego, me ha endosado una buena papeleta —rezongó.

Calderón debió de adivinar su perplejidad, al decirle:

—Supongo que no habrá entendido nada, comisario.

—Poca cosa, la verdad.

—Quizá se aclaren algunas dudas en ese CD que Sara nos envía. ¿Dónde está?

—¿No iba ahí dentro? Ese sobre es todo lo que me dio para usted.

David lo examinó de nuevo y hubo de concluir:

—Como no esté en la carta que le manda a su hija Raquel...

—Dígame —prosiguió Bielefeld— ¿A qué se refiere Sara cuando habla de reunirse con el padre de usted?

—También él desapareció en Antigua. Nunca se ha querido reconocer oficialmente, pero todos sospechamos que logró entrar en sus catacumbas, y ya no consiguió salir.

—¿Por dónde entró?

—No se sabe.

—¿Y no contó a nadie sus planes?

—Para entonces estaba ya muy trastornado. Se pasaba días enteros sin despegar los labios. Y cuando hablaba lo hacía de un modo ininteligible. Ahora, Sara ha debido de descubrir algo y ha creído que podría averiguar lo que sucedió.

—¿Piensa usted que Sara ha entrado ahí abajo?

—Tampoco lo sé. Ya ve que ella no acaba de concretarlo.

—¿Y no le parece extraño?

—Es algo intencionado. Evidentemente, no quiere que la sigamos. Sabe muy bien el peligro que correríamos.

—Entonces, ¿para que les envía estas cartas?

—Para que investiguemos algo que ella no ha podido averiguar. Y entonces, y *sólo entonces,* tomemos una decisión. Que quizá sea entrar ahí abajo, o quizá evitarlo a toda costa.

El comisario no salía de su asombro. David fue recuperando el dominio de sí mismo mientras esperaba a que su interlocutor terminara de releer la carta.

—En mi vida había visto nada igual —concluyó Bielefeld tras devolverle los folios.

—Es imposible que se haga cargo sin conocer los antecedentes de los Toledano. ¿Qué sabe usted de Sara y su familia?

—Poca cosa. Sara es más bien amiga de mi mujer. Y para estas cuestiones es muy reservada.

—Por fuerza. Es una larguísima historia... Si la conociera, entendería por qué me parece inútil que yo vaya a ver a Raquel Toledano, y menos aún a James Minspert en la Agencia de Seguridad Nacional.

—¿Me está usted diciendo que se niega a colaborar, a pesar de cómo se lo pide Sara en su carta? ¿Se da cuenta del peligro que debe estar corriendo ella?

—Claro que quiero colaborar, comisario. ¿Por quién me ha tomado? Pero yo no conseguiré nada de ellos. No sólo eso, sino que mi presencia será contraproducente.

—Me lo tendrá que explicar muy bien para que se lo acepte.

—Éste no es el mejor momento para contarle algo tan enrevesado.

—Pues no creo que tengamos otro. He de entregar a Raquel Toledano este segundo sobre que llevo en la cartera. No me iré de aquí sin usted. Y tampoco quiero dar pasos en falso. O sea que trate de resumir y póngame en antecedentes. Nos queda algo más de una hora antes de que vuelva ese gerente.

David fue hasta su silla y se sentó frente al comisario. Miró la fotografía que había encima de la mesa y tamborileó con los dedos sobre la madera veteada de roble, sin poder reprimir su agobio:

—Raquel Toledano... ¡Uf...! Es difícil pisar terreno firme con esa chica... Creo que será inútil ir a verla.

—Por favor... No empecemos. Recuerde lo que le dice Sara en su carta. Y que el tiempo apremia.

—De acuerdo. Intentaré resumirle la historia de la familia, a ver si así se convence de que mi presencia será inútil.

—¿Me permite...? —Bielefeld señaló la foto—. Está tomada en la Plaza Mayor de Antigua, pero ¿cuánto hace de esto?

—Treinta y tantos años, más o menos. Yo aún no había nacido.

—Así que éste es el padre de usted. Se le parece mucho. Ésta es Sara. Muy guapa. Y Abraham Toledano es el del centro, ¿verdad? Creo que fue un hombre muy influyente.

—Le verá mejor aquí —y señaló un cuadro en la pared lateral—. En realidad se llamaba Abraham Salomón Ezequiel Toledano. Nacido en Jerusalén, primogénito de una familia sefardí de Bagdad, muy cultivada y acaudalada, con ramificaciones en Damasco. Habían hecho mucho dinero con las caravanas que unían esas dos ciudades. Abraham no sigue el oficio de comerciante en joyas, como era tradición en el primogénito. Se convierte en el intelectual de la tribu, y gran políglota. Publica su primer libro sobre Oriente Próximo a los dieciocho años.

—¡Qué precocidad!

—Eso no es más que el comienzo. Luego refuerza su conocimiento de las lenguas semíticas estudiando en Alemania, donde ejerce de profesor después de la Gran Guerra. A finales de los años veinte se traslada a España, obtiene una cátedra especial en Madrid y se especializa en el encuentro de las culturas árabe, cristiana y judía en la ciudad de Antigua, de donde habían sido expulsados sus antepasados siglos antes. Se compra un viejo palacio allí, junto a la Casa de la Estanca. Pero no pierde los vínculos con Oriente Próximo. Ni con Alemania: se había hecho muy amigo de Albert Einstein, y en 1935 propone al Gobierno de la República española que cree una cátedra especial para acogerlo, cuando su teoría de la relatividad le ha convertido en una celebridad mundial y tiene que huir de los nazis.

—¿Cuándo viene a Estados Unidos?

—Abraham Toledano no se estableció en Nueva York hasta después de la Guerra Civil española, en la que participó contra los fascistas. Creo que fue entonces cuando empezó a cambiar su actitud. O quizá después del Holocausto. O quizá fue la bomba atómica, porque algunos de los participantes en el Proyecto Manhattan eran amigos suyos. O su boda con Peggy. O lo que fue pasando con su hija Sara al ir creciendo. No sabría decirle. El caso es que cambió.

—¿Cuándo creó esta Fundación?

—Este edificio en el que nos encontramos lo construyó en los años cincuenta, después de heredar la enorme fortuna de la familia. Fue una buena inversión, un terreno en pleno campo, con sus praderas, bosques y lago, pero a cincuenta millas de Nueva York. Supongo que lo hizo por razones fiscales y porque empezaron a agobiarle las cosas que había ido comprando. Era un gran coleccionista, especializado en documentos de Oriente Próximo. Las lenguas de esos lugares no tenían secretos para él y llegó a reunir más de tres mil quinientos manuscritos. Verdaderas rarezas.

—Entre ellas, esos fragmentos de pergamino de los que habla Sara en su carta...

—¿Los que le requisó la Agencia de Seguridad Nacional? No exactamente. Esos fragmentos de pergamino y toda una serie de documentos los encuentra en el año 1944. Durante ese verano, cuando se ve que está cerca el fin de la Segunda Guerra Mundial, el Alto Estado Mayor crea en Washington, con todo sigilo, un comité para capturar el máximo de material criptográfico alemán: máquinas de cifrar, analistas, códigos... Es una carrera contrarreloj, porque los rusos están haciendo lo mismo, empezando por la otra punta del país. De ese modo, el servicio de criptografía americano se hace con un material muy valioso, que a partir de los años cincuenta termina en manos del heredero de ese servicio, la actual Agencia de Seguridad Nacional. Lo que allí se consigue es un material tan secreto que todavía no se ha desclasificado.

—Ya ha transcurrido de sobras el plazo para ello —objetó Bielefeld.

—Pues ni por ésas. Supongo que el responsable ha sido James Minspert, a quien se refiere Sara en su carta. Trabajó con mi padre en la Agencia, y digamos que fue mi jefe cuando yo estuve allí. El caso es que han decidido no desclasificar esos documentos al menos hasta el año 2012.

—Eso los convierte en el último gran misterio de la Segunda Guerra Mundial.

—Así es. Lo más sangrante de esta historia es que esos fondos son un depósito de Abraham Toledano, pagado con dinero de su propio bolsillo. El servicio de criptografía no les concedió ningún valor. Él había ido a Alemania para organizar el destino de los judíos supervivientes del Holocausto. Le hablaron de esos papeles, los compró y los añadió al mismo lote, para que no se desperdigaran de su contexto original. El tiempo le dio la razón, esos fondos han resultado ser un enigma. Y el mayor de todos, tres fragmentos de pergamino en forma de cuñas triangulares, como estos cuatro que me envía Sara en su carta.

—¿Por alguna razón especial?

—Por su propietario, el ministro de la Guerra de Hitler, Albert Speer. Los guardaba como oro en paño. Estaba a punto de destruirlos, para que no le comprometieran, cuando Abraham Toledano le hizo llegar una cuantiosa suma a través de un intermediario suizo. Se los vendió, pero no quiso decirle de dónde los había sacado. Ni siquiera después de los juicios de Núremberg, cuando Speer fue condenado a pasar el resto de sus días en la prisión de Spandau. Sin embargo, Abraham Toledano se había dado cuenta desde el principio de que aquellos papeles tenían relación con España y se propuso investigarlos con la mayor discreción. No tuvo ningún apoyo económico oficial, pero le autorizaron para que contara con la ayuda de mi padre, al que también pagó con dinero de su bolsillo. Así fue como empezaron a estudiar esos documentos y se vincularon a los servicios criptográficos y, después, a la Agencia de Seguridad Nacional.

—¿Cuántos años tenía por entonces su padre?

—Era muy joven, alrededor de veinte años. Pero ya era muy bueno con los idiomas. Siempre lo fue. Estudió lenguas semíticas con Abraham Toledano y se convirtió en su discípulo predilecto y su brazo derecho. Mi padre había perdido a toda la familia en la

Guerra Civil. Abraham lo adoptó, se lo trajo a Estados Unidos. Y lo que pasó a continuación no hizo más que reforzar esos vínculos.

—Lo que sí tenía entendido es que Abraham Toledano participó por esos años en la creación del Estado de Israel.

—Entre bambalinas. En esos momentos en los que empezaba a hablarse del Estado de Israel no estaba claro dónde se quería instalar. Tampoco se reivindicaba Jerusalén como capital. Todo eso fue un empeño personal de Abraham Toledano, y tuvo mucho que ver con aquellos documentos que había descubierto. Al estudiarlos, fue perfilándose algo increíble: allí aparecía, a mediados del siglo XVI, el primer proyecto serio, detallado, para reunir en Palestina a los judíos de la diáspora. Y lo habían patrocinado sus antepasados, los Toledano. Aquello dotaba al Estado de Israel de una legitimidad histórica crucial: durante el reinado de Felipe II, medio siglo después de haberlos expulsado en 1492, España, el más poderoso imperio de aquel momento, impulsaba la creación de un Estado judío. Era muy tentador repetir la operación, estableciendo un paralelismo con el otro imperio que acababa de ganar la guerra en 1945, Estados Unidos de América.

—Creo que ahora entiendo mejor el papel de Sara en esa conferencia de paz que pretenden organizar en Antigua —reconoció Bielefeld.

—Diga mejor que empieza a entenderlo, porque queda mucha tela que cortar. Para abreviar le diré que, con ese primer resultado de aquellos documentos, Abraham Toledano pareció darse por satisfecho. Quizá le aconsejaron que lo dejara estar cuando Israel empezó a cobrar forma. Pero mi padre no estaba de acuerdo con dejarlo. Tuvieron una disputa muy agria cuando Pedro hizo un informe manteniendo que en todas esas negociaciones para crear un Estado judío en la época de Felipe II hubo una parte secreta, que nunca trascendió y que fue la que dio al traste con todo el proyecto. Y, según él, la clave estaba en aquellos tres gajos de pergamino.

—Los tres que se conservan en la Agencia de Seguridad Nacional y que son como éstos que ahora le envía Sara, ¿no? Resulta difícil de creer.

—Yo tampoco lo creería si no hubiese pasado lo que pasó... Las cosas se complicaron... Mi padre llegó a sospechar que su antiguo mentor no quería que se supiera nada de lo que allí estaba oculto, para no cuestionar el Estado de Israel que Abraham Toledano apoyaba en ese momento. Si en tiempos de Felipe II aquellos gajos del pergamino habían sido un obstáculo, aún parecían seguir siéndolo cuatro siglos después. El caso es que a finales de los años cincuenta sus posiciones se fueron distanciando más y más. Pedro debió de sufrir mucho, porque se encontraba Sara de por medio. Y supongo que a ella le pasaría otro tanto...

David hizo una pausa, miró la fotografía y suspiró, antes de continuar.

—Bueno... Abrevio. Entre que Abraham Toledano quiere apartar a mi padre de aquello, y que la Agencia de Seguridad Nacional no anda sobrada de buenos lingüistas, el caso es que a finales de los años cincuenta lo fichan para un proyecto muy especial. Se pone en marcha algo así como un Proyecto Manhattan de la criptografía. Alto secreto militar. Su nombre oficial era *Proyecto AC-110,* aunque todos lo conocían como *Babel.*

—Sara habla de él en su carta, ¿no?

—El mismo. Tenían un encargo muy concreto. Al empezar a enterrar residuos nucleares en el desierto, a muchos metros de profundidad, se vieron en la necesidad de dejar señales de aquel nuevo peligro, por si algún día salían a la luz. El problema se planteaba de cara a un futuro muy amplio, porque esos residuos tenían por delante unos diez mil años de radioactividad. En ese tiempo, ¿quién sabe lo que sucedería en la Tierra y qué códigos resultarían comprensibles? Entonces, ¿cómo informar a los futuros habitantes del planeta? Había que crear un lenguaje universal que pudiera entenderse dentro de miles de años. Todo un desafío. Se excluyó inmediatamente cualquier tipo de comunicación verbal, por razones obvias. Grandes civilizaciones, como la egipcia, tenían un lenguaje que resultó indescifrable a las pocas generaciones de que cayera su imperio. La escritura no valía.

—Quedaban las imágenes —sugirió Bielefeld.

—Por supuesto que mi padre lo consideró. Pero las imágenes sólo son reconocibles a partir de convenciones precisas. Si no se conocen las costumbres se vuelven confusas, y no se puede saber si los representados están luchando, cazando, danzando o haciendo Dios sabe qué... Se les ocurrió entonces que las zonas afectadas por la radioactividad podrían llenarse con todo tipo de mensajes en todo tipo de códigos, esperando que alguno de ellos sobreviviera o guardase relación con los empleados en el futuro. Pero incluso esa solución requiere cierta continuidad cultural, imposible de asegurar. ¿Sabe a qué conclusión llegaron?

—Ni idea.

—Sostuvieron que lo único que funcionaría sería crear una conciencia del peligro que pudiera transmitirse durante siglos y siglos, incluso tras haberse perdido todo conocimiento preciso de su origen, incluso en plena barbarie. Habría que recurrir al mito, las supersticiones, los tabúes... A lo peor no quedaba más remedio que instituir una especie de casta, formada por científicos, antropólogos, lingüistas y psicólogos, que se perpetuara a través de los siglos y que con el tiempo degenerarían en una especie de sacerdotes o guardianes del secreto, que se verían obligados a transmitir algo que ni siquiera sabrían explicar. Mi padre se negó a suscribir algo así.

—¿Tenía una propuesta mejor?

—Eso fue lo malo. Todavía no, aunque estaba en la pista. Pidió tiempo, y se lo dieron. Pidió acceso a los ordenadores, y se lo dieron. Hasta que llegó el momento de rendir cuentas. Cuando les pasó el primer informe, lo apartaron del proyecto y le negaron el acceso a los ordenadores, que entonces eran muy caros. El tiempo de uso de uno de aquellos cacharros era carísimo. Pero mi padre siguió trabajando a mano, erre que erre. Entonces, lo echaron de la Agencia. James Minspert, que había sido su ayudante, le sustituyó. Y yo siempre he sospechado que se apropió de su trabajo. Mi padre estaba agotado por el esfuerzo, y Abraham Toledano lo envió a Antigua para que se ocupara de montar un Centro de Estudios Sefardíes en su antiguo palacio de la Casa de la Estanca. Y también para alejarlo de Sara. Esta fotografía está hecha justamente cuando van allí a revisar el proyecto de remodelación del palacio por el arquitecto Juan de Maliaño.

—Pero a Pedro y a Sara se les ve contentos.

—Es que ellos creían que el Centro de Estudios Sefardíes incluía a Sara. No sabían que Peggy y Abraham Toledano tenían otros planes para ella. La enviaron a Chicago, donde se doctoró en Historia de las Religiones con Mircea Eliade. Ella y mi padre se siguieron viendo, pero menos... Pasan los años... Un buen día, a mediados de los setenta, mi padre está trabajando en la biblioteca de El Escorial... ¿Conoce El Escorial?

—Nos llevaron de excursión el otro día. ¡Menudo mamotreto!

—Su biblioteca tiene unos fondos impresionantes en lenguas semíticas. Eso es lo que mi padre está investigando allí en los años setenta, cuando descubre un pergamino en forma de cuña. Como los tres que le había comprado Abraham Toledano a Albert Speer. Y como estos cuatro que ahora me envía Sara.

—¿El que encuentra su padre en El Escorial es el fragmento al que se refiere ella en su carta, el que guardan en esta Fundación?

David asintió. Se levantó, fue hasta la mesa auxiliar y volvió con un par de folios y un gajo triangular de pergamino, cuidadosamente protegido por una funda de plástico.

—Éste es. Mi padre se da cuenta de inmediato de que procede del mismo documento original que los otros tres requisados por la Agencia de Seguridad Nacional. Lo encuentra entre los papeles de fray José de Sigüenza, el bibliotecario y cronista de El Escorial en el siglo XVI. En una nota, Sigüenza cuenta que Felipe II murió con ese fragmento en las manos. Y, en efecto, por detrás lleva escritas unas palabras suyas.

Se las mostró, dando la vuelta al archivador de plástico transparente.

—¿Qué es lo que dice ahí? —preguntó Bielefeld.

—ETEMENANKI. Pero ésa no es la letra de Felipe II, sino ésta, donde dice *La llave maestra*.

—¿La llave maestra de qué?

—A saber. Quizá de El Escorial, que tenía muchas puertas, unas mil doscientas cincuenta. Fray José de Sigüenza anota su extrañeza por el hecho de que el monarca más poderoso del mundo quisiera morir con este pergamino en la mano, teniendo como tenía reliquias de todos los santos imaginables. Montones de armarios y cajones llenos de reliquias, y en el panteón los restos de los reyes que le habían precedido. Y, sin embargo, cuando le llega la hora, elige ese pergamino. Ésta es la nota de fray José de Sigüenza. Y, agárrese, su destinatario es Raimundo Randa, el correo y agente secreto de Felipe II acusado de alta traición.

—Su proceso es lo que estaba investigando Sara en el convento de los Milagros, ¿no?

—Exacto. Esto es lo que le dice fray José de Sigüenza a Raimundo Randa:

En todo este tiempo fueron llegando a El Escorial muchas cajas de reliquias que Su Majestad había encargado recoger por media Europa, hasta reunir siete mil y pico huesos, fundas un tiempo de otras tantas almas. Entre ellos componían diez cuerpos enteros de santos, cerca de ciento cincuenta cabezas, más de trescientos brazos y piernas... Tantos huesos había, en fin, que cualquiera tendría para roer toda la vida.

No sé si sabéis cómo recibió Felipe II años atrás la noticia de vuestra desaparición. Que más furia no creo que tuviera el Minotauro en su laberinto. Yo bien le vi a horas extrañas con aquella llave maestra que sólo llegó a instalarse en algunas puertas de El Escorial, probando cerraduras por todo el monasterio, como si no diese crédito a lo que le habían contado de vos. Suponía yo que todo eso lo había olvidado. Pero nunca se sabe lo que de veras importa a un hombre, por muy rey que sea, hasta que le llega la hora postrera.

Y os digo esto porque, con ser tantas y de tanto rango aquellas reliquias, ninguna acababa de contentarle en aquel trance, y mucho tuve que averiguar hasta saber lo que buscaba. Era aquel trozo de pergamino donde decía ETEMENANKI, y él había añadido de su puño y letra La llave maestra. Pues con él en la mano tenía para sí que le sería más cierto y propicio el tránsito final.

Estaba ya por entonces don Felipe en lo más penoso de su enfermedad. Como a su padre, el emperador, la gota le castigaba los huesos como un cepo. Y no era más que un saco de úlceras y un fardo de llagas al que llevaban a enterrar cada día.

No le era ajena la muerte, pues había visto fallecer a sus cuatro mujeres y a seis de sus hijos, sino que le dolía aquella espantable escuadra de miserias que le acometían el cuerpo. Una hidropesía le hinchaba el vientre y le provocaba una sed abrasadora. Y así sentía que se iba pudriendo y cociendo vivo, en medio de grandísimos dolores. Luego se le hicieron llagas en manos y pies, de las que supuraban humores pestíferos que rompían la piel y manaban en los momentos menos oportunos. Era, al fin, tan grande el padecimiento, que ni aun la sábana podía sufrir encima.

Se agravó su estado con un tumor maligno que le fue creciendo encima de la rodilla derecha, y pronto el muslo estaba hecho una bolsa de podre que le llegaba hasta el hueso y expelía hasta dos escudillas de pus y otros recios humores. Ya le acometían tantos males que no le era posible menearse ni revolverse en la cama. Le era forzoso estar de espaldas noche y día, sin tener siquiera el alivio de mudarse de lugar.

Así se convirtió el lecho real en muladar del que surtían terribles olores, sepultado Su Majestad en sus propios desechos, que se confundían con las llagas y supuraciones de su propio cuerpo en putrefacción. En los cerca de dos meses que padeció la enfermedad no se le pudo mudar la ropa que tenía debajo, ni moverle para limpiarle, con lo que estaba como en una sentina, hecho carroña de sí mismo. Y así, el rey más poderoso del mundo, que en vida era el más aseado y compuesto, tanto que no podía *sufrir ni una telaraña en el techo, ni una mancha en el suelo, ni una raya en la pared, se veía ahogado en humores gruesos, pútridos, melancólicos, hediondos.*

Os preguntaréis cómo pudo soportar aquellos cincuenta y tres días de atroz agonía. Para mí que se debió a ese pergamino. Desde que lo tuvo en su mano, empezó a dar muestras de quietud y sosiego, y día y medio antes de su muerte quedó Su Majestad sin ningún género de dolor. Y todo lo achacó a aquella reliquia, a la cual estuvo abrazado muchas horas, con tan grandes demostraciones de contrición y amor, que parece que se la quería meter en las entrañas.

Estuvo, en fin, su vida llena de cuidados. Siempre trabajó con manos, pies y ojos. Con las manos, escribiendo; con los pies, caminando; con los ojos, como un tejedor que tiene la tela repartida en diversos hilos. Que así tenía él el corazón. Y su muerte fue como cuando se corta la tela del telar.

Cuando David terminó su lectura, Bielefeld estaba impresionado:

—Me había olvidado de lo macabros que son los españoles para estas cosas... Una pregunta: si esto es una carta a ese tal Raimundo Randa, ¿cómo es que el fraile la conservó entre sus papeles?

—Seguramente es una copia. Un borrador, que ni siquiera sabemos si llegó a enviar. El caso es que cuando mi padre la encontró en la biblioteca de El Escorial, se puso en contacto con Abraham Toledano. En un principio había llegado a pensar que los gajos del pergamino podían ser diseños de llaves, un intento por encontrar las suficientes variaciones como para cerrar con ellas más de mil doscientas puertas, pero de modo que el rey pudiera abrirlas todas con una sola llave. Sin embargo, más tarde, empezó a sospechar que allí había algo más. Y que lo escrito por Felipe II de su puño y letra, lo de *La llave maestra*, y su empeño por morir con aquel gajo de pergamino en la mano, encierran un enigma mucho mayor.

—¿No me estará usted sugiriendo que es la llave para el otro mundo?

—Yo no digo nada. Me limito a contarle la historia de estos pergaminos... En cualquier caso, lo más importante para mi padre, cuando hace este descubrimiento, es que en ese momento ya sabe lo que les había ocultado Albert Speer: aquellos documentos guardan algún tipo de relación con El Escorial.

—Aparte de lo del Estado judío, no acabo de entender para qué quería unos documentos así el ministro de la Guerra de Hitler.

—No olvide que también era su arquitecto. Y un gran admirador de El Escorial y de su diseñador, Juan de Herrera.

—Aun así, no acabo de ver la relación.

—Quizá la vea mejor si le digo que Herrera no sólo es el arquitecto de El Escorial, sino también el de la Plaza Mayor, y que esta Fundación en la que estamos ahora sentados patrocina una exposición sobre él, de la que es comisario Juan de Maliaño. Y en la que colaboraba Sara estrechamente.

—Entiendo. Continúe, por favor.

—A raíz de este descubrimiento, mi padre vuelve a la carga para trabajar en los documentos requisados por la Agencia de Seguridad Nacional, y en especial los tres gajos del pergamino que tienen allí. Alega que ahora ya se puede investigar sobre seguro, en un entorno bastante preciso, el de Felipe II, Herrera y El Escorial. Y que eso confirma su teoría de que hubo algo bajo mano que dio al traste con el proyecto del Estado judío del siglo XVI... No le dan el permiso. Pero él sigue investigando por su cuenta. Y averigua quién consiguió esos fragmentos del pergamino. Todo es obra del correo y agente secreto que trabajó para Felipe II, ese tal Raimundo Randa. El del proceso que estaba estudiando Sara.

—Me estoy empezando a liar. ¿Le importa que tome notas? Antes me ha dicho usted que los documentos que rodean esos fragmentos del pergamino son de mediados del siglo XVI. ¿Podría precisar un poco más la fecha?

—Hacia 1556 o 1557.

—¿Qué tipo de documentos son?

—La mayor parte, cartas. Cartas cifradas.

—¿Y los corresponsales?

—Carlos V y su hijo, Felipe II. Esa correspondencia comienza en el momento de la transmisión de poderes. Carlos V abdica y se retira a España, al monasterio de Yuste. Y Felipe II está en Bruselas, intentando asumir la herencia europea de su padre. Las comunicaciones entre los dos tienen que ser muy seguras, con absoluta garantía de confidencialidad. Pero es que estas cartas son tan seguras que se pasan: algunas de ellas no hay manera de descifrarlas.

—¿Ni siquiera usted? Me han dicho que en criptografía antigua no hay nadie mejor en todo el mundo.

—Ya sabe lo exagerada que es la gente. En cualquier caso, de poco me ha valido. He de decir, en mi defensa, que ésta es una clave muy especial.

—Es lógico, por el nivel de los comunicantes.

—No me ha entendido bien. Todos los que nos dedicamos a esto sabemos que en mayo de 1556 Felipe II decidió cambiar las claves de su padre, que eran un auténtico coladero y, más que quemadas, estaban chamuscadísimas. Lo hizo a conciencia, porque él no tenía la intención de pasarse la vida viajando de aquí para allá, como Carlos V. Sabía que iba a depender del correo para gobernar el mayor imperio del planeta. Por lo tanto, cambió las claves generales y fue asignando numerosas claves particulares a medida que las necesitaba. Pues bien, aun así, nada tienen que ver con esto.

Y ante la mirada interrogativa de Bielefeld, que había dejado de tomar notas, remachó:

—Sé bien lo que me digo, comisario.

—No lo pongo en duda, pero ¿qué es lo que logró averiguar su padre de ese agente secreto de Felipe II, Raimundo Randa?

—Lo acusaron de ser varias veces renegado de la religión cristiana. Fue cautivo de los turcos en Constantinopla. Viajó por media Europa. Estuvo en el Norte de África, en Jerusalén, La Meca y otros lugares de Oriente Próximo. Quizá fuera agente doble, o triple...

—Con ese currículo no me extraña que le interesase a Sara Toledano. Por cierto, qué apellido más extraño ése de Randa, ¿no?

—Lo mismo pensé yo —admitió David—. No parece de familia, sino adoptado. Es ideal para un correo, porque existe en los idiomas más diversos: español, francés, inglés, portugués, italiano, alemán, latín, árabe...

—Nunca lo había oído en español.

—Es poco común. Significa «pícaro». También una sutura que otros llaman punto del diablo, y se hace en el telar para rematar una pieza o unirla con otra. Y aún hay algo más: un virus informático.

—¿Está seguro?

—Segurísimo. Al buscarlo en Google me dio este resultado: «Randa *es un gusano reportado el 23 de agosto de 2002, de gran difusión masiva en español. Se propaga en mensajes de correo con un archivo anexado de doble extensión, que ocupa 4,5 KB de espacio*».

—¿Y todos esos viajes los hizo Randa por los gajos de pergamino?

—Eso parece. Y quizás explique que Felipe II muriera con uno de ellos en la mano. En realidad, Raimundo Randa no parece que fuese un correo regular, sino alguien al que se recurría en casos verdaderamente importantes. Entre otras razones, porque era muy caro. Muy rápido, muy seguro y muy caro. Es verdad que la información era entonces un artículo de lujo, pero lo de este hombre es algo aparte. Tenía su propio sistema de cifrado o algo así. El caso es que ya en su época, sus enemigos no lograron descifrarle ningún mensaje. También es verdad que el viaje que tenemos mejor documentado lo hizo dentro de un circuito muy seguro, el de los Taxis.

—¿*Taxis*, como los taxis?

—Tal cual. No es una coincidencia, no; es de ahí de donde viene el nombre que aún hoy se emplea en todo el mundo para los coches de alquiler con conductor. La dinastía de los Taxis prestó servicios de postas a media Europa desde la Edad Media hasta el siglo XIX. En la cima de su poder llegaron a tener más de veinte mil empleados. Y ya ve si han dejado huella.

—Ya lo creo. Todos usamos ese nombre.

—No sólo el nombre, también su color, y su escudo.

—¿A qué se refiere?

—Al cornetín de señales sobre fondo amarillo. No es casual que tantos taxis sean amarillos. Ellos empleaban ese color porque es el que mejor se ve, incluso a cierta distancia y en malas condiciones atmosféricas. Por eso forma parte del diseño de muchos servicios de correos. El alemán o el español, sin ir más lejos. Lo que tampoco es casualidad, porque su gran valedora fue la Casa de Austria. Ellos concedieron a la familia Taxis el monopolio de las comunicaciones, y Carlos V los convirtió en nobles y los nombró Correos Mayores de Castilla.

—Ahora entiendo mejor lo que me dice de esos documentos.

—Estamos hablando de algo serio, porque se lo encomiendan al espía más bregado de Felipe II, el correo más eficiente de la mejor organización de comunicaciones de su tiempo. Con un código de cifrado muy complejo, para garantizar una línea de alta seguridad entre Felipe II, que estaba en Bruselas, y Carlos V, retirado en el monasterio de Yuste.

—¿Y de dónde había sacado el tal Raimundo Randa esos pergaminos?

—Las primeras pistas aparecen en Milán, porque es ahí donde entra en el circuito de los Taxis para hacer el recorrido Italia-Bruselas, vía Tirol. Era su recorrido estrella, en el que habían alcanzado las máximas velocidades. Lo tenían estudiado al milímetro, con atajos bien controlados.

—¿De cuántos kilómetros estamos hablando?

—De setecientos y pico. Y se puede demostrar que Raimundo Randa los franqueó en cinco días. Eso nos da una velocidad media de unos ciento cincuenta y dos kilómetros al día... Una barbaridad... Tuvo que reventar muchos caballos para lograr esa hazaña. Por aquel entonces, un jinete solía hacer unas ocho leguas al día, que vienen a ser unos cincuenta kilómetros. Los correos podían duplicar esa velocidad, y sólo un mensajero con postas, usando las mejores calzadas, con buen tiempo y sin tener que dar rodeos por guerras, emboscadas o incidentes, podía alcanzar hasta los ciento treinta y cinco kilómetros diarios. Claro que esto las hacía prohibitivas para un particular: reducir el tiempo de un envío de siete días a cinco podía llegar a triplicar el precio del correo. Sólo se recurría a ello en casos excepcionales. Calculo que este envío no bajó de los mil ducados, diez veces el precio de un envío normal.

—Ya sé que se dedica usted a esto, pero sigo sin entender cómo puede hacer semejantes cálculos.

—Pues porque para alcanzar esas velocidades había que repostar cada diez kilómetros, doce como mucho. Divida setecientos y pico kilómetros por diez y le saldrán unas setenta y cinco postas. A seis ducados por posta, que es lo que venían a costar, resultan cuatrocientos cincuenta ducados, sólo en postas. Añada gastos, sobornos y comisiones, y le sale una auténtica fortuna, que muy pocos altos cargos ganaban en todo un año. Un profesor de una universidad de primera fila podía darse por contento con la mitad.

—Creo que voy entendiendo por qué esos gajos de pergamino eran algo importante en su época. Pero, ¿qué tienen que ver con lo que sucede hoy, con la conferencia de paz entre israelíes y palestinos y la desaparición de Sara Toledano?

—Para eso tendríamos que descifrar estos documentos.

—Pues adelante. Usted primero.

—No es tan fácil. Mi padre no tuvo esa suerte. Ni Sara, aunque quizá ella sea la única que ha visto todas las piezas del rompecabezas. ¿Comprende ahora la importancia de lo que dice en su carta? Siempre hemos sospechado que estos gajos triangulares forman parte de un solo pergamino, pero nadie ha logrado demostrarlo. Nunca han encajado. Claro que ahora contamos con este aparato que tengo aquí, que permite seguir los trazos y las vetas del soporte con iluminaciones de distintas frecuencias, desde los rayos infrarrojos hasta los ultravioleta. Con él se consigue ver lo que no está al alcance del ojo desnudo.

David puso los gajos en el artefacto y durante un largo rato trató de acoplarlos.

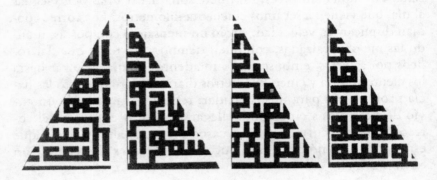

—Éstos tampoco encajan —se rindió—. Veamos si alguno de ellos lo hace con el que lleva la inscripción de ETEMENANKI-*La llave maestra*.

David manipuló el fragmento triangular que se conservaba en la Fundación, intentando que su soporte se correspondiera con el de algunos de los enviados por Sara. Probó con el lado más corto, el más largo, y el intermedio. Hasta que en su rostro se dibujó una sonrisa de satisfacción.

—¡Bingo! —exclamó mostrándoselo a Bielefeld.

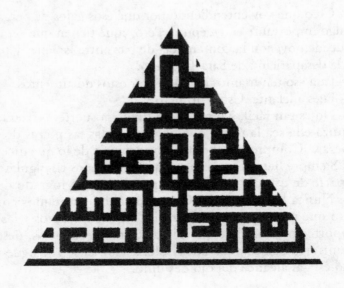

Sacó una regla y midió los lados del triángulo resultante. Era un equilátero perfecto. Los trazos parecían hechos sobre el pergamino con algún sistema de grabado muy persistente, quizá un hierro al rojo. Pero guardaban la continuidad entre uno y otro fragmento, formando un extraño entrelazo.

—Creo que estamos en el buen camino —aseguró el criptógrafo—. Nunca se consiguió que casaran entre sí los tres que se guardan en la Agencia de Seguridad Nacional. Pero quizá sí que encajen con estos otros tres que nos envía Sara. Y seguramente es lo que ella espera.

—¿Aún cree que es el diseño de una llave? —preguntó el comisario—. Si fuera algo moderno, podría tomarse por el circuito impreso de un chip o la placa base de un ordenador.

—A mí me recuerda más bien un laberinto. El caso es que sigue resultando indescifrable. Y dado que ése debería ser mi cometido, lo mejor es que me deje todo esto para que lo estudie con calma —murmuró David, consultando su reloj—. Se está haciendo tarde, y usted tiene que marcharse.

—¡Ah, no! No me iré sin usted.

—Comisario, por favor. Es mejor que vaya usted solo a ver a Raquel Toledano. Tiempo tendrá de contar conmigo.

—Tiempo es justamente lo que no tenemos. ¿Cómo podría convencerle?

—No podrá... Le acompaño hasta el despacho del gerente.

—¡Espere! Quiero que vea la grabación del incidente del Papa en la Plaza Mayor. Y después, le prometo que me iré.

—Está bien, ahí tiene el vídeo.

Mientras Bielefeld pasaba rápido hasta el final del discurso del Papa, sonaron golpes en la puerta. Se entreabrió y asomó el rostro del gerente, con una amenazadora sonrisa de oreja a oreja.

—Es hora de cerrar —canturreó, malévolo.

—Denos cinco minutos —le pidió Bielefeld—. Estamos terminando.

—De acuerdo, pero que sean cinco minutos —señaló a la mesita auxiliar, y añadió—: Y no olvide, señor Calderón, que he de guardar esos documentos en la caja fuerte. Déjelos como se los entregué esta mañana, por favor.

David se levantó y cerró la puerta.

—¿Cómo se sube el volumen? —preguntó Bielefeld a sus espaldas.

Al volverse, vio en la pantalla del televisor la imagen del Papa leyendo el discurso, con su característica voz temblorosa:

—«... Y hemos de recordar, en fin, el irrenunciable valor simbólico de la Explanada de las Mezquitas y del Templo de Salomón allí erigido, que es una prefiguración de la propia Iglesia...».

Entonces se le veía congestionado, y la plaza reverberaba con aquel incomprensible farfullo:

—*Et em en an ki sa na bu apla usur na bu ku dur ri us ur sar ba bi li.*

Abría mucho los ojos, las mandíbulas se le encasquillaban, y balbuceaba la melopea extrañamente rítmica:

—*Ar ia ari ar isa ve na a mir ia i sa, ve na a mir ia a sar ia.*

Seguía luego un zumbido que saturaba la cinta, como si ésta fuera incapaz de registrar el sonido.

La reacción de David fue tan rápida e inesperada que el comisario no tuvo tiempo de replicar. Fue hasta la mesa, abrió el cajón y extrajo el archivador azul con el rótulo «*Notas para el libro DE BABEL AL TEMPLO. Lenguaje, religión, mito y símbolo en los orígenes de la conciencia*». Recogió sus papeles, la carta de Sara, los pergaminos, incluido el de la Fundación, la vieja fotografía, su ordenador portátil, y lo metió todo en una bolsa. Finalmente, sacó la cinta del magnetoscopio y se la entregó a Bielefeld.

—¡Vámonos! ¡Rápido!

—Pero ¿qué hace? —preguntó el sorprendido comisario.

—Ahora no tenemos tiempo para explicaciones...

Salieron al pasillo. Bielefeld se encaminó hacia la entrada.

—¡Por ahí no! —David lo agarró por el brazo—. Salga por aquí.

Y le franqueó el paso, empujando una puerta de emergencia que daba directamente al muelle sobre el lago. Mientras avanzaba a largas zancadas por la pasarela de madera, tendida sobre las aguas, le preguntó:

—¿Qué tal se le da la navegación, señor Bielefeld?

Sin esperar la respuesta, David lo arrastró hasta una piragua que estaba amarrada al embarcadero y le entregó un remo. Soltó la cuerda y empujó con el suyo para alejarse de la orilla.

—Oiga, ¿no cree que debería decirme algo? —protestó el comisario.

—Ahora no hay tiempo. ¿Dónde tiene su coche?

—En el parking.

—¡Deprisa! Carter ya nos estará buscando. Esta canoa es suya.

No tardaron en oír los gritos del gerente. Les llamaba desde el embarcadero, que se iba alejando a golpes de remo.

Cuando Carter vio que abandonaban la piragua junto al puente del aparcamiento, dejó de mascullar maldiciones, sacó su teléfono móvil y marcó un número con gesto amenazador.

II

REBECA

R AIMUNDO Randa se incorpora en el poyo de piedra al oír los pasos que se aproximan a la celda. Oye girar la llave en la cerradura, con su largo chasquido de resortes. Se abre la puerta y en el umbral aparece el hombre embozado.

—¿Dónde está mi hija? —se pregunta, angustiado, el prisionero.

El embozado sigue allá arriba, inmóvil. Al escuchar voces tras él, vuelve la cabeza, como si esperara a alguien, y se aparta para cederle el paso. Randa no acierta a distinguir entre los bultos de quienes se acercan. Escruta el pasillo con sus ojos debilitados por la edad y la oscuridad.

Respira aliviado cuando ve entrar a Ruth. La joven baja las escaleras y atraviesa la mazmorra con su leve trote. Al pasar bajo el tragaluz que rasga, allá en lo alto, el centro de la bóveda, el sol se refleja en su melena rubia, que centellea durante unos instantes, iluminando la estancia.

—¿Cómo estáis, padre? —le saluda mientras la puerta se cierra a sus espaldas.

—Entumecido. Este poyo de piedra es duro y frío. Sin embargo, por primera vez en mucho tiempo he dormido de un tirón.

—¿Lo veis? Ya os lo dije ayer. Hablar os hace bien. No debéis dejar que se os pudran los recuerdos ahí dentro. Ni que el día de mañana la gente pueda seguir contando las falsedades que se dicen de vos.

—¿Qué me importa el día de mañana?

—Esa desesperanza es el mejor regalo que podéis hacer a vuestros enemigos. Sobre todo, al carcelero que os retiene aquí —le regaña la muchacha. Luego, se acerca a él, le acaricia el pelo lacio y le mira de frente, para asegurarle—: Es el hombre de la mano de plata.

—¿Qué dices? —se revuelve Randa, poniéndose en pie y tomando las manos de su hija.

—El que atormentó y mató a vuestra familia —insiste la joven, al observar que la noticia hace revivir a su padre, como enfermo curado por la picadura del alacrán.

—¿Estás segura? —el prisionero se ha acercado todavía más a Ruth, y le aprieta las muñecas con una fuerza y vehemencia que el día anterior apenas podían sospechársele.

—Padre, me estáis haciendo daño —protesta la muchacha.

—Perdona, hija —le pide mientras se deja caer sobre el poyo de piedra.

—Lo he visto con mis propios ojos. Un guante en la mano derecha y, debajo, cinco dedos de metal, con los que se ayuda para dar vuelta a la llave, mientras sujeta la puerta con la izquierda.

—Un guante de piel de perro, la más fina y resistente. Ese hombre es la pesadilla de mi vida. Cada paso que he dado ha sido bajo su sombra. Hasta el final…

—Si os dejáis caer en ese abatimiento será tanto como darle la razón. Seguid contándome vuestra historia. Necesito entender lo que está pasando. Y vos también. Ahora ya sabéis quién es vuestro carcelero. Y quizá podamos trazar un plan para sacaros de aquí.

—Algo debe tramar ese hombre al dejarte entrar.

—¡Qué más da lo que él pretenda!

—Puede estar escuchándonos.

—Es imposible que nadie nos oiga a través de estas paredes.

Randa se levanta, tantea los muros largo rato, examina el suelo, mira hacia el techo… Vuelve luego junto a su hija, y baja la voz para preguntarle:

—¿Has escrito todo lo que te conté ayer?

—Punto por punto.

—¿Y lo has puesto a buen recaudo?

—Guardad cuidado. Nadie lo encontrará. Ahora me gustaría saber cómo conocisteis a mi madre. Fuisteis criado suyo, o cautivo, ¿no es cierto?

—Sólo durante algún tiempo, y por culpa mía. Pero en casa de tu madre me trataron como a uno más de la familia. O casi. ¿Te conté el otro día como llegué hasta allí? —le pregunta Randa mientras se sienta al lado de su hija.

—Me relatasteis vuestra huida del almirante turco, Alí Fartax, el *Tiñoso*. Tras la traición de ese griego que dijo apalabrar un barco que nunca apareció, estabais escondido entre las mercancías del muelle de Estambul. Y os iban a descubrir quienes las recogían.

—Ya recuerdo... Sí, mal asunto aquel... Cada vez quedaban menos fardos, entre los cuales estaba yo, aterrorizado. Tan pronto fuese descubierto, me llevarían directamente a Fartax, y éste me haría empalar. Me revolvía en mi escondite, inquieto, cuando oí una voz familiar. Miré por encima de los sacos y vi a un hombre ya entrado en años, tocado con un bonete rojo que indicaba su condición de galeno. Era Laguna, aquel judío sefardí que tanto me había favorecido.

—¿El médico del Tiñoso?

—El mismo. Iba delante de los demás, revisando fardo por fardo, para separar los suyos. Sacando fuerzas de flaqueza, me deslicé entre los bultos por los que se disponía a pasar el buen médico. Esperé a que llegara a mi altura y le llamé quedo, pidiéndole silencio por señas e indicándole que se arrimara. Noté la confusión y el asombro en sus ojos, pero como me quería bien, ordenó a sus criados que esperasen con los guardias junto al carro que tenían prevenido para transportar aquella carga.

Se agachó junto a mí, como si examinara la mercancía, mientras me interrogaba con la vista. En dos palabras le conté el intento de fuga y la amenaza de Fartax. Se quedó espantado. Me miraba de arriba abajo, sin saber qué decir. Me temí lo peor. Él conocía el ascendiente de que yo gozaba en casa del Tiñoso, y no se acababa de fiar de mí. O, como judío que era, no encontraba motivos para comprometerse por culpa de un cautivo cristiano.

Aumentaba en mi interior la comezón a medida que notaba crecer la desconfianza en los ojos de aquel hombre. Si se apiadaba, era la única oportunidad de salvarme; por el contrario, si no lo hacía y me denunciaba, estaba perdido. Le bastaría con dar una voz a la guardia para que mi suerte estuviese echada. Entonces, para vencer su resistencia, no se me ocurrió nada mejor que asegurarle que, en realidad, yo también era judío. Se extrañó el buen médico de momento, pero luego recordó mi conocimiento del hebreo, y me preguntó cómo era eso. Le conté que mi madre pertenecía a los Toledano de Antigua.

—¿Y eso es verdad? —le interrumpe Ruth.

—Esto último sí que lo es. Como sabes, mi madre se llamaba Clara Toledano. Sólo que éste es apellido que viene de muy atrás. Y en Antigua tanto lo llevan linajudas familias cristianas como aquellos hebreos o moriscos a los que apadrinaron en el bautismo. El caso es que tan pronto oyó nombrar a los Toledano y a la ciudad de Antigua, Laguna cambió de actitud. Me hizo esconder en una alfombra, que enrolló alrededor mío. Llamó después a dos de sus criados y les ordenó que la llevaran con cuidado hasta el carro en el que cargaban. Tuvo él la atención de sujetarla por el centro, para que no se desfondara ni me descubrieran. Así fue como me salvé. De momento.

Me ofreció asilo en su casa, aunque advirtiéndome que sólo lo haría por esa noche. No fue sólo ésa, sino otra más. Pero con esa me habría valido, porque estaba yo desfallecido y destemplado en extremo. Pronto repuse fuerzas gracias a una escudilla de garbanzos con hinojo, y aún añadió unos ajos crudos con un golondrino de *raqui*, que es el mejor brasero del estómago.

—¿Qué cosa es *raqui* y golondrino? —le interrumpe Ruth.

—Eso tiene poca importancia para tu relación de estos hechos por escrito, pero te diré que los golondrinos son vasos de estaño que harán algo menos de un cuarto de azumbre. Y *raqui* vale tanto como aguardiente. Sólo que aderezado con anís y almáciga.

—¿Almáciga, dijisteis?

—Es una resina que llora el lentisco, que también mastican ellos para blanquear los dientes y quitar la fetidez del aliento. Pero déjame proseguir, que no es de esta historia descender a todos los singulares de ella ni derribarse en menudencias, que así no acabaremos nunca.

Con esta comida entretuve el hambre, como digo. Y a la tercera noche, Laguna me sacó de casa con grandes precauciones para ponerme en manos de un arriero. Éste me llevó por el camino real, no sin algún tropiezo, pues es senda muy pasajera, y me dejó a las afueras de Estambul, alojado en casa de un correligionario que necesitaba los servicios de un escribiente.

Empecé a entender el atolladero en que me había metido cuando supe que aquel correligionario se llamaba José Toledano. Y mi sobresalto pasó todavía a mayores al averiguar que, al igual que Laguna, también era médico, y de los más mentados. Aunque ya apenas si ejercía esta profesión, pues vivía de las rentas, que eran cuantiosísimas. Sólo se ocupaba de las personas más principales, y en especial del sultán, al que en el momento de mi llegada venía de visitar.

Supe luego que contaba el Gran Turco con otros que cuidaban de su salud, pero sólo don José acertaba a tratarle el asma que padecía. Y aquel sultán, que mantenía docenas de catadores y no se fiaba de hombre nacido, vestido ni calzado, nunca tomaba los jarabes y pócimas sino de su mano, y sin necesidad de que Toledano las probara antes, como es habitual con los escanciadores, para evitar los venenos. Lo cual da prueba de cuánta era la estima y confianza en que le tenía.

Tan pronto le informaron de mi presencia en su casa, don José quiso verme, para conocer de primera mano lo que ya le había adelantado Laguna. No hizo muchos aspavientos al oír mis desventuras, pues venía cansado y era hombre cortesano, acostumbrado a moderar sus sentimientos. Pero cuando me oyó decir que mi apellido materno era el de los Toledano de Antigua, yo bien noté su conmoción, el temblor de la barba blanca y el brillo de los ojos hundidos y apergaminados. Me hizo algunas preguntas, y le satisfice de mi persona como mejor supe. Mencionó, como de pasada, la Casa de la Estanca, entre otros palacios de la ciudad. Y le di cumplida noticia de aquel lugar, sin decirle que era allí donde yo había nacido. No recelé entonces de estas cuestiones, pero más tarde conocí que fueron decisivas para la acogida que se me hizo en aquel su hogar y colonia sefardí.

Pareció conforme, y quiso averiguar si conocía la ley de Moisés según la cursan los hebreos. Contesté que la conocía mal. Asintió don José Toledano, rascándose las barbas con una de sus manos sarmentosas. Y murmuró, con un punto de misterio:

—Habrá que ocuparse de ello.

Me inquietó el modo en que lo dijo. Y aun noté que tenía este hombre las uñas de los pulgares muy cuidadas y recias, de forma extraña. En vez de ser redondeadas, como las comunes, tenían dos cortes hacia adentro. Pero, de momento, había salvado la piel, y no concedí más importancia a estas minucias, sino que me instalé en una habitación que me dieron, separado de los otros criados. Por eso, me atrevo a decir que me consideraban parte de la familia.

En realidad, pronto pude comprobar que, más que un escribiente, buscaban un corrector de pruebas y oficial de imprenta. Cargo este de gran responsabilidad. Pues habían montado allí un taller para imprimir, el primero de Turquía. Empeñaban su prestigio en el intento, y precisaban de alguien que se manejara en varias lenguas, como era mi caso. Esto da idea del poder e influencia de don José Toledano, pues los turcos no permiten imprentas, y con él hacían excepción.

—¿Las tienen prohibidas? —le interrumpe Ruth—. ¿Y en razón de qué?

—El principal objeto de los libros es entre los turcos la difusión de su fe, y entienden que en letras de molde la palabra del Profeta dejaría de ser sagrada. Aunque tengo para mí que la verdadera razón es que los hombres de religión viven allí de copiar a mano esos escritos, y luego venderlos, que un Corán llega a valer hasta ocho ducados. El caso es que a este Toledano le permitían imprimir con tal de que no lo hiciese ni en árabe ni en turco.

Es fama que los mejores impresores son los tudescos, y la mejor feria de libros la de Francfort, a donde ambicionaban llegar con sus trabajos. Por eso habían recurrido a tres artesanos de Maguncia, a cuyo mando estaba un tal Meltges Rinckauwer. Antes de volver a Alemania debían enseñar el oficio a alguien del lugar, y yo les parecí bueno para aprenderlo. Era hombre muy hábil con las manos y las máquinas, y él me enseñó mucho de lo que llegué a saber en el manejo de las herramientas.

Rinckauwer y yo nos parecíamos, incluso físicamente, y no tardamos en congeniar. Le acompañaba todos los domingos a misa, de la que él era muy devoto. Porque, aunque los cristianos no pueden tocar campanas ni órganos, sí les dejan sonar trompeta los días de fiesta, y no son molestados durante los oficios. Antes ponen los turcos dos jenízaros a la puerta de la iglesia, cada uno con una gran tranca, y si algún musulmán quiere entrar en el templo les han de pedir licencia. Y ellos se la dan diciendo:

—Entra y mira y calla, que de lo contrario con estas porras te machacaremos esa cabeza que traes ahí.

Yo esperaba al impresor fuera de la iglesia, por guardar las apariencias, pues no podía entrar, después de haber dicho a Laguna y Toledano que era judío. Pero desde allí escuchaba los cánticos, con harta nostalgia del claustro de mi tío en Granada, y los recuerdos que me traían. Y luego, Rinckauwer y yo nos íbamos a romper el ayuno a la taberna de un griego de Chíos, donde tomábamos un queso picante que él tenía, con un pan muy sabroso, rematado por semillas de sésamo. Solíamos acompañarlo de un tinto que ellos llaman *tópico*, esto es, un vino de la tierra, muy vivo, que salta y raspa y contenta.

O a las veces otro más cerrado y bravo, como el nuestro de Toro, que el tabernero traía de su isla natal y nos degollaba los gaznates.

Terminábamos con unos sorbetes, que es refrigerio muy gustado por los turcos, quienes de ordinario no toman vino. Cogen uvas o ciruelas pasas, o guindas o albaricoques, y los muelen, macerándolas con azúcar o miel en un recipiente de madera. Luego lo tapan y lo dejan fermentar durante dos o tres días y le añaden nieve al tiempo de servirlo, pues se toma frío. Se hace éste cada dos o tres días, más allá de los cuales no pueden tomar lo fermentado. Así, el zumo de uva de tres días aún es mosto, mas el de cuatro días es ya vino, según su ley.

Con esto, o una leche cuajada que llaman *yogur,* y muchas recuas de aceitunas, hablábamos y hablábamos. Con lo que me hice gran amigo del alemán Rinckauwer, y me enseñó el arte de imprimir. Sólo algo recelaba de él, y es que algunas veces, estando en amena conversación, alguien venía a buscarle, o le hacía una seña, y él se ausentaba al momento, y tardaba tiempo en aparecer, y nunca daba explicación alguna, a pesar de verle regresar en más de una ocasión con golpes en el rostro y la ropa rota. Lo cual me hizo pensar que, además de la imprenta, algún negocio poco apacible se traía. Le vi, en particular, en grandes conciliábulos con Moisés Toledano, el hermano menor de don José, que hacía frecuentes viajes, en especial a Bursa, ciudad próxima a Estambul, donde tenían sus almacenes de seda.

En aquella próspera colonia oía hablar por todos lados el español que llaman ladino, de manera que no tenía la sensación de un encierro, sino de encontrarme en mi sitio. Y me sabía seguro con tal de no salir de ella, pues en ese mismo momento el almirante Fartax me habría reclamado al sultán y hecho empalar. Sobre todo, sabiendo que mis salvadores eran los Toledano, con quienes mantenía fuerte hostilidad. No osaba, sin embargo, molestarles dentro de sus dominios, que ellos mismos administraban, por ser mucha la deferencia que les mostraba el sultán, a quien don José visitaba cada semana.

Era difícil ponderar el predicamento e influencia de los hebreos en Estambul, donde contaban con más de diez mil casas, de las cerca de cien mil que hay en la ciudad, frente a las sesenta mil de los turcos y cuarenta mil de cristianos. Alguien me dijo que se habían juntado en aquel Imperio Otomano cerca de millón y medio de judíos, que es cifra tan enorme que no sé si acabar de creerla. Pero, ciertamente, era mucha su fuerza. Tenían sus tiendas por toda la ciudad, incluido el Gran Bazar, donde por el cerrado concurso de gentes hay que caminar de costado, se dan muchos hurtos y se cortan hartas bolsas monederas.

Estaba yo ufano con mi nueva y regalada vida. Los Toledano eran gente rica y respetada; la casa, espléndida; se comía bien, y el trabajo colmaba todas mis aspiraciones. Mucho leí y aprendí en aquella imprenta. Mucho se holgó, asimismo, don José al comprobar mi buen desempeño. Y estaba, sobre todo, Rebeca Toledano, la hija de mi amo. Una hermosísima moza, que no alcanzaría ni los veinte años.

—¿Veinte años tenía mi madre cuando la conocisteis? —le interrumpe Ruth.

—Creo que diecinueve. Aún muchacha de cuerpo, pero muy mujer en el trato y discreción. Su padre la adoraba, llamándola «mi turquesa», por sus cautivadores ojos azules. Le había regalado un joyero a juego que valía un Potosí y causaba la admiración de cuantos la veían en la sinagoga, ciñendo con él su pelo azafranado, que parecía iluminar como una antorcha cualquier lugar en el que entraba.

Un buen día que estaba en la imprenta oí gran alboroto en la calle, y salí junto con Meltges Rinckauwer, por averiguar lo que sucedía. Alcanzamos a ver numeroso séquito, compuesto de cuatro carros bien aderezados y no menos de cuarenta caballos. Eran judíos, a juzgar por el habla, pero no se tocaban con gorros anaranjados, como les era obligado, ni azules, como los llevan los griegos y otros cristianos, sino a la veneciana. Y alcancé a escuchar a alguno que conversaba en italiano.

Indagamos qué gente era aquélla y qué sucedía, y nos respondieron que estaba de vuelta Noah Askenazi, el administrador de don José Toledano. Me pregunté qué clase de administrador era aquél que venía con más pompa que el propio administrado. No tardé en tener contestación, pues salió de uno de los carros. Bastaba verle para conocerle. Era de algo más edad que yo, alto de cuerpo, flaco y seco de carnes, la barba rala, el pelo declinando a pajizo. Y pecoso. Traía taimado el arco de las cejas, los ojos grandes, saltones, encendidos y encarnizados, aunque velados por unos párpados cernidos a media asta. La nariz cabalgaba filosa y corcovada sobre la boca prieta, afilada en una desganada sonrisa de suficiencia.

Supe después a qué se debía su altivez. Se creía llamado a grandes destinos, porque había nacido circuncidado, como se dice que lo fueron Moisés o el rey David. Era él quien manejaba todo el dinero de don José Toledano, que era mucho. Viajaba a Venecia, Lyón, Amberes y Amsterdam, y lo invertía en los valores más seguros, según iban los precios. Unas veces en especias, otras en seda, o bien en diamantes. Lo cual le daba gran poder, porque no sólo tenía en sus manos el capital de don José, sino el de todo un consorcio para invertir, de lo que obtenía un diezmo, consiguiendo al cabo con sus comisiones más que cualquiera, pues se reservaba las mejores tajadas. Como intermediario que era, con todos procuraba llevarse bien. Lo mismo trabajaba para turcos que para españoles, venecianos, franceses, alemanes o flamencos. Y es que, en realidad, siempre trabajaba para sí mismo.

Pocos se atrevían a enfrentarse a él. Sus amenazas no podían ser ignoradas. Su red de agentes comerciales en todos los países importantes le tenían al corriente de cuanto sucedía en Europa. Sabía antes que nadie qué hacía el Papa, dónde andaba el rey de España, qué guerra armaba Francia, qué negocios Inglaterra, o bien si hubo tal refriega y venció fulano, o tal desgracia y así quedó el trance.

Llegaba en ese momento de Italia y había traído consigo un maestro relojero de Cremona, junto con sus ayudantes, para que construyeran uno de aquellos artefactos de medir el tiempo. No gustaba mucho la idea al viejo Toledano, pues decía que aquel ingenio cortaría su tiempo y sus vidas en lonchas, como las longanizas que comían los cristianos. Además, los turcos no permiten su uso, ni el de campanas, porque disminuirían la autoridad de los muecines, por cuyo canto y llamada a la oración se guían los musulmanes cinco veces cada jornada.

Pero pienso que esto no era obstáculo para Askenazi, sino acicate. Si lograba el permiso del sultán para la campana del reloj, demostraría su poder, en especial contra Fartax, de quien era enemigo acérrimo. Como ya lo había hecho con la imprenta, que también había sido idea suya, y le había valido gran prestigio entre la colonia judía, como una muestra más de su prosperidad y pujanza.

Todo lo tenía perfectamente calculado Noah Askenazi. No era hombre que diera un paso sin pensar muchas veces sus pros y sus contras. Y allí fue donde se empezó a ver que tenía planes muy ambiciosos, y que todo aquello no eran sino piezas de un mismo juego. Pronto empezó a construirse el reloj, que se alzaría sobre una torre cercana a nuestra casa o, por mejor decir, la casa de don José Toledano donde yo vivía.

En cuanto a la imprenta, no le gustó mi presencia allí. En vano le explicó Rinckauwer la calidad e importancia de mi trabajo. En vano insistió José Toledano que yo me quedaría por razones que no tenía por qué explicar, concernientes a mi seguridad y parentesco lejano con su familia. Todo fue en vano. Por alguna extraña razón, mi presencia en aquel lugar estorbaba los planes de Askenazi. Dijo él que ya me buscaría ocupación en el reloj... Hasta que intervino Rebeca. Fue en mi presencia, de modo que oí muy bien sus palabras:

—Raimundo Randa seguirá en esa imprenta. Yo la mantendré, si es necesario, a costa de mi dote.

Noah Askenazi quedó demudado. Se decía que la dote de Rebeca Toledano no bajaba de los trescientos mil ducados, suma de la que pocas reinas podían presumir en Europa.

Desde aquel punto supe que me había ganado un enemigo mortal, pues era de dominio público que Askenazi tenía pedida la mano de Rebeca. Traté de quitarle hierro a aquel tropiezo, ofreciéndome a trabajar también en el reloj, llegado el momento. El administrador aceptó, sin demostrarme aún su odio. Era demasiado astuto. Antes bien, hizo como que me tomaba bajo su protección, por no revelar su condición verdadera.

Me di cuenta, entonces, a qué se debía su poder y ascendiente sobre los Toledano y el consorcio: sin él no podían dar un solo paso, a riesgo de arruinarse. Pero era evidente que ni a Rebeca ni a su padre les gustaba en realidad aquel hombre, a quien a solas llamaban el Alemán o *Poca Sangre,* porque era pálido de cara, y mantecoso de tez. Sin embargo, éste tenía de su parte a la mujer de don José y madre de Rebeca, doña Esther, una matrona bigotuda y beata, mucho más joven que su marido, y a la que Askenazi sepultaba en regalos, manejándola a su antojo.

Don José y Rebeca eran muy diferentes de ellos, y sólo daban al dinero un relativo valor. Como buenos sefardíes, se consideraban auténticos aristócratas. Y cuando se referían a los judíos del norte, los alemanes o askenazíes, los llamaban «ellos» o «ésos». Si una muchacha venía a buscar a Rebeca, y era sefardí, su padre la anunciaba así: «Raquel ha venido a verte», o el nombre que fuera. Pero si era tudesca, decía: «Una niña askenazí ha venido a verte», aunque supiera perfectamente cómo se llamaba.

Todo esto me hizo concebir algunas esperanzas. Después de todo, se suponía que yo era un Toledano. Bien se me alcanzaba que un cautivo fugado, un pobretón como yo, nunca podría aspirar a tan rica y hermosa heredera. Rebeca lo sabía, y parecía gozarse en ello, aunque luego me di cuenta de que lo hacía para aguijonearme. Todo empezó como un juego propio de nuestra juventud encendida y, cuando ya nos quisimos dar cuenta, no podíamos vivir el uno sin el otro.

Tenía una bellísima voz. Solía cantar a solas, mientras tejía en el telar, pues con cada ritmo llevaba el punto y ornamento del tapiz o alfombra en que se ocupaba. Sin embargo, no lo hacía en público más que en muy contadas ocasiones. Una de éstas se presentó el día en que llegó un correo urgente de los Taxis.

Fue recibirlo y alborotarse la casa. Empezó a hablarse, entre susurros, de la llegada de los diez Juramentados. Me pregunté quiénes serían aquéllos. Sobre todo después de que mandaran sacar los mejores ajuares y vajillas, y disponer todo para recibir a gente de calidad. Nos dieron instrucciones de que nada de aquel ringorrango se notase fuera, sino que pareciese una reunión de familia.

A lo largo de un mes fueron llegando correligionarios que venían de distintos lugares del Mediterráneo. Aunque hicieron todo lo posible por pasar desapercibidos, noté cómo los cumplimentaba Askenazi, y supuse al principio que era él quien convocaba aquel cónclave para reunir a los de su consorcio, aquellos cuyos dineros él movía en busca del mejor postor. Pero pronto me di cuenta de que aquélla no era gente sólo de bolsa. Parecían más afectos a José Toledano que a su administrador.

Muy intrigado me quedé con lo que allí fue pasando. Me llamó la atención, sobre todo, el gran movimiento que se llevaban el hermano de don José, Moisés Toledano, y el impresor Rinckauwer, cuyas idas y venidas menudearon mucho más de lo habitual.

No tardaron en unirse a los recién llegados algunos amigos del lugar. Entre los cuales pude ver, por cierto, a mi oportuno salvador entre las mercancías del muelle, el médico Laguna. Todos eran sefardíes. Y por los conciliábulos que hubo durante su estancia, deduje que los diez Juramentados venían a tratar cuestiones de gran enjundia. Pues mientras andaban en ellas, a los demás nos mandaban fuera de la casa, pidiéndonos que no volviéramos hasta caída la tarde.

La noche de la despedida se hizo una cena en su honor.

Fue ésta gran cena, cargada de nostalgias y suspiros por la Sefarad perdida, aquella España que llevaban atravesada en sus pechos como un tormento. Y para levantar los rostros y los ánimos, don José Toledano pidió a su hija que cantara algo. «Algún romance de ésos que tú sabes, niña», fueron sus palabras. Rebeca se resistía. Hasta que nuestras miradas se cruzaron. Pareció cambiar de idea mientras mantenía sus ojos fijos en mí, aquellos gloriosos ojos de color turquesa. Se levantó, al fin. Alzó el talle y el pecho, soltó su pelo azafranado, echándolo hacia atrás con un gracioso movimiento de cabeza, y anunció que entonaría el romance de Diego de León.

Me quedé clavado en el sitio, sin poder moverme. Era aquélla una hermosísima canción que había oído muchas veces a mi madre, pues decía que en sus versos se narraba la historia de nuestros antepasados Clara y Diego, de los que descendíamos, y en cuyo honor ella y yo llevábamos esos mismos nombres. Pero, aun teniendo mi madre tan buena voz, para nada resultaba comparable a la de Rebeca, tan limpia que no necesitó más que un rabel que la acompañara:

> En la ciudad de Toledo,
> y en la ciudad de Granada,
> ahí se criara un mancebo
> que Diego León se llama.
> Él era alto de cuerpo,
> morenito de su cara,
> delgadito de cintura,
> mozo criado entre damas.
> De una tal se enamoró,
> de una muy hermosa dama.
> Se miran por un balcón
> también por una ventana,
> y el día que no se ven
> no los aprovecha nada.
> Ni les aprovecha el pan
> ni les aprovecha el agua.

Rebeca me había mirado con especial intención al describir al mozo del romance, quien bien podría haber sido yo en aquellos mis buenos tiempos de ajetreada juventud. Ahora esperábamos todos que el rabel hiciera la vuelta del estribillo, para que ella continuara cantando:

> Un día que estaban juntos,
> dijo León a su dama:
> —Mañana te he de pedir,
> no sé si es cosa acertada.

Otro día en la mañana
con don Pedro se encontraba.
De rodillas en el suelo,
a su hija demandaba.
—Don Pedro, dame a tu hija,
a tu hija doña Clara.
—Mi hija no es de casar,
que aún es chica muchacha.
Por hacer burla del caso,
a su hija lo contara:
—Ése es hombre que no tiene
de caudal para una capa,
y el que mi yerno ha de ser
ha de menester que traiga
de caudal cien mil ducados
y otros tantos de oro y plata.
Y otros tantos te daré,
hija mía de mi alma.

Descansó de nuevo en su cantar, mientras el rabel repetía la melodía, a la espera de darle de nuevo la entrada. Suspenso andaba yo por el transcurso de la historia, pues no estaba seguro de si el romance era así, o ella lo modificaba a su gusto, ya que la cantidad de la dote coincidía con los trescientos mil ducados que tenía asignados Rebeca para la suya. Pero nadie parecía extrañado. Sólo yo parecía darme cuenta de su juego, pues ella me miraba con intención en cada quiebro de la historia.

Me desengañó de este sentir una sombra que vi levantarse de la cena y deslizarse, saliendo de la habitación. Era Noah Askenazi. También Poca Sangre, más pálido que nunca, parecía haber reparado en lo que sucedía entre Rebeca y yo. Por el modo en que se marchó pude apercibirme de cuán profundo era su odio hacia mí. Pero yo estaba hechizado, esperando el fin de la historia, pues en la versión de mi madre éste era triste.

Continuó Rebeca cantando, y sus palabras sonaron como si las dijera no la muchacha del romance, sino ella misma, a su propio padre:

—Padre, casadme con él
aunque nunca me deis nada.
Allí conoció don Pedro
que de amores se trataba.

Alquiló cuatro valientes,
los mayores de la plaza,
que mataran a León
y le sacaran el alma.
A la subida del monte,
con los cuatro se encontrara.
A los tres dejara muertos,
y uno malherido estaba.
Tres días no son pasados,
León en la plaza estaba,
cuando acertara a pasar
por la calle de su dama.
Alzó tres chinas del suelo,
las arrojó a la ventana.
—Mi dama que no responde,
parece que está trocada.
—No estoy trocada, León,
que aún estoy en mi palabra.
Abajó las escaleras
como una leona brava.
Y otro día en la mañana
las ricas bodas se armaban.

Tuve el barrunto de que aquel final feliz era de su invención. De tal manera que, cuando terminó de cantar, yo estaba rendido de amor. Su voz me había atravesado de parte a parte, como cuchillo que llega al hueso. Había revuelto mis sentimientos como un gavilán que entrara de pronto en un palomar. Y empecé a sentir una pasión tan grande como la muerte.

Terminó aquel cónclave. Fueron partiendo los diez Juramentados con tanto sigilo como llegaron, y la casa volvió a su ser y condición. Para todos, menos para mí y Rebeca. Sabía ahora que ella también ardía en deseos de estar conmigo. Pero esto no era posible durante el día, en que siempre la tenían acompañada y a buen recaudo. No era tarea fácil. Ella dormía en una alcoba del piso de arriba, frente a la de sus padres, y yo en el piso inferior, justo debajo de Rebeca. En más de una ocasión la oí revolviéndose en el lecho, y dejando escapar tales suspiros que me cabían pocas dudas de que ella pensaba en mí al menos con tanto ardor como yo pensaba en ella.

Difícil me sería decir si suspiraba despierta o dormida, pues fue entonces cuando descubrí que podía soñar con ella tan a lo vivo que me costaba distinguirlo de la realidad. Y a Rebeca le sucedía lo mismo, de tal manera que nuestros encuentros en sueños no parecían sino la unión de nuestros ánimos. Lo achaqué entonces, por pura superstición, al dormir bajo el mismo techo, mi cama debajo de la suya. Pero pude comprobar más tarde —en mis viajes, cuando estábamos muy lejos el uno del otro— que cada vez que yo la soñaba, ella me soñaba a mí. Y llegábamos a comunicarnos por este medio. Sólo ahora, tras todo lo vivido, alcanzo a barruntar las causas de este misterio.

Acostumbraba Rebeca sentarse a la puerta para halagarle los pellejos a un gato que tenía. No era raro que le cepillara las greñas y le hiciera arrumacos, mientras decía al animalillo lindezas como de enamorada. Pero, un buen día, sus carantoñas con aquella bestezuela fueron tantas, y las miradas que me dirigió tan intencionadas, que supe que era a mí a quien iban encaminadas. Tan encendidas y declaradas fueron, que decidí pasar a la acción esa misma noche.

Para llegar hasta ella tenía que subir la escalera y pasar delante del dormitorio de don José y su señora, aquella matrona con unos bigotazos que impondrían respeto a todo un regimiento de jenízaros. La primera noche que lo intenté desconocía el terreno, y no logré pasar del tercer peldaño. La maldita escalera crujía de tal manera que hubiera despertado a toda la casa, y aun a las ánimas benditas del purgatorio.

Al día siguiente estudié la escalera con detenimiento, y comprobé que lo que había tomado por crujido no era tal, sino un ingenioso sistema de alarma. Consistía éste en unas grapas metálicas bajo los travesaños, colocadas de tal modo que al hundirse con las pisadas rozaban con otras pestañas de cobre situadas en la caja de la escalera. Y producían ese ruido para advertir a los dueños de cualquier movimiento sospechoso.

Había oído decir a los criados que los Toledano guardaban un cuantioso caudal en monedas de oro. Y por eso pensé que tomaban tantas precauciones. Me equivocaba. Otros detalles posteriores me permitieron comprobar que custodiaban algo todavía más preciado. Además de Rebeca, claro.

Muchas vueltas le di a aquel sistema de alarma de las escaleras, deseoso de llegarme hasta su habitación. Mas no encontraba modo de salvar semejante barrera. Hasta que una mañana noté un alboroto y trajín desacostumbrados en una torre vecina. Fui hasta el lugar, por ver aquella novedad, y advertí que un cabrestante se disponía a izar hasta lo alto un pesado armatoste. Reconocí al relojero de Cremona que había venido con Noah Askenazi y llevaba ya algún tiempo construyendo aquella máquina para medir el tiempo.

Recordé que me había ofrecido a ayudar en el mantenimiento del artefacto, cuando estuviese concluido. Así lo hice, y me aficioné a visitarlo, después de mi trabajo en la imprenta. Rinckauwer y yo vimos cómo se montaba el reloj. Nos explicó aquel artífice el funcionamiento de cada pieza. E hicimos tan buenas migas, que él me reiteró la proposición de quedarme como guardián de aquel ingenio, templándolo y manteniéndolo una vez que él se hubiese marchado del lugar. Yo tenía dudas, pero me había comprometido a ello, y Rinckauwer me insistió para que aceptara, pues añadía buenos dineros a mi peculio y no me estorbaría en mi otro trabajo. Como regalo de despedida, el de Cremona me dejó un reloj de arena, de modo que con él pudiera ajustar todos los días el de la torre.

Quedé pues a su cargo, cuidando de engrasarlo para que hiciese sonar su campana cada hora. Y fue dicha campana la que me dio alas para llevar a cabo mis planes...

Randa interrumpe el relato y mira a su hija, dubitativo. Ésta le escucha con una sonrisa, advirtiendo esperanzada cómo renace ante ella aquel formidable narrador que tantas veces le alegró la niñez con sus cuentos.

—¿Veis? —le anima—. Ya os lo he dicho: hablar os hace bien. Continuad. Y recordad que estoy casada, padre. Por si pensabais dejarme en ayunas, como siempre hizo mi madre cuando le pregunté cómo os conocisteis.

—No, no es eso... —Y se ruboriza, confirmando que ha sido hallado en un renuncio y que no le quedará más remedio que contar aquello a su hija—. Fue una noche de luna llena, en que oía a Rebeca agitarse en su cama, encima de la mía. Dio en esto el reloj las doce campanadas de la medianoche. Y una idea cruzó por mi mente como un relámpago. Eran veintitrés los peldaños de la escalera, los había contado muchas veces. Si lograba salvar los escalones de dos en dos mientras sonaban las campanadas, éstas amortiguarían el sonido de las grapas de cobre de la alarma, y podría llegar hasta Rebeca sano y salvo.

Decidí ponerlo en práctica la noche siguiente.

El día, en la imprenta, se me hizo interminable, esperando el fin de la jornada y el momento de la medianoche. Llegó ésta, por fin. La casa estaba rendida al sueño, y sólo se oía de tiempo en tiempo el crujir de alguna madera y el cocear de las caballerías en la cuadra. Cuando el reloj de la torre dio las once, me levanté con sigilo y encendí una linterna. Di la vuelta al reloj de arena del que me valía para ajustar el de la torre, y esperé el momento propicio. Cuando vi que se acercaba la hora de la medianoche, maté la luz, salí a la escalera y me preparé junto al primer peldaño, tendiendo el pie para salvar los dos primeros escalones tan pronto comenzaran las campanadas de la torre.

Todo salió a la perfección, como si lo hubiera ensayado muchas veces. Conocía bien el ritmo de las campanadas, y no fue difícil hacer coincidir mis pasos con ellas. Ya estaba arriba, junto a la puerta de Rebeca, descalzo y en camisa, para menor impedimento, y sólo me separaban cuatro zancadas de su puerta.

Cuando, de pronto, noté debajo de mí un bulto peludo, que no pude evitar pisar, provocando un espantoso maullido. El gato salió como alma que lleva el diablo. Yo perdí pie, cayendo escaleras abajo y haciendo sonar con estrépito, uno tras otro, los veintitrés escalones que con tanta pericia había logrado escalar. Las grapas de cobre que había debajo de ellos resonaban como risas apagadas a medida que descendía, midiendo con las costillas el camino de mi deshonra.

Porque al coscorrón siguió el escarnio. Quiso mi mala suerte que quedara incrustado contra un sillón, sin poder moverme, y con las vergüenzas al aire. Cuando don José Toledano bajó alumbrándose con una candela y me vio en aquel lamentable estado, no hizo un solo comentario. Agarró por el hombro a su hija, y se la llevó a su cuarto.

También yo fui llevado al mío por los criados. Y allí se me mantuvo encerrado. Mientras me reponía de las costaladas, me preguntaba cuál sería mi perra suerte. Lo había echado todo a perder por una acción precipitada. Ahora, me apartarían de la hermosa Rebeca. Pero eso no sería nada al lado de lo que me aguardaba: si la voluntad de don José se había torcido, me entregaría a mi antiguo amo, el Tiñoso, quien me haría empalar de inmediato en el patio del almacén.

Sin embargo, pasaron los días y no me entregaron. Yo estaba perplejo y achaqué en un principio este comportamiento a la enemistad con Fartax que mantenían don José Toledano y Noah Askenazi. Lo que pasó durante mi encierro y convalecencia sólo más tarde lo supe, pero fue, en sustancia, que discutieron sobre mi persona. Poca Sangre me reputaba por espía de Fartax, y defendía que yo buscaba por la casa algo muy valioso, que no acerté a adivinar.

En consecuencia, era partidario de matarme, para que no se descubriese lo que allí se tramaba, que era gran negocio, al parecer, ya que la visita de los diez Juramentados debía quedar en el más absoluto de los secretos.

Dudoso como estaba, don José no acababa de ser del mismo parecer. En este vaivén anduvieron toda una jornada, y parecía ganar la partida Poca Sangre, apoyándose en otro espinoso indicio: el impresor Rinckauwer acababa de ser apuñalado y muerto en una de sus furtivas escapadas. Ello agravaba la situación, por parecer una acción concertada con la mía, y ambas contra aquella casa, de resultas del conciliábulo allí habido con los Juramentados.

Habría prevalecido la opinión de Askenazi de no mediar la intervención de Rebeca. Cuando supo que se disponían a acabar conmigo, se presentó en el lugar donde discutían su padre y el administrador, y les dijo:

—Raimundo no está en vuestro secreto. Ni buscaba lo que pensáis.

Los dos hombres se quedaron mirándola en suspenso.

—¿Cuál era, entonces, su propósito? —preguntó, al fin, don José.

—Yo —respondió ella.

—Pensad bien en lo que estáis diciendo —intervino Askenazi—. ¿Cómo sabéis que es así?

Era cuestión grave, y pregunta muy comprometida, de la que iba a depender mi suerte. Sabedora de ello, Rebeca contestó, muy templada:

—Porque no era la primera vez que subía hasta mi habitación. Y nunca ha faltado nada. ¿No es cierto?

De este modo, por cubrirme y salvarme la vida, Rebeca arriesgaba la suya. Y su honra. Quedaba roto su compromiso con Poca Sangre, corría el peligro de ser desheredada, perder una envidiable dote y ser repudiada por sus padres y aquella comunidad, cuyos intereses había puesto en entredicho.

Pero, como digo, esto lo supe más tarde. Ahora, yo seguía encerrado en mi cuarto. A quienes me venían a traer la comida les daba conversación por ver si sacaba algo en claro, y en especial a una criada que servía como doncella a Rebeca. Nada podía decirme sobre lo que su señora pensaba, aunque sí logré averiguar de dónde procedía la cuantiosa fortuna de José Toledano. Sabía yo que había sido médico. Y cirujano. Pero no conocía su especialidad: castrar varones, para hacer de ellos eunucos.

Era ésta gran industria, y labor sumamente delicada, ya que de cada diez capados morían unos siete. Pues no sólo les cortan las dos turmas, como en otros lugares, sino también el miembro a raíz del vientre, que son los turcos muy celosa gente. De modo que el precio alcanzado por los supervivientes era altísimo. Sólo los acaudalados los podían pagar, siendo el mayor regalo que se podía hacer a un príncipe. El cirujano que sabía cumplir bien su papel estaba muy solicitado y bien remunerado. Don José había logrado que le sobrevivieran seis de cada diez capados, y exportaba eunucos a los harenes de medio Oriente. Ése era el primer origen de su fortuna, que unas inversiones adecuadas habían multiplicado muchas veces. Pronto tendría ocasión de averiguar las otras procedencias.

Conocer estos detalles y habilidades de mi anfitrión no contribuyó a sosegar mi ánimo, precisamente. Y hasta pienso que la doncella de Rebeca me lo contaba con toda intención, para mortificarme. Pero no pudo continuar sus consejas, porque en ese momento se abrió la puerta de la habitación donde yacía yo magullado y apareció don José. Hizo un gesto a la criada para que abandonara la pieza, y en su lugar entraron otros cinco correligionarios, todos barbados.

Cerraron bien tras ellos y se colocaron alrededor de mi cama. Estaban muy serios, se tocaban con unos bonetes de copa alta, forrados de paño morado, y llevaban una toquilla alrededor. Empezaron a cantar alto y recio. Y aun algo fúnebre, diría yo. Con mucha parsimonia, don José fue disponiendo vendas y ungüentos sobre una mesa de buena taracea. Cuando hubo acabado, extendió la mano, y uno de aquellos acólitos le alcanzó un primoroso estuche de plata labrada. Lo abrió y pude ver dentro, en orden y concierto, un cuchillo afilado, unas tijeras curvas, una varita y un pequeño recipiente, todo del mismo metal.

Entonces entendí que el respeto de mi vida no se había hecho sin condiciones, sino que se disponían a asegurarse de que no se repitiesen mis escapadas nocturnas. Y tuve la certeza de que no saldría de aquella habitación tan entero de mis partes y hombría como había entrado en ella...

Raimundo Randa se interrumpe al escuchar los pasos que se acercan y el tantear de la llave en la cerradura. Al abrirse la puerta de la celda, alza la vista por encima del hombro de su hija, y ve allí arriba a los guardianes armados, sobre las escaleras. Y tras ellos está aquel embozado.

—Hora va siendo de concluir. Se acabó vuestro tiempo —les advierte el carcelero.

Al prisionero se le seca la garganta y el ánimo cuando repara en la inconfundible ronquera de aquella voz velada. Sin duda es Mano de Plata. Le delata también su porte, y el modo en que maneja el brazo derecho. Sujeta su extremo con dificultad, valiéndose del otro, con un gesto en el que se adivina el dolor, por más que procure disimularlo.

Raimundo trata de controlar sus impulsos. Desde lo más hondo de su ser brota una sensación de furia incontenible, que le enciende la sangre y sube por el pecho hasta hacer enrojecer su rostro. Ruth se interpone y le obliga a sentarse.

—¡De buena gana saltaría sobre él! —mascula Randa entre dientes.

—Sabéis que sería inútil —le susurra ella al oído, mientras se inclina para besar sus mejillas—. Seguiríais su juego, y eso no haría sino empeorar las cosas. Ese hombre sólo espera un pretexto para mataros. Si respeta vuestra vida estos días será porque tiene instrucciones muy precisas del rey. Pero nadie puede impedirle la defensa propia ante testigos.

Le sorprende la cordura de su hija, heredada de la madre, que no de él. Comprende que lleva razón. El embozado reclama a la muchacha con un gesto de impaciencia. Corrobora entonces Randa el precario funcionamiento de aquella mano mecánica, y el intenso dolor que parece producir a su dueño. Una idea empieza a fraguar en el interior del prisionero. Y en lugar de mostrar su cólera, se limita a dirigirse a Ruth para preguntarle en voz alta:

—¿Volverás mañana?

La joven se gira hacia Mano de Plata, esperando su aprobación.

—Os quedan nueve días... —responde fríamente el embozado—. Si antes no resolvéis declarar, al décimo seréis entregado al Santo Oficio.

3

RAQUEL TOLEDANO

DENTRO del coche, el calor era asfixiante. Tan pronto hubieron perdido de vista el edificio de la Fundación, el comisario John Bielefeld puso el aire acondicionado. Luego, esperó a recuperar el resuello y se volvió hacia David Calderón con cara de pocos amigos.

—¿Por qué hemos salido huyendo por la puerta de atrás, como dos ladrones? —le reprochó—. Yo vivo aquí, y se supone que debo respetar la ley y hacerla cumplir. ¿Se da cuenta de la posición en que me coloca?

—Si nos hubiésemos entretenido ahí dentro, habríamos perdido un tiempo precioso y el guardia de seguridad habría bloqueado la salida.

—Antes no quería venir conmigo. ¿Qué le ha hecho cambiar de opinión?

—No he cambiado de opinión. Lo que sucede es que esos farfullos que se escuchan en el vídeo del Papa coinciden con la manera de hablar de mi padre antes de desaparecer en las catacumbas de Antigua. Cuando lo vi en la televisión apenas se escuchaban. Pero ahora no me cabe duda.

—¿Y cómo se lo explica?

—Prefiero no hacer conjeturas. Me temo que tendré que acompañarle a casa de Raquel Toledano y ver qué le dice Sara a su hija en el sobre que lleva usted ahí. Y entonces tomaré una decisión. ¿Cuándo ha quedado con ella?

—Hace un cuarto de hora que deberíamos estar allí. Pero aquí no se puede apretar el acelerador. Es zona escolar. ¿Raquel sabe lo que su madre llevaba entre manos?

—Para mí esa chica es un misterio.

—¿A qué se refiere Sara Toledano en la carta que le acabo de entregar, cuando habla de los problemas que ha tenido usted con su hija y con la Agencia de Seguridad Nacional?

—Pensaba que ya lo sabía.

—Algo me ha contado Sara, pero me gustaría oír su versión.

—No sé si merece la pena...

—Necesito saber qué hay entre usted y Raquel. No quiero meter la pata, ¿me comprende? Sencillamente, no tenemos tiempo para dar pasos en falso...

El comisario se volvió hacia el joven y le miró con franqueza para rogarle:

—David, confíe en mí.

—No es cuestión de confianza. Es que han pasado cosas muy graves. Y no estoy de humor para soportar a niñas pijas.

—Creo que juzga mal a Raquel. Ella podrá ser muchas cosas, pero no una niña bien. Esa chica no lo ha tenido fácil con una familia como la suya, y se ha abierto paso en Nueva York por sí sola. Quizá esté un poco desorientada desde la muerte de su padre, y le cueste reconciliarse con Sara...

El criptógrafo volvió a encerrarse en un mutismo bajo el cual podía adivinarse lo mucho que aquello le afectaba, removiendo asuntos que hubiera preferido olvidar. Bielefeld iba a insistir, cuando el criptógrafo le atajó con un gesto:

—Está bien, comisario. Prefiero contárselo a que siga sermoneándome con las virtudes de la abnegada huerfanita Raquel Toledano... ¿Recuerda lo que le dije sobre el Programa AC-110, en el que mi padre trabajó para la Agencia de Seguridad Nacional durante los años cincuenta?

—¿Ése que llamaban Proyecto Babel, para señalar el peligro de los residuos nucleares?

—El mismo. Cuando mi padre fue eliminado de ese programa en los años sesenta, Abraham Toledano lo envió a Antigua, para ponerlo al frente del Centro de Estudios Sefardíes. Y allí siguió trabajando en todo aquello de lo que habían tratado de apartarlo, y en especial en el maldito Programa AC-110. Hasta que a mediados de los setenta descubrió ese gajo del pergamino en El Escorial.

—El que tenía Felipe II en el momento de su muerte y lleva por detrás la inscripción ETEMENANKI y *La llave maestra*...

—Exacto. A raíz de ese descubrimiento, mi padre intentó tener acceso a los gajos del pergamino que se conservaban en la Agencia, recuperando el Programa AC-110. No lo consiguió, y hubo de seguir trabajando por su cuenta. Entonces fue cuando empezó a padecer esos trastornos que le dije, a farfullar del mismo modo que se oía en ese vídeo del Papa que acabamos de ver. Pues bien, cuando sucedió eso, los Toledano lo trajeron aquí, a Estados Unidos, para ver qué se podía hacer con él. Y en cuanto tuvo conocimiento de lo que pasaba, James Minspert, su antiguo ayudante en la Agencia, se ocupó de todos los trámites y del papeleo para que ingresara en uno de sus hospitales.

—¿La Agencia cuenta con su propio hospital?

—En Maryland. Especializado en salud mental. Cuando uno de sus empleados tiene un accidente, no se pueden usar con él drogas o medicamentos que rompan la confidencialidad. Porque el trabajo de criptógrafo se te llega a incrustar y formar parte de ti. Tu cerebro está lleno de claves y documentos clasificados, que te llevas a casa en la cabeza cuando atraviesas el control de salida de la Agencia. Hasta llegas a soñar en código. Los secretos que tiene un criptógrafo en la cabeza afectan a la seguridad nacional, son propiedad del Gobierno, y no se pueden dejar al alcance de cualquier clínica privada.

—Entiendo. Ellos tenían los mejores medios para atender a su padre, y me imagino que no lo hicieron sólo por caridad.

—En efecto. En ese momento yo era un crío y no me daba cuenta de las cosas. Pero ahora sí, y pienso que buscaban algo dentro de su cerebro. Si lo encontraron, o no, es otra cuestión. El caso es que llegó un momento en que dieron por acabado el tratamiento. Mi padre regresó a Antigua, o lo regresaron. Y al cabo de algún tiempo desapareció en sus catacumbas. Entonces, Minspert vino en mi ayuda, me consiguió una beca para estudiar idiomas y más tarde para ingresar en la Escuela Nacional de Criptografía. De manera que cuando me planteó luego entrar en la Agencia, no supe negarme...

—Ya. Se sentía moralmente obligado... Perdóneme, David, no deseo inmiscuirme en estos asuntos tan delicados ni dudar de su capacidad profesional, pero también podría ser que quisiesen tenerle a usted controlado, por si su padre le había contado o transmitido algo.

—Supongo que sí. De todas formas, yo pensaba que ellos habían cuidado de mi padre, y eso valía una fortuna. Además, me habían pagado una carrera muy cara. Formar a un buen criptógrafo costaba entonces más de medio millón de dólares. Me especialicé en las lenguas del grupo tres, las semíticas, árabe y hebreo. Sólo hay un grupo más cotizado, chino y japonés, pero a mí no se me había perdido nada en Asia. Sin embargo, me atraía la idea de completar el trabajo de mi padre...

—Y una vez dado ese primer paso, cada vez sería más difícil echar marcha atrás.

—Ya se ocupó Minspert de recordármelo... Pero bueno, usted me preguntaba por mis problemas con Raquel Toledano.

—Es que en su carta Sara vinculaba esos problemas a la Agencia y a James Minspert, y parecía muy preocupada por ello.

—De hecho, es así. Los problemas con Raquel tienen que ver con la utilización que hizo la Agencia del trabajo de mi padre en ese Programa AC-110 del que le he hablado. Creía firmemente que allí estaba su futuro, y quizá el mío. Luchar por él era como luchar por Sara, por conseguirla, frente a la oposición de su madre, Peggy Toledano. Yo le vi trabajar en ese proyecto horas y horas, día tras día, año tras año. Estoy seguro de que fue allí donde se dejó la salud. Sobre todo cuando le quitaron el acceso a los ordenadores y hubo de hacerlo todo a mano. Era un trabajo agotador. Que al final pasó a ser propiedad de la Agencia. Una de las razones que me habían llevado a ingresar en ella era poder retomar ese programa y saber qué le había sucedido a mi padre. Sólo estando dentro me permitirían consultar esos documentos.

—Perdone que se lo diga, pero lo extraño es que le admitieran a usted después de los problemas con su padre.

—Espere... No adelantemos acontecimientos, porque ahí fue donde entró en danza Raquel Toledano... Como le decía, James Minspert me ayudó en mis estudios de criptografía, asumió el papel de tutor, y todo fue bien hasta que entré en la Agencia y le planteé al director continuar el trabajo de mi padre. Ahí se liaron las cosas. Primero con Minspert. Él quería que yo estuviese bajo su control, y en cuanto se enteró de mi petición, empezó a presionar para que se me apartara del proyecto. Apenas pude ver por encima el trabajo de mi padre, porque enseguida consiguió impedirme el acceso. Con la inestimable colaboración de Raquel, a quien al parecer no le hacía ninguna gracia que se revolviera de nuevo ese asunto. Ella se llevaba muy bien con su abuela, que se ocupó mucho de Raquel. Creo que incluso se parecen físicamente.

—¿Y Sara?

—Eran malos años para ella. Tras la muerte de su padre, vino la enfermedad del mío, y terminó casándose con el senador George Ibbetson, que era ese buen partido que siempre había defendido Peggy para su hija. Una vez desaparecido Abraham Toledano, su viuda empezó a campar a sus anchas. Demasiada presión para Sara. Bastante tuvo con ayudarme a salir a flote. Supongo que, muy a mi pesar, yo fui una pieza en esa negociación familiar. Y luego, enseguida, nació Raquel. Aun así, me temo que todas estas tensiones terminaron por dar al traste con su matrimonio. Sara fue siempre muy valiente y no dudó en enfrentarse a su propia familia a la hora de defender lo que consideraba justo. Sobre todo si estábamos de por medio mi padre o yo. Ella y su marido no tardaron en separarse, y con el tiempo, Raquel tomó partido por el padre, al menos mientras vivió.

—El senador Ibbetson murió en un accidente aéreo, ¿verdad? Lo que no entiendo es por qué adoptó Raquel el apellido de la madre.

—Es una costumbre que han conservado a través de las generaciones. El apellido Toledano prevalece siempre. Pero creía que usted ya estaba al tanto de estas cosas.

—Algo me ha contado mi mujer. Aunque Sara es muy reservada, también hay que entender que se resistiera a revivir algo tan doloroso, que le costó la vida al padre de usted y que tantos enfrentamientos le había traído con su propia familia.

—No, si yo lo entiendo perfectamente —admitió David—. Y también reconozco que con Raquel me comporté como un estúpido. Verá lo que pasó... Para que yo trabajase en el Programa AC-110 había que ponerlo en conocimiento de los Toledano, porque se había originado a partir de un depósito suyo, todos los documentos que había comprado Abraham. Y esa chica se opuso en todo momento a que yo tuviera acceso a ellos.

Bielefeld miraba la carretera con suspicacia. Acababan de dejar atrás amplias praderas de césped, que acotaban un antiguo campo de batalla de la guerra civil convertido en patrimonio nacional, y ahora atravesaban una zona residencial. El comisario parecía muy ocupado intentando localizar algo en los caminos de tierra que daban entrada a los bosques que bordeaban la carretera, y había disminuido la velocidad.

—Al final de esta recta suele haber un control de radar de la policía —explicó a David.

—Usted es policía.

—Sí, pero éstos son de otra guerra. Tendría que parar hasta que nos identificaran y ponerme simpático. Nos harían perder un tiempo precioso. Mejor reducir la velocidad.

En efecto, allí a su derecha, emboscado tras unos setos, no tardó en aparecer el coche patrulla con el radar. Bielefeld hizo un ambiguo saludo, y en cuanto lo perdieron de vista apretó el acelerador.

—David, perdone que sea tan prosaico, pero estamos llegando a casa de los Toledano y aún no me ha contado su encontronazo con esa chica.

—Ahora mismo lo verá. Cuando yo retomo el Programa AC-110, o lo intento retomar, ya no se piensa sólo en los residuos nucleares para los que se había diseñado originalmente. Los tiempos han cambiado, y también se plantea convertirlo en un traductor universal, y utilizarlo en la carrera espacial: se trata de crear un mensaje que oriente sobre nuestra civilización a quien se lo encuentre. Quizá se trate de un futuro superviviente de una catástrofe nuclear, o de otra civilización, que se tropiece en el espacio con una nave terrestre. Ésa era la única oportunidad que yo tenía para resucitar el proyecto. Todos mis informes para retomarlo se basaban en ello. Y ahí es donde irrumpe Raquel Toledano como un elefante en una cacharrería. Con un artículo en el suplemento dominical en el que trabaja.

—¿Ella ya era periodista en Nueva York?

—Eso pretendía, al menos. El artículo era una entrevista suya con el consejero de Seguridad Nacional, que incluía una foto de él y del presidente, los dos hablando en el Despacho Oval de la Casa Blanca, poniendo cara de circunstancias, ya sabe. El consejero llevaba en la mano un documento clasificado como VRK, *Very Restricted Knowledge,* el más alto nivel de secreto de la Agencia. Quizá habría pasado desapercibido para un ojo no entrenado, pero si se miraba con atención podía leerse la letra gorda de la portada. Y si uno había colaborado en él, como era mi caso, podía distinguir otros detalles más o menos borrosos. Por ejemplo, AC-110. El proyecto en el que yo había empezado a trabajar. Para colmo de males, la foto no era nuestra, porque Raquel había llevado su propio fotógrafo. En cuanto se enteró, Minspert puso el grito en el cielo, y envió dos agentes del FBI al periódico, con el encargo de que requisaran los negativos.

—¿Para qué? La foto ya había sido publicada.

—Su solicitud tenía base. Había otras fotos además de las publicadas, y si se ampliaban podían proporcionar más datos sobre aquel documento. Así se lo explicaron los agentes del FBI a Raquel Toledano. Ella se comprometió a custodiar los negativos con todo cuidado, pero se negó a entregarlos. Y aquí es donde entré yo en la zarabanda. Mejor dicho, me metió Minspert a pesar de mis protestas, justamente por mi buena relación con la madre de la niña. Craso error. Ella se lo tomó como una especie de chantaje, una mezcla inaceptable entre lo personal y lo profesional, y se empeñó a fondo en demostrármelo.

—Bueno. Ya sabe usted cómo son los periodistas —comentó Bielefeld con aire filosófico—. Es mucho peor cuando se te ponen éticos.

—No sea cínico, comisario. Aunque le pueda parecer un poco ingenuo, yo lo hice con la mejor voluntad, porque me sentía responsable de todo aquello: nada habría sucedido si le hubiera puesto una cubierta al documento para protegerlo. Pero ¿cómo iba a pensar que el consejero se fotografiaría con él en la mano?

—Pues sí. Menos mal que se dedicaba a la Seguridad Nacional... Estamos ya cerca —explicó Bielefeld a David señalando un cauce de agua—. Ahora basta con seguir ese río... Me decía que Raquel Toledano se negó a entregarle los negativos.

—Entonces la llamé y concerté una entrevista personal. Nuevo error por mi parte.

—¿Dónde estuvo el error?

—Debería haber medido mejor mis pasos. Oficialmente, la Agencia de Seguridad Nacional no puede intervenir en asuntos internos. Para esas cuestiones se supone que debemos ponernos en contacto con los del FBI. Yo actuaba de buena fe y di por sentado que Raquel Toledano iba a hacer lo mismo. Hablé con ella, le expuse el caso y la intenté convencer por activa y por pasiva para que colaborase con nosotros. Pero era como estrellarse contra un muro: que si yo estaba fuera de control, que sabía muy bien que en la Agencia pensaban lo mismo, que alguien debía darme una lección, que ya estaba bien de gastar a espuertas el dinero del contribuyente, que nosotros los *latinos* éramos demasiado tribales y tendíamos a saltarnos todas las normas en cuanto estaban los amigos o la familia de por medio... Eso fue lo que me sacó de mis casillas, porque lo entendí como una alusión a lo que había costado mantener a mi padre en el hospital. El caso es que, fuera de mí, le grité: «Hablando de dinero, ¿sabe usted cuánto le costará al contribuyente este capricho suyo? Unos cien mil dólares. ¡Todo por un maldito negativo!».

—¿Cien mil dólares? —preguntó Bielefeld, incrédulo.

—Bueno —reconoció David— quizá exageré un poco. Pero no crea que mucho. Eso es lo que viene a costar modificar el código de un documento base, como era éste. Hay que introducir el cambio en todo el sistema. Eso significa hacer nuevos tampones, transportarlos por un correo especial a cada uno de los puestos de observación distribuidos a lo largo del planeta, entregarlos personalmente a todos nuestros aliados, para evitar errores y problemas que podrían ser trágicos.

—¡Caray! ¿Y después de explicarle todo eso ella no cedió?

—Ni un milímetro. Bueno, le ahorro los detalles. Esa chica tiene la virtud de sacarme de quicio. Para rematar la faena, yo cometí un tercer error imperdonable: la amenacé.

—¿La amenazó? ¡Por Dios!

—Hombre, no de una forma abierta. Digamos que más o menos. Pronuncié palabras que podrían ser tomadas como una amenaza velada. A ella le faltó tiempo para contárselo a sus superiores. Éstos llamaron a los míos exigiendo una satisfacción, a cambio de no montar un escándalo. Y lo que tenía que haber terminado con un beso a tornillo acabó como el rosario de la aurora. El lema de la Agencia de Seguridad Nacional es la invisibilidad, y mi cabeza fue el precio convenido.

—¿No le respaldaron?

—¿Respaldarme? ¿Perder todos sus privilegios por un pelanas como yo? James estaba deseando verme fuera del Programa AC-110, lo quería para él solito. Y nunca arriesgaría su coche oficial, su información privilegiada a la hora del desayuno, su casa, sus vacaciones... todo a cargo del Gobierno. ¡Cómo se ve que no lo conoce usted!

—Sólo he hablado con él por teléfono.

—Es de ésos que llevan la corbata del mismo color que la camisa. Una mezcla de camaleón y cocodrilo. ¿Sabe lo que me contestó?: «En la Agencia ni se respalda ni se elogia. Si no te despiden, es que lo estás haciendo bien. Y si lo estás haciendo mal, te despiden». No me despidió, pero me retiró el pase de alto nivel, y en la Agencia, perder un pase equivale a perder el empleo. Todo eso después de ser él quien me había metido en aquel lío de convencer a

Raquel Toledano, con gran resistencia por mi parte... ¿Comprende ahora por qué no quiero tratos con esos dos?

—Cálmese y termine de contarme la historia —le rogó Bielefeld.

—Minspert me ofreció un destino discreto, hasta que las aguas volvieran a su cauce... etcétera. Algo inaceptable. Entonces fue cuando decidí dejar la Agencia y trabajar por libre. A fin de cuentas, si entré en ella fue por mi padre, con la esperanza de continuar su trabajo, para saber lo que le había pasado. Nunca tuve intención de perpetuarme en ese nido de ratas.

El tráfico se había reducido drásticamente y la carretera se estrechaba para bordear un riachuelo.

—Estamos llegando —le informó Bielefeld—. ¿Y cómo se gana la vida ahora?

—No me falta faena, ya lo ve. Vivimos en un mundo de criptógrafos, desde la clave secreta de las tarjetas de crédito a esos tipos que descifran el genoma humano.

—Yo me refería a su especialidad, las antigüedades.

—Ah, bueno. La artesanía siempre se cotiza, porque cada vez somos menos los que nos apañamos con los viejos métodos. Cualquier cosa aún no descifrada entra dentro de mis competencias. No importa que sea algo antiguo o moderno, porque puede encerrar algo irrepetible, ser utilizado por el enemigo, por un criminal, por un terrorista... Siempre hay un coleccionista millonario que tiene interés en un manuscrito en cifra, un museo con un documento problemático, un profesor con una carta que va a cambiar la interpretación de la Historia, un arqueólogo con una inscripción... Se asombraría de lo que puede llegar a pagar un buscador de tesoros por descifrar un legajo que se le resiste, y en el que está la clave para localizar un galeón hundido en el mar, repleto de lingotes de oro... Hay mucha gente que recurre a un buen criptógrafo cuando necesita trabajos de descifrado rápidos y discretos. No todo el mundo quiere tratos con la policía ni se fía de la Agencia de Seguridad Nacional. En realidad, de ellos no se fía nadie. Incluso el propio Gobierno o las autoridades, de tarde en tarde, recurren a los lobos solitarios como yo... Como usted ahora, por ejemplo.

—Esto es algo distinto, créame.

—Le creo. Usted al menos es de los que se pone colorado en un trance así. Mis jefes de la Agencia sólo se ruborizan cuando dicen la verdad. Pero no hay cuidado, porque eso sólo sucede muy de tarde en tarde.

—No quiero engañarle. A mí tampoco me gusta todo esto. No es un trabajo habitual —confesó Bielefeld.

—Ya lo supongo, porque de lo contrario no habrían recurrido a mí. Para eso ya tienen a todos esos meapilas con máster de la Agencia.

El comisario movió la cabeza con desaprobación.

—Esa actitud suya… No se puede estar toda la vida lamiéndose las heridas. Tengo entendido que Raquel Toledano también tuvo sus problemas por ese asunto, que no fue iniciativa suya.

—¿Y usted se lo cree?

—Mi mujer conoce bien a esa chica. Dice que puede ser muy terca y cabezota, pero que también es muy honesta y profesional. Y seguramente se sintió presionada por sus jefes.

—¿Presionada? Pero si los Toledano tienen un montón de acciones en ese periódico… ¿Cómo le van a decir nada a la niña?

—Se equivoca, David. Ella nunca ha querido trato de favor, ni escudarse en la influencia de su familia. Estoy seguro de que la orden le vino de arriba. Y la prueba es que no se mostró conforme con el modo en que se llevó ese caso, que ha seguido coleando hasta hoy. Y que acaba de dejar temporalmente el periódico, para tomarse un período de reflexión, y decidir si vuelve o lo deja.

—No lo sabía… —admitió David—. ¿Y usted cómo se ha enterado?

—Por mi mujer, que le da clases de español.

—¿A Raquel Toledano? Pero si ya sabe. Lo habla bastante bien.

—Quiere mejorar su acento y ocuparse más de los asuntos que lleva su madre, de la que ha estado muy distanciada desde el divorcio de sus padres. Y anda muy preocupada por Sara. No la ve bien de salud.

—Entiendo. ¿Está usted casado con una española?

Bielefeld abrió la guantera del coche y le mostró una fotografía en la que se le veía sentado en la mecedora de un porche, junto a tres niños y una mujer morena, de aspecto latino.

—Violeta es de Perú. Trabajé allí varios años. Y ésos son nuestros hijos.

—Tiene suerte, John, mucha suerte.

—Intento preocuparme sólo por las cosas verdaderamente importantes. Y usted debería hacer lo mismo. ¿Entiende por qué le digo que no puede estar siempre lamiéndose las viejas heridas?

—Bueno, es que uno empieza a tener cicatrices en las cicatrices. Y tampoco conviene olvidar. Yo no olvido lo que me contaba Jonathan Lee, un compañero de mi padre, cuando iba a visitarle todas las semanas al hospital, mientras le llevábamos en silla de ruedas por el jardín: «Nadie nos ha agradecido los servicios prestados, oficialmente no existimos —se lamentaba Jonathan—. Nos robaron la juventud. Cuando debíamos estar persiguiendo chicas o buscando un buen empleo, nos pudríamos en un cuchitril descifrando mensajes, toda la noche con los auriculares puestos y el magnetófono de pedal transcribiendo aquellas interminables conversaciones. Un verdadero suplicio, que te exigía poner los cinco sentidos, y podía volverte loco. Todo para que la traducción estuviera lista a las seis de la mañana en la mesa del jefe, que llegaba de su casa fresquito y recién duchado. Pero a veces la vida de nuestros muchachos dependía de que hiciéramos bien nuestro trabajo. Y allí estábamos, aprendiendo nuevos idiomas, casi sin más instrumentos que un lapicero y una hoja de papel. Nosotros somos de esa escuela».

—Pero usted, Calderón, también se maneja con los ordenadores.

—Naturalmente, aquí en la bolsa llevo mi portátil, pierda cuidado. La diferencia es que yo trabajo lo mismo con esos trastos que sin ellos. Digamos que soy como esos roqueros que un día hacen música electrónica y al siguiente te graban un disco *desenchufados*. Pero donde me muevo como pez en el agua es en la criptografía antigua. Ésa es mi especialidad.

—Y si algún día las cosas le van mal, incluso podría dedicarse a escribir crucigramas para algún periódico.

—Por ejemplo, en el de Raquel Toledano. Podría pedirle una recomendación a esa chica —rió David.

—Lo podrá hacer ahora mismo, porque estamos llegando a su casa. Ahí la tiene...

—¡Dios, lo último que deseo en este momento es hablar con ella!

—Pues usted verá. Nos está esperando.

El coche cruzó el riachuelo por un bucólico puente de piedra que imitaba el tosco acabado de la cantería medieval. Un letrero les advirtió que entraban en un camino privado, bordeado de robles tan corpulentos que apenas dejaban pasar el sol. Al final del sendero, sobre un montículo, empezó a perfilarse entre los árboles la espléndida casa, monumental en su tracería, desde el impecable jardín hasta el tejado festonado de mansardas y chimeneas.

Un jardinero chino se afanaba en los setos cortando el césped, entre el sobresaltado corretear de las ardillas. El comisario se detuvo ante la verja y tocó el claxon.

—¿Qué tal está, señor Bielefeld? —le saludó el jardinero disponiéndose a franquearles la entrada.

—Muy bien, Chang. Y usted ¿ya ha hecho el pronóstico para este verano?

—Húmedo y caluroso.

Continuaron en dirección a la casa.

—Chang tiene una habilidad especial para saber cuál va a ser el tiempo —explicó el comisario—. Le basta con examinar los brotes de las cañas de bambú. Rara vez se equivoca.

Aparcó el coche en la rotonda. Cuando se disponía a subir por las escaleras, David observó a izquierda y derecha las dos añosas hiedras que flanqueaban el arco de entrada, para entrelazarse sobre él, bordear las ventanas del piso superior y retrepar bajo los aleros. Su padre decía que aquella casa rezumaba la misma destilación de siglos y musgo del foso del Alcázar de Antigua.

Al pulsar el timbre no tardó en abrirles una doncella con uniforme y cofia, que les llevó hasta la biblioteca. Una habitación enorme, revestida de libros en su práctica totalidad. David se sorprendió al darse cuenta de que era la primera vez que pisaba aquel lugar, frecuentado por su padre durante tanto tiempo. Al pasear por el resto del salón pudo comprobar lo acogedor que era, a pesar de su magnitud. Los muebles y alfombras acotaban rincones íntimos, donde cada objeto ocupaba su lugar con la naturalidad cotidiana de lo usado y vivido. No había allí nada de lujo barato, sino la pátina del tiempo, posada sobre las viejas ediciones en piel. Se sintió tentado por una amplia estantería, ocupada en su integridad por diferentes versiones de *La Odisea*. Una de ellas estaba firmada por T. B. Shaw.

—Es un seudónimo de Lawrence de Arabia —dijo mostrándosela al comisario—. Mi padre decía que era la mejor traducción al inglés. Y hay más de doscientas.

Junto a ella podía verse una edición en árabe de *Las mil y una noches*. Mientras la hojeaba, Bielefeld le previno:

—Sea prudente, David. Y no se enzarce en discusiones innecesarias. Lo pasado, pasado.

Siguió recorriendo la biblioteca. Le llamaron la atención las desproporcionadas dimensiones de la chimenea de mármol, con varios trofeos deportivos. Debían pertenecer a Peggy, retratada saltando a caballo en varias fotos. Pero también había incluido un par de imágenes de su yerno, George Ibbetson. En una de ellas posaba como capitán del equipo de rugby, alzando una copa. Y en la otra estaba de nuevo con sus compinches, el día de su boda con Sara, delante de la capilla de la universidad de la Ivy League donde se habían conocido. La aturdida novia se encontraba en el centro, tan perdida como un novato en un campamento.

Iba a coger la foto para verla mejor, cuando Bielefeld alzó los ojos frente a él para indicarle que se volviera. Al girar, casi se dio de bruces con ella. Allí estaba —no simplemente en su presencia ni en su compañía, sino *ante él*— Raquel Toledano.

No la había oído entrar. Tampoco la recordaba tan joven ni tan rubia. Debía de ser por el traje sastre con el que la había conocido en su trabajo. Ahora tenía un aspecto bien distinto. Los pantalones de lino crudo le permitían lucir su espléndida figura, un cuerpo estilizado y flexible, realzado por una camiseta azul con tirantes, que se ceñía alrededor de un elegante escote. Llevaba el pelo recogido en una cola de caballo que subrayaba la esbeltez de su cuello y la finura de sus rasgos, sin apenas maquillaje. El sigilo casi felino con el que había aparecido se debía a unas zapatillas de tenis que en otra persona podrían haber sugerido un aire distendido e informal, pero no en Raquel Toledano. Por lo demás —pensó David—, todo en ella era de primera calidad.

A pesar de tenerle más cerca, la joven le ignoró, tendiendo la mano hacia el comisario, para saludarle antes. Y sólo después se dirigió a él, manteniendo las distancias y examinándole de pies a cabeza. Bajo su aparente autocontrol, estaba tensa, se diría que dispuesta a saltar a la mínima oportunidad. Y su preocupación aumentaba a medida que el comisario la iba poniendo al corriente de lo que se sabía sobre su madre, insistiéndole en la necesidad de aunar esfuerzos para dar con Sara.

Bajó la cabeza en señal de asentimiento, pero también para disimular sus temores. Hizo a ambos un gesto indicándoles el sofá, se acomodó frente a ellos en un butacón, y preguntó al cabo, intentando recuperar el dominio de sí misma:

—¿El señor Calderón está asignado formalmente al caso?

A ninguno de los dos se les escapó a dónde quería ir a parar: se mirara por donde se mirara, y por mucho que trabajase para Sara, David acababa de cometer un delito. Estaba claro que el gerente de la Fundación había telefoneado a Raquel para ponerla al corriente de la fuga precipitada, después de llevarse unos documentos que sólo podían consultarse dentro de sus muros. Y las cosas cambiaban si Calderón actuaba por libre o estaba de nuevo bajo el paraguas de una agencia del Gobierno.

Bielefeld se apercibió de la inminencia de otro encontronazo, como el que ya habían tenido David y la joven en el pasado, y tanteó dirigiéndose a ella:

—Bueno, Raquel, no nos pongamos legalistas, y menos en un momento como éste... Verás... Aunque su firma no figurará en el expediente, sí que se tendrán en cuenta sus informes y actuaciones. A efectos prácticos, es como si él cumpliera una misión oficial.

David iba a añadir algo, y abría la boca con ese propósito cuando el comisario le atizó una buena patada en el tobillo, para recordarle la prudencia exigida. La maniobra no podía ser observada por la joven, ya que los pies de los dos hombres quedaban ocultos por una mesa baja situada entre ellos y Raquel.

Sin embargo, David no se estuvo callado:

—Siento lo de su madre tanto como usted, señorita Toledano, y estoy dispuesto a hacer lo que sea con tal de encontrarla. Pero, por si le sirve de consuelo, le diré que venir aquí, ahora, a esta casa, no ha sido exactamente idea mía.

Bielefeld se llevó la mano a los ojos, consternado. «¡Por Dios, qué torpe es este chico! —pensó—. Es justamente lo que ella estaba esperando».

Ni más, ni menos. Cruzando los brazos, Raquel se encaró con David:

—¡No me diga! Ha sido el comisario Bielefeld quien le ha traído a punta de pistola, tras obligarle a sustraer esos documentos.

—Mire usted —replicó el criptógrafo—. Una cosa es que la vida de su madre pueda correr peligro, y que yo la aprecie, *a ella*, y otra muy distinta que esté dispuesto a soportar sus impertinencias, *las de usted* —subrayó, apuntándola con el dedo índice.

—¿Impertinencias? —la joven alzó la voz con indignación, mientras le temblaban las aletas de la nariz y su mirada se afilaba bajo las cejas, tensas como un arco—. Usted ya merodeó en una ocasión alrededor de los documentos de la familia, cuando trabajaba en ese proyecto para la Agencia de Seguridad Nacional.

David iba a contestar cuando un nuevo e inmisericorde tobillazo de Bielefeld le hizo poner los pies en la tierra. Doloridos, pero en tierra.

Luego, el comisario desplegó la mejor de sus sonrisas y se dirigió a la joven, con tono tan conciliador como firme:

—Raquel, cabe suponer que el señor Calderón no está exactamente orgulloso de todas sus actuaciones. Pero ahora es distinto: trabaja en esos papeles a petición de tu madre, no lo olvides. Y, a juzgar por la carta que le acaba de enviar, ésa sigue siendo su voluntad. Él es quien mejor conoce esos documentos. Y, a propósito de tu madre, el tiempo corre. Debemos ir a la Agencia de Seguridad Nacional esta misma tarde. Y, por la noche, tomar un avión que despegará de la base de Andrews con destino a España, donde tenemos concertadas una serie de citas para seguir el rastro de Sara... antes de que sea demasiado tarde.

Raquel movió la cabeza en señal de silencioso asentimiento. Una tregua que aprovechó Bielefeld para concluir:

—Aunque el señor Calderón no haya procedido del modo más adecuado, estoy seguro de que ha tenido buenas razones para hacer lo que ha hecho.

Y miró a David con insistencia, para que confirmara sus palabras. Pero el criptógrafo no parecía dispuesto a cometer otra vez el mismo error que en el pasado:

—Si no les importa —dijo—, preferiría hablar después de que usted le haya entregado a la señorita Toledano la carta de su madre. Quizá ahí tengamos nuevas pistas, y sabremos a qué atenernos.

—Por mí, de acuerdo —aceptó Bielefeld, mientras echaba mano a su cartera de cuero y sacaba un sobre.

Raquel lo cogió y se levantó del sillón.

—Discúlpenme un momento. Preferiría leerla en privado.

Se dirigió a la habitación contigua. Pasaron unos minutos, que David Calderón y John Bielefeld aprovecharon para releer la carta que Sara le había enviado al criptógrafo. Alzaron la vista cuando oyeron abrirse la puerta y vieron aparecer a la joven. Vino hacia ellos, cabizbaja, y se sentó en el mismo lugar que ocupaba antes. Aunque intentaba que no se notase, tenía todo el aspecto de haber llorado.

David respetó su silencio. Quizá llevara razón Bielefeld en sus apreciaciones sobre la joven. Quizá estuviese siendo sincera. Reparó en aquellos ojos tan hermosos, de un verde intenso. Ahora, humedecidos, habían perdido su aguzado aire felino. Resultaban cálidos, incluso familiares —se acababa de dar cuenta—, por lo mucho que recordaban a los de Sara. Aquel relámpago de reconocimiento le hizo olvidar por un momento dónde se encontraba. Le costó un buen rato retomar el hilo, para preguntar, al cabo:

—¿No le ha enviado su madre un CD?

Ella negó con la cabeza.

—Un disco con los apuntes que iba tomando en el archivo del convento. Y quizá algo más... —insistió David.

Raquel volvió a leer la carta antes de reafirmarse en su contestación:

—Habla de ello. Dice que me lo manda. Pero en el sobre no hay ningún CD.

—Se le habrá olvidado. ¿Qué le parece, comisario?

—Hay un tercer sobre, pero no podemos abrirlo. Es para James Minspert —aclaró Bielefeld.

Raquel Toledano apenas podía reprimir su ansiedad. Sacó un cigarrillo de la pitillera de plata que había encima de la mesa y preguntó:

—¿Les importa que fume? —tras la primera calada, les informó—: Creo que deben saber algo que dice mi madre en su carta. Una frase que quizá usted, señor Calderón, sepa lo que significa: *«Hasta la menor brizna de hierba es símbolo»*.

—Era la primera lección de criptografía de mi padre —dijo David.

Y como sus dos interlocutores, sorprendidos por la rapidez y seguridad de su respuesta, le miraran pidiendo una explicación, continuó:

—El primer día de clase, mi padre tomaba varios lápices y los partía en dos pedazos. Luego bajaba de la tarima e iba entregando una de las mitades a varios alumnos y las otras a otras tantas alumnas. Finalmente, los hacía salir a la pizarra, delante de sus compañeros, y les retaba a recomponerlos. No resultaba difícil, porque cada uno encajaba con otro, y sólo con otro: ninguno rompía de la misma manera, dejando las mismas esquirlas. Una vez que cada cual había encontrado su complementario, explicaba que ése era el primer sistema criptográfico, y uno de los más sencillos, ya empleado por los antiguos griegos: cuando un general dividía sus tropas y quería establecer un sistema de comunicaciones con el comandante de una avanzadilla, cogía un trozo de madera, la rama de un arbusto, por ejemplo, la partía en dos y le daba un fragmento al jefe del destacamento, quedándose él con el otro. Si quería comunicarse, se lo entregaba a un correo, y al comandante de la avanzadilla le bastaba con juntar los dos trozos para saber que el mensajero resultaba fiable. A eso lo llamaban un *symbolon*. Mi padre decía que el símbolo era el primer criptograma, el primer lenguaje con el que la mente humana se hacía cargo del mundo. De ahí la frase *«Hasta la menor brizna de hierba es símbolo»*.

—Si no entiendo mal, Sara sugiere que ha utilizado ahora el mismo método —terció Bielefeld.

—Todavía se emplea hoy en día, porque es muy fácil y seguro: si usted quiere establecer un contacto, puede coger un billete de metro o de autobús y partirlo en dos con la tranquilidad de que ninguno se rompe de la misma manera, y podrá identificar a su contacto.

—¿Y cuáles serían ahora las dos mitades? ¿Los dos sobres que les ha enviado a cada uno de ustedes? —preguntó Bielefeld.

—Ésa es mi hipótesis. Por alguna razón, Sara trata de impedir que cualquiera de nosotros dos pueda actuar sin el otro. No me pregunte por qué, pero eso parece fuera de duda.

—Al sustraer de la Fundación esos documentos, usted, señor Calderón, ya ha empezado a actuar por su cuenta —constató Raquel.

David no quiso entrar al trapo. Se limitó a devolverle la pelota, tendiéndole la carta enviada por Sara y señalándole uno de los párrafos:

—Mire esto. No he actuado por mi cuenta, sino por cuenta de su madre. Y sospecho que ella ha tenido buenas razones para pedirme que me llevara esos documentos de la Fundación.

—Usted sabe que mi madre se deja llevar a menudo por sus impulsos.

—Yo no soy quién para juzgar a Sara —la atajó el criptógrafo—. Y creo que nos está pidiendo que averigüemos la relación entre los fragmentos de pergamino que me envía a mí y algo que le manda a usted.

«¡Touché! —pensó Bielefeld—. El chico se nos está volviendo sutil. Ésa ha sido una buena estocada».

Raquel se sintió aludida. Extrajo un papel del sobre y se lo tendió. Durante un instante, sus dedos se rozaron, y David reparó en sus manos largas y finas. Por eso mismo, llamaban la atención las uñas. Se las mordía. Ella se dio cuenta, y carraspeó, incómoda, para informarle:

—Mi madre dice en su carta que usted sabrá explicarme qué es este dibujo.

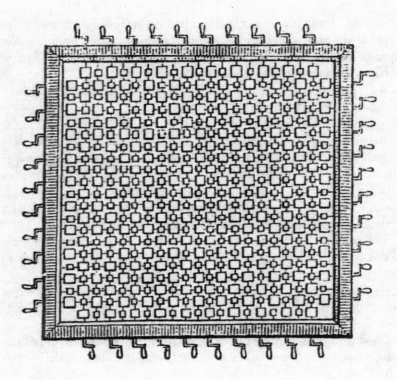

—¿Le dice Sara de dónde lo ha sacado?

—Del archivo del convento de los Milagros... —consultó la carta de su madre antes de añadir, medio leyéndola—: Del proceso a un tal Raimundo Randa..., el correo que recogió ese dibujo en Milán, poco antes de tomar la ruta de los Taxis para ir hasta Bruselas..., donde debía entregarlo a Felipe II... Ella sospecha que ese diseño lo hizo Girolamo Cardano... Si le vale con esto...

—Déjeme ver. Entre tanto, échele un vistazo a la carta que me envía su madre, y a esos cuatro fragmentos de pergamino. Quizá haya algo que a mí se me escapa.

David le entregó el sobre y fue hasta la ventana para ver al trasluz aquel dibujo. Lo examinó por delante y por detrás, ensayando distintos puntos de vista, antes de sentarse de nuevo y opinar:

—Hay una posibilidad. Me refiero a Girolamo Cardano. Él ideó la transmisión Cardan, que lleva su nombre y todavía se usa en los coches. La utilizó con éxito en una carroza del padre de Felipe II, el emperador Carlos V, para amortiguar el traqueteo. Aquí, en el dibujo de esta máquina, ese sistema de transmisión podría permitir el doble juego de estos manubrios, para conseguir combinaciones múltiples mediante el giro de esos dados cúbicos. Y Cardano era muy amigo de Juanelo Turriano, quien en su época no tenía rival en esto de los mecanismos de precisión. También él trabajó para Carlos V y Felipe II, como relojero. Pero, además de eso, era una especie de manitas, que lo mismo arreglaba una cerradura que una ballesta o un mecanismo elevador del agua. Un ingeniero, vamos. Sara me comentó que había diseñado una llave maestra para El Escorial, que no pasó de lo que hoy llamaríamos la fase de prototipo, aunque la probaron en el Alcázar de Antigua y se instaló en algunas puertas del monasterio.

—Mi madre encontró ese dibujo junto con estas dos cuartillas —añadió Raquel mientras las ponía encima de la mesa.

La primera mostraba un cuadrado dividido, a su vez, en otros más pequeños, que formaban una retícula de diez por diez. Cada casillero llevaba dentro una letra mayúscula.

G	N	E	D	I	G	E	R	H	E
R	D	I	E	R	I	N	C	K	A
U	V	V	E	R	H	A	B	E	N
E	I	N	A	N	S	L	A	G	U
F	N	E	S	T	M	A	N	T	A
G	I	N	D	E	R	N	A	C	H
T	I	N	D	A	S	L	A	N	T
B	I	U	N	S	H	E	I	M	L
I	C	H	Z	U	F	A	L	L	E
N	S	I	N	G	E	R	U	S	T

La segunda cuartilla era más recia, una cartulina con un cuadrado de las mismas dimensiones que el anterior. Y estaba perforada.

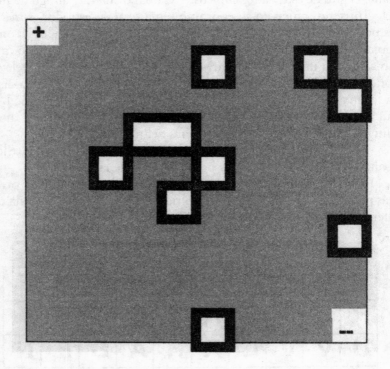

David contó las perforaciones:

—Nueve, que en realidad son diez, porque hay una que son dos perforaciones juntas...

Y calló. Durante largo rato se sumió en un largo silencio. Se revolvió un par de veces en el sofá, incómodo. Raquel le miraba con curiosidad, un tanto sorprendida, preguntándose qué cavilaciones eran aquéllas que tanto parecían trastornarle.

Al fin, David bajó la voz para preguntarle:

—¿No tendrá por ahí un poco de whisky? Estoy casi en ayunas.

—¿Le corre mucha prisa?

—Necesito concentrarme.

—Ya —constató Raquel con un rictus sarcástico. Y volviéndose hacia Bielefeld, añadió—: John, ¿también tú necesitas concentrarte?

—No, gracias. En realidad, os voy a dejar. Os propongo pasaros por mi casa a comer, cuando hayáis terminado. Mientras tanto, yo me asearé un poco e iré preparando una barbacoa. Recordad que luego hemos de tomar el avión para ir a Baltimore. Así que venid ya con el equipaje.

—Un momento, comisario —dijo David—. Yo no pienso ir a Baltimore, porque no tengo intención de volver a pisar la Agencia de Seguridad Nacional.

—Venga o no a la Agencia, esta noche bien tendrá que tomar el avión para España. ¿Por qué no lo discutimos mientras comemos? —le propuso Bielefeld.

—¿Dónde está su casa?

—Junto a la biblioteca pública, a la salida de la gasolinera. Quizá Raquel pueda llevarle en su coche.

—De acuerdo —contestó, resignada, la joven—. ¿Seguro que no quieres tomar nada antes de dejarnos?

—Seguro, gracias.

Cuando la muchacha hubo salido de la habitación en busca de las bebidas, Bielefeld palmeó el hombro de David:

—Lo está haciendo muy bien. Creo que Raquel empieza a olvidar su estampida de la Fundación. No lo eche todo a perder.

—Es muy fácil decir eso dejándome solo ante el peligro.

—Al menos, y por el momento, no dormirá usted en la cárcel del condado. Pero no se preocupe, tendrá esa celda a su disposición siempre que quiera. Recuerde, les espero a comer. Le dejo la cinta de vídeo por si la necesitan. Y suerte.

Mientras veía a través de la ventana cómo se alejaba el coche del comisario, tocando el claxon para despedirse del jardinero, David se preguntó si no era una innoble táctica de Bielefeld para obligarle a un armisticio con Raquel Toledano. Aquello iba tomando cada vez más el cariz de una encerrona.

«¡Lo que me faltaba! —pensó—. Un policía que parece salido de una película de Frank Capra».

La joven regresó con una bandeja. Le alcanzó la bebida y el hielo y, para ella, se sirvió un té frío, mientras se disponía a observar cómo David se estrujaba, literalmente, la cabeza. Le vio revolver con sus dos manos el ensortijado pelo negro, masajeándose la robusta nuca en busca de ideas. Era atractivo, no podía negarlo. Y, a pesar de cierta brusquedad, no parecía tan patán ni tan bronco como había llegado a pensar en su anterior encontronazo, cuando la amenazó exigiéndole los negativos de aquellas fotos. Por el contrario, había en él gestos de una imperceptible delicadeza, que costaba advertir en alguien con una mas-

culinidad tan rotunda, acentuada por su aire atlético y el pendencie-
ro corte de los pómulos y el mentón. Le impresionó, sobre todo, aquel
velo de tristeza de los ojos, al que trataba de sobreponerse con una sonrisa descreída, que se quedaba en tímida. Quizá llevase razón su madre, e incluso fuera simpático, o lo intentase. Y tampoco debía ser ningún chapucero, como había llegado a pensar: para desempeñar aquel
trabajo se necesitaba una fuerza de voluntad y disciplina a prueba de
bomba, mucho mayor de la que pretendía y aparentaba.

Tras los primeros tragos, David pareció revivir:

—Veamos. Tenemos lo que parece una máquina con diez manubrios por cada lado, sujetos a otros tantos dados cúbicos. Eso por una
parte. Por la otra, un texto dentro de una cuadrícula de diez por diez letras. Y una tarjeta, con diez perforaciones, que parece una rejilla criptográfica. Es más, quizá estemos ante la primera rejilla criptográfica
de la Historia.

—Yo no veo más que un trozo de papel con unos agujeros —objetó Raquel.

—Y eso es lo que es. Pero en su época fue un método de cifrar
revolucionario. Y, lo más importante, lo inventó Cardano.

—Ah. ¿Y cómo funciona?

—Muy sencillo. Basta con ponerla encima del texto que se quiere descifrar. Antes hay que distribuir las letras de ese texto sobre un
cuadrado que coincida con el perfil de la rejilla, colocando cada palabra en una casilla del mismo tamaño que las perforaciones. Éstas sirven para separar la información válida de la que no lo es. Las letras
que se ven a través de las perforaciones son las que valen. El resto, lo
que queda oculto, es relleno, que debe desecharse para aislar el mensaje que se quiere transmitir. De ese modo, sólo quien tiene la rejilla
lo podrá leer.

—¿Y qué relación tiene la rejilla con esa máquina?

—Quizá sirviera para programarla. Es sólo una hipótesis. Las
tarjetas perforadas se incorporaron en el siglo XVIII a los telares mecánicos, para que ejecutaran automáticamente distintos dibujos: se
ponía una con un determinado patrón y se obtenía un tejido, una
alfombra o un tapiz con el correspondiente diseño. Y, ya en el siglo
XX, sirvieron para introducir los datos en los ordenadores de IBM.
Así es como trabajó mi padre en la Agencia.

—El famoso Programa AC-110 que ahora nos recuerda mi madre.

—Sí. Creo que a eso es a lo que se refiere Sara en la carta que le
he pasado.

—¿No estará sugiriendo que lo que hay en ese papel es el diseño de una especie de ordenador primitivo?

—Sería más adecuado llamarla *máquina combinatoria* o *máquina criptográfica*. Pero sí, quizá se la encargaron a Cardano los Taxis, para su servicio de correos. El cifrado manual era muy lento y estaba sujeto a muchos errores. Con un artefacto así se ganaría tiempo y seguridad y se eliminarían intermediarios, que siempre son molestos a la hora de compartir un secreto. O quizá fue un encargo específico para la misión de Raimundo Randa, en la que llevó ese gajo del pergamino, ETEMENANKI o *La llave maestra*, a Felipe II y Carlos V. A lo mejor servía para descifrarlo. Después de todo, aquel imperio y los Taxis eran lo más parecido a la actual Agencia de Seguridad Nacional.

David Calderón apuró el vaso de whisky antes de continuar.

—Bien. Vamos a aplicar la rejilla criptográfica a este texto.

—¿Cómo sabe que ése es el lado adecuado?

—Por esta cruz: debe estar arriba y a la izquierda. Y esa raya al final, abajo y a la derecha, quiere decir que debe leerse empezando por ahí. Es decir, de abajo arriba y de derecha a izquierda.

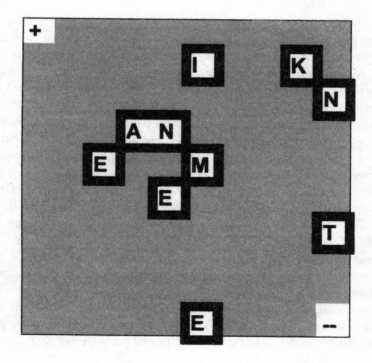

—ETEMENANKI —leyó David—. Coincide con la inscripción que hay detrás de ese gajo del pergamino, el que se conservaba en la Fundación. Debieron de utilizarla como una consigna, o la clave principal de la misión de Raimundo Randa. Creo que su madre se ocupa de ello en el libro que estaba escribiendo. En su carta, ella insiste mucho en que me lo lleve de su despacho. Por eso lo tengo aquí.

Echó mano a su bolsa y sacó el archivador de color azul que en la portada llevaba el título «*Notas para el libro DE BABEL AL TEMPLO. Lenguaje, religión, mito y símbolo en los orígenes de la conciencia*».

—Traiga, deme la mitad —le pidió Raquel—. Entre los dos miraremos antes. ¿Quiere otro trago?

—Está bien así, gracias.

Pensaba David que la joven parecía relajarse cuando no había testigos, ni nada que demostrar. Pero se equivocaba, una vez más. Porque fue ella quien antes revisó los papeles de su madre, y quien encontró lo que andaban buscando. Alzando la carpeta, le mostró el registro con la menuda y esquinada letra de Sara:

—Se lo leo:

«ETEMENANKI. *En un principio se llamaba así a un gigantesco zigurat de Mesopotamia, el templo en honor del dios Marduk. Los extranjeros que se lo oían nombrar a los babilonios traducían* ETEMENANKI *por* Piedra Angular *o de la Fundación, ya que pretendían que a partir de ella se había originado todo el Universo.*

Pero su significado real era el de Llave Maestra, *interpretación que suele ignorarse porque* ETEMENANKI *resultaba muy difícil de traducir a otros idiomas, que carecían del concepto de* llave, *un artefacto inventado en Mesopotamia (la primera llave conocida está en un cilindro babilonio de arcilla que data del tercer milenio antes de Cristo, y es ya una llave plana, el modelo Yale que hoy se usa en todo el mundo).*

El edificio de ETEMENANKI *fue restaurado por el fundador de la dinastía caldea* Na-bu-apla-usur *o* Nabopolasar (625-605 a. C.) *y su hijo* Na-bu-ku-dur-ri-us-ur *o* Nabucodonosor (605-562 a. C.). *Este último conquistó Jerusalén, arrasó el Templo de Salomón y esclavizó a los judíos. Así fue como, mientras estuvieron cautivos en Babilonia, tuvieron ocasión de ver* ETEMENANKI, *y cambiaron ese nombre por el más conocido de* Torre de Babel, *palabra que algunos derivan del babilonio* Bab-ili, *que significa* Puerta de Dios; *otros creen que procede de* blbl, *palabra hebrea que indica* confusión. *Quizá el mito bíblico de una lengua única sea lo más parecido al concepto babilonio de Llave Maestra, que hoy nosotros traduciríamos por* Código Fuente, *gracias a los instrumentos informáticos de que disponemos.*

Para mi libro, conviene subrayar que Nabucodonosor es, a la vez, quien destruye el Templo de Salomón (símbolo de los judíos como Pueblo Elegido) y restaura Babel (el último mito que en la Biblia concibe la Humanidad como un todo, antes de ocuparse sólo de los hebreos)».

—De modo que ETEMENANKI es como llamaban los babilonios a la Torre de Babel... —apuntó David.

—En la Agencia de Seguridad Nacional, ¿no se llamaba también Babel a ese Programa AC-110 en el que trabajó su padre?

—No sólo eso. Hay algo que ya he contado al comisario Bielefeld, pero no a usted. Cuando mi padre volvió a trabajar en ese proyecto, poco antes de desaparecer en las catacumbas de Antigua, empezó a farfullar como lo ha hecho el Papa en el incidente de la Plaza Mayor. ¿Ha visto con calma alguna grabación del discurso?

—No.

—Tenga —y David le alargó la cinta de vídeo—. Todo sucede cuando habla de Jerusalén, la Explanada de las Mezquitas y el Templo de Salomón —explicó el criptógrafo mientras la invitaba a buscar aquel pasaje con el mando a distancia—. Exactamente lo que preocupaba a su madre. ¿No le parecen muchas coincidencias?

—Un momento, un momento... No estará insinuando que es mi madre quien habla a través del Papa, o por encima de él...

David no quería empezar una nueva discusión, y se adelantó a sus objeciones:

—No lo sé. Pero suba el volumen y escuche eso.

La imagen del Papa apareció en la pantalla. Cuando empezaba a tener dificultades para hablar, se le oía farfullar:

—*Et em en an ki sa na bu apla usur na bu ku dur ri us ur sar ba bi li.*

—No se entiende nada —dijo Raquel.

—Quizá sí —discrepó David—. Déjeme esas notas de su madre, rebobine, y vaya pasando la cinta de nuevo.

—*Et em en an ki...* —sonó en el altavoz.

—¿Lo ha oído? «ETEMENANKI». Fíjese en la siguiente palabra:

—*Na bu apla usur...*

—O sea, «Nabopolasar», como aquí anota Sara —subrayó David.

—*Na bu ku dur ri us ur...*

—«Nabucodonosor».

—*Ba bi li...*

—«Nabopolasar y Nabucodonosor, reyes de Babilonia» —concluyó el criptógrafo.

—Creo que ahora empiezo a entender por qué mi madre está empeñada en titular su libro «DE BABEL AL TEMPLO». Y por qué ese proyecto le ha causado tantos problemas.

—¿Usted ha leído el contenido de este archivador azul?

—No, pero me lo ha comentado, y sé que es la obra de su vida. En realidad, es su vida. Ha renunciado a muchas cosas por sacarlo adelante, entre ellas a la respetabilidad de una carrera académica. Y se ha enfrentado a la familia y otros amigos del abuelo. Lo que pasa es que retrasa su publicación por las reacciones que ha ido recogiendo a medida que pronunciaba conferencias o publicaba algún artículo adelantando sus tesis. Ha recibido críticas muy duras, y por eso no quería que esas notas salieran de la Fundación. Hay muchos intereses en que no se publiquen nunca.

—Supongo que es demoledor para los mitos en los que se sustenta el Estado de Israel, ¿no?

—Eso y muchas más cosas. Si para cualquiera resulta complicado cuestionarlo, imagínese para alguien que lleva el apellido Toledano. Usted lo sabe mejor que yo, ella me ha mantenido muy conscientemente al margen, y yo no he querido insistir, por los problemas con mi padre.

—Entiendo —asintió David—. Me temo que se nos está haciendo tarde. Tengo que pasar todavía por casa para hacer la maleta.

—Yo tengo la mía hecha. Si quiere puedo llevarle —se ofreció Raquel—. ¿Dónde se aloja?

—En la residencia de investigadores.

—Nos toca de paso para ir a casa de Bielefeld.

III

EL RETORNO

Raimundo Randa oye forcejear la llave en la cerradura, la puerta se abre y Ruth entra en la celda. La pesada hoja de hierro se cierra tras ella y al otro lado se escucha amortiguada la voz ronca de Mano de Plata dando instrucciones a la guardia. La muchacha baja las escaleras de piedra, se acerca a su padre y abrevia su magra relación de novedades, para preguntarle:

—¿Cómo terminó lo que me estabais relatando ayer?

—¿Te refieres a lo que sucedió tras caerme por las escaleras y el encierro que siguió? No es asunto agradable, y menos para contar a una muchacha como tú. Pero, en fin, llevas razón, ya eres casada y aquello tuvo su importancia en todo lo que siguió. De manera que allá vamos...

Cuando José Toledano y aquellos cinco correligionarios barbados entraron en la habitación donde yo estaba, supe de inmediato que no quedaría entero tras su visita. Y así fue. Después de extender sobre una mesa vendajes y ungüentos, y preparar un afilado cuchillo y unas tijeras, don José alargó sus manos hacia mí. Entonces comprendí cuál era el objeto del singular corte de aquellas cuidadas uñas de sus dedos índices: ayudarle en las circuncisiones que llevaba a cabo. Pues ésa era otra de las funciones que desempeñaba en aquella comunidad, como servicio a los suyos.

Un desapacible temblor me recorrió el espinazo ante la perspectiva que se presentaba. Todavía no sabía cuál de sus dos especialidades se disponía a ejercitar don José, si la circuncisión o la fabricación de eunucos.

Pronto me lo hizo saber. Puesto que yo era judío, hora iba siendo de obrar en consecuencia:

—Ese pellejito que traes en tu natura o capullo ha ofendido nuestra vista, y no permitiré que yazga en mi casa alguien con achaque de gentiles —explicó con gran sosiego.

Como viera mi cara de espanto, añadió un refrán alusivo:

—Vamos, vamos, el cirio da mejor llama cuando se le corta la mecha.

No pensaba yo en ese momento en cirios ni en llamas, pero tampoco podía desairar a mi anfitrión. Y menos todavía confesar que no era judío. Esto aumentaría las sospechas, y me valdría la entrega a Alí Fartax y el inmediato empalamiento a manos de éste. Dudosa elección, entre ser intervenido por delante o por detrás.

Hube de resignarme a aquella dolorosa operación.

Sentí como estiraba, con fuerza, de mi prepucio. Noté los nervios uno a uno y me agarré a la cama como náufrago al tablón. De pronto, un horrible dolor, un rayo o quemazón, se abatió sobre la piel tensa. Desde ella, se extendió alrededor del miembro, y un latigazo sacudió mi espinazo de abajo arriba. Abrí los ojos. Don José acababa de cercenar aquel pellejo de un certero golpe de tijera. Un gran charco de sangre empezó a teñir las sábanas, mientras pedía que le alcanzaran las vendas y el ungüento astringente. Tras aquella carnicería, perdí el conocimiento.

Cuando volví en mí supe cuán complicada resultaba la cicatrización. Apenas podía moverme por el dolor y hube de escuchar, en la duermevela, este comentario de don José:

—A ver si hay suerte y no se presenta la gangrena. Pues entonces lo perderíamos.

Maldije, al pronto, mi mala estrella. Pero eso fue entonces. Después, como tendría ocasión de comprobar, este doloroso contratiempo me salvó la vida más de una vez en mis andanzas por tierras de infieles. La circuncisión es lo primero que se compulsa cuando sospechan que alguien trata de hacerse pasar por judío o musulmán, preguntando a los criados o a uno mismo, y comprobándolo sin tardanza en caso de duda.

El único consuelo en aquel cruel trance fue comprobar que Rebeca no se había olvidado de mí. Al punto envió a su doncella con algunas golosinas, y a su través supe la discusión entre Askenazi y don José a propósito de mi persona.

—En breve os contarán por qué os han respetado la vida —concluyó.

«Si a esto puede llamársele respetar la vida de alguien» —pensaba yo palpándome las partes.

Poco a poco fue viniendo el alivio, y un día noté que ya no ponían vigilancia a la puerta de mi cuarto, sino sólo a la entrada de la casa. Y en su siguiente visita don José empezó a insinuarme sus planes. Me preguntó qué tal jinete era, y le respondí la verdad: que una vez curado, no lo encontraría mejor en todo Estambul. Hablaba de viajes, de una importante misión. Tanto lo hizo, que llegué a preocuparme. No quería irme de allí. Me encontraba bien en aquella casa. Deseaba a Rebeca, estaba loco por ella. Nadie había hecho tanto por mí en todos los días de mi vida. Y los dos trabajos que desempeñaba, como oficial de la imprenta y guardián del reloj, eran más que decorosos y muy descansados. No encontraría nada parecido en ningún otro lugar. La existencia que podría haberme esperado en mi patria, junto a mis padres y familia, se había desquiciado para siempre con su brutal muerte. No tenía yo intención de volver. Aquélla era mi casa, y Rebeca era mi patria.

Al parecer, querían probarme. Había sido una de las condiciones para aplacar a Askenazi. El artero administrador no se fiaba de mí. De manera que nada me dirían de la misión mientras permaneciese en Estambul, para que no pudiera comunicársela a nadie. Debía viajar hasta Ragusa, en las orillas del mar Adriático, frente a las costas de Italia, donde me sería revelada. Sustituiría en aquel viaje a Meltges Rinckauwer, quien se disponía a emprenderlo en el momento de ser apuñalado.

La muerte del impresor tudesco seguía intrigándome. Y no sólo por el aprecio en que le tenía, sino por el misterio que rodeaba todos sus movimientos. De modo que cuidé de preguntar más tarde aquí y allá. Y aunque no me lo dijeron con claridad, deduje luego que no sólo editaba volúmenes, sino también gacetas u otros papeles noticiosos y volanderos, utilizando el comercio de libros para ejercer de correo y espía. Entonces entendí sus visitas clandestinas por la ciudad y me pregunté cuáles serían sus negocios con el hermano de don José, Moisés Toledano. Quien, por cierto, había desaparecido de la casa, sin que nadie quisiera darme noticia de su paradero.

También entendí por qué habían respetado mi vida: para que me la jugase en aquel empeño. Ocuparía el puesto de Rinckauwer. Y si alguna trampa más le esperaba, yo sería la víctima. Todo estaba preparado para el viaje del impresor desde el conciliábulo de los diez Juramentados en casa de los Toledano, y no podía aplazarse. De modo que utilizaría su salvoconducto para salir de la ciudad sin ser interceptado por los hombres del almirante Fartax, el *Tiñoso,* y viajaría en naves y convoyes del consorcio controlado por mi enemigo mortal, el administrador Askenazi. Así me lo hizo saber don José tan pronto me hube recuperado. Me explicó la situación, y concluyó:

—Os haréis pasar por Rinckauwer, y a cualquier pregunta que os haga nuestra gente contestaréis que se está preparando el Retorno.

—¿Y si me preguntan por el Retorno?

—Ellos entenderán con sólo esa palabra, que utilizaréis a modo de consigna. Y éste es el mensaje que debéis entregar —me dio un sobre lacrado—. Está cifrado, y la clave sólo la tendréis después de Ragusa. Es un método nunca usado, de modo que si este secreto sale de vos, sabremos quién es el responsable.

—¿Dónde debo entregar el mensaje?

—Eso no lo sabréis ahora. Primero viajareis en barco a Salónica, desde donde os llegaréis por tierra hasta Ragusa. Allí os darán nuevas instrucciones. Askenazi os proveerá de los documentos que os acreditarán ante los agentes del consorcio.

Nunca correo alguno había sido estrechado a tantas precauciones y muestras de desconfianza, pero, a pesar de ello, acerté a decir:

—Gracias por la confianza, señor. No os defraudaré.

—No me las deis a mí, sino a mi hija Rebeca. Su vida y su honra dependerán de que cumpláis vuestra misión. Es ella quien ha respondido por vos. Si no volvéis, sufrirá un *cherem,* y ni siquiera yo podré evitarlo.

Ruth, que sigue palabra a palabra el relato de su padre, lo interrumpe para preguntarle:

—¿Qué es un *cherem?*

—Tú nunca has asistido a ninguno, eras muy niña. Para los judíos, es como la excomunión entre los cristianos. Se maldice públicamente a alguien cuando está de pie y cuando está acostado, despierto y dormido, saliendo y entrando, de día, de noche y en los dos crepúsculos… siempre deberá estar maldito. Es un castigo que aparta a alguien de los suyos. No puede ganarse la vida entre ellos. Lo convierte en un apestado. No se permite a nadie que se relacione con esa persona por palabra dicha ni escrita, ni que se le rinda ningún servicio ni ayuda, ni que se aproxime a menos de cuatro codos, ni permanecer bajo el mismo techo.

—O sea, que es como si estuviese muerto.

—Peor, porque eso no impide a los muchachos apedrearlo, ni que sus familiares lo arruinen, echándose sobre sus bienes como grajos.

Por eso me angustiaba dejar allí a Rebeca, y temblaba al despedirme en el puerto. Se hallaba en compañía de su madre, que no la dejaba ni a sol ni a sombra, y sólo pudo decirme:

—Tened cuidado.

Me bastó con mirar sus ojos para entenderla. No había miedo en ellos, pero sí un ruego desesperado: «Vuelve pronto. No me dejes aquí sola entre estos lobos».

Cuando hube embarcado, y la nave largó velas, adentrándose en el mar, me quedé en cubierta viendo cómo Rebeca se iba alejando de mi vista, hasta convertirse en un pequeño punto perdido en el muelle. Ella lo había arriesgado todo por mí: su dote, su honra, su palabra. Todo eso lo perdería, y quizá la vida, si yo no regresaba o no cumplía mi misión.

Este pensamiento me sirvió de acicate en cada una de mis escalas. Gran asombro me produjo la formidable red de agentes de que disponían los Toledano, Askenazi y los suyos. Las colonias judías estaban tan incrustadas en todos los centros comerciales que se habían convertido en instrumentos con los que se comunicaban entre sí las naciones más distantes. Cada vez que iba a un lugar y me identificaba apelando a ellos y al Retorno, recibía posada, comida y protección. Y también minuciosa información sobre la siguiente jornada: qué caminos podían tomarse sin peligro y cuáles convenía evitar, qué alojamientos eran seguros y en qué lugares obtener consejo y ayuda en caso necesario. Los escritos de recomendación que se expedían en tales casos valían tanto como un pagaré bancario. El nombre de los Toledano abría todas las puertas. Y, siempre, al despedirme, la misma pregunta, susurrada a escondidas:

—¿Para cuándo será el Retorno?

—Pronto, muy pronto —respondía yo sin saber a ciencia cierta de qué estábamos hablando.

Después de desembarcar en Salónica, me llegué por tierra hasta Ragusa, uno de los más espesos nidos de agentes secretos y matones del Mediterráneo. En las tabernas del puerto se podían encontrar gentes venidas de todas sus esquinas, y no tardé en darme cuenta de que allí se reunía lo mejorcito de cada casa y nación. Todo el que tramaba un negocio turbio procuraba hacerlo en aquellos antros. Si dos países que no contaban con embajadores tenían que establecer un pacto que nunca reconocerían de modo oficial; si alguien quería conseguir discretamente un veneno del que no quedara rastro; o intercambiar cartas, mercancías o cautivos... todo eso se hacía en Ragusa. Mucha gente en la ciudad vivía de no hacer preguntas o de mirar para otro lado cuando sucedía algo extraño o un hombre era atravesado a estocadas en una calleja apartada.

Allí era donde el taimado Askenazi había planeado deshacerse de mí. Porque —como supe luego— él tenía sus propios planes al margen de Toledano y su consorcio, y la encomienda de mi misión debía contribuir a encubrirlos. Matándome, me sustituiría por uno de sus agentes, demostraría que yo no era de fiar, y debilitaría la posición de Rebeca de tal modo que ésta caería en sus manos como fruta madura, apareciendo como su salvador.

Yo debía acudir a una de las oficinas del consorcio, donde recibiría instrucciones para continuar mi viaje. Así lo hice. Era un lugar apartado, junto a los almacenes del puerto. No encontré al agente de Poca Sangre, y sus peones me informaron que estaría a la mañana siguiente. «En tal caso —les dije— advertidle que vendré al mediodía».

Al día siguiente, cercana ya la hora acordada, me dirigí de nuevo hacia allí. Pero, al tomar una bocacalle, y sin que mediara ningún aviso de «¡agua va!», me vaciaron encima, desde un balcón, inmundicias de orinales y otros adornos. Quedé al punto como no digan dueñas, y tantos fueron mis improperios, que bajó el amo de la casa a excusarse y ofrecerme reparación. Me hizo entrar y quitar la ropa, y ordenó a sus criadas que la limpiaran. Sonaron en ese momento las doce campanadas del reloj de la plaza, y expliqué a mi improvisado anfitrión que tenía una cita, y dónde. Se ofreció a enviar uno de sus hombres para excusar mi retraso. Acepté, agradecido.

Pasó un buen trecho, pero aquel hombre no volvía. El caballero envió otro de sus criados a buscarle, y éste trajo noticias de que lo habían matado a espada. Mucho fue su asombro. No tanto el mío, pues entendí a quién iban dirigidos los mandobles. Abrí de inmediato el sobre que me había proporcionado Askenazi para entregar a su agente. A pesar de haberse mojado, pude leer las instrucciones que allí se daban para viajar hasta Milán y visitar a un tal Girolamo Cardano, a quien se debía localizar a través de la estafeta de correos de los Taxis.

Expliqué a mi improvisado anfitrión el apuro en que me hallaba, y dónde me hospedaba. Él, que conocía al dueño de la posada, mandó a un criado a recoger mis cosas, y me acompañó hasta el primer barco que partía para un puerto italiano, que resultó ser Ancona, con petición al capitán para que tan pronto desembarcara me encomendase a alguna tropa armada que se dirigiese a Milán.

Llegué a esta última ciudad sin nuevos sobresaltos. Tan pronto como hube repuesto fuerzas, me acerqué hasta la posta de los Taxis y les entregué mis credenciales. O, para ser más exactos, las credenciales que en principio estaban dispuestas para Rinckauwer. Como todavía no habían recibido noticias de lo sucedido en Ragusa, no pusieron objeción alguna.

—¿Deseáis viajar por jornadas, o por la posta? —me dijeron.

—Por la posta. Tengo prisa. Y necesito los mejores caballos. Yo mismo los elegiré.

—¿Tanto entendéis de monturas? —preguntó, reticente.

—Confiad en mí.

—Caballos de esa calidad sólo los podremos amortizar si hay suficiente correo y os hacéis cargo de él. Dejadme ver lo que tenemos por aquí.

Entró en la oficina y consultó con un escribano. Éste había tomado los nombres de los sobrescritos y ordenado los envíos en unos casilleros, según los destinos.

—Creo que hay materia para hacer una posta —me dijo.

—¿Cuándo debo salir?

—Mañana al amanecer. ¿Os conviene?

—Estaré preparado —acepté—. ¿Cómo andan los caminos?

—Nunca han sido tan seguros. Podéis ir por Innsbruck.

Gracias a sus indicaciones, no tardé en localizar a Girolamo Cardano. Le encontré encerrado en una mala habitación, inclinado sobre una mala mesa, ahorrando la cera de la única vela que le quedaba, con la vista enrojecida tras unas lentes. La impresión que me produjo, al punto, no pudo ser más deplorable. Tenía su casa llena de pequeños animales, a los que parecía adorar, y él mismo presentaba un aspecto monstruoso. Era pequeño, estrecho de pecho, brazos enclenques, tenía la mano derecha casi inútil, el labio inferior era un belfo colgante, los ojos pequeños, la frente ancha, la voz áspera y chillona, los andares erráticos. Pero pronto pude comprobar que este aspecto disforme y contrahecho para nada hacía justicia a la nobleza de su inteligencia, excepcionalmente dotada para la medicina, las matemáticas y los ingenios mecánicos.

Supe más tarde de su triste y durísima vida, de su niñez agobiante, de hijo bastardo y no deseado, señalada por las palizas, el hambre y las enfermedades. Él era consciente de que le esperaba una vejez aún más difícil, a pesar de sus muchas habilidades, pues se sentía incapaz de adular a los poderosos o incurrir en una mentira.

Me explicó que llevaba cerca de un mes encerrado, emborronando papeles, a causa de aquel encargo de Noah Askenazi. En los últimos días, ni siquiera había salido de casa, absorto en el diseño de un sistema criptográfico que pretendía vender al rey de España para aliviar su penuria.

Llamaron en ese momento. Entró una mujer que le traía la comida, y le renegó por no haber probado apenas la anterior. Tuvieron una discusión, que zanjó Cardano cerrándole la puerta en las narices.

—Es fea, pero fiel —fue su único comentario antes de invitarme a compartir aquel modesto sustento.

Mientras picoteaba algo, como un gorrión saltando de aquí para allá, me mostró el diseño de una extraña máquina combinatoria, con diez manubrios a cada lado de un bastidor cuadrado, cuyos ejes y engranajes los conectaban a otras tantas filas de pequeños cubos situados en su interior.

—Funciona con la misma clave que el mensaje que lleváis a don Felipe. Es un método nuevo, sencillo, muy seguro, por nunca visto. Cuando esté a punto no serán necesarios los criptógrafos ni otros intermediarios. El mensaje sólo lo leerá quien lo escriba y su destinatario.

Alcanzó luego un sobre abierto y, sacando un papel de su interior, añadió:

—Pero volvamos al asunto que nos ocupa. Éste es el mensaje que deberéis mostrar a partir de Innsbruck. Os servirá de contraseña.

Y puso ante mí aquel papel, en el que podía leerse, en alemán: *Gnediger Her, die Rinckauwer haben ein anslag uf nest Mantag in der nacht in das lant bi uns heimlich zu fallen. Sin gerüst.*

—Pero... —objeté—. Esto puede verlo cualquiera.

—Así es. Sin embargo, sólo don Felipe podrá leer el mensaje que se oculta entre esas palabras, gracias a mi invento, que va aquí dentro, en este otro sobre, que está cerrado, lacrado y reservado a sus ojos.

No me atrevía a preguntar cuál era mi destino, por no denunciar que suplantaba al impresor Rinckauwer. Cardano acababa de revelarme el destinatario de mi mensaje, al nombrar por dos veces a «don Felipe». Pero ¿dónde se encontraba el tal? ¿Y la misión? En estas cuestiones andaba mi magín, cuando él añadió:

—Decidle a Artal de Mendoza que no ha sido posible recomponer el pergamino...

«¿Quién será ese Artal de Mendoza y de qué pergamino me está hablando?» —me pregunté a mí mismo, sin atreverme a abrir la boca.

—... se podría con esta máquina... —prosiguió Cardano, señalando su diseño—. Si alguien la construye. Y sólo conozco a una persona capaz de hacerlo: Juanelo Turriano. Espero que siga siendo tan gran relojero y artífice y continúe en la corte de Bruselas. ¿Podríais llevarle este dibujo?

—Contad con ello.

—Juanelo es mi amigo, y hemos comentado a menudo la utilidad que tendría este artefacto para construir las diferentes combinaciones de las llaves maestras, tan necesarias en edificios grandes. Pero decidle que este diseño es para una máquina combinatoria de propósitos más generales, que podría ser utilizada para traducir, cifrar y descifrar, y otros usos criptográficos. La clave principal se introduciría de modo mecánico, mediante unas cartulinas perforadas. También podría funcionar manualmente, pero sería laborioso, y muy sujeto a errores. Así es como está protegido el mensaje para don Felipe, quien podrá ver por sí mismo la utilidad.

No acababa de entender todo aquel embrollo, que Rinckauwer parecía conocer bien. Pero ahora ya sabía cuál era mi destino: Bruselas. Y don Felipe no podía ser otro que Felipe II, que allí estaba.

—Decidle también a Artal de Mendoza que ahora sólo queda cobrar mi sueldo por la encomienda que me han hecho él y Askenazi —concluyó Cardano.

Por segunda vez nombraba a aquel Artal de Mendoza, alguien que me esperaba en Bruselas, y de quien yo lo desconocía todo —o eso pensaba entonces—, excepto que era cómplice del administrador de don José Toledano, quien estaba maniobrando a espaldas del padre de Rebeca y su consorcio.

Al amanecer acudí a la oficina de los Taxis, tal y como había convenido. Partí de Milán para emprender el camino hacia el norte, apurando los relevos y postas del Tirol. Encontré en gran sosiego el corredor militar español que lo unía con los Países Bajos. En él, mostrando la contraseña que me había dado Cardano, obtuve todos los auxilios y prioridades, pudiendo elegir los mejores caballos. De tal manera que al cabo de pocos días entraba en Bruselas.

Pronto tuve ocasión de averiguar quién era Artal de Mendoza: el Espía Mayor de Su Majestad. Tras registrarme y despojarme de todas mis armas, dos guardias me condujeron hasta la Cámara Negra, donde trabajaba en las claves, cifrando y descifrando los mensajes. Era un hombre de porte aristocrático, de gestos parcos y secos. No le vi la cara. Iba embozado. Me llamó la atención el calor asfixiante que reinaba en la habitación y la gran pila de leña junto a la chimenea, como de hombre friolero en extremo. Pero aún me extrañó más que, a pesar de ello, no se quitase el fino guante de piel que llevaba en la mano derecha.

Después entendí por qué. Ahora me limité a escuchar sus palabras, de pie y escoltado por los dos guardianes:

—El rey ha leído vuestro mensaje y ha decidido que se lo llevéis a su padre, el emperador don Carlos, que está retirado en el monasterio de Yuste, en Extremadura. Él os dará la respuesta.

Me quedé anonadado. Aquello no era lo convenido, si es que a aquellas alturas lo convenido valía algo. Significaba ir a España, y yo tenía que volver a Estambul lo antes posible. Ahora sabía bien el peligro que corrían Rebeca y don José Toledano a manos de Askenazi, que les traicionaba. Iba a replicar a sus palabras, cuando Artal añadió, secamente:

—Partiréis mañana mismo con una escolta. Aprovechad ahora para cenar algo y descansar.

No podía ponerme en evidencia. De modo que sólo se me ocurrió decir:

—Antes debo ver a Juanelo Turriano.

—Lo veréis en España —replicó—. Juanelo no está aquí. Marchó a Yuste con el emperador.

Esto que dijo lo acompañó Artal de un gesto indescriptible, que entonces no entendí en todo su alcance. Y fue llevarse la mano izquierda a la derecha, como conteniendo un dolor muy profundo. Supe más tarde que no sólo era dolor, sino odio, lo que salpicaba con su acre baba las palabras que acababa de pronunciar. Y en especial el nombre de Juanelo, con un rencor que me impresionó.

No tuve elección. Los dos soldados que en todo momento me habían vigilado me condujeron a una habitación bien guardada. A la mañana siguiente, me despertaron sin contemplaciones para llevarme hasta el puerto de Flusinga. Y una vez allí, no se marcharon del muelle hasta asegurarse de que el barco partía conmigo a bordo. Para entonces, mi inquietud había aumentado: aún llevaba en mis ojos la última imagen de Artal de Mendoza, aquel gesto al sujetarse la mano derecha con la izquierda, aquel movimiento mal medido que, en su impaciencia, le había llevado a dejar asomar, bajo el guante, no una mano de carne y hueso, sino metálica. De plata. La misma con la que había golpeado el rostro de mi padre en el pozo del castillo, antes de que lo sujetasen a la rueda para destrozar sus huesos uno a uno. Bastaría que aquel hombre averiguara quién era yo en realidad para que mi vida no valiera nada.

—¿Y cómo no te abalanzaste sobre él? —le interrumpe Ruth.

—Por las mismas razones que tú me lo desaconsejaste el otro día. Me habrían matado allí mismo, y sin haberme enterado de nada. Tenía que ser más astuto que mis enemigos, e ir averiguando con grandes precauciones por qué habían tramado la muerte de mi familia, y saber si en ello estaba implicado o no el propio rey Felipe II. Y todo sin que conocieran mi verdadera identidad, y sin descubrir mis cartas. Fueron estos planes lo que rumié en el barco, entre espesas bilis y vómitos, por el mareo, pues nunca me ha sentado bien el mar, y desde que salimos de Flusinga el capitán de la nave no dejó de largar vela.

Llegamos a Laredo en volandas. El tiempo era desapacible, y a mí me pasaba como al propio galeón que ahora estaba atracado sobre las agitadas y negras aguas del Cantábrico: ambos, resentidos, crujíamos por todas nuestras junturas. Pero no parecían dispuestos a concederme reposo alguno. En el muelle esperaba un arcabucero de a caballo, con su pequeña tropa. Rondaría los treinta años. El pelo negrísimo, junto a su prieta barba, resaltaba unos ojos de rara intensidad, en los que latía una pasión bien embridada.

Tan pronto hubo leído aquel militar las instrucciones que le trasladó el capitán del barco, no necesitó demasiadas palabras para que sus hombres le obedecieran con premura. Después de presentarse, con gran cortesía, me indicó nuestra ruta, y concluyó:

—Nos pondremos en marcha de inmediato. Hacia Valladolid.

—¿Cuánto nos costará llegar? —le pregunté, sin poder ocultar la fatiga que me invadía.

—Con este tiempo, seis jornadas. Los caminos están muy enfangados.

No dejaba de llover. Me salvó mi capote de correo, guarnecido con un pasamano fuertemente cosido a tres puntos, con sus mangas y portezuelas. Lo había conseguido en la posta de los Taxis, harto del hedor que aún despedían mis ropas, mancilladas en Ragusa. El arcabucero parecía conocer bien la zona. Cuando se lo hice notar, respondió, sin darle importancia, con aquel discreto aire de hidalgo:

—He nacido aquí cerca.

La conversación con aquel militar me confirmó que se trataba de un hombre poco común. Se llamaba Juan de Herrera. Había estudiado en la Universidad de Valladolid. Era culto y viajado. Tan curtido en las armas como en las artes y letras, a lo que pude ver. No estaba allí por casualidad. De tarde en tarde protegía los envíos más valiosos del rey. Averigüé que había entrado a su servicio hacía diez años, cuando don Felipe era príncipe heredero y Herrera aún no había cumplido los diecisiete, para acompañarle en el Felicísimo Viaje por tierras italianas y alemanas. Al cabo del mismo, permaneció a su lado en Flandes, durante tres años, tras los cuales había sido soldado en Italia y servido en la guardia del emperador Carlos hasta seguirle a su retiro en el monasterio de Yuste, adonde ahora nos dirigíamos.

—Aquel viaje fue, en verdad, felicísimo —aseguró Herrera—. Don Felipe apenas había cumplido los veintiún años, y hubo que mover más de tres mil hombres, entre tropas, criados, chambelanes, nobleza, clero y demás nube de cortesanos. Seis meses anduvimos, de España a Italia, de Italia a Alemania, como plaga de langosta, hasta hacer la entrada en Bruselas.

Nada dijo Herrera de lo más obvio: formar parte de aquel séquito suponía ser *alguien* cuando don Felipe ascendiese al trono. Y él, militar y cortesano bregado, había estado allí. Más tarde pude ver que era de los que no dejaba pasar ni una sola oportunidad para asentar su posición en la corte.

Le tanteé, con prudencia, para obtener de modo indirecto alguna información sobre Artal de Mendoza. Pero él se apercibió de inmediato y rehusó proporcionarme cualquier indicio. Me di cuenta, no obstante, de dos cosas: de que no le profesaba ningún afecto, y de que iba a resultar muy difícil que nadie me hablara del Espía Mayor. Aquel hombre de la mano de plata parecía infundir verdadero terror.

El tiempo empeoró al llegar a Peñaranda de Bracamonte e internarnos en los riscos de Gredos. Aún llovía más en El Barco, y se enfrió de modo violento e intempestivo en el áspero puerto de Tornavacas. Cuando arribamos a la vista de la Peña Negra, estábamos tan empapados y ateridos que dudamos en seguir adelante. Repasamos los cordajes de las mulas de carga y nos detuvimos al llegar a la Garganta de los Infiernos. Uno de sus hombres advirtió a Herrera de que no deberíamos dejar el valle, sino bajar por el río Jerte, camino de Plasencia, para luego remontar el Tiétar aguas arriba hasta llegar al monasterio de Yuste.

—¿Cuántas jornadas hará eso? —le preguntó el arcabucero.

—Al menos siete.

—No podemos perder tanto tiempo. ¿Hay algún atajo?

El guía señaló hacia el sur:

—Por la Garganta de los Asperones. Ahorraríamos cuatro días de camino. Pasado mañana estaríamos en Jarandilla y, con un poco de suerte, quizá en Cuacos. Pero con este tiempo...

—Tomaremos el atajo —decidió Herrera—. Apalabraremos algunos hombres en Tornavacas, para que nos ayuden.

El esfuerzo resultó ímprobo. Pero al caer la noche del tercer día llegamos a la vista de Cuacos. Me sentí algo más alegre a la mañana siguiente, al despertar, abrir la ventana del alojamiento, comprobar que había dejado de llover, y aspirar el olor de las cidras, naranjas y limoneros que venía del patio. Me sorprendió tal movimiento de gentes en un lugarejo como aquél, apartado de cualquier población o ruta importante. La proximidad con el retiro del emperador había atraído a cortesanos que llevaban hasta allí sus intrigas.

Se decía que don Carlos todavía se interesaba por los asuntos de gobierno. Que había trajín de correos entre Yuste y la corte de Valladolid. Pero que su estado de salud hacía temer que le quedase poca vida. Todas estas noticias me alarmaron. No conocía yo el mensaje que traía de parte de Toledano y su consorcio, pero sí se me alcanzaba la importancia de la misión. Si la respuesta del emperador era negativa, mi viaje no habría servido de nada, y las vidas de don José y de Rebeca estarían en peligro. Pero ¿cómo intervenir en un negocio que ni siquiera conocía, y ante persona tan principal?

Mucho pensé en ello. Y me pareció, al cabo, que debía estar presente en la entrega del mensaje. En Bruselas no se me había permitido ver a don Felipe. Si ahora se lo daba a un secretario o empleado de cifra, como allí había sucedido con Artal, aquello quedaría en un papel más, un fleco dejado de lado por su hijo, que el fatigado don Carlos no estaría muy dispuesto a atender. Bien distinto sería si alguien le explicaba la calidad e importancia de las personas que se dirigían a él. Fue entonces cuando me acordé de la encomienda que Cardano me había hecho para su paisano Juanelo Turriano. Y al trasladar estas dudas y congojas a Herrera, me aconsejó:

—Si además de ese mensaje para el emperador traéis un recado para Juanelo, yo os acompañaré hasta él. Y en su compañía quizá podáis ser recibido directamente por el emperador, que le tiene en gran consideración. De lo contrario, habréis de conformaros con ver al secretario de don Carlos, Martín de Gaztelu.

Me pareció bien aquella observación del siempre discreto Herrera. Tan pronto como desayunamos, nos dirigimos a la casa de Turriano. Era una vivienda esquinera, al final de unos soportales con vigorosas zapatas y columnas de madera. Atamos los caballos a una de ellas y lo esperamos sentados en la fuente cercana.

Pregunté a Herrera por Juanelo. Me contó su nacimiento en Cremona, cerca de Milán, de origen muy modesto. Y cómo había aprendido los movimientos de las estrellas observándolas mientras era un pastorcillo. Me refirió también su ingreso en la corporación de relojeros casándose con la viuda de un maestro, único modo de remontar la infranqueable muralla social de los gremios.

—Fue allí, en Italia, donde entró al servicio del emperador, al arreglar un reloj astrario al que don Carlos tenía mucha afición, y nadie sabía reparar. Eso le valió de inmediato su estima.

Desgarbado como era, de apariencia tosca, tan distinto de los refinados cortesanos que le rodeaban, Juanelo Turriano había logrado cautivar al emperador hasta tal punto que ya nunca quiso separarse de él. Ni siquiera en el momento de su retiro al monasterio de Yuste. El monarca más poderoso del mundo pudo haberse llevado consigo cualquier cosa para su recreo. Pero eligió por compañía a Turriano y sus relojes.

—Es, sin duda, el mejor relojero e ingeniero de Europa —concluyó Herrera acercándose al caño de la fuente, y bebiendo un largo trago de agua—. Pero también es hombre muy franco e independiente en sus opiniones. Si lo que le proponéis es decoroso, os ayudará. Pero si no le gusta, os lo dirá sin rodeos, y será inútil insistir.

En estas consideraciones andábamos, cuando se abrió la puerta de la cuadra y oímos resonar contra el empedrado los cascos de un caballo. Lo traía de las riendas un hombre abultado y desproporcionado, de aspecto rústico. Turriano, sin duda. Costaba creer que aquel cuerpo desgalichado, que tan malamente disponía de sí mismo, pudiera haber concebido y realizado con sus propias manos mecanismos tan delicados. Aumentaba esta impresión su rostro, cabello y barba, como de gárgola roída por el tiempo. Las manos, grandes como mazos, estaban manchadas de esa herrumbre tenaz que el agua no limpia, y todo en él manifestaba las muchas horas de fragua.

Su gesto feroche, de ogro torpón, se dulcificó al ver a Herrera:

—Vos por aquí, don Juan —le saludó sonriente.

Al advertir que no estaba solo, me miró interrogante, y el arcabucero se aprestó a explicarle quién era yo, añadiendo:

—Os trae el mensaje de un amigo vuestro.

Le tendí la carta que le enviaba Girolamo Cardano, la abrió y posó los ojos sobre aquellos renglones escritos en su lengua. Suspiró, quizá vencido por la nostalgia de su Cremona natal. Le hicimos un hueco en el poyo de la fuente para que se sentara junto a nosotros.

Al terminar su lectura, pasó largo rato examinando el dibujo de la máquina que le enviaba Cardano. Finalmente, se volvió hacia mí y me preguntó:

—¿En qué puedo ayudaros?

—Antes de nada, debo entregar un correo al emperador.

—¿De parte de quién?

—De su hijo, don Felipe.

—¿Y dónde está el problema?

—Es que... —vacilé— de él depende la vida de dos personas que me son muy queridas... He de entregárselo en mano... Y darle cuenta de esas circunstancias... A ser posible.

—Ya veo —Juanelo se rascó la barba—. Eso no será tan fácil... Tenemos un cuarto de legua hasta Yuste. ¿Por qué no me explicáis el asunto por el camino?

Subimos a los caballos y nos pusimos en marcha.

—¿Cuál es la disposición de ánimo del emperador? —le pregunté—. ¿Por qué se ha retirado don Carlos a un lugar tan apartado?

Turriano señaló el amplio paisaje que apuntaba bajo los tímidos rayos de sol, entre un silencio apenas roto por el mugir de algún buey y el espaciado canto de los pájaros.

—Es saludable, lo que él necesita —aseguró—. Desde su derrota en el sitio de Metz, Su Majestad ya no ha vuelto a ser el mismo. A menudo se lamenta de que el frío padecido en aquel espantoso cerco militar aún le recorre los tuétanos, de que los humores se le pudren en las articulaciones. Y luego está la gota, que le maltrata desde hace treinta años y le atenaza como un cepo. Además de la muerte de su madre, doña Juana, a la que llamaban *la Loca*, encerrada allá en lo alto de su torre de Tordesillas, viendo pasar nubes, estaciones y carretadas de trigo.

En ese momento intervino Herrera, más diplomático:

—Habría que decir que la victoria de su hijo en San Quintín le ha traído algún consuelo en estos últimos días.

—Algo de eso hay —admitió Turriano—. Pero ahora se prepara a bien morir.

Se nos había unido y nos seguía, a prudente distancia, un herrero con su carro, pues Juanelo necesitaba cambiar el fuelle de la fragua. Nos detuvimos al encontrar en un recodo del camino a las lavanderas del emperador, que se dirigían al monasterio con la ropa de mesa y cama. El relojero las saludó por sus nombres, Hipólita e Isabel, para invitarlas a depositar en el carro los fardos que llevaban sobre la cabeza.

No tardamos en llegar a la vista del monasterio, escondido entre los árboles de una ladera orientada al mediodía. El boj olía intensamente bajo los cascos de los caballos, al ascender por la estrecha senda, entre los castaños, nogales y robles. Hasta que al ganar un repecho del embarrado camino apareció la entrada del edificio.

Incluso de cerca aparecía inmerso en el paisaje, que ya había empezado a amarillear por la proximidad del otoño. Pasada la tapia, adosado a la fachada sur de la iglesia, admiré el palacete, una edificación airosa y esbelta que a Juanelo le recordaba las villas italianas. Herrera, que parecía versado en arquitectura, mostró la rampa que permitía bajar al emperador a la huerta, y luego volverlo a subir hasta el zaguán a lomos de una mulilla, con el mínimo de fatiga y dolor para su estropeado cuerpo. Tras ello, el arcabucero se despidió para atender sus obligaciones.

—Esperad ahí —me indicó Juanelo, señalándome el vestíbulo superior—. Iré a ver si don Carlos ha desayunado y rezado sus oraciones matinales.

Mientras aguardaba, contemplé el panorama que desde allí se dominaba. Debajo de mí se extendía la alberca donde nadaban perezosas las carpas y tencas. Alrededor, cundían los rosales, ligustros, jazmines y madreselvas que trepaban hasta rematar las tapias. Más allá, en sucesivas terrazas, se desplegaba un paisaje hermosísimo, bajo una cálida luz que empezaba a cobrar brío. Un tenue arco iris ponía una nota de serenidad en el ambiente, y el paisaje se mantenía a la espera, suspendido como un tapiz. Era un panorama amplio y generoso, que debía de calar hondo en el ánimo de quien disponía de él a diario.

Juanelo salió al cabo de un buen rato y me informó:

—Don Carlos está un tanto destemplado. Anoche tomó unas empanadas de anguila, y se empachó. Esta mañana apenas si ha probado la escudilla de capón con leche especiada con que se desayuna. Ni siquiera le ha aliviado el vino de sen que suele tomar como purgante. Acaba de salir el barbero, y su ayuda de cámara lo está vistiendo para la misa que hoy se celebra en memoria de la emperatriz Isabel. Será larga, porque habrá responso y sermón.

Al constatar mi gesto de impaciencia, añadió:

—Tranquilizaos. Intentaremos verle durante la comida. Entre tanto, venid por aquí. Os mostraré mi obrador.

Nos dirigimos hasta el claustro nuevo, donde se había instalado en una de las celdas del lado sur. Al entrar en el taller saludamos al herrero que, allá al fondo, remendaba el fuelle de la vieja fragua.

—¿Entendéis de relojes? —me preguntó Juanelo señalando a los que allí había.

—Un poco.

—¿Dónde lo aprendisteis? —se extrañó.

—En Estambul.

—¿En Estambul? ¿Ya conocen los turcos estas máquinas?

—Fue un paisano vuestro a instalarlo. Y él me enseñó.

—Don Carlos me honra visitando a menudo el lugar —siguió explicando Turriano mientras preparaba la aceitera—. Le gusta inspeccionar estos mecanismos, y es necesario tenerlos a punto. Su Majestad los conoce bien, no se le puede engañar. Y también sabe lo suyo de astronomía. Más de una vez se las ha tenido tiesas con el cosmógrafo mayor.

Pensé para mí que los complicados engranajes de relojes y astrarios por fuerza tenían que resultarle familiares a aquel gran muñidor de intrigas políticas y concertista de naciones. ¿Qué era media Europa, sino un mecanismo ajustado por él?

—¿Todo lo habéis hecho vos? —le pregunté con admiración, señalando un reloj planetario.

—Todo, desde los cálculos astronómicos hasta el trabajo de fragua y el corte de las piezas.

Turriano había terminado de darle cuerda, y sacó la llave tras tantear que el muelle quedaba tensado y enrollado en su totalidad. Probó a hacer lo mismo con una pequeña muñeca, una dama con su mandolina.

—Es un autómata que fabriqué hace tiempo —me explicó—. Lástima que se haya estropeado. Cuando lo arregle, volverá a bailar y tocar su instrumento.

Reparé en una mano articulada de metal, y le pregunté:

—¿También esto es obra vuestra? Sólo he visto algo parecido en una ocasión.

—Si venís de Bruselas os estáis refiriendo a la de Artal de Mendoza. Yo la hice —admitió Juanelo—. Y bien que me arrepiento. Era de plata, y aún estoy esperando cobrarla.

—¿Cómo funciona?

—Es muy complicada en apariencia, pero más sencilla de lo que se cree si se conoce su mecanismo —afirmó, levantando la cubierta, para mostrar los garfios articulados que sustentaban los dedos de metal—. Todo depende de este engranaje, que es el que sirve de transmisión, regulando y amortiguando la sujeción a la carne. Funciona como una rueda Catalina.

—¿Igual que el escape de un reloj?

—Eso es. Se trata de un escape que gracias a este engranaje dentado dosifica la presión sobre el muñón, para que el postizo se sujete con firmeza a la carne, pero no haga de pinza ni pellizque, que sería muy doloroso cada vez que se hiciese fuerza con los dedos metálicos.

Comprobé aquel ingenioso sistema de bloqueo, que nunca habría descubierto por mí mismo de no estar en el secreto. Al devolverle la mano metálica le miré a los ojos para preguntarle por el Espía Mayor:

—¿Conocéis bien a ese hombre?

—Demasiado bien —respondió sin rehuir la mirada.

Intenté entrar en mayores averiguaciones sobre el particular, al ver que era Turriano hombre muy sincero. Pero no pude sonsacarle ni una sola palabra más. Con un gesto expeditivo, cubrió la mano de plata con un paño, dando así por zanjada la cuestión. No cabía duda: bastaba con nombrar a Artal para que la gente se pusiera en guardia. Volví, pues, a terreno seguro:

—¿Qué me decís del diseño que os envía Cardano? —le pregunté.

Lo extendió sobre una mesa. Estudió aquel bastidor cuadrado, con sus diez manubrios, engranajes y pequeños dados cúbicos.

—Él piensa que sólo vos sois capaz de construir ese artefacto —insistí.

—Cardano me tiene en un concepto excesivo. ¿Sabéis cuál es el mayor problema? Ése —y Juanelo señaló al fondo, donde se afanaba el herrero—. Que hay que recurrir a la fragua. Por eso tengo yo la mía medio destrozada. La fundición no permite superficies bien acabadas. El trabajo de herrería da mejor grano en el metal, y es el único modo de que se acople con suavidad. De manera que un mecanismo como ése llevaría su tiempo. Y su dinero, claro. Él y yo hemos hablado a menudo de la utilidad que tendría este aparato para construir las diferentes combinaciones de las llaves maestras. Porque no todo el mundo puede mantener un reloj, pero las llaves y cerraduras son de uso común, muy frecuentado y necesario, y su perfeccionamiento no debe dejarse en manos de simples caldereros.

—Cardano está pensando en una máquina combinatoria de propósitos más generales —le expliqué—. La clave principal se introduciría mediante unas cartulinas perforadas. Al parecer, así es como está protegido el mensaje para el emperador que traigo en este zurrón.

Juanelo fue hasta una mesa y tomó un objeto:

—Es piedra imán —aseguró—. Posee una fuerza que no se ve, pero que está ahí. Quizá en ella ande la solución para esa máquina. Aunque se requieren conocimientos que no tenemos.

En ese momento, sonaron golpes en la puerta. Era Herrera.

—Ha terminado la misa —nos informó.

—¿Cómo está de ánimo Su Majestad? —le preguntó Juanelo.

—Así, así. Ha pedido que le preparen la estufa.

El relojero torció el gesto, y se volvió hacia mí para explicarme:

—La estufa es la sala más liviana, la que da a levante. Es fácil de caldear, pero muy cerrada y asfixiante. No es el mejor sitio para tratar negocios. A don Carlos le afectan mucho estas cosas. Las misas por su difunta esposa, quiero decir. Dudo que sea oportuno verle ahora.

—Ha preguntado por vos —insistió Herrera—. Está en el aposento de mediodía. Podéis visitarle mientras se caldea la estufa.

Juanelo me miró, dudoso:

—El emperador despacha por las tardes, y el recurso habitual debería pasar por que le entregarais el correo a su secretario, Martín de Gaztelu. Pero en ese caso, no os recibiría. Las tardes son más apacibles. Es mejor esperar a que coma y eche su siesta. A las tres estará de nuevo en pie, y será el momento de verle. Se habrá recuperado.

—Maestro Turriano —le reprochó el arcabucero—. Su Majestad ha reclamado vuestra presencia.

El relojero asintió, contrariado. Miró a su alrededor buscando algo y, de pronto, pareció tener un rapto de inspiración. O quizá atrevimiento, poco frecuente en alguien de natural tan tímido. Porque me entregó unos aparejos y me ordenó:

—Sujetad bien esto, y acompañadme.

—Pero...

—No hay pero que valga. Vos mismo entregaréis el mensaje a don Carlos y se lo explicaréis de viva voz.

—¿No es un poco precipitado? ¿Y si se niega a escuchar? —me inquieté.

—Lleva razón Juanelo —me aconsejó Herrera—. No habrá otra oportunidad.

—Tomad esto y venid conmigo —insistió el relojero.

Salimos al claustro nuevo y nos dirigimos hacia el corredor que lo comunicaba con el palacete. Por el camino, Herrera, más diestro en lides cortesanas, me hizo varias apresuradas recomendaciones:

—Su Majestad no siempre está de buen humor. Y por lo que he podido comprobar esta mañana, hoy tiene un día más bien imprevisible.

—¿No sería mejor dejarlo para la tarde? —insinué, inquieto.

Juanelo me atajó con firmeza:

—¡No! Además, ya hemos llegado. Entrad conmigo y esperad en un rincón, intentando pasar lo más desapercibido posible. Yo os indicaré lo que debéis hacer.

Llamó a la puerta, esperó respuesta, y entró. Como me retrajera en el último momento, haciendo amago de no querer pasar, Herrera me dio un empujón, y cerró detrás de mí, obligándome a seguir a Turriano.

«La suerte está echada», pensé, mientras me agazapaba en una esquina.

Desde allí podía ver al emperador. Se encontraba junto a una ventana, sentado en un sillón de terciopelo rojo, con una manta sobre las rodillas. Tenía a mano una jarra de cerveza helada que, según supe después, le preparaba un maestro cervecero traído de propio. Reparé en su cara cuadrada, su mandíbula desencajada, que mostraba los escasos dientes que le iban quedando. Su piel era mortecina, los labios tan pálidos como su barba, los ojos enrojecidos y hundidos, la espalda muy encorvada. Sólo la recia nariz parecía conservar su compostura en medio de aquel generalizado desplome de la faz.

Don Carlos se había vuelto, al entrar Juanelo en la cámara, sin reparar apenas en mi presencia. A sus pies, un mastín, que había alzado la cabeza al vernos, volvió a dormitar en la alfombra, con la cabeza recostada sobre el escabel que aliviaba la gota al viejo monarca. Éste intentaba distraer aquellos dolores repasando un primoroso rosario de palo de águila con los paternóster de filigrana de oro.

A pesar del aliento corto y de la debilidad que se advertía en la voz del emperador, no se me pasó desapercibido el tonillo zumbón de sus palabras:

—Juanelo, ¿no habrá alguna manera de que esos relojes den la hora al mismo tiempo? Si eso le sucede al mejor mecánico del mundo, ¿qué puedo esperar de mis otros cortesanos?

—¿Para qué tanto trasto inútil, señor? —le preguntó Turriano, siguiéndole el juego, y haciéndose de nuevas.

Y al ver cómo estaban los ánimos, hizo un gesto de resignación que me sirvió de aviso para mantenerme a distancia. Luego, se dispuso a escuchar el motivo de la llamada del soberano. Se quejó éste de las hemorroides, que le habían vuelto a sangrar. Lo achacaba al mal funcionamiento del sillón que su relojero le había construido para aliviárselas, y que ahora el emperador señalaba, acusador.

El denostado armatoste se encontraba desterrado en un rincón, reo de sedición y deslealtad para con el monarca. Su apariencia era la de un sillón frailuno, con algunos aderezos que daban bastante mala espina. El respaldo podía echarse hacia atrás, mientras dos estribos, trabados y concertados con él, ascendían por los laterales delanteros para servir como reposapiés. Algo que tanto debía agradecer el derrengado cuerpo de don Carlos cuando las articulaciones se le agarrotaban.

Eso, cuando funcionaba. Porque ahora el armatoste estaba atrancado. Juanelo me hizo una señal, me pidió que dejase en el suelo el aparejo que llevaba y que le ayudase a desplazar aquel pesado mueble hasta una de las ventanas, por mejor aprovechar la luz del mediodía. Revisó los engranajes y se sentó en el sillón. Poniendo en juego todo el peso de su corpachón, Turriano empujó hacia atrás con su espalda, al tiempo que accionaba con ambas manos los topes que, bajo los reposabrazos, desbloqueaban el respaldo, que debía ceder hacia atrás y permitirle tumbarse en el sillón cuan largo era.

En su ventana, el emperador había dejado el rosario y daba un tiento a la cerveza, mientras observaba las maniobras del relojero. Acarició, para sosegarlo, el cuello del mastín, que se había levantado gruñendo, y puesto en guardia. Temí que se abalanzara contra mí, pero no era yo lo que barruntaba el animal, sino el desastre que se avecinaba.

Porque Juanelo, en sus maniobras con el sillón mecánico, lo había hecho ceder bruscamente, y se había desequilibrado hacia atrás. Y hacia atrás cayó, propinándole una formidable costalada, y haciéndole rodar por el suelo entre crujidos de maderas y metales.

El perro empezó a ladrar, y el emperador a reír, con lo que aquel alboroto fue mano de santo para el destemple que nos agobiaba a todos. Porque, a mayor beneficio mío, fue del todo natural que yo me apresurase a ayudar a Turriano, quien se maldecía a sí mismo en lengua italiana por su torpeza al manipular los resortes. Y fue entonces, por vez primera, cuando el monarca reparó en mí, e intentó recomponer la seriedad de un rostro todavía más grotesco por aquella mandíbula inferior larga y ancha que, como luego pude ver, le impedía comer bien y le dificultaba el habla, hasta el punto de no entenderse las sílabas finales de las palabras que pronunciaba.

Al apercibirse de que su señor me miraba interrogativo, Juanelo me presentó brevemente:

—Estaba en mi taller, esperando, y le he pedido que me sirviera de ayudante —dijo, sin insistir más por el momento.

Don Carlos esperó a que arregláramos el sillón. Turriano echó mano de sus herramientas, lo ajustó y reforzó, y, después de probarlo de nuevo, esta vez con éxito, invitó al emperador a que se instalase en él a sus anchas. Así lo hizo, aliviado. Y, entonces, el relojero se dispuso a mostrarle un nuevo instrumento que había estado perfeccionando, para lo cual me pidió que le alcanzase los aparejos que me había dado en su taller.

—Con la pértiga que os he preparado, señor, podréis pescar en la alberca desde esta solana de vuestro palacete, sin moveros de ese sillón que tanto bien os hace en vuestras fatigas.

Se dedicó don Carlos a probarlo con alborozo infantil, asegurándose de que estaban a su alcance las aguas del estanque que se extendía bajo la ventana. No tardó en sentir un poco de frío, y cuando entró su secretario, Martín de Gaztelu, mandó cerrar, para que no hubiese corriente.

—Señor —anunció el recién llegado—, ya han traído el carnero criado a pan con que cada semana os regala el prior del monasterio de Guadalupe. Si no disponéis lo contrario, os será servido para la comida del domingo.

El emperador asintió con un gesto de la mano, indicándole que pasara adelante con otros asuntos.

—Pide permiso para entrar el correo que os hace llegar desde Portugal vuestra hermana Catalina —continuó Gaztelu.

—¿Qué sería de mí sin mis hermanas? —aprobó el emperador.

Vino el correo y fue disponiendo los envíos sobre una mesa cercana. De todos los presentes, el que más plació al monarca fue una graciosa gatita negra de enormes ojos dorados, que arañaba su cesta de mimbre, maullando sin tregua para que la sacasen. Ordenó don Carlos que se llevasen al mastín del aposento, y liberó a la gata de su encierro. El animal saltó de inmediato, ronroneando y se llegó hasta el emperador, quien la acarició, disfrutando con el regalo de su hermana.

Poco a poco, fue discurriendo y apaciguándose aquella leve maquinaria cortesana. El cerero pasó a reponer las velas, y tras él hizo su visita el médico, junto con el boticario y su ayudante. Juanelo me miró para tranquilizarme, haciéndome saber que eran señales inequívocas de los preparativos para el almuerzo. Luego, los monjes se reintegraron a sus oficios, y los domésticos a las ocupaciones preparatorias de la comida. El lugar había ganado en intimidad, caldeado por el sol del mediodía, hasta el punto de que el monarca pidió a su guardarropa Morón que le retirase la manta de las piernas.

Con toda probabilidad, no pasaríamos a la estufa. Los tapices que revestían las paredes daban calidez a la estancia y, conseguida la privacidad que le otorgaba su confianza, Juanelo vio llegado el momento de explicar al emperador quién era yo en realidad. Se acercó a él, le habló en voz baja, y luego me hizo un gesto para que me llegase hasta don Carlos y le expusiera el motivo de mi viaje.

Pero el monarca era perro viejo. Como luego me advertiría Juanelo, el emperador había emprendido una maniobra que nadie, excepto él, solía advertir. De forma disimulada, escudándose en la gata que tenía en su regazo, había puesto en marcha un reloj, un ejemplar único construido expresamente para él. Se llamaba «el tiempo discreto». Parecía un simple anillo, pero en realidad era un cronómetro de resorte, que cosquilleaba con todo sigilo en el dedo donde se lo había colocado, indicándole de tanto en tanto el tiempo transcurrido durante una entrevista, sin que su interlocutor —en este caso yo— advirtiera nada.

Don Carlos había puesto en marcha el resorte de su anillo cronómetro. Sabedor de ello, pero sin poder advertirme, Turriano seguía con preocupación mis explicaciones. Si el emperador gustaba de ellas, detendría el «tiempo discreto». Pero si se llegara a desentender o le aburrían, en el momento en que saltase el resorte y le cosquilleara el dedo, tocaría la campanilla y mandaría a su lacayo que viniera alguien con cualquier excusa, para librarse del inoportuno que turbaba su retiro. Era muy avaro con su tiempo. Le quedaba poco.

Eché mano de mi zurrón de cuero, extraje el primer mensaje y se lo tendí al emperador. Se quedó mirándolo largo rato y preguntó, desconcertado:

—¿Ésta es la carta de mi hijo?

—Está en clave, Majestad.

—Bien, pues que Gaztelu la ponga en claro, como de costumbre.

—Vuestro hijo está cambiando los cifrados, señor. Y ésta es una clave privada entre él y vos. Debéis aplicarle esta cifra —y le pasé un segundo sobre, lacrado.

Don Carlos rompió el sello y extrajo un folio y una cartulina con varios agujeros. Después de leer las instrucciones, echó mano de la cartulina y procedió a ponerla encima de los mensajes que le enviaban.

—¡ETEMENANKI! —exclamó—. ¿Cuándo he oído yo esta palabra?

Se quedó en suspenso el emperador intentando recordar. Lo consiguió, al fin.

—¡Otra vez los Toledano! —se quejó—. ¿Sigue don José en Estambul?

—De allí es de donde vengo, tras someter esta misma carta a la consideración de don Felipe, en Bruselas. Él ha dejado la decisión en vuestras manos, por entender que conocéis mejor este negocio.

—¡Demasiado lo conozco! Desde mucho antes de que Toledano se pusiera en manos de los turcos. Cuando todavía había algo de que hablar, y en mis cartas con Solimán discutíamos sobre el título de rey de Jerusalén, que él reclamaba para sí. Pero ese título ya no me pertenece desde hace tres años. Pasó a mi hijo don Felipe al casarse con María Tudor. De manera que ya veis cuál es mi respuesta a José Toledano. Sólo puede ser NO a ese absurdo proyecto suyo en Palestina. ¿Necesitáis ponerlo en cifra?

—Bastará con vuestra firma y sello, señor, para demostrar que he estado aquí.

Me puse a la faena, consternado por la negativa. Busqué la cajuela con la cera, extraje el lacre, lo calenté con una vela y lo llevé hasta don Carlos, quien lo firmó y le aplicó una sortija de oro en la que se había hecho engastar una calcedonia para sellar con su escudo.

—Además —prosiguió el emperador, mientras retiraba el anillo—, hace tiempo que una familia ocupa la Casa de la Estanca, en Antigua. ¿Cuál es su apellido? —preguntó tocando la campanilla.

En ese momento, Ruth interrumpe a Randa para preguntarle:

—Perdonadme, padre, pero temo no entender lo que me contáis.

—Es natural, hija. Yo tampoco lo entendí entonces. No conocía los proyectos de don José en Palestina ni las aspiraciones de Askenazi al título de rey de Jerusalén, que negociaba a espaldas de los Toledano.

—¿Y la Casa de la Estanca? ¿Qué relación tenía con todo ello?

—Ya lo irás viendo. Sólo entenderás mi comportamiento, y quizá alcances a disculparlo, si te cuento las cosas en el mismo orden en que yo las padecí. Ten un poco de paciencia. Te decía que el emperador relacionó de inmediato a los Toledano y todo aquel asunto con Palestina, Jerusalén y la Casa de la Estanca. Me sobresalté al oír nombrar este último lugar, donde yo había nacido y vivido hasta el traslado de mi padre a la sierra de Granada. Me temblaba la mano en la que sostenía la caja con los lacres, y hube de depositarla en una mesa. Y también me vino a la memoria el interés que don José Toledano había demostrado por la Casa la primera vez que me presenté ante él.

Acudió Martín de Gaztelu a la llamada de don Carlos. El secretario del emperador me miró de hito en hito y no supo contestar la pregunta puesta por su señor. De modo que mandaron llamar a su ayuda de cámara, Van Male. Hacía tiempo que tomaba notas para las *Memorias* del monarca, de las que se ocupaba muy a ratos perdidos.

Van Male acudió, consultó sus papeles y aclaró:

—En efecto, hay una familia que vive en la ciudad de Antigua y ocupa la Casa de la Estanca desde algún tiempo después de la muerte de Álvaro de Castro en tierras de Andalucía. Su nombre es Calderón, señor. Manuel Calderón.

Al llegar a este punto, quizá agobiado por el recuerdo de su padre y su cruel suplicio en la sierra de Granada, Raimundo Randa alza la vista hacia Ruth. La joven advierte la fatiga en su rostro.

—Seguiremos otro día, hija. Hoy no doy más de mí. Háblame de ti y de tu madre. No las desgracias, sino la vida ordinaria que llevabais.

—Habéis de saber que ella siempre esperó vuestro regreso, padre. A pesar de nuestras penurias, cuando sintió que debíais estar a punto de volver, pidió dinero prestado, buscó la mejor lana, la aparejó en su telar y empezó a tejer un tapiz para vos. Y lo continuó haciendo hasta su último aliento. Era el único lujo que podía ofreceros.

Lo que la muchacha le cuenta parece actuar como un lenitivo sobre la torturada memoria de su padre. Hasta que se abre la puerta de la celda y el embozado la reclama desde lo alto de las escaleras.

Randa observa ahora con mayor detenimiento el modo en que su carcelero se vale de la mano metálica para sujetar la llave. Sus ojos siguen los movimientos de Artal con una frialdad de la que no se sospechaba capaz. Eso permite a Raimundo advertir el dolor que parece sentir. Con toda probabilidad, se debe al bloqueo del mecanismo de escape que ajusta la presión de los garfios sobre el muñón, tal y como le explicó Juanelo Turriano, el artífice de aquel postizo.

Y al hilo de esa palabra, *escape,* una idea se va asentando en la mente del cautivo. Improbable y descabellada. Tan descabellada, que quizá resulte. De modo que susurra a su hija, al despedirse de ella:

—Trata de averiguar dónde está Juan de Herrera. Si tú no puedes, porque te sientes vigilada, que lo haga tu marido.

4

LA AGENCIA

LOVÍA a cántaros sobre el aeropuerto internacional de Baltimore-Washington cuando la tarde del viernes John Bielefeld, Raquel Toledano y David Calderón bajaron del avión que les había traído desde Newark. Un enviado de la Agencia de Seguridad Nacional esperaba con un coche a pie de pista para conducir al comisario hasta la zona de helicópteros. No disimuló su sorpresa al comprobar que venía acompañado.

—La visita a la Agencia estaba prevista sólo para usted. Y aquí hay tres personas —dijo a Bielefeld, al ver entrar en el automóvil a Raquel y a David.

—¿Lo ve? Ya se lo advertí —murmuró el criptógrafo, mientras intentaba salir—. Yo me voy directamente a la base de Andrews y les espero allí.

—Usted se queda —se opuso Bielefeld—. Es el único que puede autentificar esos documentos.

Y bloqueó la puerta con su corpachón, empujando a David contra Raquel, y embutiéndole entre ambos.

«Bastante trabajo tengo con que no se me peleen estos dos, como para que encima vengan fastidiando los de la Agencia» —pensó el comisario recordando lo que le había costado convencer al criptógrafo para que les acompañara—. ¡Y usted, marque el número de su jefe y pásemelo! —ordenó al funcionario, señalando el sistema de comunicación con manos libres del salpicadero.

Mientras el conductor sorteaba los charcos que inundaban la pista, Bielefeld forcejeó con su interlocutor telefónico. Hubo varios tiras y aflojas, hasta que llegaron a la vista del helicóptero. En ese momento, el comisario zanjó la cuestión:

—Está bien, yo asumo toda la responsabilidad. Firmaré ese formulario.

El enviado de la Agencia detuvo el coche, sacó una hoja de la guantera, la rellenó y señaló al comisario dónde debía firmar. Después, les acompañó hasta el helicóptero y entregó una copia al piloto.

Tan pronto ganó altura, el aparato giró y puso rumbo a la autopista 295, sobrevolando el reguero de vehículos que discurría bajo sus pies en dirección a Washington. La lluvia complicaba todavía más el agobiante tráfico habitual, hasta producir un enorme embotellamiento en el cruce de Annapolis Junction. Una vez allí, el piloto se inclinó hacia la izquierda, alejándose de aquel caos de bocinas que les llegaban amortiguadas y se internó en la emboscada área de Fort Meade.

Cuando descendieron sobre la pista asfaltada, había dejado de llover. El aire, fresco y limpio tras la tormenta, estaba cargado de un tonificante olor a pino y tierra mojada que asaltó a David junto a un cúmulo de recuerdos. Y esa primera sensación le trajo otras, rebotando en la memoria. Había pasado en aquel lugar días interminables, encerrado en despachos claustrofóbicos. Y, de pronto, parecía el escenario de una excursión campestre.

Un nuevo automóvil les estaba esperando para conducirlos al Cuartel General. Mientras bordeaban la discreta valla de hierro, deslizándose por entre los árboles, el paisaje que se ofreció ante sus ojos podría haberse confundido con el de un apacible parque. Hasta que apareció uno de los carteles murales con la insignia de la Agencia de Seguridad Nacional. David limpió el vaho del cristal con un pañuelo de papel, para ver mejor el águila dorada sobre fondo azul cobalto que sostenía en sus garras una llave plateada. Aquella imagen le trajo el recuerdo del primer día en que se la mostraron, al ingresar en la Escuela de Criptografía: «La clave para la mayor masa de información del planeta», había dicho el director, señalándola. Y añadió: «Algún día serán dignos de tenerla en sus manos».

El paisaje cambió bruscamente. Cesaron los árboles, arreció el cemento e irrumpieron los bloques de edificios. Al pasar junto a una torre erizada de antenas, Bielefeld se volvió hacia él para señalársela.

—Son los enlaces por microondas —le explicó David.

—No resulta muy impresionante.

—No lo es. Ya irá viendo el resto de las instalaciones. La Agencia es discreta, pero no se engañe. Son capaces de succionar las comunicaciones de países enteros como una aspiradora. Cuando yo trabajaba aquí teníamos ciento veinte satélites enviando información sin parar y procesábamos unos dos mil millones de comunicaciones al día.

—¿Ha dicho dos mil millones?

—Cada diez horas procesábamos el equivalente a toda la Biblioteca del Congreso. ¿Se acuerda de lo que dice en el reverso de los billetes de dólar?

—«En Dios confiamos».

—Eso lo cumplimos a rajatabla: en Él, confiamos; pero al resto, los interceptamos.

Se aproximaban a la primera valla de seguridad. A lo largo de ella se distribuían los avisos sobre la entrada en un área militar restringida y la prohibición de fotografiar, tomar notas o simplemente hacer cualquier croquis o plano, bajo la amenaza de aplicar a los infractores el Acta de Seguridad Interna.

—Aún estamos a tiempo de dar la vuelta —previno David a Bielefeld—. Pero, si a pesar de todo, han decidido seguir, déjenme aquí. Yo les espero fuera y luego me recogen.

—David, le necesitamos para esa autentificación, ya se lo he dicho —le rogó el comisario.

—Pero ¿es que no se da cuenta? No sólo lo digo por mí. Si mete a la Agencia en esto ya no se la podrá quitar de encima. Con esta solicitud oficial se lo está poniendo usted en bandeja. Además, en cuanto me vea James Minspert no habrá ningún documento que autentificar, porque no les entregará nada.

—Tendrá que hacerlo en cuanto vea la autorización de mi madre —intervino Raquel—. Minspert será todo lo que usted quiera, pero cumple las leyes escrupulosamente.

El criptógrafo se sentía incapaz de discutir con la joven estando literalmente pegado a ella. Pero aún alcanzó a rebullir:

—Sí, sí… Ya verá lo que hace James con su autorización…

El conductor redujo la velocidad al llegar a unas sólidas barreras de hormigón reforzadas con antitanques hidráulicos, que obligaban a conducir en zigzag, hasta desembocar en una cabina rodeada de cámaras de vídeo. El oficial que se encontraba en la garita comprobó la matrícula y examinó la documentación que le tendía el enviado de la Agencia:

—Nos está esperando James Minspert, del Servicio Central de Seguridad —le informó Bielefeld.

Tras una breve consulta por teléfono, el oficial levantó la barrera y les indicó que siguieran adelante.

Comandos de la policía especial, vestidos de negro, patrullaban con perros. Detectores de movimiento y cámaras de vídeo rotaban en sus pértigas, barriendo los alrededores con potentes teleobjetivos. A medida que se acercaban al edificio central, David pudo comprobar que la gran torre de refrigeración había aumentado en dotación y tamaño, lo cual significaba nuevos ordenadores, la gran obsesión de la casa: tener los mejores, los mayores, los más rápidos.

Ante ellos se alzaba la mole del Cuartel General, la llamada Caja Negra. Un inescrutable paralelepípedo de cristal ahumado, en el que se reflejaban, distorsionados, los coches del inmenso parking. Unos ojos desprevenidos hubieran podido tomarlo por un bloque administrativo más. Pero David sabía lo que ocultaba esa oscura piel de cristal reflectante tensada en torno al edificio. Tras ella se encontraba la verdadera guarida, con su barrera protectora, que impedía la irradiación al exterior de cualquier señal, onda, voz o vibración.

A su alrededor, docenas, cientos de edificios se extendían a lo largo de millas y millas, hasta configurar una población en sí misma.

—¿Todo esto que vemos pertenece a la Agencia? —preguntó Bielefeld, asombrado.

—La ciudad de los criptógrafos —asintió David—. Conejeras y más conejeras atiborradas de funcionarios. Más de cincuenta millas de calles y carreteras. Ya me había olvidado de lo siniestro que es esto.

Acababan de entrar en el centro de control de visitantes, donde fueron inspeccionadas sus pertenencias. Bielefeld depositó la pistola y el teléfono móvil en la bolsa que le tendían. Pero insistió en retener su vieja cartera de cuero, en la que llevaba los documentos acreditativos. Se lo permitieron, tras un minucioso registro.

Una vez cumplidos estos trámites, David comprobó cómo entregaban al comisario una tarjeta con las siglas VP, de *Visitante Privilegiado*. Raquel tuvo que conformarse con la V de simple *Visitante*. Y se indignó cuando a él le colocaron una tarjeta roja. En la Agencia se la conocía como «la letra escarlata». Quizá fuera impecable según los reglamentos: él era un antiguo empleado de la casa. Pero aquel distintivo infamante le degradaba al nivel de los trabajadores externos, los de las áreas administrativas: el banco, la peluquería o la pizzería... Era como recordarle su ignominiosa salida.

—Creo adivinar de quién ha sido tan brillante idea —masculló mientras se la colgaba al cuello.

Un hombre se acercaba hacia ellos a grandes zancadas. David previno al comisario:

—Atención, ahí viene James Minspert echando vapor por todas las junturas.

El hombre que atravesaba el vestíbulo pasaría de los sesenta años y, a pesar de ir muy vestido y peinado, distaba de resultar elegante. Había algo de perdiguero en su mirada glauca, en las serviciales mejillas de color cerúleo y en la fofa papada, contrariando la amenazante autoridad que intentaba imprimir a sus gestos. Dio órdenes al agente de seguridad para que sólo dejara pasar a Bielefeld por el primer control. Y tan pronto como llegó junto a él, le saludó sin ocultar su contrariedad:

—Comisario, creía que la cita era con usted. Para que me entregase en mano un sobre de Sara Toledano —Bielefeld abrió la boca para replicar, pero Minspert continuó con su perorata, manoteando como un molino—: ¿Y qué me encuentro? ¡Aparece con dos acompañantes!

Calló y se cruzó de brazos, esperando su explicación. Bielefeld se rascó el ralo pelo del cogote.

—Ya se lo acabo de decir por teléfono —admitió, bajando la cabeza—. Ha habido novedades que nos obligan a contar con la presencia de David Calderón y Raquel Toledano. Él conoce nuevos detalles que afectan a los fondos depositados aquí por la familia de la chica. Y en cuanto a ella, o mucho me equivoco, o este sobre que traigo aquí con su nombre contiene la autorización de Sara para que su hija pueda retirarlos.

Tan pronto oyó mencionar aquellos fondos, James Minspert alzó la mirada contra su interlocutor.

—Prefiero que sea usted quien me cuente esas novedades. ¿O es que ha olvidado que ella es periodista y él un antiguo empleado? Y que los dos nos han creado problemas. Es mejor que primero lea yo esa supuesta autorización de Sara Toledano, y luego hablemos nosotros. Sus acompañantes esperarán aquí. Ya les llamaremos, llegado el caso...

Desde el otro lado del cristal, David y Raquel observaban a los dos hombres.

—¿Ve lo que les decía? No nos dejarán entrar —aseguró el criptógrafo.

—No sea usted aguafiestas. Tendrá que hacerlo. Minspert conoce sus obligaciones.

—Bueno, quizá a usted sí la deje pasar. Pero lo que es a mí...

Esta observación de David tuvo la virtud de encrespar los ánimos de Raquel, que seguía tomando las cosas por donde más quemaban:

—Si lo que está sugiriendo es que apruebo el comportamiento de Minspert, o que trato de justificar el mío en el pasado, está usted muy equivocado. Y si es una excusa para evitarse problemas, no se escude en los demás.

David no quiso echar más leña al fuego. Pero se preguntaba de qué lado estaría la joven si las cosas se ponían crudas con James. Dudaba mucho que alguien como Raquel Toledano se enfrentara abiertamente con un alto cargo de la Agencia. Eso sería tanto como tener en contra a la institución, y ella sabía muy bien lo peligroso que podía llegar a ser. Por el contrario, con la Agencia y Minspert de su lado todo serían facilidades para buscar a Sara. Mientras que la presencia de él no haría sino complicar las cosas.

Desde detrás del grueso cristal que le separaba de él, el criptógrafo observó cómo Bielefeld echaba mano a la cartera de cuero y sacaba el tercer sobre. Vio cómo lo abría James, se calaba las gafas y empezaba a leer la carta de Sara. Se ajustó dos veces las lentes a la nariz, como si no diera crédito a sus ojos, y cuando hubo terminado movió la cabeza enérgicamente para decir NO.

Aunque le era imposible escuchar la réplica del comisario, David estudiaba ahora su rostro, y en particular su frente. Acababan de aparecer en ella unas arrugas que no pronosticaban nada bueno. Estaban atravesadas por una abultada vena, como un relámpago que se abriera paso entre nubes cargadas de electricidad. Sin duda alguna, su paciencia estaba siendo sometida a una dura prueba. Por eso no se sorprendió cuando le vio apretar los dientes y subir el tono de voz, sin importarle que le oyeran, para decir con toda firmeza:

—¡Ya lo creo que nos entregará esos documentos! Y ellos vienen conmigo —señaló reiteradamente hacia el lugar donde se encontraban David y Raquel—. El señor Calderón debe autentificarlos, y la señorita Toledano retirar ese depósito que hizo su familia. O vienen conmigo, o aquí tiene su jodida acreditación.

Se descolgó del cuello la tarjeta de *Visitante Privilegiado* y se la puso en la mano.

Minspert reaccionó de inmediato, pidiéndole en voz baja:

—¡Maldita sea, comisario...! No me monte aquí una escena. Ni yo, ni usted, ni nadie puede saltarse las normas. Esto —esgrimió el sobre con la autorización de Sara— tiene todos los defectos de forma imaginables. Y esta casa no es una comisaría de pueblo donde los vecinos vienen a que les quiten las multas.

—Ya le explicará usted esas normas a la Casa Blanca, cuando le llamen —le replicó secamente Bielefeld encaminándose hacia la salida.

James Minspert le sujetó por el brazo, e intentó no perder la calma, al proponerle:

—De acuerdo, ellos vienen con nosotros —le devolvió la tarjeta con gesto que pretendía ser conciliador—. Ahora bien, dado que considero esta situación irregular, nos acompañará en todo momento un responsable de seguridad. Él nos servirá de testigo, y así estaremos todos más tranquilos.

Desapareció tras una puerta. Tardó lo suyo en regresar. Y lo hizo acompañado de un oficial con cara de baldosa, que llevaba en la mano un grueso libro.

Bielefeld se había reunido con Raquel y David. Este último se creyó en el deber de explicarles:

—La guía de teléfonos que lleva ese tipo en la mano es el reglamento. Si se lo aplica estrictamente, estarán aquí todo el día, y perderemos ese avión a España.

—No lo perderemos si usted viene con nosotros y nos ayuda. ¿Cuándo va a haber otra oportunidad de tener esos documentos en sus manos? —le retó el comisario.

David se debatía en un mar de dudas. Eran las peores condiciones imaginables para regresar a la Agencia. Pero había algo en lo que Bielefeld llevaba toda la razón: no las habría mejores. Y la insistencia de James por negarle el paso constituía un acicate suplementario. De manera que decidió sumarse a la comitiva.

Tras saludar a la joven, su antiguo jefe se rezagó junto a él, para decirle:

—Ya has conseguido volver a esta casa, muy a mi pesar. ¿A qué debemos el honor?

Atravesaban en ese momento el vestíbulo. El suelo estaba adornado con el enorme escudo de la Agencia y su inevitable águila dorada. David detuvo sus pasos sobre la cresta del ave, para devolverle el cumplido:

—Quería comprobar qué tal estáis tú y tu úlcera.

—Los dos estamos encantados de verte. Creía que no te llevabas bien con la prensa —y señaló con la cabeza hacia Raquel.

—Ah, es eso lo que te preocupa. Tranquilo, ha venido por su madre, no como periodista. Además, creo que está en barbecho. Ahora no ejerce, y debe de ser de las pocas personas que tiene buena opinión de ti.

El oficial de seguridad se adelantó para mostrar a Bielefeld y Raquel cómo debían insertar la tarjeta en el torniquete de control. David rechazó el ofrecimiento de ayuda y se volvió para reanudar la conversación con su antiguo jefe, intentando hurtarse al juego de provocaciones que el otro había iniciado:

—Créeme, James, ella aceptará un arreglo civilizado. Está en juego la vida de su madre. Seguro que será discreta.

En realidad, pensó David, Raquel estaba siendo demasiado discreta. Apenas había abierto la boca desde que bajaron del helicóptero. Aun así, le perturbaba su presencia, saberla allí, en los mismos lugares donde él había pasado tantos años, en circunstancias tan distintas.

Se unieron al grupo. Estaban llegando al Gran Corredor. Era como entrar en el vientre de la ballena. Un opaco zumbido de colmena irradiaba de aquel maremágnum de pantallas gigantes, computadoras y conexiones. Su longitud solía impresionar a los visitantes, y Minspert lo sabía.

—Es el corredor más largo de mundo, superior a tres campos de fútbol —explicó—. Aquí clasificamos más documentos que todas las demás agencias del Gobierno juntas: más que el Ejército de Tierra, la Armada, las Fuerzas Aéreas, la CIA, el Departamento de Estado...

—¡Demonios! ¿Cuántos ordenadores tienen? —preguntó Bielefeld.

—No los contamos por unidades, sino por acres. La Agencia es el primer usuario de computadoras del mundo.

El oficial de seguridad les franqueó una puerta vigilada por dos marines del servicio especial. Varios carteles con el aviso de «Área Restringida» les condujeron hasta una rampa por la que descendieron dos plantas. Una vez en los sótanos, fueron interceptados por un portal de alta seguridad.

Cuando hubo obtenido luz verde, el oficial que les acompañaba empezó a acreditar a los presentes en el ordenador de acceso, introduciendo sus respectivas tarjetas. Al llegar a la de David, el oficial tuvo sus dudas: la tarjeta roja no permitía traspasar un portal de alta seguridad. Miró a James, y éste asintió con la cabeza, en un gesto que no pasó desapercibido al criptógrafo.

Entraron en un estrecho pasillo, por el que caminaron hasta que les cerró el paso una cámara acorazada, protegida por una gigantesca puerta de acero con un dial de combinaciones.

—Necesito la llave —les explicó James.

Había que solicitarla en una expendedora automática. Minspert introdujo su tarjeta magnética y su número de identificación personal. La máquina hizo parpadear el cartel de «Comprobando la lista de acceso». Tras un «O.K.», hizo girar su carrusel de llaves y dispensó una de ellas mediante un brazo robotizado. Era su llave personal, y desde ese mismo momento, todo lo que sucediera en aquella cámara quedaba bajo su responsabilidad.

Chirriaron los goznes de la gruesa puerta de la cámara acorazada, y James se adentró en ella, mientras el oficial de seguridad se interponía, reteniendo a sus acompañantes.

En el interior de la amplia habitación abundaban los letreros rojos que advertían sobre el «Área de Exclusión», y recordaban las precauciones que debían observarse con los documentos sensibles. Una vez que Minspert localizó los fondos depositados por los Toledano, los colocó sobre una mesa y corrió una cortina de color negro alrededor de ella. Sólo cuando hubo extraído los documentos solicitados indicó al oficial que permitiera el paso a Raquel y a David, para que procedieran a identificarlos. En realidad, fue David quien lo hizo, revisando cuidadosamente los papeles. Al terminar, movió la cabeza, contrariado:

—No veo por ningún lado los documentos que nos interesan.

—Hay material que sigue estando clasificado como secreto —se justificó su antiguo jefe.

—No tiene nada que ver, James. Secreto o no, debería estar aquí.

—¿Qué ha pasado con esos papeles, señor Minspert? —intervino Bielefeld.

—No se lo puedo decir.

—¿Tampoco a mí, que represento a sus propietarios? —preguntó Raquel.

—Creo que debería leer las condiciones del depósito, señorita Toledano. Si los fondos se ven implicados en un proyecto clasificado, la confidencialidad les alcanza también a ellos.

—Conozco esas condiciones. Y entre ellas está la posibilidad de recuperar cualquier documento cuando medie causa grave. ¿La vida de mi madre no lo es?

—Claro que lo es. Pero no tenemos ninguna prueba de que la supuesta desaparición de su madre guarde relación alguna con esos fondos...

—Sí que la tenemos —Bielefeld echó mano a su vieja cartera de cuero y extrajo la cinta de vídeo—. Aquí está la prueba.

—¿Qué es eso?

—La grabación del discurso del Papa.

—Mi gente ya ha examinado esa cinta.

—Pero no tiene los datos que le vamos a proporcionar nosotros.

Minspert empezaba a impacientarse.

—Este lugar no es el más adecuado para discutirlo. Vamos a mi despacho —y se dirigió a Raquel para preguntarle—: ¿Desea retirar estos fondos, tal y como están, o no?

—Desde luego que sí.

Minspert ordenó al oficial de seguridad:

—Proceda con la valija —y se volvió hacia el comisario para explicarle—. Eso evitará que seamos inspeccionados en todos y cada uno de los controles que nos encontremos, incluidos los volantes.

El oficial pidió a Raquel que firmara un «conforme», introdujo los documentos en un contenedor que recordaba las carteras de los repartidores de pizzas, y lo selló.

—Cuando quiera, señor.

Tras desandar el camino, Minspert les condujo a un ascensor privado. Lo accionó valiéndose de una llave, y subieron directamente a la octava planta. Al salir, tomó la valija de manos del oficial y le indicó un asiento en la sala de espera:

—Le llamaré si le necesito.

El despacho de James estaba presidido por un atril. David recordaba que solía empezar su jornada de trabajo con una reunión. Sólo con sus colaboradores más inmediatos, lo que él llamaba su guardia pretoriana. Y quería algo muy rápido. Los «titulares del día», los llamaba. En esas ocasiones, todo el mundo permanecía de pie. Incluido él; aunque, eso sí, atrincherado tras aquel atril.

—Estaremos más cómodos aquí —Minspert se quitó la chaqueta y señaló a sus visitantes una mesa redonda con varias sillas.

Bielefeld le alargó la casete del vídeo con el discurso del Papa, y pidió a David:

—Señor Calderón, ¿podría explicar las novedades que hay?

—Verás, James. Sara acaba de mandarnos a la señorita Toledano y a mí unos sobres como ése que tienes tú. Y en ellos incluye una rejilla criptográfica del siglo XVI que al aplicarla sobre un texto de esa misma época nos da esta palabra. Creo que es una clave. Compruébala tú mismo.

Y le mostró el texto y, sobre él, la cartulina perforada que permitía leer la palabra ETEMENANKI.

Minspert examinó con detenimiento la amarillenta cuartilla y miró a David para preguntarle:

—¿Por qué piensas que esto es una clave?

Bielefeld empujó la casete hacia James e insistió:

—Lo entenderá mejor cuando vea el vídeo.

James encendió el televisor, pulsó el mando a distancia, y de nuevo desfiló por la pantalla la imagen del Papa, con el final de su discurso y aquel farfullo. Minspert lo oyó, lo miró sin apenas parpadear, y preguntó, fríamente:

—¿Y bien?

—La primera palabra que dice el Papa es esa clave, ETEMENANKI —intervino David—. Es el nombre original de la Torre de Babel. Y luego habla de Nabopolasar y Nabucodonosor, los dos reyes de Babilonia que la restauraron.

—¡Por Dios, Calderón! Ya sé que piensas que en la Agencia somos los últimos en enterarnos de lo que pasa por ahí, en el mundo, pero tenía entendido que el Papa sigue siendo católico. No tratarás de hacerme creer que está hablando en babilonio...

—Yo sólo te hago notar que Sara conocía bien esa clave, porque le dedica todo un capítulo del libro que estaba escribiendo. ¿Se lo podría enseñar, señor Bielefeld?

Se refería a los apuntes que se habían llevado de la Fundación y que ahora traía el comisario en su cartera. James los examinó, displicente, antes de sentenciar:

—Peor me lo pones. O sea, que ahora pretendes que es Sara quien se manifiesta en esa cinta. Si ésas son todas las pruebas que tienes...

—No es sólo eso, James —le replicó David, poniendo cara de mucha paciencia—. Esos farfullos coinciden con la forma de hablar de mi padre poco antes de desaparecer en los mismos lugares que Sara. Y tú lo sabes. Vuelve a pasar el vídeo y lo comprobarás. Súbele el volumen. Fíjate en el final, antes de que se hunda la plaza.

Así lo hizo. Se oía al Papa decir:

—*Ar ia ari ar isa ve na a mir ia i sa, ve na a mir ia a sar ia.*

E inmediatamente se producía una inmensa interferencia, que saturaba los altavoces.

—Dices que tu gente ha examinado esta cinta, ¿no? —le preguntó David—. ¿Qué opinan ellos?

—La están analizando en la sección de Señales Especiales —respondió James.

—Muy bien. Pues diles que le apliquen un programa de traducción universal.

—¿Aplicar un traductor a eso? No es más que ruido...

—James... —David intentaba ser persuasivo—. Hazme caso por una vez. Di a tu gente que lo procesen como si fuese un lenguaje articulado. No te cuesta nada probar...

Minspert se levantó para pulsar el interfono y pedir a su secretaria que llamara al oficial de seguridad. No tardó en aparecer. James escribió una nota, se la entregó y le dio instrucciones muy precisas.

Mientras el comisario explicaba a Minspert la desaparición de Sara Toledano, David escrutó a su antiguo jefe, con la distancia que le otorgaban algunas de sus más aceradas convicciones. Era alguien a quien convenía no desdeñar. Nadie como James a la hora de trabajarse a los políticos y a la prensa. Sabía jugar el juego, proporcionar información privilegiada, chantajear, hacer favores... y cobrárselos. Un hueso duro de roer. Tenía más conchas que un galápago, y una mente tan tortuosa que todos le llamaban «James, el jabonoso», por lo escurridizo que resultaba a la hora de comprometerse. «Casi nunca dice NO —se afirmaba de él—. Tiene otras doscientas maneras de negarte algo». Se preguntaba cómo se las arreglaría ahora para darles esquinazo, sin que pareciese que obstaculizaba la investigación.

Y, sin embargo, a Bielefeld le había espetado un rotundo NO. Era evidente que el comisario le ponía nervioso. David lo veía enfrente, con su aspecto bonachón, sus transparentes ojos azules y sus muchos kilos de estoica tranquilidad. Las manos grandes, apacibles, peludas, dormitaban sobre la sobada cartera de cuero a la es-

pera de que su dueño les encomendara una tarea mejor. Pero el criptógrafo empezaba a conocerlo y a advertir que bajo su conciliadora
bonhomía se agazapaba un formidable adversario. No disponía de
una retórica brillante. Sin embargo, tampoco se dejaba impresionar
fácilmente. No parecía un hombre ambicioso y tenía la rara virtud
de pensar por su cuenta e ir al grano.

¿Y Raquel? ¿De qué lado se pondría ella? La joven estaba extrañamente callada. La preocupación por su madre la obligaba a extremar la prudencia, sin duda. Y, quizá también, lo embarazoso de la situación. «La vuelta al lugar del crimen», pensó David con ironía
acordándose del lío que había organizado su reportaje sobre el Programa AC-110. Por otro lado, debía reprimir su instinto profesional
de periodista, lo que la despojaba de algunas de sus reacciones mejor
entrenadas. Y, para colmo de males, representaba a los Toledano en
todo aquel asunto. Se la veía un tanto perdida.

Pero el comisario no parecía haberse olvidado de su principal objetivo. Él y Raquel le estaban dejando hacer, tal y como habían acordado en el avión, mientras venían. Y ahora Bielefeld se dedicaba a
explicar a James la situación, proporcionándole los detalles que les
interesaban a ellos tres. Al término de lo cual, le apremió:

—Ya ve por qué necesitamos esos documentos...

—Comisario... —se excusó Minspert—. Una parte de ellos está
clasificada hasta el año 2012.

—Lo que te ha contado Bielefeld cambia las cosas, James, ¿es que
no te das cuenta? —insistió David.

Minspert parecía dudar. Miró a David y en los ojos de éste leyó
lo inevitable del paso que tarde o temprano tendría que dar.

—Todo esto es muy delicado y reabrirá heridas que apenas habían empezado a cerrarse —dijo consternado—. Se llevarán muchas
sorpresas desagradables. No saben dónde se están metiendo.

—Eso es lo que pretendemos: averiguarlo —insistió David.

—Créeme, Calderón. La verdad es mucho peor.

En ese momento sonó el teléfono. Minspert se dirigió a su mesa y lo descolgó.

—Pásemelo —comenzó diciendo—... Sí... ¿Cuándo ha sido eso?
—su voz denotaba alarma—... Sí... Declare una emergencia... Voy
para ahí.

Volvió junto a sus interlocutores y les informó:

—Es la sección de Señales Especiales. Hay problemas con esa
cinta de vídeo.

—¿Qué tipo de problemas? —preguntó Bielefeld.

—Se ha bloqueado el sistema informático. Vengan conmigo —les indicó la puerta, mientras se ponía la chaqueta.

Ya en el ascensor, James se dirigió a David. Por primera vez lo hizo con el tono de los viejos tiempos, apeándose del aire oficialista tras el que venía escudándose.

—¿Podrás echarnos una mano?

—Ni idea —contestó el criptógrafo— ¿Quiénes están en esa sección?

—No los conoces. Ha entrado un montón de gente nueva.

—No te estoy pidiendo los nombres. ¿Qué tipo de gente?

—Expertos en acústica, ingenieros, matemáticos, informáticos... Un poco de todo. Aquello es ahora lo más extraño que tenemos.

—Pero antes esa sección se dedicaba a analizar las señales de radar, la telemetría de misiles y cosas así, ¿no?

—Eso era antes. Últimamente se ha ampliado a zonas poco habituales del espectro radioeléctrico. Hay mucha paranoia.

—¿Qué zonas?

—Pues las que limitan con el ruido estático o las interferencias. Y sobre todo las señales que brincan de frecuencia con gran rapidez, porque ese cambio puede estar hecho a propósito, para no ser identificadas. Rastrean y graban toda señal detrás de la cual se sospecha que pueda haber un ser inteligente.

—¿Y qué hacéis luego con ellas? Quiero decir, ¿cómo las procesáis?

—Aunque parezcan ruidos, las desmodulamos y analizamos, para ver si tienen alguna estructura, algún patrón, alguna secuencia... Por si hubiera algún código, para intentar aislarlo y descifrarlo. El problema que ha surgido ahora se debe a tu maldita idea de aplicar a esa grabación el traductor universal en el que trabajaste. Por eso quiero que nos eches una mano.

El ascensor les acababa de dejar en un pasillo que James recorrió con pasos rápidos, hasta entrar en una amplia sala. Estaba llena de circuitos que salían de una caja de registros sujeta a la pared y se esparcían en todas direcciones. Docenas de ingenieros se afanaban separando aquella maraña de cables de distintos colores, inclinados sobre planos y diagramas que habían colocado en el suelo, las paredes, las mesas y cualquier espacio libre. A medida que comprobaban los circuitos, iban poniendo en ellos marcadores fosforescentes: verdes para los que funcionaban, amarillos para los que presentaban anomalías, y rojos para los bloqueados.

—¿Qué es lo que ha pasado? —preguntó Minspert al jefe de la unidad.

—Todo el sistema informático ha entrado en coma. Se ha quedado colgado. Absolutamente todo... Hemos formado una unidad especial con toda la gente que pensamos que podría ayudar a resolverlo.

Se abrieron paso con dificultad hasta llegar al fondo. En un rincón habían agrupado los tabiques móviles de los cubículos prefabricados, creando un módulo a salvo del caos. Tres hombres y una mujer se apretujaban en su interior.

Al acercarse, David observó la imagen del Papa en uno de los monitores de televisión. Por los altavoces se oían extrañas versiones alteradas de sus farfullos, que traducía visualmente un oscilógrafo. Pero lo que más le llamó la atención fue el equipamiento informático. Era un cubo negro y hermético, un diseño futurista que no había visto en su vida.

—¿Qué clase de ordenador es éste?

—Un modelo holográfico —le contestó Minspert.

—Vaya, por fin lo habéis conseguido.

—Es un prototipo. Lo llamamos El Cubo, porque funciona en tres dimensiones. Graba en capas, mediante dos haces de láser, y eso le permite almacenar muchísima más información.

—¿A qué velocidad trabaja?

—Brutal. Diez veces mayor que la del procesador comercial más rápido. El problema es que cuando surge un contratiempo no tenemos a quién pedir ayuda. Nunca lo habíamos sometido a este trote. Es un lío.

—¿A qué clase de lío te refieres?

Minspert le pasó el testigo al más joven de los informáticos, que era quien parecía llevar la iniciativa.

—Es como si se hubiera abierto un agujero que no cesara de crecer, tragándoselo todo —explicó el ingeniero.

—¿Qué información estaban procesando?

—El sonido de esa cinta de vídeo.

—¿Las palabras del Papa?

—Más que sus palabras, esos farfullos ininteligibles que dice o emite al final, y el ruido de fondo de la plaza antes de hundirse. Al llegar ahí, la cinta se satura y el único registro es un zumbido agudísimo que hace daño al oído.

Mientras hablaban, David se había fijado detenidamente en los códigos de programación informática colgados en la pantalla que el ingeniero intentaba desbloquear. Conocía esos códigos. Los había escrito él cuando intentó actualizar el trabajo de su padre en el Programa AC-110. Un código que alguien había alterado, a su vez. Allí sucedía algo extraño, muy extraño. Tuvo una primera sospecha.

—¿Dónde están los programas originales? —preguntó al joven.

Éste abrió un cajón y mostró una carpeta que había en su interior.

David la reconoció de inmediato, pero no hizo ningún amago de cogerla. Antes, observó por el rabillo del ojo para localizar a Minspert. Sólo la sacó del cajón cuando le vio alejarse junto al comisario, para hablar con el jefe de la unidad. Entonces sí, abrió la carpeta y pidió al ingeniero que le hiciera un hueco junto a su asiento.

—Quizá se trate de un virus —aventuró David.

—Funciona como un virus, pero no puede serlo.

—¿Cómo está tan seguro?

—Este ordenador es un prototipo. Nadie puede haber fabricado un virus para un sistema operativo que ni siquiera conoce.

Por el rabillo del ojo, David comprobó que Minspert y el resto del equipo seguían revisando las instalaciones. El comisario Bielefeld había regresado a su lado. Ahora estaba detrás de él, y hablaba con el oficial de seguridad.

A quien no localizaba era a Raquel. Se volvió un instante y pudo verla fugazmente: se había acercado a Minspert, que estaba de espaldas, y estaba haciendo un aparte con él, discutiendo algo. Veía desde la distancia el rostro de la joven, a la que tenía de frente, y cómo Minspert se encogía de hombros, sin poder verle la cara.

Una idea empezó a germinar en la cabeza del criptógrafo. Pero tenía que estar seguro de que la joven no le observara, porque su reacción ante lo que planeaba era imprevisible, y no sabía de parte de quién se pondría. Era demasiado estricta y legalista para prestarse a aquello. Y el problema es que ella estaba de cara a él, y no paraba de observarle.

Todo esto pensaba, mientras seguía dando conversación al ingeniero, para preguntarle:

—Entonces ¿de dónde puede venir ese virus, o esa cosa?

—Hay dos fuentes posibles: el programa o la banda sonora de esta cinta de vídeo.

«O del acoplamiento de los dos», pensó David. Pero en lugar de decir eso, se limitó a preguntar:

—¿De la voz del Papa?

—No estamos seguros de que se trate sólo de la voz del Papa.

—¿Qué quiere decir?

—Que quizá haya otras.

—Una voz de mujer —sugirió David.

—Quizá. Pero no creo que sea eso lo más importante. Hay una pauta común a toda la grabación de la banda sonora. Algo así como un ruido de fondo que mantiene el mismo ritmo en todo momento, incluso con esas palabras en la lengua que sea, o el farfullo que viene después. Y creo que es esa pauta de fondo lo que bloquea el sistema informático.

—No me estará contando que todo este barullo lo ha causado un simple sonido.

—No es sólo un sonido. Puede ser algún tipo de lenguaje, un patrón de información...

—... un patrón binario...

—Quizá sea binario cuando se dirige a un ordenador y se quiere comunicar con él en su propio lenguaje. Pero quizá mute y adopte otras formas en otro contexto y con otro interlocutor.

—¿Existe eso? ¿Un virus que funcione tanto en un contexto biológico como informático?

—No teníamos constancia. Pero ahí está...

Un nuevo y disimulado vistazo a sus espaldas, mirando por encima del hombro, permitió a David comprobar que Minspert se hallaba en el otro extremo de la habitación, y que Raquel, el comisario y el oficial de seguridad se encontraban detrás de él y del ingeniero, observándoles. David pretendía hacerse con aquella carpeta que contenía el programa. Pero primero necesitaba comprobar que allí dentro estaban los tres gajos del pergamino.

Continuó su cháchara con el ingeniero, señalando la carpeta:

—En cualquier caso, este programa informático para analizar las señales tiene que ser capaz de unificar los farfullos del Papa con ese patrón de información.

—Ese trabajo ya me lo encontré hecho. En esa carpeta había un traductor universal, el Programa AC-110, que llaman ahí *Babel*.

David lo sabía sobradamente: lo había escrito él. Pero aparentó no enterarse de qué iba aquello y siguió dándole conversación. Al verles tan amartelados en sus coloquios informáticos, el oficial de seguridad se alejó hacia el fondo de la sala. Era el momento que esperaba.

—¿Me permite? —le preguntó con la mejor de sus sonrisas, refiriéndose a la carpeta.

El ingeniero se la pasó y, al abrirla, David comprobó lo que ya había sospechado al observar los códigos en el ordenador. Se trataba de sus propios informes sobre el Programa Babel. Y allí estaban los documentos de su padre y de Abraham Toledano. Llevaban una orden de traslado interno desde la cámara acorazada, firmada por Minspert. «Por eso no los hemos encontrado allí antes», pensó.

Miró de nuevo a su alrededor con disimulo y, al comprobar que nadie le observaba, hojeó los documentos levantando levemente las esquinas de los folios. Hasta que encontró los tres gajos del pergamino. Respiró aliviado. Allí estaban, por fin, y eso quería decir que se trataba de la documentación original. No podía dejar pasar aquella oportunidad, que años atrás le habían arrebatado de las manos primero a su padre, y luego a él.

Le empezaron a entrar sudores fríos al calcular sus posibilidades. Se encontraba en una mesa corrida, una consola en realidad, que le permitía muy escasa capacidad de movimientos. De modo que colocó la carpeta a un lado, en el extremo de la consola, y la cerró. Si luego se levantaba, podría irla orillando, hasta llevarla detrás del mueble, y una vez allí guardarla en un lugar seguro. Por ejemplo, en un contenedor ya registrado, como la vieja cartera de cuero de Bielefeld, que era quien representaba allí la máxima autoridad y quien despertaría menos sospechas. Pero ¿se prestaría al juego el comisario? Era una gravísima responsabilidad.

«Tengo que arriesgarme —pensó el criptógrafo—. Espero que, al menos, no me denuncie».

Aun así, estaba el problema de cómo avisarle de sus propósitos, para que se mantuviese al quite.

Y quedaba Raquel. No la veía. Quizá siguiera en conversación con Minspert, o quizá la tapase Bielefeld, que estaba detrás de él. Pero no podía contar con ella, dados los antecedentes.

De momento, tenía que tantear y prevenir al comisario. Se levantó y le miró de un modo intencionado. Una mirada que él entendió de inmediato, acercándose.

—¿Cansado? —le preguntó Bielefeld.

—Esto es un verdadero lío. Y no creo que nos ayude en nuestras investigaciones.

David aprovechó para cogerle por el brazo, como si fuera a hacerle una confidencia, de modo que el corpachón del comisario se interpusiera entre él y el programador.

—Mire con disimulo detrás de mí —le susurró David al oído—. ¿Puede ver esa carpeta?

Bielefeld se inclinó levemente y le preguntó, a su vez:

—¿Qué carpeta?

David se volvió y comprobó, asombrado, que el comisario llevaba razón: la carpeta había desaparecido.

Estuvo a punto de lanzar una maldición. Pero se contuvo a tiempo. No pudo hacer más averiguaciones. Sonó el teléfono móvil de Minspert y éste se acercó hasta ellos para advertirles:

—Llaman desde el avión... Tienen que estar allí en veinte minutos, o despegarán sin ustedes.

—¿Y esos documentos? —preguntó Bielefeld.

—El jefe de la unidad me dice que esto va para largo. En estas condiciones, comprenderán que no puedo autorizar la salida de ningún papel relacionado con el caso. Los necesitamos para revisar la avería. Espero que lo entiendan.

—¡Qué avería más oportuna! —dijo Raquel con retintín—. ¿Y qué propone, entonces?

—Podríamos enviarles esos documentos con un correo especial, en cuanto hayamos arreglado esto.

—¿Cuánto les llevará? —intervino Bielefeld.

—Un día o dos, como mucho —aseguró Minspert.

—Si nos vamos de aquí sin ellos, nunca los volveremos a ver —advirtió David.

—Gracias por tu ayuda, una vez más, Calderón, no esperaba menos de ti —murmuró James—. Ahora tenéis que iros.

David observó, consternado, que Bielefeld accedía:

—Nos están esperando —confirmó el comisario, tomando a David por el brazo con firmeza.

Al escuchar sus palabras, el oficial de seguridad hizo un amago de proceder al registro de salida, pero Minspert lo atajó con un gesto:

—Yo les acompañaré.

Por el camino, aprovechó para darles algunas instrucciones:

—Si necesitan comunicarse con nosotros cuando estén en Antigua tendrán cobertura a través de nuestra línea de alta seguridad —dijo, y se dirigió a David para recordarle—: Tú sabes cómo funciona. Si el encargado de las transmisiones tiene alguna duda, nos lo dices. Pero no creo que haya problemas. Con los nuevos maletines de comunicación los códigos son tan sencillos de manejar que hasta un niño podría hacerlo.

David refunfuñó, entrando en el coche:

—Un niño es muy posible; pero un burócrata, lo dudo.

Le molestaba aquel tono de falsa camaradería que James empleaba ahora, para contrarrestar la impresión de haberse puesto excesivamente oficioso. Sobre todo cuando, a modo de despedida, añadió dirigiéndose a él:

—¡Cuídate, *Weekly!*

—¿Por qué le llama *Weekly?* —preguntó el comisario a David.

—Oh, una tontería —intentó zafarse el criptógrafo.

—¿No se lo ha dicho? —remachó James—. Es el apodo que le pusieron en la Escuela de Criptografía. David trabajaba en siete idiomas, y para practicar, cada día de la semana, desde que se levantaba hasta que se acostaba, pensaba, hablaba y escribía en un idioma distinto: los lunes en uno, los martes en otro, etcétera. Por eso lo llamaban *Weekly* —concluyó alzando la voz para que le oyeran mientras el coche se alejaba.

Mientras Minspert quedaba atrás, Raquel se volvió hacia el asiento que ocupaba David, y le preguntó:

—¿Habla usted siete idiomas?

—Es *operativo* en siete idiomas —matizó el comisario.

—¿Qué quiere decir *operativo?* —insistió Raquel.

—Que está entrenado para descifrar mensajes cifrados en esos siete idiomas —le informó Bielefeld.

David torció el gesto y se encerró en su mutismo. Visitar la Agencia no parecía sentarle especialmente bien. Ni acordarse de aquellos tristes y duros años en la Escuela de Criptografía, ni los enormes sacrificios que le había costado. Todo para estar a la altura de aquel desafío. Para no decepcionar a quienes tanto le exigían. A los profesores, antiguos colegas de su padre, que inevitablemente le comparaban con él.

Algo de todo eso debió de barruntar Raquel, cuando volvió a la carga para preguntarle:

—¿Cómo puede permitirse la Agencia desdeñar unos conocimientos así?

—No los desdeñan. Por supuesto que les interesan mis conocimientos. Soy yo quien no les interesa.

El rostro de David se había ensombrecido, y por eso Raquel no quiso insistir cuando él cerró el tema, taciturno:

—Su madre lo sabe bien. Lo que me fastidia es que siguen utilizando nuestro trabajo, después de haberlo desautorizado públicamente. Está claro que Minspert ha registrado a su nombre el Programa AC-110, y por eso le estorbábamos los Calderón. La historia de siempre: primero nos fusilaron, pero luego rebuscaron en nuestros bolsillos.

Cuando su helicóptero aterrizó en la base de Andrews, el avión ya estaba a punto de despegar. Era un transporte C-17 acondicionado como oficina móvil, y tan pronto entraron en él, David se dejó caer en el asiento, decepcionado y derrengado. Se volvió hacia Raquel y el comisario y les confesó:

—Por poco consigo esos documentos. Estaban en la carpeta que le señalé a usted, Bielefeld. Pero cuando me volví, había desaparecido.

El criptógrafo notó que el comisario y Raquel se reían con una extraña complicidad.

—¡No tiene ninguna gracia! ¿Qué vamos a hacer ahora?

Raquel alargó el brazo hacia Bielefeld, y éste le pasó su vieja cartera de cuero. La joven sacó una carpeta y le preguntó:

—¿Se refiere a esto?

O sea que había sido ella. No se lo podía creer.

—¿Y la legalidad? —le preguntó.

—Esto es la legalidad —contestó ella—. James dejó muy claro que no estaba dispuesto a ceder estos documentos, y no sabemos si todo lo que nos enseñó no era un montaje para negárnoslos. Yo lo único que hice fue sacar las consecuencias para que se cumpliera lo que es de justicia. Como usted esta mañana en la Fundación.

El criptógrafo estaba perplejo con la extraña lógica de la joven. O mucho había cambiado, o no calibraba el alcance de lo que acababa de hacer.

—Esto es muchísimo más grave —le advirtió David—. No sólo ha robado en la Agencia más protegida del Gobierno, sino que se dispone a sacar del país su botín. Los programas criptográficos son contrabando penalizado al más alto nivel. Tienen la misma consideración que el armamento no exportable.

—Yo no veo que hayamos pasado ninguna aduana.

—Está bien… Déjeme esa carpeta antes de que sea demasiado tarde. En ella están los tres gajos del pergamino que consiguió su abuelo. Quiero ver si encajan con los que nos ha mandado su madre.

Usando la propia carpeta como soporte, y guiándose por los patrones de los que ya había logrado ensamblar en la Fundación, ensayó distintas combinaciones, hasta lograr acoplarlos de dos en dos, formando cuatro triángulos equiláteros.

—Esto es. Ya contamos con una pauta, que son los triángulos. Sin embargo, no sabemos si los cuatro equiláteros encajan entre sí, o no. Desconocemos si eran diseños independientes, o iban juntos, o faltan otras piezas, y cuántas... Veamos qué más hay en la carpeta.

Había varios bloques de tarjetas perforadas de ordenador IBM, que David conocía bien, porque las había utilizado para actualizar el programa de su padre. Y seguían pliegos y pliegos de papel milimetrado. Se quedó muy sorprendido. Aquello era nuevo para él. Algunas retículas estaban rellenas de tinta, formando variaciones geométricas. Más parecían juegos o tramas de tapices que un proyecto ultrasecreto. También había alguna fotografía de conchas de moluscos, flores, animales y cosas así. Pero, ¿y el Programa AC-110?

Estudió largo rato aquellos documentos, los miró y volvió a mirar, pero seguía sin entender su valor. Bielefeld y Raquel advirtieron la decepción que le provocaba aquel fiasco, aunque fueron lo suficientemente discretos como para no decir nada. Tampoco él hizo más comentarios.

Y, sin embargo, las preguntas y sospechas bullían en su mente:

«Ahora entiendo por qué no hemos tenido dificultades para sacar esto de la Agencia —pensó—. Carece de cualquier valor. Excepto los fragmentos de pergamino, que considerarán una antigualla de museo».

Y se preguntó de nuevo de qué lado estaba Raquel. ¿Se había prestado a una comedia, o lo había hecho de buena fe? En este caso, ¿no estaría Minspert jugando de nuevo con ella, utilizándola contra él, como la vez anterior?

De manera que se limitó a asentir cuando oyó decir al comisario, quitándole hierro a todo aquello:

—Quizá haya que mirarlo con más calma. Ahora no es el mejor momento, estamos cansados. Vamos a cenar algo y luego trataremos de dormir un poco. Nos espera un día muy duro en Antigua.

Tras tomar unos bocadillos, David fue el primero en quedarse dormido. Bielefeld miraba a los dos jóvenes con el barrunto de que algo muy doloroso seguía pesando como una losa sobre los Calderón y los Toledano. Si le había costado convencer al criptógrafo para que fuese a la Agencia, el problema ahora con Raquel era su regreso a Antigua. Rezaba por que los viejos agravios no volvieran a enturbiarlo todo. Bastantes problemas iban a tener a su llegada como para encima dedicarse a enmendar el pasado.

—Raquel, ¿por qué te asusta volver a Antigua? —se atrevió a preguntarle.

—¿Tanto se me nota? —se ruborizó ella—. No sé si es miedo, créeme. Es que mi madre siempre ha tratado de mantenerme alejada de allí. Dice que esa ciudad tiene algo así como una «maldición de los Toledano».

—Alguna vez tendrás que enfrentarte...

Esperó su respuesta, pero no hubo más confidencias. Y al comprobar la incomodidad que parecían provocarle aquellas cuestiones, prefirió no insistir.

—Yo también voy a echar una cabezada. Buenas noches, Raquel, que descanses.

—John...

—¿Sí?

—¿Te importa dejarme la carpeta? Me cuesta dormir en los aviones... Si me desvelo, me dedicaré a ojear esos documentos.

Cuando David abrió los ojos, en una de sus vueltas para cambiar de posición en el asiento, se quedó sorprendido al ver encendida la luz de Raquel. Y al observarla estudiando atentamente aquellos papeles, se dijo:

«¿Por qué tanta prisa? Ojalá no se confirmen mis peores temores».

IV

PACHECO

QUÉ nuevas me traes de Juan de Herrera? —saluda Randa a su hija.

—Pocas y malas —contesta Ruth, desalentada.

—¿Pues cómo?

—Me temo que, aparte de mi marido y yo, nadie puede ayudaros.

—¿Qué pasa con Herrera?

—Rafael dice que ese hombre fue quien os denunció.

—¡No puede ser! —Randa se lleva las manos a la cabeza. Siente cómo se desmoronan todos sus planes. Y se niega a aceptarlo—. Ni tú ni tu marido le conocéis como yo. Eso es imposible.

—¿Cómo estáis tan seguro?

—Porque tuvo muchas ocasiones de delatarme, y nunca lo hizo.

—Supongo que os referís a lo que os sucedió con don Manuel Calderón, después de que el emperador Carlos V os dijera en Yuste que era él quien ocupaba la Casa de la Estanca.

—¿Quién te lo ha contado?

—Rafael. Aun siendo tan niño por aquel entonces, se acuerda muy bien. Era su cumpleaños.

Y esta vez es Ruth quien evoca aquel día en que su futuro marido, Rafael Calderón, fue con su padre, don Manuel, hasta la plaza del mercado de Antigua.

No corrían buenos tiempos. Acababan de subir los impuestos, la sequía asolaba la ciudad, y la gente andaba como oveja abarrancada. Cuando no surtían las fuentes, el agua era escasa, había que subirla en cántaros desde el profundo tajo del río, a lomos de asnos, y pagar por ella a los azacanes que la vendían de portal en portal. El descontento alcanzaba en particular al encargado de la Casa de la Estanca, construida para compensar el nivel de pozos y otros manantiales.

Don Manuel Calderón era ese encargado y, con súbditos tan levantiscos como aquéllos, sabía bien del peligro de motines en tales casos. El gran concurso de gentes siempre encerraba el riesgo de que se produjeran altercados. En particular, a la vista de un representante regio como él, sobre quien podían cebarse las iras del populacho.

Por eso, no todos los compañeros de Manuel Calderón son tan confiados como él. Prefieren atrincherarse tras los recios muros del Alcázar, donde están a salvo. Y evitan las calles concurridas si no es con escolta, hurtan el bulto cuando hay ferias, y sólo se aventuran en sus aglomeraciones para comprar o vender lo imprescindible. Bastaría que alguien los señalase con el dedo, que hubiera un percance, para desencadenar un tumulto que en más de una ocasión ha desembocado en un baño de sangre.

Don Manuel cree que es un error proceder así, que eso sólo agrava la situación. «¿Quién va a meterse con un viejo como yo?», dice. A él le gusta moverse con libertad, observar a su sabor. Lo contrario sería dar alas a quienes los consideran una casta aparte. Además, es el cumpleaños de su hijo Rafael, día feriado y ocasión para regalarle, como le ha recordado su esposa, doña Blanca.

El niño se ha despertado temprano y anda danzando desde muy de mañana por el palacio de la Casa de la Estanca, pidiéndole que le lleve al mercado. Pero Manuel Calderón ha de despachar primero los asuntos que le esperan. Luego, salen a la calle. Dan un rodeo para evitar la pestilencia de taninos y pieles curtidas que sube desde las tenerías. El calor y la sequía aumentan el hedor de los muladares, y cuando vuelven a calles más principales han de apartarse para dejar paso a las cabalgaduras que cocean en el arroyo, sorteando las casas mal alineadas.

En el pequeño cementerio que rodea la iglesia parroquial dos urracas graznan a su izquierda, lo que considera signo de mal agüero. Poco más allá comienzan los tenderetes de los peleteros, sastres y traperos. Rafael Calderón examina las camisas, hasta dar con una que le cuadra. Es una hermosa prenda, con el cuello acolchado. Pero don Manuel la desecha, porque le hace ver que con tanto dobladillo se alojarán con más facilidad piojos y pulgas. La cambia por otra de cuello llano, y su padre añade al lote un cinturón ornamentado, a juego.

—Volvamos a casa, hijo.

—¡No! —protesta el niño—. Quiero ver los titiriteros.

Don Manuel se resigna. Piensa: «Los padres ya mayores, más somos abuelos que padres, malcriamos a nuestros hijos y somos incapaces de oponernos, haciendo rostro a sus caprichos».

Se abren paso entre el gentío cada vez más numeroso que se dirige hacia la plaza del mercado. Llegan, por fin, a ella. Bajo los soportales están los cambistas, con sus balanzas para pesar el oro y la plata. Dos artesanos que tejen en un telar discuten con un afilador, por estar demasiado arrimado y salpicarles con una lluvia de chispas. A su lado las mujeres tuercen la lana cruda y trenzan su cháchara con una vecina que barre la puerta de su casa para alejar los restos de carbón de encina dejados por unos leñadores. Junto a un puesto de quesos, una adivina lee la mano de un muchacho ante la mirada escéptica de su padre, que espera turno para el sacamuelas.

Todo esto han ido mirando don Manuel y Rafael Calderón, hasta que les llama la atención un numeroso corro de gente, desplegado en el otro extremo de la plaza. Hay cuchicheos y una gran expectación en el ambiente, pero al acercarse sólo ven a un hombre joven que hace volatines. Ni siquiera cuenta con un mal tablado. Aquel pasatiempo, ya muy visto, discurre en el puro suelo. Padre e hijo se disponen a marcharse de allí, cuando el titiritero da unas palmadas y se dirige a un público que parece conocerle bien, mostrándose de antemano dispuesto a una entrega incondicional. Muchos otros mirones se han sumado ahora, hasta el punto de que no tarda en contar con más oyentes que todos los demás volatineros de la plaza juntos.

El verdadero espectáculo comienza en ese momento.

El joven deja en el suelo todos los bártulos de que se ha venido valiendo y se dirige a un borrico que está tumbado tras él. Es éste un rucio menudo y ágil, de mirada viva, que sale de su aparente letargo y, a una señal de su amo, se levanta y avanza hasta el centro del corro. El titiritero le pasa la mano por el lomo, le tienta la grupa musculosa con fingida admiración y le explica, con voz alta y clara, de modo que todo el mundo le oiga bien:

—Habéis de saber, señor asno, que Su Majestad el rey está ansioso por ver concluidas las obras del Alcázar. Y su intención es hacerlas avanzar empleando a cuantos burros tenga a mano.

Todo el corro que le circunda ríe el gracioso equívoco, y don Manuel Calderón se queda pasmado ante la audacia del titiritero. Pocas obras tan impopulares en Antigua. A ellas se achaca la última subida de impuestos, que han provocado un pleito más sobre la ya muy pleiteada plaza del mercado.

Pero si atrevidas son las palabras del titiritero, más donosa aún es la reacción del borriquillo. El rucio mira al joven con ojos espantados, como si realmente entendiera el panorama que éste le va trazando y el trabajo que le espera a pie de obra, arrastrando los bloques de piedra. El animal simula encontrarse enfermo, se tumba en el suelo cuan largo es, se pone patas arriba con los remos bien estirados, infla el vientre y cierra los ojos como si estuviese muerto. Tan bien lo hace, que ni siquiera mueve sus largas pestañas.

El titiritero rompe en amargos lamentos, llora la pérdida de su pollino, canta ante los asistentes sus virtudes, se descubre y, sombrero en mano, les pide ayuda para comprarse otro.

Una vez terminada la colecta de monedas, da las gracias, guiña un ojo a la concurrencia, y continúa:

—No creáis que mi burro ha muerto. Este glotón conoce bien la pobreza de su amo y finge estar difunto para que le compre alfalfa con lo que me acabáis de dar.

Luego se vuelve hacia él y le ordena que se levante. Pero el borrico sigue tumbado, sin pestañear ni mover un músculo. El titiritero coge su bastón y finge darle una buena tunda. Todo en vano: el pollino no hace el menor movimiento.

Entonces, ya exasperado, se dirige de nuevo a los espectadores, mirando de reojo a su jumento:

—Señores míos, deben saber vuesas mercedes que el municipio ha promulgado un edicto para la festividad del Corpus que se avecina. Acudirán personas muy principales, y es su intención ofrecerles un gran recibimiento, por lo que se dispone que las amas de la buena sociedad y todas las mujeres hermosas de la ciudad monten en burros y les den su buena cebada para comer, a fin de que estén lustrosos en esa jornada.

Tan pronto oye estas palabras, el pollino se levanta de un brinco, y hace alarde de su brío y buena disposición. El público celebra su desfachatez con una nueva salva de risas y aplausos.

Don Manuel y su hijito también son de los que palmotean. Cuando, de pronto, el anciano siente posarse una mano en su hombro. Se vuelve, a tiempo para ver aquel rostro malencarado. Es lo que tanto ha estado temiendo.

Sabe bien quién es aquel hombre que ahora se enfrenta a él. Se apellida Mimbreño, aunque todos le conocen por el apodo de *Centurio*. Un ex soldado, bravucón, con la cara surcada por una cicatriz, al que han expulsado de la guardia del Alcázar por provocar continuos altercados. Un sujeto truhán y agreste, de malas querencias y peor vino, al que le bastan tres tragos de más para buscar pendencia. Cuando se encuentra en ese estado, todo su programa se reduce a insultar a diestro y siniestro, tirar estocadas a los hombres y quebrar las muelas de las putas.

Se le teme, porque es hombre de muchas injurias y monipodios, que no duda en alquilarse para libelos, cedulones y pasquines esquineros, de ésos que difaman a las gentes. O dar cuchilladas de tantos puntos, de las que dejan las quijadas con sangre y al descubierto, abrir la cara con redomazos de aguafuerte, poner sartas de cuernos infamantes y clavazón de sambenitos a las puertas, y organizar matracas y alborotos contra quien sea menester, si sus enemigos pagan bien.

Centurio le espeta, como si le escupiera a la cara:

—Echaba el judío pan al pato, y tentábale el culo de rato en rato.

Es un viejo refrán con el que se escarnece la impaciencia de los hebreos para sacar provecho de sus inversiones. Le está, pues, provocando, cuestionando su limpieza de sangre. Calderón es consciente de la gravedad de las circunstancias. Ahora lamenta no haberse hecho acompañar de sus criados, como tantas veces le han aconsejado. Le preocupa, sobre todo, la presencia de su hijito, y el daño que aquello pueda acarrearle. Pero ya es demasiado tarde para esos arrepentimientos.

—Vamos, vamos, que aquí todos somos cristianos viejos —dice conciliador. E intenta zafarse de las garras del soldado.

—¡Eso está por ver! —grita el bravucón.

Consigue con ello que se empiece a formar un corro en torno a él. Algunos le reconocen como habilitado real, el encargado de la Casa de la Estanca, a cuyo mal gobierno achacan ahora la falta de agua y el lucrarse con la que venden los azacanes.

Animado por los insultos que dirigen a don Manuel quienes le circundan, el fanfarrón vuelve a la carga. Calderón y su hijo están atrapados en medio de un círculo de rostros crispados y puños en alto. Ya se ven rodeados, manoteando angustiados, hundiéndose en una pesadilla sin fondo, de la que no consiguen salir. Apenas si logran entender las injurias que les dirigen. Bastará con que alguien lance el primer puñetazo para que su suerte esté echada. Hace un gesto al niño para que se aleje, pero Rafael se abraza a sus piernas, llorando, y le impide moverse. Ha de utilizar sus brazos para proteger al niño, y esto le deja a él al descubierto. Los ánimos están muy exaltados, y les destrozarán sin piedad.

En ese momento, alguien se abre paso hasta el círculo hostil que se ha formado alrededor de los Calderón y el soldado bravucón. Es el volatinero. Apercibiéndose de lo que sucede, da unas vigorosas palmadas para llamar la atención del público, agarra a Centurio de la mano, le arrastra hasta el lugar donde está su asno, sin hacer caso de las protestas y amenazas del fanfarrón, y se dirige de nuevo a la concurrencia:

—Yo me conformaba con un burro, pero ¿qué tenemos aquí? —y señala a Centurio, entre las risas de la multitud—... uno de nuestros más heroicos soldados. Quien, metido entre el enemigo con su espada, es como águila entre pájaros: todos le tiemblan. Tan fiero, que es capaz de rebanarle la cabeza a un enemigo y echarla luego con su espada tan alto, tan alto, que al caer al suelo ya viene medio comida de moscas.

La gente rehace el círculo alrededor del saltimbanqui, celebrando su ingenio.

—Pero nuestro soldado no sólo emplea su espada en tan duros menesteres —continúa—. También sabe ser galante, como en aquella ocasión en que, habiendo acompañado a su dama a la iglesia y, como empezara a llover al terminar la misa, desenvainó su arma, y la manejó con tal presteza que fue capaz de detener todas las gotas a mandobles, sin que una sola llegara a mojar a su dueña.

El público ríe de nuevo con ganas, y se olvida de los Calderón. El titiritero dirige a don Manuel una mirada para que aproveche la oportunidad, coja de la mano a su hijito y se aleje de allí.

Centurio se apercibe de ello, e intenta salir en su persecución. Pero el volatinero se le adelanta, cerrándole el paso y recitando esta redondilla:

Los ciegos desean ver,
oír desea el que es sordo,
y adelgazar el que es gordo,
y el cojo también correr;
sólo el necio suele ser
en quien remedio no cabe,
porque pensando que sabe
no cuida de más saber.

Queda el soldado harto corrido, pero nada puede hacer, por no dar a entender que es a él a quien cumplen aquellos versos. Se resigna a escuchar. Antes de que reaccione, el saltimbanqui sujeta al bravucón por el brazo y continúa el espectáculo allí donde lo dejó:

—Señores, no se nos vaya todo el día en dar arcabuzazos en los cielos. Y tú, valeroso soldado, aún no has oído toda la historia que le contaba a mi burro. Este pollino es muy regalado y torreznero, y se relame ante la idea de acudir a la procesión del Corpus montado por una hermosa dama que le dé buen forraje y mejor trato. Pero no todos los que concurran a esa fiesta van a tener la misma suerte. Yo, por ejemplo, ya he comprometido a mi rucio con una viuda vieja, fea y tacaña.

El asno, al escuchar estas palabras, empieza a cojear ostensiblemente, como si estuviese tullido. La gente aplaude su descaro. El charlatán se dirige a su borrico y le pregunta:

—¿Acaso te gustan las muchachas?

El jumento cabecea, asintiendo. Su amo le anima:

—Aquí hay muchas. ¡Dinos cuál es la que más te place!

El animal trota en torno al círculo y señala a una de las jóvenes, que se tapa la cara con las manos, sonrojada. El público celebra la gallardía del pollino y bromea con la suerte que tiene la moza al haber hallado galán tan cumplido.

El titiritero pasa de nuevo su sombrero, recoge las monedas, hace una reverencia, monta sobre su burro y se aleja de allí dejando tras de sí una estela de simpatía.

Para entonces, don Manuel y su hijo Rafael ya se han puesto a salvo. Calderón no olvida lo ocurrido. Ha quedado agradecido sobremanera al volatinero por haberles ayudado a salir indemnes de aquel peligroso trance. Y ha acudido el jueves siguiente al mercado —esta vez sin su hijo y acompañado de sus criados, discretamente armados— con la esperanza de verlo y manifestarle su reconocimiento.

Pero no lo ha encontrado, ni nadie ha sabido darle noticia de su paradero. Le dicen que algunos días entre semana trabaja como azacán con su pollino, subiendo agua desde el río, para venderla por las calles.

Decide buscarlo por ese lado. Hasta que un buen día Rafael entra en casa corriendo:

—¡Padre, venid! ¡Daos prisa!

Sale tras él, y al poco oye gran alboroto en la calle cercana.

Al acudir al lugar y mirar por entre la gente, reconoce al titiritero y a su borrico. El joven está tendido en el suelo polvoriento, y de su vientre mana gran cantidad de sangre. Cuando pregunta lo que ha sucedido, le señalan a un hombre que se aleja a toda prisa, y en el que no le cuesta mucho reconocer a Centurio, el soldado bravucón.

Al parecer, éste se ha topado con el azacán, quien le ha ofrecido agua y, al reconocerle, el fanfarrón se la ha arrojado a la cara. El burro ha salido en defensa de su amo, soltando al soldado una coz tal que lo ha arrojado por tierra. Éste se ha levantado del suelo fuera de sí, ha sacado su espada y ha intentado acometer al animal. Y cuando el azacán se ha interpuesto, Centurio le ha tirado a él la cuchillada. Todo ha sucedido en un santiamén.

Manuel Calderón manda a Rafael a casa para que avise a su madre, doña Blanca, y vengan varios criados que lleven a aquel hombre hasta el palacio de la Casa de la Estanca. El titiritero no ha querido que lo muevan sin antes asegurarse de que recogen a su rucio. Luego, se ha desmayado.

La robusta naturaleza del azacán metido a titiritero pronto se sobrepone a las heridas, que no resultan ser tan graves. Dice llamarse Pacheco, y lo que más le preocupa, en su convalecencia, es no poder ganarse la vida con su duro trabajo anterior. Pero doña Blanca, Manuel y Rafael Calderón le animan, asegurándole que en su casa nunca faltará cama y mesa a un hombre que se halla en ese trance por haberles ayudado.

Animado por estas perspectivas, el joven pronto logra levantarse y valerse por sí mismo. Al comprobar que es persona instruida, Calderón le va encargando tareas livianas y, sobre todo, le encomienda la educación de su hijo Rafael, que empieza a estar en la edad de aprender a leer y escribir.

Al cabo de algunas semanas, Pacheco ya se encuentra en condiciones de salir a la calle, y pide a su amo permiso para hacerlo. Don Manuel se lo concede, recomendándole prudencia. Sabe que Centurio no ha vuelto a dar señales de vida desde su fechoría, pero por si acaso pone un criado a su disposición, para que le acompañe y ayude si fuera necesario. Pacheco, sin embargo, ha rechazado la idea de ir escoltado, y ha salido solo.

Desde la casa, desciende hasta el río y cruza el puente para encaminarse al Barranco del Moro. Rafael Calderón, que está bañándose en la ribera con otros niños, le ve desde la distancia y le llama a gritos. Pero está demasiado lejos, no le oye. Tan pronto se ha secado un poco, Rafael se viste y sale tras él. Sube hasta el puente, lo cruza, enfila el barranco y toma el camino de una de las ermitas que bordean la ciudad, adonde ha visto que se dirige Pacheco. Se llega hasta ella. Rodea el edificio por entre los cañaverales que brotan al amparo del manantial que acoge el santuario. Desde allí, mientras avanza entre las hojas y los tallos, consigue verlo.

Pero no está solo. Se acaba de oír un silbido que parece una señal, y de entre la maleza sale un hombre que le saluda. La sorpresa del niño no conoce límites cuando desde su escondite comprueba que se trata de Centurio.

—Os veo muy recuperado —ríe el soldado—. A punto estuve yo también de creer que era vuestra la sangre que llevabais prevenida bajo el jubón, en aquella vejiga de cerdo. ¿Cómo va nuestro negocio, compadre?

—Aquí tenéis lo prometido —le dice secamente Pacheco, entregándole una bolsa.

Entre las cañas que le ocultan, Rafael observa cómo cuenta el dinero Centurio. No parece contento.

—¿Eso es todo? —pregunta al cabo—. Creía que éramos socios.

—Creísteis mal, Centurio.

—Quizá el equivocado seáis vos. Manuel Calderón tiene un niño de corta edad al que protegía aun a costa de su vida. Por ahí podemos apretarle.

Rafael puede ver cómo sube la ira al rostro de Pacheco, quien toma al matón por el cuello, acerca su rostro al de él, y le dice, descendiendo al tuteo y masticando cada sílaba:

—Escúchame bien, botarate. Si tocas un pelo a ese niño, te mataré. Los fanfarrones como tú nunca me han durado más allá de tres mandobles.

—¿Qué necesidad teníais de llamarme burro delante de tanta gente como me conoce, en la plaza del mercado? —le reprocha Centurio.

—Porque estaba furioso con vos —dice, soltándole—. Al ver que Manuel Calderón venía acompañado de su hijo Rafael os hice señal para que no pasarais adelante con nuestro plan, y no pusierais en peligro la vida del niño. Podíamos haber esperado, pero no me hicisteis caso.

—Está bien, está bien —recula el bravucón—. No os pongáis así. Siempre os hará papel un hombre bien dispuesto, como yo. Si cambiáis de opinión, y reconsideráis mis honorarios, enviadme recado a la Taberna del Cuervo. Allí hay una mesonera que suspira por mis huesos y sabrá hacerme llegar la noticia.

—Te prevengo, Centurio. Deja en paz a ese niño. Me ha costado mucho ganarme su confianza, y no voy a dejar que interfieras en mis planes.

—Allá cada cual. Como reza el dicho, poco importa con quien naces, sino con quien paces.

Y el ex soldado se ha encogido de hombros. Sin embargo, cuando Pacheco le da la espalda y se aleja, Rafael puede ver desde su escondite cómo alza el puño y le amenaza:

—¡Maldito titiritero, o lo que seas! No sabes lo que te espera.

Ruth ha ido desgranando estas evocaciones con delectación, celebrándolas de tanto en tanto con sonrisas que le devuelve su padre. Pero ahora, la curiosidad puede más que ella. Y pregunta a Raimundo Randa:

—¿Por qué os disfrazasteis de titiritero y cambiasteis de nuevo de nombre?

—Porque ése es el oficio del correo y espía: tomar el de los otros, y nombres fingidos, para no declarar los suyos o los propósitos que trae. Necesitaba ganarme la confianza de don Manuel Calderón de un modo rápido, poder moverme con libertad por su palacio, averiguar qué había tras la Casa de la Estanca, que todos parecían codiciar. Y no podía decirle que me enviaba el emperador Carlos, o que venía desde Estambul. Mi mensaje y misión eran confidenciales, y yo no sabía de parte de quién estaba don Manuel.

Durante el viaje de Yuste a Antigua di muchas vueltas a aquel asunto, y no le hallaba solución. Hasta que en Talavera, donde me detuve a hacer posada, vi a unos gitanos con su burro amaestrado, haciendo lo mismo que luego imité yo. Me dijeron que estaban de paso para la feria de Antigua. Les convidé a cenar, les pregunté cuánto solían ganar con aquel espectáculo, y les doblé la cantidad, con la promesa de restituirles después el pollino. Así es como pude aparecer en la plaza del mercado de Antigua. Fueron ellos quienes me indicaron, también, el nombre de Centurio, que les cobraba un diezmo a cambio de protección.

—Con quien no contaba era con Rafael Calderón —continúa Randa—. Enseguida me di cuenta de que él lo iba a complicar todo, para bien y para mal. Y tanto lo ha complicado que ahora tú eres su mujer y llevas en el vientre un hijo suyo. A decir verdad, cuando me hospedaron doña Blanca y don Manuel en el palacio de la Estanca, yo esperaba reencontrarme con mi pasado, con la casa de mi niñez y de mis padres. Al principio, todo fue derribarme en nostalgias y melancolías. Se me hacía raro ver a unos extraños ocupando las mismas habitaciones en las que habíamos dormido o comido nosotros, mientras ahora yo andaba relegado a las de los criados. Me sentía forastero en mi propio hogar, y otro ocupaba el lugar del niño mimado que fui yo. Pero Rafaelillo era tan cariñoso y bien dispuesto que pronto se me aflojaron estos corajes, y comencé a cobrarle gran afecto.

—E hicisteis bien, puesto que él nunca quiso contarle a don Manuel ni a doña Blanca lo que había visto en la ermita donde os encontrasteis con Centurio, por no entender del todo lo allí oído, ni cuadrarle que vos fuerais su cómplice.

—También a don Manuel terminé estimándole, cuando me hube convencido de que nada había tenido que ver con el traslado de mi padre a Andalucía. Él ni siquiera parecía especialmente afecto a la Casa de la Estanca, sino que la guardaba y atendía como un servicio a Su Majestad. Lo mismo le sucedía a mi padre. En realidad, no eran sus habitantes quienes la codiciaban, sino los que no vivían allí.

—¿Y por qué?

—Muchas veces me lo pregunté, recordando los ruidos que debajo de ella escuchaba durante mi niñez. De manera que empecé a recorrerla con mucho tiento por las noches, bien entrados en el sueño los demás criados y los Calderón. Guardaba en el cuarto un candil, que encendía con las ascuas de un braserillo y, amortiguando su luz con el capirote de una alcuza, me llegaba hasta los sótanos donde nunca me había dejado entrar mi padre cuando niño. Fue tarea ardua, pues no podía hacer ningún ruido ni infundir sospechas. Iba recorriendo aquellas estancias despacio, en noches sucesivas. Pero nada encontré. El último lugar que me quedaba por examinar era la bodega, el más espacioso de los sótanos, por haber en ella grandes toneles de vino, que don Manuel nutría de sus viñas y de otros caldos que compraba, pues era aquélla su fuente de ingresos regular cuando se retrasaban los pagos del rey.

Aún no había bajado, como digo, a la bodega, ni encontrado nada digno de mención, cuando sucedió algo por completo inesperado.

Estaba yo una mañana repasando la intendencia del día, haciendo inventario de despensas y alacenas. Acababa de dejar la cocina para bajar a las caballerizas, y allí me encontraba comprobando el almacén del establo, cuando vino a buscarme uno de los criados para anunciarme que don Manuel me reclamaba.

Subí al aposento que me indicaron, y al entrar advertí el gesto, serio, de Calderón. Estaba de pie, despidiéndose ya de dos hombres, que me daban la espalda cuando entré. Abultado y ancho el uno, más delgado y tieso el otro. Me detuve un momento en el umbral, confuso, pues yo solía despachar a solas con el amo. Pero como don Manuel advirtiera mis dudas, me ordenó acercarme. Ellos se volvieron entonces hacia mí, y pude ver al más grande y viejo de los dos. No cabía duda. Era el relojero e ingeniero Juanelo Turriano, a quien había conocido en Yuste. Y aún no estaba repuesto de mi sorpresa, cuando comprobé que su acompañante no era otro que Juan de Herrera, el arcabucero que me había escoltado desde Laredo.

No tuve tiempo para reaccionar. Calderón ya me estaba presentando a sus visitantes:

—Pacheco es persona de mi confianza —dijo don Manuel—. Él os acompañará.

Herrera fue el primero en darse cuenta:

—¿Pacheco? —preguntó con un visaje de extrañeza.

También fue el primero en hacerse cargo de la situación cuando esbocé un gesto para que me guardase el secreto. Y tan deprisa, que el propio arcabucero cogió del brazo a Juanelo para sacarlo de allí, antes de que dijera nada.

En la calle, a plena luz, el relojero no tardó en reconocerme.

—Pero... Pero... —balbuceó—. ¿Qué hacéis aquí?

—Es una larga historia... ¿Y vos?

—Hay problemas con la Casa de la Estanca. No ceba bien —y ante mi rostro de desconocimiento, explicó el ingeniero—. Cuando la sequía es grande, no surten las fuentes de la ciudad, se secan. Y Su Majestad el rey quiere saber si podría subirse agua desde el río para asegurar el suministro, cuando no hay otro.

—Es condición indispensable para fijar aquí la corte y capital, llegado el caso —continuó Herrera—. De ahí la importancia de este asunto.

—¿Y cómo pensáis subir el agua desde el río? Es mucho trecho, y muy empinado —les pregunté.

—Con un artificio. Un ingenio mecánico que alentaría la propia corriente, moviendo unos cazos de abajo arriba, para levantar el agua.

Con esta respuesta me di por satisfecho, pero noté por sus rostros que ellos no habían quedado conformes con la mía.

—Os preguntaréis que hago aquí, en esta guisa —comencé—. Pues debéis saber que yo viví aquí de niño, y quise visitarla de nuevo.

—En Yuste parecíais con prisas por volver a Estambul —intervino Herrera—. El emperador os supuso preocupado por la enfermedad de José Toledano.

—¿Qué enfermedad es ésa? —pregunté sorprendido.

—La que acaba de matarle.

—¿Muerto es don José? ¿Estáis seguro?

—El otro día llegó un correo a Yuste para prevenir a don Carlos y pedirle que se detuviese cualquier negocio hecho en nombre del tal Toledano. Se le contestó que nada había que detener, puesto que la respuesta que iba con vos era negativa.

Vi en ello la mano de Noah Askenazi. Sólo Poca Sangre tenía poderes para tal cosa, como administrador de José Toledano. Y aun barrunté la de Artal de Mendoza, pues sólo Mano de Plata, como Espía Mayor de Felipe II, podía disponer de correos con tal celeridad. Askenazi no se fiaba del rumbo que hubiera podido seguir mi misión, una vez escapado de la celada que me había tendido en Ragusa, por lo que se había conchabado con Artal. Y todo aquello tenía que ver, de un modo que yo seguía ignorando, con la Casa de la Estanca. Por la que, ahora mismo, también parecían interesarse Juanelo y Herrera. ¿En nombre propio? ¿En nombre del rey? ¿O en nombre de quién?

Me pregunté qué decisión debía tomar. Tras tantas fatigas, allí estaba al alcance de mi mano la posibilidad de conocer los motivos por los que habían trasladado y muerto a mi familia. Y las razones por las que también intentaban acabar conmigo. Pero la vida de Rebeca se hallaría en grave peligro si yo no regresaba de inmediato a Estambul para advertirle de las asechanzas de Askenazi y ayudarle a desbaratarlas.

Era éste muy gran dilema. Juanelo y Herrera debieron notar la angustia que me acometía, al pensar en la suerte que podía correr Rebeca sin el apoyo y salvaguarda de su padre. Por eso no hicieron objeción cuando les anuncié que tenía que volver a Estambul a toda prisa y les pedí que guardaran el secreto de mi presencia en aquella Casa de la Estanca.

—¿Entiendes ahora por qué no puedo creer que Herrera me denunciara? —pregunta Randa a su hija—. Si eso fuera así, significaría que Mano de Plata se habría salido al final con la suya, y que tanto vosotros como yo estamos perdidos.

—¿Siempre os guardó Herrera ese secreto?

—Ese y otros muchos, como irás viendo. Tienes que encontrarle y hablar con él.

5

CAÑAS Y BARRO

A David Calderón le costaba volver a Antigua. En cada rincón le acechaban los recuerdos, esquirlas de viejas cuentas pendientes que ya nunca se cobraría: demasiados topetazos contra la realidad. Remolonear por la ciudad en la que había nacido significaba experimentar sentimientos encontrados, que le zarandeaban hasta dejar su sensibilidad en carne viva.

Apenas si veía lo que le mostraban sus ojos. Lo percibía todo desde detrás de una mirada empañada por el pasado. Allí estaban todavía los lugares de su infancia, los árboles que tantas veces maltrató a punta de navaja, el mismo aire estremecido por las campanas.

Era como volver a un mundo del que había sido exiliado, un tiempo sin prisas ni sobresaltos, asentado en sí mismo. Y se veía de nuevo de niño, recuperaba el ánimo que sólo se tiene cuando todo parece esperarte, los seres queridos están a tu lado y cualquier cosa es posible aún. Antigua era la ciudad donde le habían sucedido por primera vez casi todas las cosas importantes, ésas que al cabo de los años seguía sintiendo vivas dentro de él. Más o menos vivas.

Habría necesitado pasear lentamente sus calles para reencontrarse a solas con aquellas sensaciones. Pero esa posibilidad le estaba vedada ahora, degradándole casi a la condición de intruso;

o, peor aún, de turista. Se había rezagado de sus acompañantes para rumiar estas mustias melancolías, dejando que John Bielefeld y Raquel Toledano se le adelantaran, dirigiéndose hacia la Plaza Mayor. Veía ahora a la joven, su esbelta figura caminando decidida sobre los viejos adoquines, y le sorprendía su capacidad de recuperación e iniciativa.

«Seguimos con la prisas», pensó, al recordarla trabajando en el avión, enfrascada en aquellos documentos rescatados de la Agencia.

Se preguntó qué había visto en ellos para sobreponerse a las resistencias íntimas que la joven parecía experimentar hacia la ciudad. Y también cuáles eran sus planes y propósitos en aquella mañana del sábado que iba a resultar agotadora. Porque era Raquel quien más insistía en no posponer las citas que les esperaban, a pesar de ser la más afectada por el cansancio del viaje y el cambio de horario.

«¿Y James Minspert y la Agencia de Seguridad Nacional?», se dijo David. No se habría quedado de brazos cruzados al descubrir la desaparición de la carpeta del Programa AC-110. Eso le ofrecía un pretexto perfecto para actuar. Si elegía la línea oficial, ¿qué capacidad de presión tendría sobre Bielefeld y Raquel? Porque disponía de recursos más que sobrados para doblegar a cualquiera de los dos. Dudaba mucho que la joven se enfrentara abiertamente a Minspert. Y menos aún el comisario, si James lograba la aprobación de sus superiores. ¿Y cómo ejercería entonces el enorme poder que le permitía la Agencia?

«Eso será el mal menor —pensó el criptógrafo—. Porque si decide actuar por libre, que Dios nos coja confesados…».

Dejando atrás estas especulaciones, se unió a sus dos acompañantes para entrar en la Plaza Mayor. Tras la fiesta del Corpus, la ciudad trataba de recuperar su ritmo habitual. Pero eso no resultaba fácil tras los incidentes allí sucedidos. Los curiosos se agolpaban todavía en los alrededores del recinto y, desde detrás de las vallas, intentaban atisbar los trabajos que se libraban en el agujero de sus pesares, aquel boquete de unos dos metros de diámetro que hollaba el centro exacto de la plaza.

Tampoco ellos pudieron ver gran cosa. Ya se encargó de impedirlo el inspector Gutiérrez, quien les esperaba en uno de los controles de acceso, donde a duras penas lograba contener a quienes pretendían entrar.

—Los periodistas están que trinan —les explicó.

—¿Todavía no han organizado ustedes una rueda de prensa? —se extrañó Raquel.

—Vamos a hacerlo hoy, a la una, en el ayuntamiento, ahí al lado. Yo tendré que asistir, porque luego quieren entrevistarme en directo para el telediario local. Por la custodia, ya saben. Eso es lo que verdaderamente le interesa a la gente de aquí. Los comerciantes de la zona acordonada quieren abrir. Dicen que están perdiendo negocio en la mejor época del año.

Raquel se quedó consternada al comprobar la altura de miras y el animoso talante de Gutiérrez y sus tenderos. Miró a Bielefeld, en busca de ayuda, y éste le aconsejó paciencia, y que le dejara hacer a él. Señalando el agujero que se abría en el centro de la plaza, el comisario preguntó a su colega español:

—¿Cuándo podremos bajar ahí?

—Imposible decirlo. Están recuperando la custodia pieza a pieza. Véalo usted mismo.

Así era. Los equipos de rescate excavaban con sumo cuidado, cribando la tierra a través de varios cedazos, para que nada se les escapara.

—Aún quedan por localizar miles de fragmentos —comentó Gutiérrez—. Vengan conmigo a la catedral y se harán una idea.

El claustro, cerrado al público, se había habilitado como cuartel general para la reconstrucción de la joya perdida. Los muros estaban ocupados por grandes ampliaciones fotográficas de la custodia. Y las piezas recuperadas esperaban su turno esparcidas por varias mesas, improvisadas sobre caballetes.

El coordinador no se atrevió a dar una fecha para la conclusión de los trabajos:

—En cualquier caso, estaré en contacto con el inspector y le iré teniendo al día de las incidencias —se despidió.

De nuevo en la calle, Bielefeld no ocultó su inquietud a Gutiérrez:

—Me hago cargo de la situación que tienen ustedes aquí, pero le recuerdo que puede estar en juego una vida humana. Y no se trata de un don nadie. ¿O es que necesito recordarle a quién representa Sara Toledano?

—Lo sé, comisario, lo sé. No puedo hacer más de lo que hago. Usted es del oficio y ya sabe cómo funcionan estas cosas.

—No pretenderá tenernos aquí de brazos cruzados —intervino Raquel—. Si mi madre está ahí abajo, no sabemos a lo que se enfrenta, ni cuántos días podrá sobrevivir.

—Si me acompañan a la comisaría verá que trabajamos sobre todas las pistas.

Una vez allí se acomodaron en la desapacible sala de reuniones, impregnada de olor a humo frío y rancio. El jefe de la brigada del subsuelo les explicó las dificultades para acceder a la Plaza Mayor por cualquier entrada alternativa.

—Hemos bajado hasta quince metros de profundidad por las alcantarillas que hay fuera de la plaza, en algunos casos por cloacas de menos de un metro de altura. Muy antiguas. Pero todas se cortan antes de llegar allí.

—¿Y el convento de los Milagros? —preguntó Raquel a Gutiérrez.

—Lo podrán comprobar por sí mismos. Hemos pedido a la superiora que nos reciba esta tarde. Y en cuanto a seguir investigando en su interior, más allá de las diligencias que hemos hecho, estamos pendientes de los permisos del arzobispo Presti.

—¿Qué piensan que le ha sucedido a mi madre? Me gustaría saber si frecuentaba a la gente de aquí, si tenía amigos, enemigos, colaboradores...

—¡Buena pregunta! —cabeceó Gutiérrez—. Le recuerdo que yo tuve noticias de la desaparición de su madre antes de ayer al mediodía. Y que investigar su relación con la gente de aquí es el cuento de nunca acabar. Ella trataba a todo el mundo. A los de la universidad, a curas y monjas, arquitectos, anticuarios, chamarileros... Podría usted salir a la Plaza Mayor a una hora concurrida, señalar con el dedo en cualquier dirección y tropezarse con alguien que la conocía, por una u otra razón. Y que, por una u otra razón, quizá la quisiera bien... o quizá la quisiera mal.

—¿Lo dice por algo en concreto?

—Por esto que ahora escucharán. Es la pista más firme que tenemos. Una llamada telefónica anónima que relaciona a su madre con el incidente de la Plaza Mayor.

Fue hasta el aparato de sonido y apretó la tecla de reproducción. Los altavoces emitieron un leve zumbido, un largo silencio en primer plano, con alboroto al fondo. Luego, se oyó una pausada voz de hombre:

—*Sé que están buscando a esa mujer, Sara Toledano. Yo lo haría bajo el agujero de la Plaza Mayor.*

Otro silencio, éste más breve, y colgaban el teléfono. Eso era todo.

—¿De cuándo es esa llamada? —intervino Bielefeld.

—De ayer, viernes, al mediodía. El contestador registra automáticamente la hora. Lo que no pudo registrar es el número del teléfono, porque quien llamaba anuló el localizador.

—¿La han analizado ya en el laboratorio de acústica forense?

—Sí, pero no se atreven a trazar un perfil ni un identificador vocal. Quien la hizo se puso algo para distorsionar la voz. Creo que lo mejor es que me acompañen en la visita que voy a hacer a un viejo colaborador nuestro. Usted ya lo conoce, comisario.

* * *

El cansancio pareció hacer mella en Raquel una que vez estuvieron dentro del coche. En el asiento de atrás, David no se atrevía a moverse para no despertarla. Vencida por el sueño, había terminado por reclinar la cabeza sobre su hombro y, al abandonar el asfalto de la carretera y tomar el camino de tierra, el automóvil hubo de girar, estrechándola contra él. Ahora le llegaba más intensamente su olor. No era uno de aquellos perfumes sofisticados que habría esperado de ella, sino una simple colonia con el fresco y estimulante olor de la madreselva.

—Ese chico trata de decirnos algo.

La advertencia de Bielefeld, que iba en el asiento del copiloto, hizo que Raquel rebullera. Y terminó de despertarla la respuesta y el frenazo de Gutiérrez.

—Es Enrique, su hijo —dijo el inspector.

La joven abrió los ojos y retiró la cabeza del hombro de David. El criptógrafo pudo notar su embarazo por las confianzas que se había tomado, muy a su pesar. Ella se disculpó como mejor supo y sacó un espejito, para comprobar su aspecto y alisarse el pelo.

El coche se había detenido junto al muchacho que les hacía señales.

—Déjenlo aquí —les pidió él refiriéndose al vehículo—. Mi padre está trabajando ahí abajo.

Bielefeld y el inspector no se movieron del lugar, pero Raquel y David siguieron a Enrique. Tras abandonar la pista forestal, el monte se espesaba al bajar un barranco, y fue allí donde se tropezaron con él, entre unas jaras. Les costó verlo, recostado en el suelo junto al magnetófono, con aquella ropa de camuflaje.

—Perdone —se disculpó el criptógrafo—. ¿Está grabando?

—Ya no —aquel hombre se quitó los auriculares con un gesto de contrariedad—. Desde que el motor de su coche se coló en este micrófono. ¡Y pensar que he venido aquí para escapar del follón de Antigua!

—Créame que lo siento.

—No se preocupe. Han pasado demasiados aviones. Apenas si sacaré algunos minutos aprovechables.

—Ella es Raquel Toledano, y yo David Calderón. Supongo que usted es Víctor Tavera, el experto en sonidos.

—Sólo soy un pobre ruidero. Lo mío son los ruidos... El inspector Gutiérrez me ha hablado de ustedes. —Y se dirigió a Raquel para decirle—: Así que es hija de Sara.

—¿La conoce?

—Claro, ¿quién no conoce a su madre en Antigua? Ojalá aparezca pronto.

Hizo una indicación a Enrique para que comenzara a recoger el equipo.

—¿Qué estaba grabando? —le preguntó Raquel.

Tavera señaló las pequeñas rocas calizas que sobresalían entre los matorrales:

—Unas hormigas.

—Me está tomando el pelo...

—¿No se lo cree? Cuando hay un silencio absoluto puedo captar el ruido que hacen al andar o al golpear con el abdomen en el suelo.

—¿Las hormigas hacen eso? —se sorprendió Raquel.

—Son medio ciegas, están acostumbradas a la oscuridad y se valen del sonido o de los olores para comunicarse. Cuando utilizan el abdomen suenan como tambores africanos —y al notar su mirada escéptica, añadió—: Puedo recoger ruidos casi inaudibles, como el del caracol rumiando su lechuga o la subida de la savia en primavera.

—Imposible...

—Ya lo creo que sí. El mayor problema es que estos micrófonos son tan sensibles que hasta la presión arterial de las orejas se convierte en ruido parásito... ¿Sabe para qué es esto? —Tavera echó mano al bolsillo del pantalón y sacó un mendrugo—. Para tener mi estómago calladito. Si durante una larga espera empieza a rugir, antes de que me estropee la grabación, echo mano al bolsillo, y le doy un bocado al pan. Mis tripas se comportan y no salen en el registro que estoy haciendo.

Empezó a enrollar un cable alrededor del codo y rebuscó con el pie entre las jaras, por si se había dejado algo olvidado.

—Así es este trabajo, pero no lo cambiaría por nada del mundo —sonrió, cerrando su maletín de aluminio—. La gente ve que caen los árboles, pero no se da cuenta de cómo se erosiona el paisaje sonoro. Si yo le pusiera grabaciones de este mismo lugar a lo largo de los años vería cómo se va despoblando. Algunos de los sonidos de insectos que antes había aquí eran auténticos fósiles, tenían más de sesenta millones de años. Habían superado la prueba. Su desaparición es una tragedia.

Víctor Tavera terminó de recoger sus bártulos, se incorporó y dirigió una mirada de despedida al valle. Se echó al hombro la mochila y alargó a su hijo el maletín con los micrófonos y cables.

—¿Dónde han dejado el coche?

—Arriba, en la pista forestal.

Al llegar a lo alto, saludaron a Bielefeld y Gutiérrez.

—Iremos con usted, señor Tavera... Si no le importa... —dijo David, intuyendo que estaban ante un testigo que podía serles mucho más útil que los simples cauces oficiales.

—Claro. Suban.

Por el camino, Tavera confesó a Raquel:

—Aprecio mucho a su madre. Una gran mujer, muy profesional. Quiero que sepa que haré todo lo posible para ayudarles. Ella y el arquitecto Juan de Maliaño siempre se han portado bien conmigo, apoyando mis grabaciones en la Plaza Mayor.

—¿Desde cuándo lleva haciéndolas?

—A salto de mata, desde hace unos veinte años. De manera sistemática, unos cinco, cuando me concedieron una ayuda, un programa piloto para preservar paisajes sonoros. Desde entonces, trabajo con muchos más medios.

—¿Y en qué consiste?

—Voy completando todos los ciclos del año. Las fiestas, ferias, toques de campana... Antigua es muy interesante. Excepto los días de viento. Es difícil trabajar con aire. Todo se mezcla. Se produce una inundación de sonidos, se trocean y se desvanecen. Pero el paisaje se hace más presente: los árboles, las ramas... De pronto, todo eso suena.

Habían entrado en las enrevesadas calles de la judería, que recorrieron con tiento hasta aparcar en una plazuela. Esperaron el coche de Gutiérrez y se dirigieron a pie hasta un caserón. Antes de llegar, Tavera se detuvo junto a un solar vacío, y señaló hacia lo alto.

—¿Oyen ese revoloteo de los vencejos, y cómo chillan? Les han tirado el edificio de al lado, donde habían hecho sus nidos. Ahora tendrán que buscar los aleros de otros tejados.

Abrió la casa y se dirigió al cuadro eléctrico:

—Perdonen que me adelante. Voy a dar la luz.

Les franqueó el carcomido portalón y les precedió a través de un patio cargado de siglos. Olía a helechos recién regados y el toldo corrido mantenía el frescor de la mañana. Al fondo, una puerta de cautas dimensiones conducía a una sucinta escalera de ladrillo. Tavera se aseguró de que no se golpeasen la cabeza con una viga que sobresalía y, tras descender un buen trecho, desembocaron en una antigua bodega.

Por su amplitud, bien podría haber sido una cripta en la que esconderse de las persecuciones en tiempos de tribulación. Que no habían escaseado en la ciudad. Pero ahora se estaba bien allí. La temperatura era templada y reinaba un extraño sosiego bajo la bóveda de ladrillo. Cuando Víctor conectó la luz y las instalaciones que cubrían por entero la pared del fondo, su aire vetusto contrastó con el fantasmagórico panel verdoso de modernos instrumentos. Ecualizó la mesa de mezclas y se volvió hacia el inspector.

—A ver esa llamada de teléfono.

Gutiérrez le pasó la cinta. Tavera la insertó en una pletina y tecleó en el ordenador. Reguló el volumen y escuchó con atención. Los altavoces sólo emitieron un leve zumbido. Luego, se oyó aquella voz masculina, pausada y mohosa:

—*Sé que están buscando a esa mujer, Sara Toledano. Yo lo haría bajo el agujero de la Plaza Mayor.*

Un silencio, y el clic del teléfono al colgar.

—Déjenme oírlo con calma. Siéntense, por favor.

Buscaron en dónde hacerlo, sin encontrar nada. Al darse cuenta, Víctor se levantó y tanteó en un rincón hasta ofrecerles cuatro sillas. Se puso unos auriculares y comenzó a manipular los mandos de la mesa de sonido. Tras seis nuevas escuchas de la cinta, se quitó los cascos y se volvió hacia ellos.

—Creo que ya lo tengo... Olvídense del mensaje del hombre, que no nos va a decir mucho más —les explicó—. Presten atención a los ruidos de fondo. Voy a reducir la velocidad ligeramente, para que resalten y se oigan más claros.

Así ralentizada, la pausa inicial, antes de que el anónimo comunicante empezara a hablar, permitía escuchar un gran bullicio, sobre el cual se alzaba una voz de mujer que gritaba algo.

Víctor detuvo la grabación y les aclaró:

—«*¡Antonio, una caja de botellines!*». Eso es lo que dice.

—¿Un bar? —se interesó el inspector.

—Eso creo. Fíjense en la música —y puso de nuevo en marcha el reproductor.

—¡Ése es el Fary! —exclamó de inmediato Gutiérrez. Y ante la mirada interrogativa de Bielefeld y Raquel creyó necesario aclarar—. Es un cantante muy popular aquí. *Amor secreto* se titula la canción. Parece una sinfonola —añadió el inspector—. Ya tenemos dos pistas para identificar el bar: trabaja un camarero que se llama Antonio y hay una sinfonola que tiene *Amor secreto* del Fary.

Por experiencia, Bielefeld prefería ser precavido:

—Antonio podría ser un repartidor de cervezas, y la música venir de la radio, o de la televisión, y entonces eso incluiría a muchos otros bares.

—Bien pensado —apuntó Víctor—. Pero el inspector Gutiérrez lleva razón: es una sinfonola. La música llega junto a los ruidos de una máquina de tabaco de las que dicen «Su tabaco, gracias», y de una tragaperras, una *baby fruits* de ésas que tienen tres rodillos con fresas, manzanas y uvas. Un modelo muy antiguo, de palanca. Su sonido es muy agudo, y alcanza hasta los cincuenta decibelios. Sólo con ese detalle se podría restringir la búsqueda a un par de bares.

Tavera ralentizó todavía más la cinta.

—Concéntrese en ese ruido que hay entre dos palabras del mensaje, cuando dice *Sara Toledano* y *Yo lo haría...* ¿Lo han oído? Tienen que estar muy atentos, es muy breve... Se lo pongo otra vez.

Manipuló el teclado y pasó la cinta un poco más lenta. Efectivamente, se oyó un chasquido que no acertaron a identificar.

—Es el choque de dos bolas de billar. La mesa de juego debe estar cerca de la cabina de teléfono. Y es una mesa de billar francés: no hay ruido de bolas al entrar por el agujero.

—¿Qué más? —bromeó Gutiérrez—. ¿De qué color llevaba los calcetines el que hizo la carambola?

—No puedo darle tantos detalles, pero sí el día y la hora en que hicieron esa llamada.

—Eso ya lo sabemos. Pero, dígame, ¿cómo pensaba averiguarlo usted?

—Al fondo del todo se oye un televisor. Y la sintonía es la del telediario local, que es el que ve aquí todo el mundo.

—Buen trabajo, Tavera. Nos mantendremos en contacto —el inspector le estrechó la mano en señal de despedida.

Cuando Raquel hizo lo propio, Víctor le preguntó:

—¿Querrán oír mis grabaciones de la Plaza Mayor?

Y se dirigió a un gran armario que había en un lateral. Lo abrió y aparecieron miles de cintas, cuidadosamente ordenadas. David, Raquel y Bielefeld se consultaron con la mirada, dudando si aceptar el ofrecimiento.

Gutiérrez contestó por ellos:

—Otro día. Ahora vamos muy justos de tiempo.

—Como ustedes quieran.

Bielefeld pareció vacilar. Pero, al fin, se decidió:

—¿Podría analizar usted el sonido de una cinta de vídeo?

—Por supuesto.

—Se la haré llegar.

El comisario había tenido la impresión de que Gutiérrez no deseaba que el ruidero les contase lo mucho que parecía saber de aquella ciudad. De aspectos de aquella ciudad que pasaban desapercibidos a la gente, pero no a alguien con un oído tan entrenado y alerta como el suyo.

* * *

No cabía duda. Aquél era el bar: Cañas y Barro se llamaba. Exactamente como lo había descrito Víctor Tavera. Si uno se situaba junto al teléfono público, al lado había un billar francés; el televisor quedaba al fondo y a la derecha; en medio, una máquina tragaperras de palanca, otra de tabaco y una sinfonola. Que, en efecto, incluía entre sus discos *Amor secreto* del Fary, como subrayó Gutiérrez señalando el artefacto.

Abundaba el serrín a pie de barra, adonde se dirigieron entre las precavidas miradas de los parroquianos habituales. Detrás del mostrador, borboteaba la Tolona, la dueña del bar, una matrona valenciana de imponente aspecto, que regentaba sus dominios con el pulso inexorable de quien conduce un barco ballenero en medio de las zozobras de alta mar. Hacía falta una mujer de su temple para gobernar aquella avanzadilla en tierra de nadie. Frente al matadero. Donde desayunaban y almorzaban matarifes, ganaderos y obreros con muchas zanjas en sus costillas, pero también fulleros de toda la vida que no la habían hincado desde que vinieron al mundo.

—Por la noche esto se llena de fulanas —informó Gutiérrez—. Y la gente ya no lo llama Cañas y Barro, sino Coños y Burros —rió su propia gracia—. Eso sí, las cañas las ponen bien.

David echó un vistazo a los papeles pegados al gran espejo tras el mostrador, que anunciaban las especialidades de la casa. No pudo evitar sonreír ante un reencuentro tan contundente con la creatividad de sus paisanos. Además de los clásicos combinados Sol y sombra, Trifásico, Paso a nivel o Bikini, podían leerse nombres tan evocadores como Wonderbra, Quemabragas, Zipi y Zape, España y Olé...

—¿Qué va a ser, inspector Gutiérrez y la compañía? —tronó la Tolona, pasando una bayeta por el mostrador.

—¿Hacen unas cañas y unas gambas con gabardina? —consultó el inspector.

Bielefeld y David asintieron con entusiasmo. Raquel se abstuvo, y el criptógrafo pudo advertir que no parecía encontrarse bien. La Tolona gritó el encargo a la cocina y empezó a tirar las cañas en el surtidor. El inspector hizo un aparte con ella, y vieron cómo la mujer negaba con la cabeza reiteradamente. No podían escuchar las palabras de Gutiérrez, que estaba de espaldas a ellos, pero sí la respuesta que le dio ella, con su vozarrón:

—Mucha gente llama por teléfono, pero yo no los puedo ver, porque el aparato queda allá al fondo. No estoy al tanto de esas cosas. Y perdone, que tengo mucho trabajo.

Gutiérrez pagó la cuenta de mala gana y señaló el reloj:

—Me esperan para la rueda de prensa. Supongo que querrán venir.

Al salir, con las prisas, apenas repararon en un hombre que tropezó con David. Alto e hirsuto, fuerte, de rostro cuadrado y tosco, cejijunto y desgarbado, como si hubiese dormido con la ropa puesta y todo él fuera desabrochado. Debía tener ya sus años, pero la edad quedaba un tanto desmentida por su robustez y vivacidad. Cuando entró en el bar, muchos evitaron su mirada. Sabían que era un hombre atravesado y peligroso. Llegado el caso, sólo la Tolona era capaz de controlarlo, y entonces se comportaba con la docilidad de un niño.

Se dirigía hacia el teléfono, cuando ella le llamó desde el mostrador:

—¡Gabriel! —y le hizo un gesto para que se acercara a la barra. Una vez allí, la dueña bajó la voz para advertirle—. Yo en tu lugar me lo pensaría dos veces antes de andar haciendo llamadas desde ese teléfono. Han estado aquí a buscarte.

—¿Quién?

—El inspector Gutiérrez, otro extranjero de su edad, una chica y un hombre alto, más o menos de tu estatura, joven, bien parecido. Tenían pinta de policías, o algo así. Acaban de salir... —hizo una pausa, y añadió—: Oye, Gabriel, no sé en qué lío andas metido, ni me importa con tal de que no me metas a mí, pero creo que deberías andarte con cuidado.

—No he hecho nada malo… todavía —se rió.

—¡Ay, Dios mío! Poco tardas tú en volver a las andadas. ¿Vas a comer? Pues anda, ponte en tu mesa, que ahora te tomo nota.

* * *

El salón de plenos del ayuntamiento formaba parte de la Plaza Mayor, cerrándola por el lado norte. Cuando llegaron allí, la conferencia de prensa estaba a punto de comenzar. Gutiérrez subió al estrado y ocupó su puesto en la amplia y protocolaria mesa, mientras Bielefeld se sentaba en la primera fila. David se atrincheró en la última, desde donde podía controlar toda la sala. Para su sorpresa, Raquel se rezagó saludando a algunos de los presentes. Debían de ser colegas de Nueva York, pero no le parecía oportuno pedirle mayores explicaciones. Se limitó a preguntarle, cuando ella se sentó a su lado:

—¿Cree usted que todos estos son periodistas?

—Supongo que sí, tendrán que estar acreditados. ¿Por qué lo dice?

—Por la gente que he visto ahí afuera. Ésos no eran periodistas, desde luego. Y también por alguno de los que conozco aquí adentro. Por ejemplo, ¿sabe quién es ese tipo? —y señaló discretamente a un individuo que estaba en el extremo opuesto de la sala, cerca de la puerta—. Es Samir. Muchos lo consideran el mejor criptógrafo del mundo.

—¿Ah, sí? Yo creía que era usted.

—Déjese de coñas, Samir no tiene escrúpulos, trabaja para el mejor postor. Y si está aquí quiere decir que ha olido carnaza. La ciudad empezará a llenarse con gente de lo más recomendable. Tenemos que averiguar lo que está pasando antes que ellos.

Mientras arrancaba el acto, estuvo atento a Samir, quien no había reparado en su presencia. Hablaba con un hombre vestido de negro, muy delgado, huesudo, el rostro anguloso y chupado. No alcanzaba a verle bien, pero le pareció que conocía a aquel individuo.

«¿Habrá empezado a mover sus piezas James Minspert?», se preguntó David, inquieto.

Volvió su atención a la gran mesa que presidía el estrado. Según había adelantado el presentador, las distintas partes en conflicto explicarían su posición tras los sucesos del jueves y se anunciaría, con toda probabilidad, un compás de espera en la convocatoria de la conferencia de paz, hasta que se aclarase lo sucedido. En ese momento se disponía a hablar el delegado israelí. Su primera frase no pudo ser más rotunda:

—Jerusalén unificada es la capital eterna e indivisible del Estado de Israel y del pueblo judío.

—Bien empezamos —ironizó David.

—Sólo está engrasando la artillería —le informó Raquel—. Se limita a citar la ley de 1980 por la que el Parlamento israelí se anexionaba la ciudad. Es una frase literal. Habrá que ver lo que sigue.

La continuación no desmereció de tan brioso arranque:

—Lo diré de un modo muy claro: Jerusalén es el alma y el corazón del judaísmo, del mismo modo en que La Meca lo es del islam. Por respeto a lo que La Meca significa para el islam, entendemos que no estén dispuestos a compartir el lugar de nacimiento y la piedra angular de su fe. A cambio, pedimos que se entienda que Israel no puede compartir Jerusalén con aquéllos para quienes representa algo secundario en su historia política y religiosa. El mundo islámico posee ciudades de mayor importancia cultural y espiritual, como La Meca, Medina, Damasco, Bagdad o El Cairo... Los judíos tienen Jerusalén, y sólo Jerusalén. Ninguna otra ciudad se ha erigido nunca en capital espiritual o política del pueblo judío...

—¿Qué me dice ahora? —preguntó David.

—Seguimos en las mismas, frases cien veces dichas —insistió Raquel—. Es una declaración meramente protocolaria. Por lo que me han dicho mis colegas, el Vaticano no está en esa mesa porque ya han creado su propia cortina de humo. Y lo que ve usted ahí son todos funcionarios de medio pelo. No hay más que ver a Gutiérrez.

—O sea que esta conferencia de prensa no valdrá para nada.

—Eso me temo. Pero tienen que hacerla. Alguien ha de difundir la información, habiendo tanto criptógrafo y espía dedicado a ocultarla...

David prefirió no replicar, porque notó que allí sucedía algo raro. El delegado israelí que estaba en el uso de la palabra había empezado a balbucir mientras aseguraba, enfático:

—Si el mundo árabe insiste en compartir el control de Jerusalén, asimismo se deberá aceptar el control compartido del Monte del Templo...

Llegado este punto, un zumbido resonó en la sala. El delegado se apartó del micrófono, tomándolo por un acoplamiento. E intentó retomar el hilo. Pero lo que se oyó poco tuvo que ver con el discurso que estaba leyendo:

—*Et em en an ki sa na bu apla usur na bu ku dur ri us ur sar ba bi li.*

David miró alarmado a Raquel:

—¿Ha oído eso? ¿A qué se parece?

—A los farfullos al final del discurso del Papa.

Por si cabía alguna duda, aquel primer arranque no tardó en convertirse en la previsible y rítmica letanía:

—*Ar ia ari ar isa ve na a mir ia i sa, ve na a mir ia a sar ia.*

Se produjo un gran revuelo en la sala. Los flashes de los fotógrafos crisparon aún más la escena, y ante la avalancha de cámaras y periodistas, dos de los encargados de seguridad se llevaron al delegado a toda prisa. Un grupo de agentes se interpuso formando una barrera.

Bielefeld se había levantado a la primera de cambio y se acercaba a David y Raquel. No le pasó desapercibido aquel hombre chupado, vestido de negro, que se levantaba de su asiento para ganar la puerta de salida precipitadamente.

—¿Se han fijado en ese individuo? —dijo el comisario señalando hacia el lugar donde poco antes se encontraba aquel tipo.

David comprobó que tanto Samir como su acompañante se habían marchado. Corrió hacia la salida, pero no los vio por ningún lado. Cuando Raquel y Bielefeld llegaron a su altura, el comisario les explicó:

—Ese individuo estaba en la Plaza Mayor el día que sucedió lo del Papa. Y se marchó de la tribuna igual que ahora, al comenzar esos farfullos.

—¿Pero quién es? —le preguntó Raquel.

—No lo sé. No tengo ni idea.

—Estaba con Samir, un criptógrafo —explicó David al comisario—. Y eso apunta en dirección a Minspert…

Calló, porque se acercaba Gutiérrez y no se fiaba de él. Fue Bielefeld quien se dirigió al inspector para decirle:

—Necesitamos la grabación de esas palabras antes de que se difundan.

—Descuide —le contestó—. En cuanto me hagan la entrevista para el telediario local me ocuparé de ello.

A David no le acababa de convencer la idea:

—No podemos seguir escuchando cintas mientras otros actúan. Inspector, ¿le importa que salga con usted en esa entrevista?

—Pero, ¿qué va a decir? —se extrañó Gutiérrez.

—No se preocupe, me estaré callado. Lo único que quiero es aparecer junto a usted y que incluyan también mi nombre en un subtítulo electrónico.

—Veré qué puedo hacer —concluyó Gutiérrez antes de alejarse.

Cuando estuvieron a solas, Bielefeld preguntó a David:

—¿Se trata de un anzuelo?

—Naturalmente. Si alguien quiere hablar de la desaparición de Sara Toledano, no tendrá que volver a dejar recados en el contestador de la policía. Sabrá que estoy aquí y cómo localizarme. Y quizá se fíe más del apellido Calderón que de alguien como Gutiérrez.

—Supongo que se da cuenta de lo peligroso que puede resultar. Servir de cebo no es ninguna broma.

—Me temo que ya estamos sirviendo de cebo, comisario.

* * *

La Tolona salió de detrás del mostrador y se acercó hasta la mesa con el carajillo de coñac.

—¡Es él, Gabriel, es él! —dijo a Lazo señalando el televisor.

Gabriel Lazo alzó la vista de las fichas de dominó, por encima del hombro de su oponente en la mesa de juego. Y vio a Gutiérrez y a David en la pantalla, en un balcón del ayuntamiento, contra el fondo de la accidentada Plaza Mayor.

—¿Quién? —preguntó el hombrón.

—Uno de los que vino aquí a buscarte. Ése que está a la derecha del inspector Gutiérrez.

Lazo reparó en el rótulo que aparecía debajo de él: «David Calderón».

—¡Es igual que su padre de joven! Éste no se me escapa. Tolona, apúntame esto en la cuenta.

Su oponente, un matarife de imponente envergadura, protestó:

—No puedes dejar el juego ahora, que vas ganando.

Lazo apuró el carajillo de un trago, recogió el dinero con sus manazas, y respondió:

—¿Me lo vas a impedir tú?

El matarife hizo un amenazador amago de levantarse, pero Lazo le dio un trompazo tan violento que cayó redondo, con silla, mesa, fichas y vasos. Hubo un revuelo en el bar, y varios compañeros acudieron a levantar al caído. Iba a enfrentarse a Lazo, pero éste echó mano a su bolsillo derecho y dejó asomar el mango de una navaja. Nadie se movió. Excepto la Tolona, que se interpuso entre los dos contendientes.

—No ha pasado nada. Yo me encargo de esto.

Todos volvieron a sus asuntos. La Tolona se llevó aparte a Gabriel Lazo y se plantó en jarras ante él, pidiendo una explicación.

—Ahora no, Tolona, ahora no... —le suplicó él, bajando la cabeza, avergonzado y confuso.

Salió de estampida por la puerta del bar. Enfiló la empinada cuesta y se acercó hasta la parada de taxis. No había ninguno libre, pero continuó corriendo hasta tomar uno a la carrera.

—Al ayuntamiento. Deprisa, deprisa... —le apuró—. ¿Me puede prestar papel y bolígrafo?

—Tenga. A ver si nos dejan llegar hasta allí. Que no creo...

No se equivocaba. La calle estaba cortada. Lazo pagó apresuradamente, bajó del taxi y corrió hasta el edificio. El lugar estaba protegido por fuertes medidas de seguridad. Dio la vuelta, escudriñando alguna brecha. Las delegaciones oficiales estaban despidiéndose y, a medida que abandonaban el lugar, la vigilancia iba cediendo.

Buscó las cámaras de televisión. Fue entonces cuando vio salir a David. Estaba en la puerta, lejos de su alcance, y le rodeaba mucha gente. Gabriel Lazo tanteó con nerviosismo el bolsillo derecho de su pantalón y comprobó que todo estaba dispuesto y a punto para el paso que se disponía a dar. No podía fallar.

David Calderón se alejó de las cámaras y focos. Le acompañaban un hombre fornido, mayor que él, y una joven rubia. Estaban saliendo de la barrera de protección policial. Lazo ya se dirigía hacia él, para tomar posiciones, cuando vio salir por la puerta al inspector Gutiérrez.

Retrocedió para ocultarse tras la columna de uno de los soportales. Desde allí observó cómo los dos hombres se despedían. Esperó para ver qué rumbo tomaba David Calderón. Éste volvió junto al hombre fornido y la chica rubia. Decidió seguirles discretamente. Pudo oír cómo preguntaba David a su acompañante:

—Bielefeld, ¿de cuántos agentes disponen ustedes?

—No lo sé exactamente, pero hemos pedido a las autoridades quince permisos de armas y registrado cinco coches blindados —respondió el comisario.

Desde detrás de ellos, Gabriel Lazo reparó en que el tal Bielefeld entregaba algo a Calderón. A pesar de la discreción con que lo hizo, pudo ver que se trataba de una pistola. Apretó los dientes con rabia.

—Aquí tiene el permiso de la policía española —dijo el comisario a David—. Si va usted a servir de cebo, es mejor que vaya armado. Y si va a ir armado, es mejor que lo haga con todas las bendiciones. No quiero líos con ese Gutiérrez.

—Sólo me faltaba ir por ahí pegando tiros —replicó el criptógrafo rechazando el arma.

—Yo que usted me lo tomaría en serio —insistió Bielefeld.

David negó con firmeza. Al ver que no aceptaba la pistola, Gabriel Lazo aflojó su crispación. Pero ésta aumentó de nuevo al observar que se dirigían hacia un coche, en el que les esperaba un agente al volante.

—Si se mete en el coche, lo perderé... —murmuró limpiándose el sudor de la frente.

Entonces vio cómo David se separaba de sus acompañantes y se dirigía a un quiosco de prensa.

—Ahora o nunca —se dijo Lazo.

Se acercó sigilosamente hasta situarse a sus espaldas. Esperó a que se inclinara para coger un periódico y miró al vendedor que estaba enfrente de ellos, atendiendo a una señora. Echó un rápido vistazo a los clientes que les rodeaban y se cercioró de que tenía la escapatoria asegurada. Y entonces, sí, metió rápidamente la mano en el bolsillo derecho.

Antes de que el criptógrafo se enderezara, Lazo se agachó junto a él como si se dispusiera a coger otro periódico.

Pero en ese momento reparó en la presencia, junto a Calderón, de aquel policía corpulento de nombre extranjero, y esto pareció precipitar sus planes. Aprovechando que el criptógrafo se había vuelto hacia el otro lado para hablar con el recién llegado, metió algo en el bolsillo de David y se alejó a toda prisa, antes de que éste pudiera reaccionar.

Para cuando él se dio cuenta cabal, Lazo había desaparecido tras una esquina. El criptógrafo tanteó el bolsillo y notó que había en él un papel doblado. Prefirió estar a solas para leerlo.

Tan pronto llegó a su habitación lo desplegó, encontrándose con aquel apresurado y nervioso mensaje: «*Soy el que hizo la llamada de teléfono sobre Sara Toledano. Sé que me está buscando. Venga a mi casa esta noche, a partir de las diez. Para entonces habré preparado algo que le interesará. Venga solo. Confíe en mí. Conocí a su padre cuando trabajaba en el Centro de Estudios Sefardíes. Y no lo comente con nadie, especialmente con el inspector Gutiérrez. De lo contrario, soy hombre muerto*». Seguía el nombre, *Gabriel Lazo,* y la dirección, *calle Roso de Luna, 23.*

Se preguntó si se trataría de una pista o de una trampa.

«Tampoco tengo muchas opciones —se dijo—. No me queda más remedio que ir».

* * *

Intentaba echar una cabezada, cuando llamaron a la puerta. David se levantó del sofá para calzarse los zapatos y se dispuso a abrir. Era Raquel, tal y como se esperaba. Pero le alarmó su aspecto.

—¿Se encuentra bien?

—Así, así —reconoció la joven mientras se sentaba, con un gesto de cansancio—. Quería comentar con usted estos documentos que nos llevamos de la Agencia —los distribuyó ordenadamente sobre la mesa—. Me pasé toda la noche en el avión dándoles vueltas, porque no podía dormir. Si he de serle sincera, no entiendo lo que buscaba su padre emborronando papeles y más papeles milimetrados. Me cuesta creer que esto sea un proyecto importante, un secreto de alto nivel. Y más todavía que ese Programa AC-110 sea un sistema de señalización para residuos nucleares. Usted dijo que era algo así como un lenguaje universal, ¿no?

—Un lenguaje universal que luego se actualizó. Se hizo una versión para enviarlo desde el mayor radiotelescopio del mundo, en Arecibo, Puerto Rico. Y también con las naves espaciales *Voyager I* y *II*, pensando en hipotéticos encuentros con extraterrestres.

—Eso lo entiendo, es esta imagen de aquí —Raquel apuntó a uno de los pliegos milimetrados—. Es algo público, y la incluí en la entrevista con el Consejero de Seguridad Nacional. Él mismo me la explicó.

La joven vaciló. Acababa de darse cuenta de lo inoportuno de referirse a aquella entrevista, que años atrás les había enfrentado, provocando la salida de David de la Agencia. Falta de reflejos, por el agotamiento. Pero como la cosa ya no tenía remedio, decidió tirar para adelante:

—Corríjame si me equivoco: aquí están representados los números atómicos de varios elementos, un esquema de la molécula de ADN, una figura humana y el propio radiotelescopio. De ese modo, quien capte este mensaje sabrá que procede de un planeta con vida inteligente. ¿No es eso?

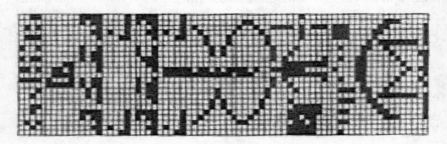

—Correcto —asintió David.

—Bueno. Pues eso lo entiendo: las cuadrículas se utilizan para visualizar un código binario, que también puede ser expresado en números, o en impulsos de radio, para ser enviados al espacio o emitidos por una nave... Una cuadrícula en negro equivale a ON o un uno, y una cuadrícula en blanco equivale a OFF o un cero. Todo eso lo entiendo. Y también esto.

La joven señalaba un pliego de papel milimetrado que contenía un diseño de forma geométrica. A partir del centro, un pequeño hexágono negro se iba expandiendo hasta configurar un entrelazo cada vez más complejo...

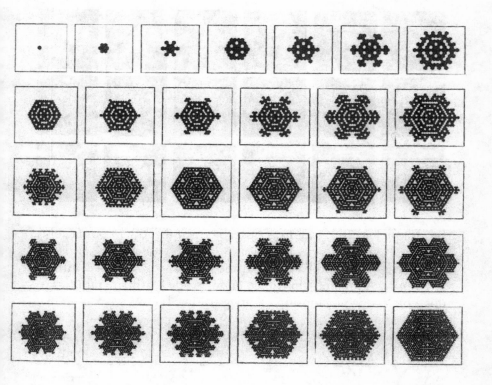

—Usted está más acostumbrado a estas cosas, pero a mí me costó lo suyo descubrirlo —continuó Raquel—. A ver si estoy en lo cierto. Este dibujo se basa en una rejilla hexagonal, en vez de cuadrada, como el anterior. Se toma la celdilla del centro y se rellena de negro.

Ése es el punto de partida, el *Paso 1*. Después, se rellenan de negro las celdillas vecinas, las que están en contacto con esa primera. Es el *Paso 2*. Y se continúa rellenando de negro las celdillas siguientes, pero sólo si las vecinas son negras; de lo contrario, se dejan en blanco. Eso es el *Paso 3*. Y así sucesivamente, hasta el *Paso 31*.

—Exacto —asintió David—. La idea es que a partir de una regla muy sencilla se pueda llegar a algo tan complicado como los cristales de un copo de nieve. Tan complicados, que no hay dos iguales. Por eso mi padre puso ahí, sujeta a ese papel con un clip, esta fotografía microscópica de cristales de nieve, que son casi idénticos a los dibujos anteriores:

Raquel asintió, mientras buscaba otro pliego y lo ponía sobre la mesa:

—Luego intentó hacer lo mismo con los vegetales —continuó la joven—. Aquí está. Un tronco en forma de I latina se ramifica en dos, con lo que tenemos una Y griega o una T:

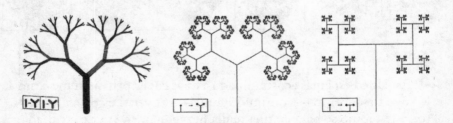

—Mi padre fue muy consciente de estas semejanzas —aseguró David—. La prueba es que las clasificó como en un herbolario, siguiendo las fotografías de hojas reales que guardaba junto a ellas.

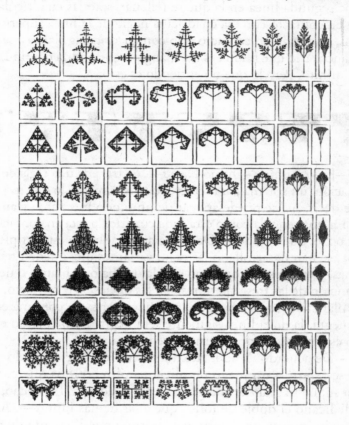

—Muy bien. Todo eso lo entendí yo solita. Me resultó un poco extraño que toda una Agencia de Seguridad Nacional financiara estas cosas, pero lo entendí. Los problemas vienen ahora. Con este otro pliego:

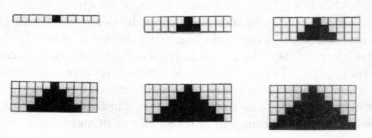

—Creo que, al igual que en los casos anteriores, se sigue una regla muy sencilla —afirmó Raquel—. Se coge una línea de cuadrículas y se rellena de negro la del medio. Luego, se le añade debajo una segunda línea en la que se rellenan sólo las cuadrículas que están en contacto con esa cuadrícula negra de la línea superior. Las demás, que están en contacto sólo con cuadrículas blancas, se dejan en blanco. Y lo que resulta es un triángulo que podría continuar hasta el infinito. Pero lo que no entiendo es esto:

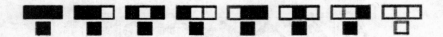

—Es lo mismo —afirmó David—. Se trata de una regla de transformación, un sistema para representar visualmente lo que usted acaba de decir. Así se puede aplicar de un modo mecánico y automático. En una retícula como ésta cada cuadrícula está en contacto con otras ocho, que la rodean. De manera que aquí, en estos tripletes de arriba, se han desarrollado las ocho variantes que pueden tener las vecinas, y eso nos indica cómo será la de abajo —blanca o negra— en función de las tres superiores con las que está en contacto, según sean blancas o negras. Siempre que haya contacto con una cuadrícula negra, la de la línea siguiente será negra. Sólo cuando el contacto es con tres blancas permanece blanca.

—De acuerdo. Y aquí fue donde me atasqué del todo —Raquel se refería a un juego de pliegos milimetrados que parecían haber supuesto grandes energías a Pedro Calderón. De hecho, le había dedicado el doble de folios que a las demás juntas—. A pesar de que lo intenté una y otra vez, porque me di cuenta de que se parecían mucho a los trazos laberínticos esos del pergamino.

David reparó en el nombre que le había puesto su padre: AC-30.

—¿Qué significarán las siglas AC? —preguntó Raquel.

—No lo sé. Pero tiene usted razón. Esto que se llama AC-30 es de forma triangular, como los gajos del pergamino, un triángulo que se descuelga desde el vértice superior y va desarrollando formas laberínticas... Aquí está la regla de transformación, con sus ocho tripletes. Las cuadrículas de arriba coinciden con las del caso anterior, porque siempre son iguales. En cuanto a las de abajo, las cinco de la derecha son iguales a las que acabamos de ver. Pero las tres de la izquierda van al revés, en vez de negras dan blancas.

—Y eso es lo más curioso —añadió David—. A pesar de un punto de partida tan parecido, fíjese qué diferencia en los resultados a medida que se aleja del arranque y se va desarrollando:

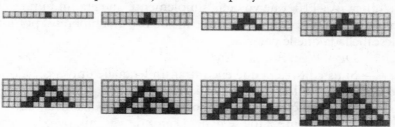

—Efectivamente —admitió Raquel—, a partir del *paso 50* empieza a parecerse a esos trazos laberínticos de los gajos del pergamino. Es como si se tratara de reconstruir todo el pergamino a través de una parte de los gajos, ensayando una y otra vez hasta localizar el patrón que siguen esas formas. Como si se intuyeran. Pero lo más sorprendente es esto.

La joven le mostró la fotografía de una concha. El diseño de aquella caracola era idéntico, punto por punto, al que había obtenido Pedro con sus cuadraditos de papel milimetrado.

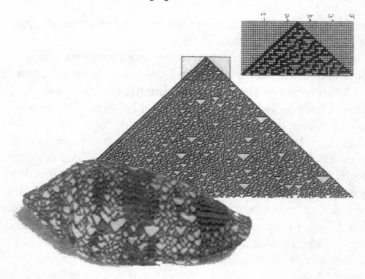

—Lo asombroso —aseguró David— es que con unos simples cuadraditos se termina desentrañando la regla que sigue la concha de una caracola, que ha crecido aparentemente al azar.

—Asombroso es poco —concedió Raquel—. ¿En qué estaba trabajando exactamente su padre?

—Tendríamos que saber qué significan las siglas AC. Después, qué es lo que le añade la cifra 30. O la cifra 110. Así sabríamos qué significa AC-110, que yo creía simplemente que era un número de expediente administrativo. Pero se me ocurre una hipótesis, por muy descabellada que le parezca.

—Diga, diga. A estas alturas...

—Si usted tuviera que encontrar un lenguaje universal, ¿dónde lo buscaría? ¿En los idiomas humanos?

—Supongo que no. Son todos distintos, y todos inventados.

—Exactamente. Hoy se hablan cerca de seis mil, pero la humanidad ha debido de inventar unos veinte mil idiomas distintos. Ése no es el camino. Habría que buscarlo en el lenguaje que emplea la naturaleza. En el propio código con el que está hecho el Universo... Pues eso es lo que creo que intentaba encontrar mi padre: cómo fabrica la naturaleza un cristal de nieve, un árbol, o la concha de una caracola. Si el Universo se construyó a partir de un principio unitario, quizá en muchos de sus procesos se haya preservado la fórmula originaria de la que deriva todo él. Y a lo mejor se ha hecho visible en alguna de sus criaturas.

Se hizo un largo silencio, en el que se miraron perplejos, por el alcance de lo que tenían en sus manos.

—Eso quiere decir que si se conoce esa fórmula que marca el arranque, se puede prever todo el proceso —aventuró Raquel.

—Y también reconstruir materialmente cualquiera de sus pasos —añadió David—. Pero sólo si se conoce el comienzo. No se puede desandar el camino, de atrás hacia adelante. Y hay algo más que debe saber. Esta regla, la AC-30, fue propuesta por mi padre como clave criptográfica. Era la única forma inmediata de rentabilizar algo tan abstracto. No podía vivir del aire. Aquí en esta carpeta hay un montón de solicitudes en las que él pide que sea reconocida como clave oficial por la Agencia de Seguridad Nacional. Por su insistencia, se ve que se jugaba mucho. Supongo que el acceso a los ordenadores, para poder trabajar con seguridad y rapidez... Y aquí está el informe en el que se lo niegan y que desencadena su ostracismo. ¿Sabe quién lo firma...? James Minspert. Que luego es quien se apropia de todos sus hallazgos, porque el compromiso de confidencialidad no le permitía a mi padre utilizarlos fuera de la Agencia. Echarlo de allí era tanto como robárselos…

Raquel se levantó para despedirse, no sin antes dejar caer:

—Minspert llevaba razón cuando nos amenazó, diciendo que todo este asunto volvería a abrir viejas heridas… En fin, ahora tengo que marcharme. El comisario y yo vamos a ir al convento de los Milagros a entrevistarnos con el arzobispo Presti. Pásese por allí en un par de horas. Le dejo esos documentos, pero no olvide depositarlos en la caja de seguridad del hotel.

—Descuide… —y cuando la joven ya salía de la habitación, la alcanzó para decirle—: Raquel, perdone mi intromisión, pero insisto en que no tiene buen aspecto.

—Se me pasará esta noche, en cuanto duerma un poco. Llevo mucho sueño atrasado.

—¡A quién se le ocurre, pasarse todo el vuelo trabajando en estos papeles!

—A otros les da por contar ovejas…

La vio alejarse por el pasillo y se preguntó por qué le apartaban a él de aquella entrevista con Presti en el convento de los Milagros. ¿Era idea de Bielefeld o de Raquel? Quizá de aquel arzobispo, o de alguien que se lo había aconsejado. Pero ¿quién era ese alguien? ¿Minspert otra vez?

«Bueno, a lo mejor me mantienen al margen por la misma razón por la que yo no les he contado lo de ese hombre, Gabriel Lazo, y la cita que tengo con él esta noche», se contestó a sí mismo.

V

El pergamino

CUANDO se abre la puerta y Ruth entra en la celda, Raimundo Randa la previene sobre la importancia de lo que va a contarle:

—¿Cuántos días nos quedan, hija mía?

—Seis, además de hoy.

—Siéntate aquí a mi lado. Ahora empezarás a entender los misterios que se esconden tras la Casa de la Estanca, las razones por las que desplazaron de ella a mi padre y le dieron tan terrible muerte. También, lo que ha hecho Artal de Mendoza con los Calderón, con tu madre y contigo. Y lo que quizá pretenda ahora. Todo lo que comencé a averiguar, en fin, tras el regreso a Estambul al tener conocimiento en Antigua de la muerte de tu abuelo, don José Toledano.

Tan pronto como Juanelo y Herrera me comunicaron la noticia, me excusé con doña Blanca, Rafaelillo y don Manuel, explicándoles lo sucedido como mejor supe, y cuál era mi verdadera personalidad. Calderón no dio importancia a aquellas argucias de titiritero. Antes bien, dijo: «Esta casa siempre será la vuestra». Y me proveyó con generosidad de caballos y dineros para que me dirigiera a la costa de inmediato. Allí embarqué y, ya mediada la singladura, supe en un puerto que Alí Fartax, el *Tiñoso,* no estaba en Turquía. Lo que me alivió mucho en los cuidados y peligros de la aduana cuando al cabo de algunas semanas entré en Estambul.

No avisé de mi llegada, sino que me dirigí a casa de Laguna, pues siempre me había mostrado buena voluntad desde que me rescató entre las mercancías del muelle y me llevó luego a casa de los Toledano. Como médico de Alí Fartax, me confirmó la caída en desgracia del Tiñoso, quien andaba en el corso con sus piratas berberiscos, dejando a Noah Askenazi sin ningún contrapoder que se le opusiera. Y esto era lo que más le preocupaba. Laguna había atendido a don José Toledano en sus últimos momentos, y sospechaba de un envenenamiento, aunque era difícil de probar por la lentitud y dilación con que se le había suministrado la dosis.

Aclarado este punto, mis angustias apuntaban a la suerte corrida por Rebeca. Poca Sangre no se había quitado todavía la máscara. No se atrevía. Ella era una Toledano, debía respetar su luto, y para doblegarla necesitaba el apoyo de la comunidad judía. Pero mi ausencia y la muerte de su padre la dejaban muy a la intemperie, y aquel hombre despreciable cada vez iba más lejos, estrechándola de continuo con veladas amenazas, para averiguar el paradero de un pergamino que, según él, había prometido entregarle don José.

Sabedor de todo esto, y de que vigilaban su casa, mandé recado a Rebeca con el propio Laguna, para que se reuniera conmigo en secreto. Vino sin tardanza, y fueron tantos los abrazos y las lágrimas, tan tierna debió de ser la escena que componíamos, que el buen médico prefirió dejarnos solos durante largo rato. Al fin, cuando nos hubimos saciado de vernos, la tomé de las manos, la miré largo rato, y por lo flaca que la encontré entendí lo mucho que había sufrido, y le hice ver la necesidad de poner remedio a tanta calamidad, marchándonos de allí de inmediato.

Sus respuestas me confirmaron cómo había madurado en la adversidad. Me explicó que eso no resultaba tan fácil. El primer problema era doña Esther, como me aclaró en pocas palabras:

—Mi madre no querrá venir con nosotros. Ha nacido en Estambul y nunca se ha movido de esta ciudad, en la que se ha apoltronado entre cojines, afeites y otros aspavientos. Ni siquiera podemos comunicarle nuestros planes, porque se los sonsacaría Poca Sangre, por las buenas o por las malas. No es mujer de voluntad. Ni mala, ni buena. Y la poca que tiene se la administra Askenazi a su conveniencia.

El segundo problema era su hacienda, la herencia de Rebeca. No tanto por ella, cuanto por todos los que dependían de la misma, que

era ésta gran industria y turbamulta. La mayor parte estaba invertida en mercancías distribuidas por toda Europa, en muchos fletes de
camino, en créditos que cobrar... Desenredar esa maraña llevaría meses, quizá años. Y todo estaba en manos de Askenazi. En sus libros
de contabilidad.

—¿Qué partido tomar, entonces? —le dije.

—Hay algunos lugares de probada fidelidad, como Bursa. No
está lejos, y allí se ordena todo nuestro comercio de seda antes de
traerlo a Estambul.

—Pero, ¿nos creerán sin un salvoconducto de Askenazi?

—Llevaremos un salvoconducto mejor: mi propio padre —me
dijo con firmeza.

No la entendí al pronto, hasta que añadió:

—Él quería morir en Palestina y ser enterrado allí. Lo tenía todo preparado para vivir en aquel lugar los últimos días. Estaba a punto de cumplir sus deseos, y quizá por eso se le adelantó Poca Sangre,
envenenándolo. Pero yo realizaré su última voluntad. Se lo prometí
en el lecho de muerte. Y no quiero encomendar sus restos a uno de
esos mercaderes de huesos que, una vez cobrado el cargamento, los
tiran al mar en cuanto pierden de vista la costa.

—¿Y qué haremos en Palestina?

—Hace tiempo que mi padre viene ayudando a escapar a los judíos perseguidos, enviándolos allí. La mayoría están en Tiberíades,
al norte de Jerusalén, y le deben la vida a los Toledano. Serán leales
hasta la muerte. Nos acogerá mi tío Moisés, que ha ido gobernan-
do aquella colonia.

—¿Moisés Toledano está en Tiberíades?

—Tan pronto asesinaron a Rinckauwer, huyó para preservar aquel
reducto, y se llevó con él ese pergamino que ahora busca Poca Sangre.
No sabíamos si la muerte del impresor era obra de los espías españoles en Estambul o de los turcos. Por eso desconfiaron de ti al sor-
prenderte en el piso superior de la casa, cuando viniste en mi busca.

—¿Por qué creían que yo era un espía?

—Pensaban que buscabas eso mismo que ahora persigue Poca
Sangre, y que tú lo hacías por cuenta de Alí Fartax, quien habría matado a Rinckauwer al saber que se disponía a llevar un mensaje a Felipe II para preparar una tregua con él, basada en ese pergamino. Al
Tiñoso no le interesa ninguna tregua, porque le impediría atacar las
naves españolas que navegan por el Mediterráneo, de las que saca tan
gran provecho.

—Entiendo que tu padre quisiera pactar con el sultán. Palestina es territorio bajo su dominio. Pero, ¿y el rey de España?

—Tiene el título de rey de Jerusalén, y gobierna buena parte de los asentamientos judíos de Occidente. Sin su aprobación no podrá rescatarse a los nuestros que deseen poblar aquel territorio.

—De modo que ése era el objeto de mi misión, cuando me enviaron a Ragusa, aunque yo la hube de prolongar a Milán, Bruselas y Yuste.

—Eso es lo que deseaba mi padre, a cambio de mediar entre el sultán de Estambul y el rey de España, concertando los términos de una paz satisfactoria a ambos. Felipe II necesita desocuparse del Mediterráneo para centrarse en las cuestiones de Flandes. Y Solimán quiere achicar en Occidente las escaramuzas con los cristianos porque recela de los persas y ha de atender el flanco oriental, empezando por asentar Palestina.

Mucho me admiró la buena cabeza con la que Rebeca entendía de aquellos asuntos, a pesar de su juventud.

—¿Y Askenazi? —alcancé a preguntar.

—Sospecho que Poca Sangre busca algo más. Hay una parte en tu misión todavía más secreta que la tregua entre turcos y españoles, que ni yo misma conozco, ni quiso contármela mi padre antes de morir, para proteger mi vida. Pero sí que es sabida por mi tío Moisés, a quien se la transmitió una vez que estuvo seguro de que se iba a poner a buen recaudo. Y todo gira en torno a ese pergamino.

Me abrumó aquella trama de conspiraciones. Comprendí entonces la imperiosa necesidad de la huida. Con la ayuda de Laguna conseguimos una nave que nos llevó hasta Bursa, cerca de Estambul. Quedó muy impresionado el representante de Toledano en aquel lugar, al ver a Rebeca y los restos de su padre. En cuanto a los fondos para proveernos, había muchas remesas de seda, que nos pagó al contado un correligionario de Amberes que precisaba completar el flete de su nave, medio llena con un cargamento de pimienta. Y con todo ello pudimos armar un barco ligero y rápido, en el que nos dirigimos a Tierra Santa.

Desembarcamos en Haifa, que está a una docena de leguas de Tiberíades. Tras obtener un salvoconducto, nos dirigimos al norte, a Safed, donde cumplimentamos al gobernador turco, le entregamos numerosos regalos y solicitamos su autorización para sumarnos al asentamiento judío y enterrar a don José Toledano. Agradeció los presentes poniendo a nuestra disposición una escolta, con la que nos encaminamos al sur y entramos al fin en Tiberíades.

Era un pequeño paraíso. Un vergel junto al agua azul, limpia y fresca del lago que llaman Mar de Galilea, del que surte el río Jordán. Don José había venido pagando al sultán una renta de mil ducados por aquella colonia que, por encargo suyo, había sido levantada a partir de unas ruinas plagadas de ortigas y víboras. Su hermano Moisés había rehecho las murallas, para atraer con su protección a la dispersa población judía, librándola de los ataques de los beduinos que asolaban las rutas sirias. También había construido una sinagoga, y pagado a algunos hombres piadosos para que alentasen la fe y estudios talmúdicos. Había ido encaminando hacia allí a muchos fugitivos y expulsados de otras tierras, con la esperanza de constituir una comunidad que se valiera por sí misma. Quería que abandonasen el temor de la constante huida, y que vieran aquella tierra como suya, y para siempre. Los restos de muchos exiliados reposaban en su cementerio, entre ellos el gran Maimónides. Allí dimos sepultura a don José, en un hermoso emplazamiento.

Lo que vimos nos causó admiración. Los Toledano habían atraído a muchas gentes hábiles, reclutando a los mejores artesanos. De ese modo, se había desarrollado mucho la industria textil, importando ovejas merinas de Castilla, que son las de mejor lana, para competir con los tejidos de Venecia, tan apreciados. Habían plantado moreras para el cultivo del gusano de seda. Su consorcio podía colocar sin problemas toda la producción que tuvieran, pues controlaban numerosos mercados y monopolizaban el comercio con Grecia y el sur de Italia. De hecho, algunas de las partidas de seda que habíamos visto en Bursa procedían de aquel lugar.

Don José hubiese deseado pasar allí sus últimos días para dar ejemplo de su fe en el futuro de aquella colonia. Y se había hecho construir una espléndida villa cerca de los baños medicinales de agua termal, que tanto bien habrían hecho a sus fatigados huesos. La casa contaba con acceso directo a las termas, preservando la intimidad.

—Allí fue donde por primera vez tuvimos paz y reposo tu madre y yo. Intentamos dejar atrás todas nuestras congojas, emprendiendo una nueva vida, sin nada que nos atara al pasado. Y allí naciste tú —dice Randa a su hija.

Suspira, y calla un largo rato. Aún se conmueve evocando la felicidad de aquellos años con Rebeca, abandonados al deseo y la impaciencia de los que se aman.

—¿Y qué pasó? —le saca Ruth de sus recuerdos.

—Al principio todo fue bien. Tu madre llevaba con mano firme la fabricación de telas. Era gran organizadora, y muy hábil en el tejer. Algo que tú has heredado, pues has tenido la mejor maestra. Yo la ayudé, perfeccionando su telar. Tras haber visto trabajar en Estambul a Rinckauwer y al maestro relojero, y luego a Juanelo, empezaban a atraerme las invenciones mecánicas, y también me ocupaba en la orfebrería. No podíamos pedir nada más.

Pero las cosas cambiaron después de los primeros años. Murió el gobernador turco que nos había venido protegiendo y fue sustituido por otro que nos era menos propicio. Empezó a haber problemas con los suministros y con las ventas. Menudearon los hostigamientos de los beduinos y el menor celo en la protección que nos brindaban los soldados del gobernador. No nos costó mucho ver en todo ello la mano de Askenazi.

Y aún quedaba lo peor. Las aguas del Mar de Galilea, tan azules, resultaron engañosas. Se desató entre nuestros colonos algún episodio de fiebre, al que no dimos demasiada importancia. Sin embargo, vimos al cabo de algún tiempo que aumentaban las muertes por esta causa. Lo peor fue que perdimos a nuestro segundo hijo. Cuando a Rebeca le comenzaron a tentar los dolores del parto, le sobrevino un accidente de calentura tan recio que no se recuperó bien.

Se acrecentó luego esta epidemia, que se llevó a dos tercios de la población. Tú caíste enferma. Y visto lo mal que os sentaba el clima a Rebeca y a ti, decidimos trasladarnos a Jerusalén, que, por estar alta, es de aires más limpios. Hablamos de ello con Moisés Toledano, quien nos desaconsejó el traslado con vehemencia:

—¿De qué vais a vivir? —nos preguntó.

—De lo que teje Rebeca, y de mis trabajos de orfebre y artesano —le contesté—. Siempre se han vendido bien cuando los hemos llevado a Jerusalén.

—Es plaza difícil —insistió—. Sobre todo desde que Solimán el Magnífico reconstruyó las murallas y arregló la ciudad. Es mucha la gente que desea asentarse allí. Hay una cuota muy estricta para los nuestros. No os dejarán empadronaros. Y estaréis en peligro, por ser lugar frecuentado por los agentes de Askenazi, que en aquella mezcolanza pueden operar a sus anchas, a diferencia de Tiberíades, donde todo está bajo nuestro control.

Cuando don Moisés vio que nada de esto bastaba para disuadirnos, mandó llamar a Rebeca, y le dijo en tono grave:

—Sobrina, si vas a partir, tenemos que hablar de asuntos que, una vez muerto tu padre, sólo yo conozco, y que alguien más debe saber, por si a mí me sucediera algo.

Quería decir con ello que yo sobraba, por lo que me dispuse a ir a otro lugar e iniciar los preparativos de la partida. Pero, una vez más, Rebeca quiso ligar su suerte a la mía:

—Raimundo ha arriesgado su vida muchas veces en un largo viaje, ha vuelto en mi socorro sin que nada le obligara a ello, es el padre de mi hija y va a compartir su fortuna conmigo. Tiene derecho a conocer esos secretos. Y, además, quiero que los sepa.

Don Moisés conocía bien el temple de su sobrina, y ni siquiera pasó a discutir sus palabras.

—En ese caso, Raimundo, venid con nosotros, aunque habéis de saber que escuchar lo que he de decir a mi sobrina os unirá a ella más que el matrimonio.

—Que así sea —acepté.

Nos hizo entrar en un cuarto bien apartado, y volvió al cabo de un rato con una arqueta de marfil. Muy valiosa, a juzgar por su aspecto. No tenía candado alguno, sino una combinación de cuatro ruedecillas con números que permitían su apertura al componer una clave. Me maravilló aquel sistema, por no haberlo visto nunca, y hasta lo estudié más tarde, con el propósito de emularlo en mis trabajos de artesano. Se sentó junto a nosotros, puso la arqueta sobre su regazo, y dijo, dirigiéndose a mí:

—Esto es lo que ha podido costaros la vida, y lo que mi hermano y, sobre todo, Askenazi pensaban que buscabais cuando en Estambul subisteis con tanto sigilo aquella escalera de la casa, que luego bajasteis con tanta prisa y alboroto.

Sacó de la arqueta un finísimo pergamino. De piel de gacela, me pareció. Cuando lo alzó para mejor mostrárnoslo, pude advertir que se trataba del fragmento de una pieza más grande, de la que había sido cortado en forma de cuña o gajo. Tenía por un lado unos trazos gruesos y geométricos, como de laberinto, que semejaban estar grabados a fuego. Y por el dorso llevaba escritas estas palabras: ETEMENANKI. Al leerlas, rebusqué en mi memoria, hasta recordar que habían sido pronunciadas por Carlos V en Yuste, al descifrar el mensaje que yo le llevaba.

—Os preguntaréis lo que es —dijo don Moisés—. Prestad atención a mi historia, que entre los Toledano sólo se ha transmitido de padres a hijos al recibir este pergamino. Os irá la vida en ello a partir de ahora.

Y nos contó lo sucedido en la ciudad de Antigua durante el reinado de Alfonso X, a quien llamaron *el Sabio*. Todo lo pormenorizó muy por lo vivo. Su relato empezaba una desapacible noche de invierno, en que la llovizna azotaba las calles y la niebla se desgarraba en jirones a lo largo del río. La ciudad sólo tenía entonces un puente, fuertemente custodiado por guardias armados. Dentro de ella, los Toledano eran ya gentes respetadas, y esa noche de invierno tenían que ayudar a entrar a un fugitivo. Lo que iba a suceder debía quedar en la familia, por lo que sus miembros más jóvenes habían abandonado las casas al caer la tarde, apostándose sobre el farallón rocoso rematado por la muralla de la judería, que cae en gran tajo sobre el cauce. Desde allí, donde se encuentra el matadero de la aljama, pueden ver a los soldados en el cercano puente, a la luz de una hoguera agitada a rachas por el viento.

Los Toledano se mantienen alerta, escudriñando la oscuridad que reina frente a ellos, al otro lado del río. Hasta que ven la señal que les hacen desde la ribera opuesta. Un fanal que agita aquel hombrecillo de escasa estatura. A la que contestan de inmediato moviendo su farol. Para no ser advertidos, han tenido buen cuidado de que entre ellos y la guardia del puente se interponga el edificio del degolladero.

Tan pronto han intercambiado las señales, los Toledano lanzan una escala de cuerda, que desciende por la roca, hasta topar con las ruinas de un molino, alcanzado por el rayo hace mucho tiempo. Y luego bajan por ella, quedando ocultos de los soldados entre un bosquecillo de alerces.

Frente a ellos, al otro lado del río, el hombrecillo se agacha, tantea con su mano las heladoras aguas y se estremece ante la idea de tener que atravesarlas para encontrarse con quienes le están esperando. No hay otro modo de entrar en la ciudad sin ser detenido. Después, se endereza, escruta la orilla opuesta, hace una nueva señal con su farol y, en cuanto le es devuelta, lo apaga. Ha llegado el momento.

Mal momento, por cierto, comentan los Toledano, mientras le esperan al otro lado. De día, y conociéndolo bien, el antiguo azud del molino ofrece en aquel lugar el único vado, aunque muy peligroso. De noche, con aquel tiempo, y para un forastero, es una locura atravesarlo. En la parte central, apenas se hace pie, y la corriente es fuerte. Muchos se han ahogado en aquel paso clandestino. Alguna razón muy poderosa y urgente debe de tener aquel hombre para querer entrar en Antigua, a pesar de todo.

Se interna en el cauce oscuro, en el agua afilada y fría. Avanza con tiento, guiado por la débil luz de quienes le esperan al otro lado. Intenta no perder pie en su penoso avance. Resbala, y está a punto de perder el equilibrio. Al llegar al arriesgado centro del cauce, el agua le alcanza primero hasta la cintura, luego hasta el pecho, y más tarde va subiendo hasta el cuello.

Desde la otra orilla, los Toledano observan, angustiados, su extraña forma de moverse. Lo hace rígido, oponiéndose a la corriente, en lugar de ofrecer la menor resistencia. Debe de tener acalambrados los miembros. Saben que está a punto de entrar en la parte más honda y difícil del cauce, y se miran entre sí.

—No lo logrará sin nuestra ayuda —dice el más joven y fornido de los Toledano.

Se despoja del tocado que lleva en la cabeza, lo desenrolla, se lo ata a la cintura y pide a los que le acompañan:

—Entregadme vuestros turbantes.

Los va anudando al que acaba de ceñirse al cuerpo, y añade:

—Sujetad ese extremo, de manera que esté siempre tenso.

Luego, sin perder ni un instante, se adentra en la corriente.

En medio del cauce, engullido por las aguas, el hombrecillo está a punto de ser arrastrado hasta los remolinos. Pero se mantiene erguido con terquedad. El joven que acude a socorrerle sólo entiende su comportamiento cuando llega junto a él: sobre la cabeza, envuelto en una tela encerada para protegerlo del agua, lleva atado un bulto por el que parece sentir más aprecio que por su propia vida.

—Tened cuidado con esto —advierte a su salvador con un desfallecido hilo de voz.

Su auxiliador lo sujeta firmemente por los hombros, pasa uno de sus poderosos brazos bajo los del hombrecillo, y se dirige hacia tierra firme, agarrándose a la improvisada cuerda que mantienen tensa sus compañeros.

Ganada la orilla, le despojan de las ropas y le envuelven en una manta que ya traen prevenida. Está amoratado, tiritando, y apenas puede sostenerse. Han de izarle por la larga escala de cuerda y trepar hasta la muralla. Él no se separa de su bulto. Lo abraza para protegerlo, aun a riesgo de las magulladuras y golpes de las rocas con las que tropieza mientras lo alzan.

Ya intramuros, en la judería, lo llevan hasta la casa de los Toledano, donde les esperan con el fuego encendido, ropas secas y una sopa caliente. Tras de lo cual, cae exhausto en el lecho. Pero no sin tomar la precaución de usar aquel bulto como almohada.

Al día siguiente, tan pronto se despierta, el hombrecillo pide a quienes le alojan que lo lleven sin tardanza hasta el rabino Samuel Toledano. Éste, que ya está al tanto de lo sucedido, le recibe de inmediato. Cuando entra en la habitación, el forastero advierte que no está solo, como hubiera deseado. Le acompañan los tres adelantados y su consejo. El anciano rabino ha percibido su gesto de contrariedad ante la gran concurrencia. E invita a todos los presentes a abandonar la sala. Por primera vez, el hombrecillo sonríe.

Ya a solas, solicita permiso para utilizar el recado de escribir que ha advertido en una pequeña mesa, junto al anciano rabí. Éste se queda sorprendido ante tan extraña manera de explicarse, pero da su conformidad. El hombrecillo se aplica a dibujar durante un buen rato. O quizá escribir. Es difícil saber qué son aquellos trazos, cuadrículas y cuadrículas que va rellenando de tinta en un orden estricto y preciso, siguiendo unas reglas que sólo él parece conocer. Por la habilidad con que lo hace, bien se echa de ver que su ocupación es la de escribano.

—Lo habría hecho mejor si contara con mi propia pluma y tinta —se disculpa cuando termina.

El anciano examina el papel con detenimiento, apartándolo de sí para mejor observarlo. Su rostro se va llenando de asombro. Luego mira alternativamente al papel y al forastero, y guarda un largo silencio.

Al fin, le pregunta, con rostro severo:

—¿Dónde habéis visto semejantes trazos?

El forastero no parece dispuesto a hablar sin condiciones:

—Os lo contaré si me decís lo que significan —propone al rabino.

Samuel Toledano frunce el ceño, contrariado:

—Puedo ayudaros a descifrarlos, pero nunca antes de conocer quién sois y de dónde proceden esos trazos. Me va la vida en ello.

—Está bien —se resigna el hombrecillo—. Mi nombre es Azarquiel, y vengo desde Fez, en el reino de Marruecos.

—Es viaje largo, y muy arriesgado.

—Antes de venir a Antigua he estado en Córdoba, desde donde me he llegado aquí siguiendo la ruta de Muradal y Consuegra. El camino es escabroso, pero se evitan los puestos de control de las calzadas más importantes.

—No habéis contestado a mi pregunta. ¿De dónde proceden estos trazos?

Azarquiel se dispone a confesarle su secreto:

—Todo comenzó en Fez, cuando me requirieron como escribano para realizar el inventario y tasación de la biblioteca de una de las casas más ricas de la ciudad. Una familia de origen andalusí, que deseaba poner en orden su hacienda tras la inesperada muerte de su cabeza de familia.

Mientras iba examinando uno por uno los libros y documentos, reparé en la extraña mesa que me habían asignado para llevar a cabo la tarea, y que no era otra que la utilizada por el difunto para trabajar en su biblioteca. Si se miraba con atención, podía observarse que las dimensiones exteriores del mueble no coincidían con el fondo de los numerosos cajones. La medí con un cordel, y localicé un doble fondo secreto. Lo abrí con sumo cuidado, y apareció un pergamino.

No era un pergamino corriente, sino de una piel tan fina como una membrana, de gamuza o gacela. Llevaba dibujado en tinta muy persistente, o quizá grabado a fuego, lo que parecía un laberinto. No hacía falta ser muy perito para comprender que se trataba de algo antiquísimo. Junto a él, un papel hablaba de aquel pergamino como el mapa de un tesoro, el más rico que conocieron los musulmanes en Al Ándalus. Y que estaría al alcance de quienes tuvieran fe y supieran descifrarlo. Pero lanzaba maldiciones que ponían los pelos de punta y amenazaba con la más horrible de las muertes a los infieles no iniciados. Medité largo rato sobre qué partido tomar. Debía de ser de gran valor, a tenor del sigilo con que lo mantenía el difunto, ocultándolo incluso a su propia familia. Al fin, tras muchas dudas, me decidí a llevarlo conmigo.

Al cabo de algunos días de estudiar tan singular documento, empecé a tener un sueño, siempre el mismo. Al principio fue placentero, pero acabó convirtiéndose en una obsesión. En él se me aparecía el pergamino, su laberinto se desplegaba desde el centro en las cuatro direcciones de la membrana. Luego, parecía cobrar vida, crecía hacia arriba y hacia abajo, hasta convertirse en un edificio, por el que yo caminaba. Al principio, sin dificultades. Luego, me perdía. Quedaba confinado a un angosto pasillo, hasta que en torno mío se hacía la oscuridad. Me internaba en ella, temeroso, y de pronto perdía pie y caía en un agujero largo, interminable...

Así una y otra vez, hasta hacerme anhelar —y a la vez temer— la llegada de la hora de acostarme. Por un lado lo deseaba, porque aquel documento sólo parecía revelar sus secretos en sueños. Por otro, lo temía, porque dormía mal, me levantaba bañado en sudor en medio de la noche, y mi mano perdió su pulso. Me temblaba el cálamo, y no lograba concentrarme en el trabajo.

Asustado por tan peregrinos indicios, me cuidé muy mucho de mostrar a nadie aquel pergamino que parecía estarse apoderando de mi voluntad. Tras mucho meditarlo, reproduje con gran cuidado algunos fragmentos que me parecieron significativos, y los fui presentando a los que juzgaba más instruidos en la ciudad. Pero todo fue inútil: ninguno de ellos avanzó mucho más que yo. O bien lo ignoraban, o bien callaban lo que sabían, pues pude leer el miedo en más de una mirada.

Contrariado, decidí atender las indicaciones de quienes me aseguraban que sólo en esta villa de Antigua podría encontrar sabios con conocimientos suficientes para enfrentarme a aquellos enigmas. Aquí —me dijeron— se hallaban las mejores bibliotecas, los traductores más expertos y los mayores conocedores de las antiguas disciplinas. Y añadieron que vos, el rabí de esta aljama, sois el más reputado entre todos.

Al terminar su relato, el hombrecillo saca el envoltorio que ha traído consigo, lo abre y le muestra su hallazgo. Samuel Toledano palpa la membrana, la examina con detenimiento y se toma su tiempo antes de contestar. Lo hace pausadamente, mirando a su interlocutor con ojos cargados de preocupación, y aun de pesadumbre:

—No sois vos quien ha encontrado este pergamino, sino él quien os ha encontrado a vos, manifestándose.

Como si Azarquiel no pareciera entenderle bien, el rabino continúa:

—No os pertenece, sino que vos le pertenecéis a él. Es el más valioso documento de los más de cuatrocientos mil que atesoraba la gran biblioteca del califa Al Hakam II. Se creía perdido para siempre.

—¿Qué historia es ésa?

—Todo empezó hace más de tres siglos, durante el reinado de Abderramán III, padre de Al Hakam II, cuando el almirante Rumahis, que mandaba la flota del califa, rescató en el Mediterráneo a los tres supervivientes de un barco procedente de Roma que acababa de hundirse.

»Los tres náufragos eran tan ancianos, y se encontraban en un estado tan lamentable, que ningún tratante de esclavos daría gran cosa por ellos. En cambio, parecían personas instruidas, y el almirante Rumahis pensó que alguien podría adquirirlos a un precio razonable para destinarlos a la educación de sus hijos. Uno fue comprado en Túnez por un comerciante de Kairuán. El segundo fue vendido también de camino, y terminó en Fez. Al tercer anciano, el más sabio de todos, lo llevó consigo hasta Córdoba.

»La noticia de su presencia se conoció de inmediato entre la población judía cordobesa, que redimió al náufrago con todos los honores, lo cubrió de atenciones y lo puso al frente de la escuela rabínica. Su verdadero origen se mantuvo en el mayor sigilo. Roma sólo había sido su última escala. En realidad, el anciano procedía de Jerusalén. Era descendiente de los israelitas dispersados por Nabucodonosor, cuando éste tomó la Ciudad Santa, arrasó el Templo de Salomón hasta los cimientos y deportó a los judíos, llevándoselos consigo a Babilonia.

»Allí, dentro de los antiguos dominios de Babel, apesadumbrados por la disgregación de las tribus de Israel, los rabinos tomaron contacto con una hermandad instituida para preservar la unidad del saber. Su nombre era ETEMENANKI, que quiere decir *La llave maestra*. Ellos guardaban los secretos anteriores a Babel, y en especial aquella lengua única que yace bajo todas las demás y que se perdió con la construcción de la Torre. Una lengua que, según dicen, una vez sabida permite conocer las cosas a primera vista. Pues se ven desde dentro, en su misma sustancia, tal como las conoce y las creó Dios, y no en sus accidentes externos.

»El año en que los tres ancianos supervivientes fueron rescatados por la flota cordobesa, acababa de morir el gran maestro de la hermandad de ETEMENANKI. Los tres náufragos eran sus mejores discípulos, y nunca logró aclararse el motivo de tan largo y arriesgado viaje desde Babilonia, primero a Jerusalén, y luego a Roma. Mucho menos se entendió que hubieran puesto en peligro los conocimientos atesorados por la hermandad. Su pérdida habría resultado irreparable, ya que sus enseñanzas sólo se transmitían oralmente.

»La única persona que llegaría a conocerlas realmente fue Hasday ibn Saprut, el alumno más aventajado del anciano, puesto al frente de la escuela rabínica cordobesa. Era Ibn Saprut el primogénito de una muy rica y poderosa familia de comerciantes judíos, y su ascenso fue tan fulgurante que se le consideró depositario de saberes nada comunes. Hablaba todas las lenguas conocidas, y redactaba de corrido documentos en griego, latín, árabe y hebreo. Su sabiduría, el encanto de sus palabras, su capacidad de convicción, llegaron a ser legendarios. Se decía de él: «*Si todos los océanos fueran tinta, todas las espadañas de las marismas plumas y los cielos en lo alto papel, no habría suficiente para escribir sus conocimientos*».

»El hijo de Abderramán III, el califa Al Hakam II, depositó su entera confianza en él. Debido al largo reinado de su padre, este último asumió sus responsabilidades muy tarde, a los cuarenta y seis años. Dispuso de tiempo sobrado para educarse a conciencia, y también para cultivar su desapego por un poder que nunca llegó a apasionarle. Había heredado un reino pacificado y una fortuna inmensa, más de veinte millones de monedas de oro. Era uno de los monarcas más ricos del mundo.

»Nunca volvería a ser aquel reino tan respetado, ni Córdoba tan esplendorosa, con su medio millón de habitantes, sus ochocientas mezquitas y sus mil baños. Cada vez que desde la ciudad salía alguna misión a cualquier parte del mundo, Ibn Saprut encomendaba a sus enviados que recogieran todos los libros a su alcance. Por otro lado, tenía ordenado en la aduana que cualquier volumen que entrase en su reino fuera llevado a la biblioteca para ser copiado.

»Ocupaba ésta un edificio entero, de una traza tal que sus estanterías podían dominarse desde el punto central del que partían todos los anaqueles. Allí, como en el cogollo de una flor, trabajaban innumerables calígrafos con un salario fijo, para que ni el destajo ni la prisa estropeasen su letra.

»Ibn Saprut mantenía, además, una red de agentes en Damasco, Bagdad, Constantinopla y Alejandría, con el cometido de conseguir nuevos volúmenes. De este modo, la biblioteca real llegó a sobrepasar los cuatrocientos mil. Cuando ya no cabían en palacio y se hubo de proceder al traslado, la mudanza duró seis meses y su inventario llenó cuarenta y cuatro gruesos libros.

—¿Y decís que este documento que he traído aquí era el más preciado de esa biblioteca? —pregunta Azarquiel al rabino.

—No sólo era el más preciado, sino, al parecer, el verdadero objeto de su existencia. Toda ella estaba encaminada a conseguirlo.

»Nunca se supo a ciencia cierta su origen. Llegó dentro de un códice del que formaba parte, la *Crónica sarracena,* donde se contaba la conquista de España por los musulmanes. Cuando el códice arribó a la gran ciudad, fue recibido por Ibn Saprut, quien de inmediato lo llevó en propia mano hasta el califa. En ese mismo momento,

Al Hakam II abandonó el salón del trono y suspendió las audiencias pendientes para encerrarse junto a su canciller en la gran biblioteca. Dentro de ésta se custodiaba un fondo especial de varios cientos de libros, a los que sólo tenían acceso el califa e Ibn Saprut. En la puerta, permanentemente vigilada, podía leerse este lema: «*La verdad completa no está en un solo sueño, sino en muchos sueños*».

»Tras la llegada de aquel documento, menudearon las visitas del canciller a esta ciudad de Antigua, siempre en el más riguroso de los anonimatos. Pero aquello no duró mucho. Su fin y el del califa estaban cerca. Murieron casi a la vez y, con ellos, su secreto. Nadie podía sospechar que tras el fallecimiento de Ibn Saprut y de Al Hakam II la barbarie se impondría por doquier bajo el dictador Al Mansur, al que los cristianos llamaban Almanzor. Para poner de su parte a los más fanáticos, mandó que la incomparable biblioteca califal fuera expurgada de todos los libros sospechosos de herejía. Él mismo encendió las hogueras que ardieron día y noche. Otros fueron malvendidos en los zocos. Al cabo de muchos años, algunos de sus libros aún podían adquirirse en los anticuarios de Fez.

Hay tristeza ahora en la voz del rabino Samuel Toledano, cuando termina su relato.

—¿Comprendéis por qué es un milagro que hayáis encontrado ese pergamino? —dice el anciano.

—¿A qué debe su valor? —pregunta Azarquiel.

—Ya os lo he dicho: a que contiene el secreto de ETEME-NANKI, *La llave maestra,* el lenguaje oculto del Universo, con el que Dios creó el mundo, y que subyace en todo lo existente. Se dice que, aunque desaparezcan las ciudades o se dispersen los pueblos, sumiéndose todo en la ignorancia y las tinieblas, nada se habrá perdido si se entiende ese lenguaje. Pero es muy grande el peligro de esas averiguaciones, porque su sustancia es la misma de la que está hecha la conciencia humana, y hasta la propia Divinidad de la que ha emanado. ¿No traéis el códice en cuyo interior se contenía este pergamino?

—¿Qué códice?

—La *Crónica sarracena* en la que se cuenta cómo y dónde fue hecho. Sin ella, sería temerario internarse en él.

El forastero ha seguido el parlamento del rabino, y su rostro se ha ido ensombreciendo con la preocupación. Ahora teme que sus últimas palabras signifiquen una negativa. No conoce el temple del anciano.

—Tranquilizaos, Azarquiel. He vivido lo suficiente. Cuento con numerosa descendencia de hijos y nietos. Los Toledano son buena simiente y no temo lo que pueda sucederme. Me tientan más la curiosidad y la piedad. Morir en el seno de los secretos divinos es un privilegio que pocos tienen. No será mala tumba, si así sucede. Puesto que él mismo se os ha revelado, yo os ayudaré a descifrar este documento, incluso sin la asistencia de esa *Crónica*. Sólo os pongo una condición: que compartáis sus beneficios con esta comunidad, con los Toledano al frente, y que nada se haga sin contar con su consejo.

—Os lo prometo.

Samuel Toledano conduce a Azarquiel a través de los sótanos de su casa y hallan al fin una estancia en la que el rabino se aplica a la tarea, rodeado por sus libros. Escribe y escribe sin tasa. O, por mejor decir, no es aquello escritura, sino apretados cálculos, conjeturas o cábalas. Son trazos en cuadrícula, unas llenas y otras vacías, que reemprende cada jornada, incansable, una y otra vez, tratando de entender la pauta que gobierna tan extraño lenguaje. De la coyunda de aquellos trazos surgen a veces imágenes familiares, pertenecientes al mundo visible de todos los días. Otras, entabla efigies harto peregrinas, que sorprenderían incluso a las mentes más calenturientas. Y hay momentos en que alcanza a reproducir parte del diseño del pergamino. Aunque esto sucede raramente, es entonces cuando Toledano parece sentirse en la buena senda. Cada vez consigue reproducir más trozo del mismo, y retoma lo hallado para ir desvelando aquellos rincones que se le escapan.

Su único contacto con el mundo exterior es Azarquiel. Es éste quien le lleva la comida, aunque apenas si prueba bocado. Luego pierde el sueño y el poco apetito que le queda. Al cabo de algunas semanas, el anciano es víctima de una extraña enfermedad. No sabe explicar lo que le sucede. Cuando intenta hablar, sólo acierta a farfullar palabras ininteligibles. Y una mañana aparece muerto, sellado su rostro por una mueca de terror que pone espanto.

No presenta ningún signo externo de violencia. Los ojos aún permanecen abiertos, y las pupilas dilatadas. Los tendones están tensos como estacas, y a los dos lados del cuello los músculos aparecen agarrotados y las venas hinchadas. Pero por dentro es como si sus entrañas hubiesen reventado una a una. Sea cual fuere la causa de su muerte, debe haber sido algo pavoroso.

Sin embargo, antes ha revelado a Azarquiel algunos de los secretos contenidos en aquel pergamino. Han debido ser los suficientes como para que el hombrecillo de aspecto cetrino haya decidido establecerse en Antigua. Algún tiempo después, ofrece sus servicios para redactar cualquier tipo de documento en romance, latín, árabe o hebreo. Mantiene un pequeño tenderete situado frente a la picota de la plaza, junto a la cabecera de la catedral, que se alza en el solar ocupado en otro tiempo por la Gran Mezquita.

Es un habitáculo mínimo, muy estrecho para servir de taller, y su función es la de mostrador de venta, un lugar donde apalabrar los trabajos. Los suspicaces no escasean en la ciudad de Antigua, y al comprobar el ajetreo de visitas que recibe, hay quien sospecha que en realidad lo utiliza como un mero punto de contacto.

Los rumores sobre Azarquiel se disparan cuando, transcurrido algún tiempo, empieza a dar muestras de una considerable holgura económica. Muchas miradas están pendientes de él. Sobre todo al comprobar que, poco a poco, pagando grandes sumas a un inquilino tras otro, ha pasado a sus manos una manzana entera de casas situada en la zona más preciada de la ciudad de Antigua. Se dice que tras él están todos los dineros de la comunidad judía, que le respalda como un solo hombre, con la familia Toledano al frente de la aljama.

Tras ello, con gran sigilo, discretos e incansables, sin que para nada se acusen los cambios desde el exterior, han ido haciendo obra hasta transformar el antiguo bloque de viviendas mal trazadas. Desde la calle, sólo se perciben las anodinas casas de siempre, sin apenas ventanas. Pero en el interior no han cesado las excavaciones a partir de sus bodegas y subterráneos, tan extensas y laberínticas que tardarán muchas generaciones en ser calibradas en toda su magnitud.

Hay recelos en torno suyo. Rumores. Los comentarios sobre estos laboriosos afanes clandestinos se suman a otros que ya corren sobre él. Y las sospechas aumentan al difundirse que, a pesar de su concisa vida social, Azarquiel frecuenta, además de a los judíos, a los moriscos y forasteros venidos de todas partes para trabajar en la Escuela de Traductores del rey don Alfonso X, aquel nuevo Salomón cristiano. Pero, como su vida pública es intachable y el hombrecillo cuenta con poderosos protectores, nadie ha osado molestarle o inmiscuirse en sus asuntos. Al menos, en vida.

Porque llega un momento en que Azarquiel empieza a sentirse mal. Cada vez más a menudo, mientras está hablando, cambia de un idioma a otro sin motivo aparente, hasta resultar casi imposible mantener con él una conversación de corrido. Luego, al cabo de algún tiempo, a medida que pasan los días y semanas, sólo es capaz de farfullar en un extraño e incomprensible lenguaje.

Desde que han empezado estos síntomas ha mantenido una frenética actividad, tapiando el laberinto de subterráneos que hay bajo sus casas, provocando derrumbes para borrar vestigios que pudieran comprometerle. Hasta que un buen día aparece muerto, flotando en el río. No presenta ningún signo externo de violencia y, sin embargo, su aspecto es terrorífico: los ojos abiertos, las pupilas dilatadas, los músculos agarrotados, las venas hinchadas, los tendones tensos como estacas y las entrañas reventadas. Al verle, más de uno se acuerda de la suerte del viejo rabino, Samuel Toledano. Antes de que le den sepultura, su cadáver desaparece misteriosamente.

Las búsquedas y registros que han seguido a su desaparición incrementan las sospechas sobre el origen de la fortuna de Azarquiel. Unos dicen que ha logrado encontrar un tesoro. Otros, que era un alquimista que había logrado fabricar metales preciosos, y que su avaricia le había llevado a morir durante la transmutación. Al examinar sus papeles encuentran insólitos planos de la ciudad, tanto de su superficie como de sus catacumbas y subterráneos, trazados en correspondencia horóscopa con las estrellas.

No tardan en propagarse las sospechas de magia negra. La casa donde ha vivido se convierte en un lugar más visitado de lo conveniente. Todos aquellos que esperan encontrar algún tesoro no cesan de atormentar su suelo. Las gentes la fatigan y hordan en tropel. Sus laberínticas bodegas, donde aún se siente el hedor sulfuroso que se extiende por las calles fangosas, son excavadas y removidas hasta la última piedra, sin que se encuentre otra cosa que unos vasos de cerámica rellenos de un mineral calcinado.

A las autoridades, lo que más les preocupa es el laberinto subterráneo en sí mismo. Azarquiel parecía tener un total conocimiento de los pasadizos existentes, y al unirlos entre sí ha logrado crear una segunda ciudad subterránea, aprovechando la solidez de la roca granítica sobre la que se asienta Antigua.

Nadie consigue explorarla, pues el hombrecillo ha tenido buen cuidado de cegar los conductos más estratégicos. Aun así, las bodegas de aquella casa infausta permiten internarse bajo la catedral, el Alcázar, el concejo y muchas otras edificaciones públicas y privadas, con el consiguiente peligro para sus habitantes. Se dice que las viviendas de la colonia judía están conectadas por aquellas galerías, que salen a varias leguas de la ciudad a campo abierto, para poder huir en caso de persecución. Y que, entre tanto, las utilizan para reunirse y celebrar sus ceremonias.

Hay nuevas quejas por parte del cabildo, que ve así profanados los mismos cimientos de la catedral y sus catacumbas, en cuyas proximidades se asientan las casas del amanuense y quienes le apoyaban. Se producen, además, derrumbamientos y muertes, tanto abajo como en los edificios cuyos cimientos han quedado minados, debido a insensatos que excavan desde sus bodegas sin conocer cómo afectan a la superficie los estragos del subsuelo, algo que Azarquiel demostró saber a la perfección.

Mucho tiempo después de la muerte del hombrecillo, los más audaces sostienen que, en una cueva subterránea, protegido por siete puertas que conducen hasta debajo del río, aún continúa transmutando oro, apostado bajo el suelo de Antigua.

Por esa razón, y por afectar a intereses tan diversos, el solar horadado por él ocasionó agrias disputas entre el cabildo catedralicio y el concejo. Se decidió desplazar a los habitantes de aquella manzana de casas en la que había hecho obra Azarquiel, para evitar que nadie excavase. Pero ni aun así cesaron las reticencias. Y ahí comenzaron los pleitos. Tan adelante llegaron, que se decidió someterlo a la tutela y neutral arbitraje de la Corona...

—Fin de la historia —dice Raimundo Randa a su hija, que le ha escuchado embobaba.

—Pero, padre, siempre me dejáis en lo mejor —se lamenta Ruth—. ¿Y qué sucedió con el pergamino a la muerte de ese hombrecillo, Azarquiel?

—Eso mismo le preguntamos tu madre y yo a Moisés Toledano. Abrió entonces él la arqueta de marfil que tenía en su regazo y volvió a mostrarnos aquella membrana de final piel: «¿Veis este gajo? —nos dijo tomando una de las piezas—. Es el nuestro, el de los descendientes directos de Samuel Toledano. Se conoce porque lleva escrito por detrás la palabra ETEMENANKI».

Echó mano de nuevo a la arqueta y fue sacando, uno tras otro, hasta diez gajos parecidos en su forma y perímetro a aquel primero, aunque los trazos que llevaban en su interior, como grabados a fuego, eran todos diferentes. Les fue dando la vuelta, para que comprobáramos que nada había escrito por detrás.

—Estos otros diez proceden de otras tantas familias sefardíes. La reunión de los diez Juramentados que hubo en nuestra casa de Estambul fue para que cada cual aportara su gajo.

Y nos contó que a la muerte de Azarquiel el pergamino había pasado a manos de los Toledano en su integridad, tal y como fue encontrado en Fez. Los descendientes del viejo rabino esperaron tiempos más propicios para continuar las exploraciones de aquel hombrecillo. Pero esos tiempos nunca llegaron. Todo fue a peor con las sangrientas persecuciones que no tardaron en desatarse contra ellos.

Cuando en el año 1492 se produjo el Decreto de Expulsión de los Reyes Católicos, hubo grandes discusiones sobre qué se haría al respecto, pues aquella comunidad hebrea se iba a dispersar. Había que dividir el pergamino, y los Toledano propusieron hacerlo en doce gajos, de modo que estuvieran representadas las doce tribus de Israel y ninguna pudiera disponer de los tesoros a los que conducía sin contar con las demás. Algunos se opusieron. Porque, si se dividía, sólo reuniéndolos de nuevo a todos sería posible tener la clave.

Y había otro problema: cómo señalar la antigua manzana de casas ocupadas por los judíos, para poder continuar algún día las exploraciones de Azarquiel, si les era dado regresar. Por ello, antes de cortar el pergamino, encomendaron a unos albañiles moriscos que reprodujeran distintas partes de él en los más importantes edificios de alrededor, marcando así el lugar. De ese modo, aunque alguno de ellos fuese derribado, siempre quedarían los demás, y a quien poseyera el pergamino entero le sería posible saber dónde buscar la entrada.

Tomada esta provisión, se cortó en doce gajos, se distribuyeron entre otras tantas familias, y se hizo una lista de los depositarios, que quedó en manos de los Toledano. Los Juramentados, se llamaron.

—Tales fueron aquellos huéspedes que recibimos en nuestra casa de Estambul —continuó Moisés Toledano—, venidos de distintos puntos del Mediterráneo, para discutir la nueva situación que se planteaba en España con la abdicación de Carlos V en su hijo don Felipe.

—Don Carlos ya parecía conocer el negocio cuando leyó el mensaje en Yuste —dije yo.

—Porque hubo un intento de pacto con el emperador. Pero estaba demasiado ocupado para tomarlo en cuenta. Ahora, al abdicar y retirarse a Yuste, su hijo Felipe parece más accesible, porque nuestro administrador, Askenazi, guarda amistad con gente próxima a él.

—Y en especial con Artal de Mendoza, su Espía Mayor —apunté.

—Así es, por desgracia, pero nosotros no conocíamos el alcance de su traición, ni que ambos se hubieran conchabado a espaldas nuestras. Antes bien, parecía haber llegado el momento. Y enviamos mensajes para que todos los Juramentados acudieran a nuestra casa. Sólo faltó uno, Rubén Cansinos, de Fez, el más anciano y el único superviviente del reparto.

—Por eso duró tanto aquel conciliábulo.

—En efecto. Le estuvimos esperando. Lo achacamos a la lejanía de aquella ciudad de Marruecos, y a los peligros con los piratas berberiscos. El problema es que este pergamino no vale nada si no está completo. Pero al fin hubimos de tomar una resolución y decidimos seguir adelante con nuestros planes, preparando el terreno con el rey don Felipe. Entonces fue cuando mataron a Rinckauwer y decidimos enviaros a vos en su lugar, dejando para más adelante averiguar qué había sucedido con Rubén Cansinos, el Juramentado de Fez.

Tras un momento de reflexión, dije a Moisés Toledano:

—No sé si sabéis que Artal de Mendoza ya había intentado apropiarse de la Casa de la Estanca.

—Esa casa es la única que queda en pie de las que pertenecieron a Azarquiel. No se puede echar abajo, por estar allí los registros del agua. Pero nadie ha podido encontrar el modo de entrar en los subterráneos de Antigua a través de ella.

—Yo bien estuve buscando esa entrada. Y nada hallé. Ni tampoco parece saber nada Manuel Calderón, que así se llama quien habita ahora aquella casa.

—Para ello necesitaréis tener los doce gajos del pergamino, sin que falte uno solo, saber cómo se ordenan y encajan entre sí y, finalmente, descifrarlos. De lo contrario, se pueden tener esas señales delante de los ojos y no reconocerlas. Creedme que esto parece cosa de magia y no es tarea fácil. Yo lo he intentado con gran prudencia, repitiendo el método de Azarquiel, mostrando alguno de sus diseños a los más renombrados rabinos, y dicen ser esto artificio de mahometanos, que no de judíos. He frecuentado también a musulmanes, y uno de éstos, muy viajado y entendido en teologías de las suyas, me ha asegurado que los signos que se ven aquí forman un laberinto, y que sólo ha podido apreciarlos en los lugares más sagrados, como la Kaaba de La Meca y la Cúpula de la Roca de Jerusalén. Y que bien pudo ser asunto del patriarca Abraham, quien fundó ambos santuarios cuando extendió la creencia de un solo Dios, huyendo de la idolatría de Babilonia. Y que ése es el nombre y secreto que le condujo a Él, con tal fe y ardor que no dudó en intentar sacrificarle a su hijo cuando se lo pidió.

—En ese caso, iré a ver la Cúpula de la Roca cuando esté en Jerusalén —afirmé.

—Eso es imposible —me advirtió don Moisés—. Toda la explanada donde un día se alzó el Templo de Salomón, y hoy está la mezquita de Al Aqsa y la Cúpula de la Roca, es Haram, un templo que cuenta con la presencia de la divinidad. Sólo a la Kaaba de La Meca le reconocen igual rango, y jamás le ha sido permitido penetrar en ninguno de esos dos lugares a quien no abrace la fe del islam. Está prohibidísimo para cualquier infiel. Ningún gobernador ni cualquier otra autoridad lo autorizará. Y quien sea sorprendido allí será lapidado de inmediato.

—Puedo hacerme pasar por musulmán.

Tanto él como Rebeca trataron de disuadirme. Pero yo les hice ver que no se repetiría aquella oportunidad, y que siempre nos arrepentiríamos de tener al alcance de la mano aquel expediente y haber sido incapaces de aprovecharlo.

—Está bien —dijo Moisés Toledano—. Ya que no puedo disuadiros, al menos atended a esto. Al parecer, dentro de la Cúpula de la Roca, el laberinto de este pergamino puede verse a través de un agujero que hay en esa piedra sagrada que da nombre a la cúpula. El orificio tiene el tamaño de la cabeza de un hombre, y está hecho exactamente en el lugar en el que Abraham estuvo a punto de sacrificar a su hijo Isaac por mandato de Yahvé.

Con estas advertencias y consejos, Moisés Toledano nos entregó los once gajos del pergamino, nos despedimos de él y nos pusimos de camino hacia Jerusalén.

—De eso me acuerdo —le interrumpe Ruth—. Tú y mi madre os pasasteis todo el camino discutiendo.

—¿Y te acuerdas de la ciudad?

—Me acuerdo de aquel torrente seco, con olivos en lo alto.

—El Cedrón.

—Y de aquella cúpula dorada por el sol como una naranja.

—Ésa era precisamente la Cúpula de la Roca.

—Y las murallas, tan bien trazadas.

—Las acababan de reconstruir. Al igual que aquel refugio para caravanas, donde nos establecimos como musulmanes.

Tan pronto nos asentamos, fui a ver al jeque del santuario en el que se hallaba la Cúpula de la Roca. Le dije que venía desde Estambul, que era orfebre y quería obsequiar a aquel Haram con una lámpara de plata que había hecho por mi propia mano. La recibió el santo varón con muy buen semblante, y me preguntó dónde sentía yo que haría papel aquella luminaria. Le respondí que estaría muy honrado si alumbrara la cueva que había bajo la Roca. Asintió, llegándose hasta el depósito del aceite para que la fueran cebando y preparando, y entretanto decidió acompañarme en la visita al Haram.

Muy feliz y protegido me sentí en un principio por tal distinción. Pero no tardé en advertir que, sutilmente, me estaba probando. Me hizo numerosas preguntas sobre Estambul, que conocía bien, y pareció quedar satisfecho. Sin embargo, no se detuvo ahí, pues mientras caminábamos junto a los estudiantes del Corán que velaban día y noche en unas casillas, para que nadie ofendiese el lugar, comenzó una oración, una cita del Corán, que aquellos eremitas supieron continuar, uniéndose a ella, pero no yo, que no estaba tan ágil en teologías.

Pasamos adelante, y aquí o allá se descolgaba con nuevas invocaciones al libro santo, alguna aleya o versículo, y la dejaba en suspenso por ver si yo era capaz de completarla. Empecé a reconocer más de una de aquellas piadosas palabras, pero no estaba seguro de su continuación, y no me atrevía a proseguirlas por miedo a errar o, peor aún, incurrir en alguna blasfemia involuntaria al corromper el texto.

Con lo que noté que iba subiendo el recelo del jeque del Haram. Y cuando nos llegamos hasta el muro oriental entendí que debía manifestar a las claras mi conocimiento de aquella fe, o allí mismo sería tomado por infiel y perdería la vida.

Me llevó, como digo, hasta aquel muro oriental, que da sobre el valle de Josafat, abierto por el curso del torrente Cedrón. Está en dicho valle el cementerio de Jerusalén, para tener mejor posición en el día del Juicio Final que allí se celebrará. Me mostró el jeque una abertura sobre el barranco, y me explicó que allí se encontraba un puente invisible, el Sirat, más estrecho y cortante que el filo de una espada, sobre el cual deberían caminar los fieles para entrar en el Paraíso. Y ahuecó la voz para decir, en un sonoro racheado lleno de modulaciones, como si recitara:

—Unos lo atravesarán con la velocidad del rayo; otros, con la de un caballo espantado; otros, al paso; otros, arrastrándose con el peso de sus pecados. Y todos los infieles que se atrevieran a intentarlo se precipitarán en el abismo de los infiernos —concluyó el jeque con un tono que ponía espanto.

Me empezaron a entrar sudores espesos, y creí que se refería a mí cuando retomó aquel aire profético para decir:

—Nadie podrá ocultarse a las miradas del Señor, que separará a los buenos de los malos —continuó—. El sudor llegará a unos hasta el tobillo, a otros hasta la rodilla, a otros hasta la boca, y a otros por encima de la cabeza. Y se verán obligados a sudar durante cincuenta mil años.

Estaba claro que me habían descubierto. Miré disimuladamente alrededor, intentando calcular por dónde podría escapar, pero en todas las puertas había guardias armados hasta los dientes. Sabía yo que matar a un cristiano es para un musulmán tan meritorio como ir a La Meca, y a menudo mucho menos fatigoso. De modo que me vi perdido. Tanteé entonces con la vista la altura del muro, y la encontré grande y terrible, de tal magnitud que si por ella saltase, me despeñaría. Y no era lugar de apetencia, sino de los que imponen: amortajado, austero, árido, de rocas peladas, tumbas rotas, el dolor rezumando por todos los poros. Sólo algunas matas de hisopo, algunas vides requemadas por el sol, algunos olivos baldados, alguna higuera desmedrada.

Volví la cabeza hacia el jeque, que continuaba con sus palabras, en lo que parecía un rapto de inspiración:

—No es raro que la gente rompa a llorar aquí —decía—, pensando en lo que le espera el día del Juicio, lamentando faltas y errores y haciendo severos propósitos de enmienda.

Y empezó a recitar:

—«*Cuando la trompeta suene, ya no habrá lazos de amistad ni de parentesco...*».

Al escuchar aquellas palabras, vi abierto el cielo, porque me las sabía de memoria. Eran las que gustaba de recitar mi antiguo esclavo Alcuzcuz tomándolas del Corán, para mostrarme que nuestra amistad se había acabado, tras marcarle mi padre el rostro con el hierro candente. Allí sí que pisaba terreno seguro, y le interrumpí, retomando sus palabras y continuándolas:

—«*Cuando la trompeta suene, ya no habrá lazos de amistad ni de parentesco... La nodriza dejará caer al niño que amamante; toda mujer embarazada abortará; los hombres andarán como ebrios y locos... Llegará un día en que la tierra será profundamente agitada; las montañas, hechas polvo, serán juguete de los vientos*».

El rostro del jeque pareció cobrar otro color. Sonrió al oírme, y me felicitó por mi impecable desempeño en la lengua sagrada del islam. Me explicó, en fin, al hilo de aquellas palabras:

—Ese día del Juicio, mientras resuene la trompeta y se alce en este lugar el trono del Altísimo, la Kaaba vendrá desde La Meca volando por los aires, y sentará sus reales en este monte, haciéndose una con la Roca.

Tras lo cual, tomamos la lámpara de plata en el almacén del aceite y entramos en la Cúpula por la puerta que llaman de Beb el Kebla, llegándonos junto a la Roca, que está en el centro de aquel santuario. Rezamos allí una oración más extensa, invocando a Mahoma, y tocamos con gran reverencia la huella de su pie. Bajamos luego a la cueva que hay en el seno de la Roca por una escalera labrada en su lecho y pronunciamos sendas jaculatorias en cada uno de los sitios que llevan los nombres de Salomón, David, Abraham, Gabriel y Elías.

Ensalzó en gran manera el jeque aquel santo lugar:

—Ésta es la cima y remate del monte Moria, piedra nunca hollada por espada ni hierro alguno.

—He oído decir que aquí estuvo en tiempos la base del sanctasanctórum del Templo de Salomón, y que esta piedra se encontraba ya en el Paraíso Terrenal y lleva escrito el nombre incomunicable de Dios —pregunté intentando no mostrar un excesivo interés, que me delataría.

Me miró de un modo extraño, y me condujo hasta uno de los rincones, donde me pidió que le ayudara a levantar una losa. Llevaba ésta una inscripción con el nombre del califa Al Walid I, y al moverla quedó al descubierto un agujero del tamaño de una cabeza humana. Me asomé. Apenas se veía, pero a pesar de la escasa luz, pude apreciar que muchos pies más abajo discurría un laberinto cuyas formas recordaban en todo al que había en el pergamino. Aunque éste de allá abajo no era un dibujo o diseño, sino bien de bulto.

Debió de notarme el asombro en la mirada, porque cerró de nuevo el agujero con la losa, advirtiéndome:

—Lo llaman el Pozo de las Almas, porque ahí esperan el día del Juicio todas las de la Humanidad, retenidas por ese laberinto, que les presta su ser. Conformaos con lo visto. Pocos lo han atisbado siquiera. Sólo quienes han entrado en el interior de la Kaaba han tenido un privilegio parecido.

—¿También está escrito allí? —pregunté.

—Dicen ser obra de Abraham, que construyó ambos santuarios después de venir de Babilonia, huyendo de la idolatría de los muchos dioses.

No quise insistir, pues recelaría de mí. Subí tras él la escalera que horadaba la Roca, salimos de la Cúpula, y con esto se terminó la visita al Haram. Mientras bajaba del monte y me dirigía al refugio de las caravanas donde me aguardabais tú y Rebeca, iba dándole vueltas al modo de entrar allá abajo, al Pozo de las Almas, para saber cuál era la forma original del pergamino, y su propósito. Pero cuando regresé junto a vosotras, vi que tu madre no sólo no había deshecho nuestros hatillos, sino que lo había dispuesto todo para la marcha de la ciudad.

—Apenas acabamos de llegar. ¿Qué sucede? —le pregunté.

—He estado en el mercado, y he visto a uno de los agentes de Askenazi. Iba preguntando a los comerciantes judíos. Me he acercado con cautela, ocultando el rostro como las mahometanas, y andan buscándonos. Me temo que han estado en Tiberíades y estrechado a preguntas a mi tío Moisés o a su gente, para que revele nuestro paradero. Ahora no podemos volver allí, porque habrán acabado con ellos.

—Si es así, sabrán que tenemos con nosotros los once gajos del pergamino, y querrán apoderarse de ellos a toda costa. Hemos de marcharnos lo más lejos posible —reconocí, muy preocupado.

—Pero ¿adónde? ¿Dónde vamos con la niña? —y noté la inquietud en el rostro de Rebeca.

—A España —contesté.

Advertí su profunda desazón. Sabía bien del peligro que allí corrían los suyos. Hube de insistir:

—Toda la costa de África está en manos de los turcos, y otro tanto sucede con el resto del Mediterráneo hasta que no se pasa Italia en dirección a España. Sólo allí estaremos a salvo tanto de Askenazi como de Fartax.

—Olvidas a Artal de Mendoza.

—No se atreverá a molestarnos si logramos la protección directa del rey.

—¿Crees eso posible? Recuerda lo que sucedió la vez anterior, cuando le llevabas ese mensaje a Bruselas, y ni siquiera alcanzaste a verle.

—Entonces lo ignoraba todo sobre ese mensaje. Ahora no vamos a ciegas.

—Pero ¿cómo viajaremos allí?

—Con los peregrinos que vuelven de Jerusalén. Yo me encargo de sondear a los que hay ahora en la ciudad, tantear naves en Jaffa, comprobar si todo cuadra, comprar voluntades.

Me aconsejaron tratar con los venecianos, que hacían dos peregrinaciones anuales de cristianos. Eran caras, pero muy seguras y bien organizadas, que es lo que más nos convenía viajando con una niña como tú. Duró poco más de un mes el trayecto a Venecia, desde donde nos encaminamos por tierra a Génova, para tomar una de las galeras del gran duque de Florencia, que nos llevó sin contratiempos hasta Marsella. Allí comenzó lo más duro, en un bergantín que se dirigía a España y soportó mal los dos temporales con que tuvo a bien obsequiarnos el golfo que llaman de Lyón. Pero, al fin, sin más percances, al cabo de cuatro días llegamos a Barcelona, y desde allí emprendimos de inmediato el viaje a Antigua.

Randa prefiere terminar allí su narración. Sabe que Artal no tardará en abrir la puerta para reclamar a Ruth y quiere consultar algo a su hija.

—¿Aún conservas el telar de Rebeca?

La muchacha niega con la cabeza:

—Nos lo arrebataron tal como ella lo dejó. Con el tapiz que mi madre estaba tejiendo para cuando regresarais.

—¿Quién se lo llevó?

—Tuvimos que poner nuestros bienes en almoneda para pagar las deudas. Nadie quiso el telar, por viejo, y está depositado en casa de un banquero.

—Tienes que recuperarlo.

—Pero padre, eso no será posible.

—Has de hacerlo. Ruega a ese banquero. Hazle saber que lo necesitas para ganarte la vida y la de ese niño que traes de camino, en tu vientre...

—¿Por qué es tan importante?

Suena la llave en la cerradura, y Randa apenas puede musitar unas palabras al oído de su hija, antes de que en el umbral se recorte la silueta de Artal de Mendoza. Pero aún hace algo más, con el pretexto de acompañar a Ruth hasta el arranque de las escaleras. Al acercarse a la puerta repara en la mano metálica del embozado. Observa con detenimiento cómo se vale de ella. Y tiene la certeza del doloroso cepo que supone para el muñón de su portador.

6

EL CONVENTO DE LOS MILAGROS

David Calderón se paró en seco al advertir aquel coche a la entrada del convento de los Milagros. Le dio mala espina. Era un todoterreno negro, de gran envergadura. El hombre que estaba al volante fumaba y leía un periódico cuando, de pronto, se abrió la puerta del convento y se escuchó un grito. Seguramente un nombre, no se oía bien. El conductor, un pelirrojo con el pelo al cero, dejó el periódico, tiró el cigarrillo y acudió a la llamada.

«No parece un simple chófer —pensó—. Demasiados músculos».

El criptógrafo se ocultó tras el tronco de un ciprés. Desde allí no podía ver al que había gritado. Quienquiera que fuese se mantenía en la sombra, en el umbral de la entrada. Con gestos enérgicos, daba instrucciones al conductor. Éste se agachó, cargó con una caja de cartón de buen tamaño, la llevó hasta el coche, abrió la puerta de atrás y la metió en el maletero. Luego repitió la operación con otra. Y, después, con una tercera.

Entonces salió del edificio quien hasta ese momento se mantenía en la sombra. A pesar de lo corto del trayecto y lo furtivo de su salida, David no tardó en reconocerlo. Era aquel hombre chupado y de rasgos angulosos, enteramente vestido de negro, que había visto esa mañana en la conferencia de prensa, sentado junto a Samir, el criptógrafo.

Ahora, a plena luz del día, pudo apreciar mejor su delgadez, una auténtica sinfonía de huesos. Se movía de un modo extraño y asimétrico, con el hombro izquierdo caído, como si éste le sirviera de palanca para desplazar el resto del cuerpo. Andaba con los codos levantados hacia atrás, lo que daba el aspecto de un ave de mal agüero que tuviese las alas atrofiadas. Al principio pensó que se debía al ordenador portátil que sujetaba bajo uno de los brazos. Pero sus hombros siguieron manifestando tan rara asimetría tras depositarlo en el interior del coche.

Antes de entrar en el vehículo, aquel hombre volvió bruscamente el rostro de tortuosos rasgos, y alcanzó a ver a David. Su presencia pareció ponerle muy nervioso. Empezó a gritar al conductor, quien dio marcha atrás para sortear un árbol, con tal premura que el parachoques golpeó contra uno de los pivotes metálicos que protegían el muro del convento. El impacto no pareció afectar demasiado al coche, sólido como un tanque. No tardó en rectificar el rumbo a golpes de volante, entre un rechinar de neumáticos. Y, tras levantar una gran polvareda, dejó atrás el paseo peatonal y escapó calle abajo quemando rueda.

Para entonces, David había sacado su cámara y tenido buen cuidado de fotografiar la matrícula. Comprobó la imagen en el visor digital, miró el reloj y se dio cuenta de que llegaba con antelación a su cita con Raquel y Bielefeld. Aunque habían quedado allí afuera, decidió entrar.

«Nadie me ha dado vela en este entierro, pero de vez en cuando conviene salirse del guión —se dijo—. Suele resultar muy instructivo sobre lo que traman los demás».

Se acercó a la puerta e hizo sonar la campanilla. No acudió nadie. Volvió a pulsarla, esta vez con insistencia, y apareció una monja que le miró con desconfianza.

—¿Qué desea?

—He quedado con Raquel Toledano y John Bielefeld, los visitantes de la madre superiora. ¿Podría avisarles?

—Están reunidos.

—Ya lo sé. Dígales, por favor, que ha llegado David Calderón.

—Espere aquí.

La hermana portera volvió al cabo de un rato y le franqueó la entrada, acompañándole hasta el despacho de la superiora.

La tensión flotaba en el ambiente. Todo eran caras largas. En especial las de Raquel y el comisario. Pero no se quedaban atrás Presti, la monja y el inspector Gutiérrez.

«Lo de la vela y el entierro va de veras», pensó David, mientras Bielefeld se ocupaba de presentarlo al arzobispo y a la madre superiora.

—Puedo esperar fuera, si lo desean —se ofreció.

—Quédese, ya terminamos —dijo Presti sin inmutarse.

Saludó a Gutiérrez, y se sentó junto a Raquel. Dentro de aquel coro de cariacontecidos, la joven era caso aparte. Seguía teniendo mal aspecto. Estaba pálida y nerviosa, se mordía las uñas, pero no se atrevía a fumar. David le dirigió una mirada interrogante, y por el modo en que se la devolvió dedujo que las cosas no habían ido bien.

—¿Qué sucede? —le dijo al oído.

—Hay problemas —susurró la joven.

—¿Qué tipo de problemas?

—De todo un poco... Escuche, y lo podrá comprobar...

Bielefeld había reanudado la conversación y se dirigía al arzobispo Presti, que ostentaba allí la máxima autoridad.

—No le comprendo, monseñor. ¿Por qué razón no podemos consultar unos documentos que la semana pasada tenía en sus manos Sara Toledano? Nos está usted cerrando uno de los pocos caminos que nos quedan. Han pasado tres días desde su desaparición y empieza a ser ya cuestión de vida o muerte.

Por el tono de sus palabras, Bielefeld parecía sentirse sorprendido en su buena fe. A estas alturas, David empezaba a conocerlo lo suficiente como para hacerse cargo de hasta qué punto aquello violentaba las convicciones católicas del comisario. No le resultaba fácil enfrentarse a un arzobispo. También se preguntó el criptógrafo a qué se debía aquel brusco cambio de criterio del jefe de la policía secreta del Vaticano. Y vio en ello, con poco margen de duda, el largo brazo de James Minspert.

—Ésa es una observación fuera de lugar —le respondió Presti. Sus *eses*, arrastrándose entre dientes, raspaban como la lija—. A mí no se me ocurriría jamás pedirle cuentas a usted por un documento confidencial de su Gobierno. Esos papeles son de la Iglesia. Y el hecho de que excepcionalmente se abrieran a una persona no quiere decir que se hayan vuelto públicos de la noche a la mañana.

—Yo no conozco la legislación española, pero entiendo que esos documentos no sólo afectan ahora a la vida de una persona, sino también a la seguridad pública.

Y al decir esto, Bielefeld se había vuelto hacia Gutiérrez en busca de alguna explicación o apoyo. Pero el inspector, como de costumbre, no parecía estar por la labor.

«También a él le habrá leído la cartilla Minspert, o algún superior con el que James se mantendrá en contacto», pensó David.

La insistencia del comisario hizo salir de su mutismo a Gutiérrez, aunque sólo fuera para escabullirse con unas palabras de compromiso:

—No tengo nada que añadir a lo dicho por monseñor. Ya lo hemos discutido antes. Es competencia de él, que está en su casa. Y no hay ninguna prueba concluyente de que esos documentos vayan a aportar pistas sobre el paradero de Sara Toledano. Ni que el archivo de este convento guarde relación alguna con el incidente de la Plaza Mayor. Además, parece usted olvidar los antecedentes familiares.

Esta alusión hizo que David mirase a Raquel. Y, al hacerse cargo del estado de la joven, decidió intervenir él. Sabía que no era lo más adecuado, pero callarse habría equivalido a una inadmisible complicidad con el inspector. De modo que se arrancó:

—Ya que ha citado usted los antecedentes familiares, debería recordar que fue Abraham Toledano quien salvó ese archivo durante la guerra. Además, ¿cómo puede decir eso después de las cartas que le hemos mencionado y de la llamada de teléfono que tienen ustedes grabada?

—Las cartas sólo son suposiciones de Sara, no pruebas contrastadas. Y la llamada es anónima —precisó Gutiérrez.

—¿Sólo suposiciones? —estalló Bielefeld encarándose con el inspector—. ¿Y qué me dice de los papeles de Sara? Me refiero a sus notas personales. ¿Qué me dice de su ordenador? Eso no es propiedad de la Iglesia.

—¿Qué ordenador? —preguntó Presti.

—El que estaba en la mesa de su celda el jueves pasado. Hoy no había ni rastro —insistió Bielefeld.

—¿Está seguro?

—Claro que lo estoy. Igual que de los libros y notas sobre el proceso a Raimundo Randa.

David entendió de pronto por qué había salido de estampida el hombre chupado y vestido de negro, llevándose en el coche aquel ordenador y documentos tan comprometedores. Ahora bien, ¿merecía la pena poner las cartas boca arriba? Era muy arriesgado. Podía equivocarse y, además, proporcionaría a sus contendientes una información preciosa. De modo que se limitó a observar:

—A mí me envió varios *e-mails* desde este convento. Y yo también se los mandé a ella.

—No entiendo nada de ordenadores —intervino Teresa de la Cruz—. Pero la hermana Guadalupe se maneja bien con ellos. Venga conmigo.

David y la superiora salieron al pasillo y cruzaron por el lateral del claustro. Al doblar la esquina, el criptógrafo no advirtió la presencia de una hormigonera, y se tropezó con ella. La monja se disculpó:

—Siempre andamos de obras. Este convento es enorme.

En efecto, estaban tapiando una escalera que, por lo que le pareció entrever, conducía a los sótanos del edificio. Tomó buena nota del detalle, y a punto estuvo de sacar su cámara para fotografiarlo. Pero, de nuevo, se contuvo a tiempo: mejor no levantar la liebre.

Un pasillo más, y entraron en el antiguo refectorio. A lo largo de una gran mesa corrida varias monjas se afanaban sobre los ordenadores. La hermana Guadalupe bregaba con uno de ellos, destripado. Dejó a un lado la soldadora y levantó la vista hacia la superiora y su inesperado acompañante.

—Hermana, ¿puede atender al señor David Calderón? —Tras la presentación, la madre Teresa se excusó con el criptógrafo—: Discúlpeme, he de volver con nuestros visitantes.

David señaló la placa de circuitos impresos en la que trabajaba la religiosa:

—Un poco anticuado, ¿no? —sonrió.

—Pues ya ve —le contestó, muy tiesa—, a nosotras nos hace papel. Dan muchos problemas, pero como nos los regalan...

—Sara Toledano tenía su propio portátil, ¿verdad?

—Sí. Mucho más moderno que esto.

—¿Podía enviar *e-mails* desde aquí?

—Desde su celda, no. Pero desde esta sala, sí.

—El último me lo mandó el miércoles pasado —precisó el criptógrafo—. ¿Recuerda algo especial?

—La víspera del Corpus... Veamos... Ese día vino aquí, con el portátil. Se conectó, en efecto. Y me hizo una consulta, porque iba a comprar algo a la tienda de Mercedes. Es una viuda amiga mía, que vende suministros informáticos. Ella es quien nos consigue estos trastos.

—¿Cómo se llama la tienda?

—EnRed@ndo. Espere, que se lo escribiré y le pongo la dirección.

—¿Puedo ir a verla y decirle que me envía usted?

—Añadiré en este papel una nota, dejando claro que tiene usted relación con Sara Toledano. Mercedes es un poco desconfiada. La tienda está a la vuelta de la esquina, junto a la Facultad de Letras. Pero hoy no estará abierta, porque cierra los sábados.

Le acababa de entregar la nota, cuando entró corriendo la madre superiora.

—¡Venga rápido! Esa chica se encuentra mal.

Se refería a Raquel. Al entrar en el despacho, la vio tumbada en un banco corrido. Le impresionó su aspecto. Se agitaba en convulsiones incontroladas que recorrían su cuerpo de arriba abajo, y en su rostro se acusaba hasta qué punto le era afrentoso encontrarse en aquel estado de vulnerabilidad ante desconocidos. Temblaba con tal intensidad, que David tuvo que pedir ayuda a Bielefeld para sujetarla.

—Ya hemos llamado a una ambulancia —le informó el comisario.

* * *

El doctor Vergara, del Servicio de Neurofisiología Clínica, se dirigió a Bielefeld y David alternativamente, sin acabar de adivinar a cuál de los dos debía endosar el diagnóstico.

—¿Son ustedes familiares de la paciente?

David negó con la cabeza:

—Somos amigos. ¿Qué le sucede?

—Se lo diré cuando terminemos con los electroencefalogramas.

—¿Pero es algo grave?

—No lo creo. Más bien parece una crisis pasajera... ¿Quieren verla?

Les condujo hasta un pasillo donde podía leerse: UNIDAD DE SUEÑO. Entraron en una pequeña habitación, en la que destacaba un polígrafo, por encontrarse en plena actividad. Las plumillas zigzagueaban sobre el papel continuo, trazando sus registros como un sismógrafo. Junto a él, un ordenador. Y un discreto monitor de televisión donde se veía la imagen de la joven dormida.

—¿Dónde está Raquel? —preguntó David.

—Ahí la tiene, al otro lado del cristal —y el doctor entreabrió una persiana y señaló hacia la oscuridad.

Se encontraba acostada en medio de una habitación de techos desproporcionadamente altos, con una ventana igualmente elevada y los postigos cerrados. Sobre la cama centelleaba el piloto de una cámara de vídeo sujeta a la pared, y un micrófono se descolgaba desde el centro del techo. La mesilla estaba presidida por un reloj digital de grandes números, y la cabecera por el cilindro luminoso de una lámpara infrarroja.

Se la veía muy desamparada. El médico captó de inmediato el pudor ajeno ante aquella irrupción en la privacidad de la joven.

—Uno se siente como un intruso en lo más íntimo de otra vida, ¿verdad? A mí me pasa lo mismo, no crean que me he acostumbrado.

Al acercarse más a la mampara de cristal, David reparó en la redecilla que cubría la cabeza de Raquel. De ella salía una maraña de electrodos. En apariencia, se encontraba totalmente inerte. Pero las plumas del polígrafo, que iban registrando su actividad cerebral sobre papel continuo, indicaban las turbulencias que se libraban en el interior de su mente.

—¿Está dormida? —preguntó David.

—Está soñando —el doctor se llegó hasta el ordenador y señaló la pantalla—. Miren los registros... Es todo bastante normal, teniendo en cuenta lo laborioso que resulta soñar. Excepto un par de gráficos que me preocupan. A ver si los encuentro...

Mientras los buscaba, las plumillas del polígrafo parecieron volverse locas. El doctor miró a Raquel a través del cristal y dijo, consternado:

—Eso es a lo que me refería. Ha vuelto al estado de agitación en que la trajeron. Presten atención.

Conectó el intercomunicador que permitía escuchar el sonido de la habitación en que se encontraba la joven. A través de él pudieron oír aquel inconfundible farfullo que salía de sus labios:

—*Et em en an ki sa na bu apla usur na bu ku dur ri us ur sar ba bi li.*

Tras ello, pareció calmarse. Pero sólo fue para entrar en un profundo trance. Inmersa en él, aún alcanzó a balbucear la melopea extrañamente rítmica:

—*Ar ia ari ar isa ve na a mir ia i sa, ve na a mir ia a sar ia.*

El doctor Vergara tecleó en el ordenador para procesar los registros de los electrodos sujetos a la cabeza de la joven. Y fue entonces cuando surgió aquello. David fue el primero en reconocer la figura que empezó a perfilarse sobre la pantalla. Sus laberínticos trazos recordaban los cuatro gajos que les había enviado Sara Toledano, además del de la Fundación y los otros tres que se habían llevado de la Agencia. Lo asombroso es que estaban encajados formando cuatro triángulos equiláteros. Pero aún se quedó más sorprendido al comprobar que éstos se ordenaban, a su vez, en forma de cruz:

—¿Ésos eran los gráficos de los que nos hablaba, doctor?

—Exacto.

—¿Cómo se lo explica?

—No son los impulsos tal y como salen del polígrafo, sino el resultado de procesarlos con un programa de ordenador. Aun así, nunca había visto nada parecido. Bueno, miento: sólo en otra ocasión, en que lo achaqué a un equipamiento muy baqueteado, y no le di más importancia. Pero éste es de la marca Grass, el Rolls Royce de los polígrafos. Los electrodos son de oro y las puntas de las plumillas de zafiro. No se trata de ninguna avería. Y quizá entonces tampoco lo fuera, porque aquella mujer tenía los mismos síntomas que esta chica.

—¿Una mujer? —saltó David—. ¿Se acuerda de cómo se llamaba?

—La trajo un amigo común, una noche en que estaba grabando los sonidos de la Plaza Mayor.

—¿Víctor Tavera, el ruidero?

—Sí. ¿Le conocen?

—Hemos estado con él esta mañana. ¿Podría imprimir ese gráfico? —le pidió el criptógrafo.

—La impresora está en otro cuarto. Vengan conmigo.

Salieron al pasillo y franquearon el mostrador donde hacían guardia las enfermeras. Fue al apartarse para que el médico retirara los folios que salían del aparato cuando David vio a aquel hombre chupado, a través de la ventana. Su imagen, bajando la escalera del hospital, fue como el fogonazo de algo ya vivido. Entonces tuvo la absoluta certeza de que no sólo se lo había encontrado aquel mismo día a la puerta del convento y en el salón de plenos del ayuntamiento, sino mucho tiempo atrás. Pero ¿dónde?

Mientras trataba de recordar observó que aquel hombre había llegado al final de la escalera y se estaba despojando de la bata de médico que llevaba puesta. Luego, se dispuso a entrar en un todoterreno negro de gran envergadura, con el parachoques trasero abollado.

—¡Imposible alcanzarle!

David desplegó al máximo el *zoom* de su cámara, abrió la ventana, lanzó un grito y, cuando el individuo alzó su afilado rostro, apretó el disparador.

—¿Qué hace? —le reprochó Vergara—. ¿No ha visto el cartel de SILENCIO?

—Ahora se lo explico... Doctor, ¿conoce a ese hombre sentado junto al conductor? —dijo señalando al coche, que ya arrancaba.

—No lo veo bien.

—Espere, que se lo enseño.

Pulsó los mandos de la cámara, para centrar la imagen, y se lo mostró.

—No le había visto nunca, ni creo que trabaje aquí.

Se la pasó luego a Bielefeld, explicándole:

—Es el mismo individuo de esta mañana, y el que acabo de ver salir del convento de los Milagros, cargado con las cajas. Han debido de venir derechos aquí, porque llevaban ese mismo coche.

—Un rostro así no se olvida fácilmente.

—Eso es lo que más me llama la atención —añadió David—. Tiene que cumplir una misión muy especial, porque de lo contrario no recurrirían a un tipo con esa pinta, sino a alguien que pasase más desapercibido.

—Sí, pero ¿qué misión? ¿Y qué es lo que hacía ahora aquí, en el hospital?

Por toda respuesta, David señaló el folio recién impreso que sostenía el médico, y se dirigió a él para decirle:

—Volviendo a ese gráfico, antes ha asegurado que sólo había visto algo parecido en una ocasión, una mujer que vino con Víctor Tavera. ¿Recuerda su nombre?

—Ese dato es confidencial.

—Comprendo sus reparos, doctor —le tranquilizó Bielefeld—. En realidad, lo que queremos de usted es una confirmación. Sospechamos que se trata de Sara Toledano, la madre de esa chica que tiene ahí dentro. Yo soy su escolta, ha desaparecido, y nos tememos que está en peligro.

—En casos así hace falta una orden judicial. Pero yo sí puedo consultarlo.

El médico fue hasta un teléfono, y se puso en comunicación con el archivo:

—Sí... Sara Toledano... De acuerdo, ya espero —luego colgó y se volvió hacia David y Bielefeld—. ¡Claro, debería haberlo sospechado! Era también americana, y no sé por qué la he relacionado de inmediato con esa joven. Sólo que, dada su edad, en ella había desencadenado otros procesos, era ya una enfermedad. Y estaba muy avanzada.

—¿Qué clase de enfermedad?

—Algunos lo asocian a la epilepsia, pero yo no soy de esa opinión. Sólo les puedo decir que se trata de un estado alterado de conciencia. Se suele manifestar con una excesiva somnolencia diurna, y si los ataques son aislados, no pasa nada. Si crece, termina por colocar al paciente en otra dimensión de la realidad. Son conductas automáticas complejas que comienzan en vigilia y no se recuerdan posteriormente. Pueden durar minutos, horas e incluso días. Si la alteración de la conciencia es muy intensa, los sujetos pueden moverse, hacer vida normal, viajar en tren o en avión, llegar a su destino y preguntarse cómo han llegado allí, sorprendiéndose de ello. También pueden traducirse en «terror nocturno». El durmiente se incorpora de repente en medio de la noche y grita, en estado de pánico total. No se le puede calmar durante algunos minutos, y al cabo de ese tiempo a menudo no recuerda nada. En el mejor de los casos, alguna imagen suelta.

—¿Balbucean frases ininteligibles?

—Sí. Pueden mostrar trastornos de lenguaje. Sara Toledano los tenía. Rompía a hablar y no se le entendía nada, como si estuviera en trance.

—¿Como lo que acaba de hacer ahora la señorita Toledano?

Vergara asintió. A David Calderón se le mudó la faz. Así había comenzado la enfermedad de su padre, que terminó arrastrándole hasta las catacumbas de Antigua.

—¿Y es hereditaria?

—No tenemos ni idea. Estos casos son muy aislados.

Sonó el teléfono. El médico lo descolgó, y su rostro fue acusando primero la sorpresa y, después, la incredulidad:

—Sí… Toledano… ¡Cómo que falta ese historial clínico…! ¿No puede haberse traspapelado…? Ya… ¿Y no hay ninguna nota…? Pues estamos buenos… Vale, vale.

—Me lo temía —se lamentó David cuando el doctor hubo terminado su conversación telefónica—. Una vez más se nos han adelantado.

—Supongo que se refiere a ese hombre al que ha gritado usted por la ventana —afirmó Bielefeld.

—Puede jurarlo, comisario.

—¿Tiene la matrícula del coche?

—La fotografié cuando huyeron del convento.

Se la mostró en el visor de la cámara.

—O mucho me equivoco, o ése es uno de los vehículos registrados para nuestra delegación —afirmó el comisario.

—¿Podría comprobarlo?

—Sí. Y también la fotografía de ese individuo. Déjeme la cámara para enviarla lo antes posible —Bielefeld se volvió hacia el médico—. Doctor, ¿es necesario que Raquel Toledano se quede aquí, en el hospital?

—Me gustaría tenerla algo más en observación, pero, fuera de lo que les he dicho, está perfectamente.

—Lo digo por razones de seguridad. En el hotel tenemos protección.

—Esperen un momento. Podemos hacer una cosa para que se la lleven lo antes posible.

Regresó poco después con un pequeño maletín. Lo puso sobre una mesa, lo abrió y les explicó cómo funcionaba.

—Este maletín es como un laboratorio del sueño portátil. No tiene complicaciones. Cuando la señorita Toledano se vaya a dormir bastará con que se sujete en la cabeza esa redecilla con los electrodos. Luego pone en marcha el registrador que va aquí dentro y me lo traen al día siguiente. Yo lo descargo en el ordenador y vuelve a quedar listo para usarlo durante otras ocho horas. Convendría que alguien se quede velándola. Sólo para asegurarse de que ha remitido el ataque y tranquilizarla cuando se le pase el sedante que le voy a dar.

—Voy a tener el día un poco liado —se excusó Bielefeld mirando al criptógrafo.

—Está bien. Yo lo haré —se ofreció David.

Mientras esperaban a Raquel, el criptógrafo se paseaba, inquieto.

—¿Qué sucede? —le preguntó el comisario—. Me está usted poniendo nervioso a mí también.

—Ese hombre chupado... Lo he visto antes.

—Ya me lo ha dicho.

—Me refiero a que lo he visto antes de hoy. En Estados Unidos. Cuando ese individuo bajaba por las escaleras de este hospital, me ha venido como un golpe de memoria. De otro hospital, donde internaron a mi padre. Estoy casi seguro de que ese hombre también andaba por allí...

—Eso es muy grave. Tenemos que salir de dudas.

—¿Podría hacerme un favor, Bielefeld? Sé que no va a resultar fácil, pero cuando se ponga en contacto con los servicios de información para mandarles la foto de ese individuo, localíceme a alguien llamado Jonathan Lee. A ver si sigue viviendo en Georgetown. Si le cuesta encontrarlo en el censo, que pregunten en el hospital de la Agencia, donde estuvo con mi padre. Consígame su teléfono.

* * *

Se dispuso a pasar la tarde velando a Raquel en su habitación del hotel. La redecilla de la cabeza sujetaba su pelo rubio, que descendía entremezclándose con los finos cables de los electrodos hasta desbordarse sobre la almohada. Se la veía respirar tranquila, frágil y hermosa. De vez en cuando, se daba la vuelta y hablaba en sueños. En una de aquellas acometidas, se destapó. Durante un momento, David dudó qué hacer. Pero al darse cuenta de que se enfriaría con el aire acondicionado, se levantó para arroparla. Al cubrirla, hubo de ver a través de una abertura de la bata el diminuto tatuaje que llevaba entre sus pechos. Una pequeña rosa. Y bajo ella un nombre, tachado, que subía y bajaba acompasadamente, al ritmo de su respiración.

Cuando regresó al sillón no podía quitárselo de la cabeza. Era lo último que habría esperado, y le proporcionaba un pequeño atisbo de la verdadera vida de la joven. No la de una niña bien, que siempre había supuesto, sino de una adolescencia difícil, dentro de un matrimonio mal avenido, como el de Sara y George Ibbetson. Hubo de admitir lo poco que conocía a aquella chica con la que ahora estaba compartiendo, y de un modo tan abrupto, la mayor de las intimidades.

Aún estaba observándola, cuando sonó el teléfono móvil de Raquel. Nueva duda. ¿Debía cogerlo, o no? Lo buscó por toda la habitación, hasta encontrarlo en el bolso de la joven. Al presionar el botón de entrada oyó una voz en inglés que le resultó conocida.

—Dígame... —contestó.

Pero tan pronto como escucharon la suya, colgaron.

Se quedó pensativo. ¿De quién era aquella voz? Hasta que se dio cuenta: de James Minspert. Y la desconfianza que hasta entonces le asaltaba a intervalos se convirtió en un aldabonazo que le obligó a reconsiderar todo lo que estaba pasando. ¿Qué clase de medidas había tomado James tras comprobar el robo del Programa AC-110 que ellos habían sustraído de la Agencia? Por ejemplo, ¿cuáles eran sus contactos en Antigua? ¿Por qué llamaba a Raquel? Si lo que deseaba era una explicación «oficial», ¿no habría sido más lógico que telefoneara a Bielefeld, responsable de los tres, a fin de cuentas? Quizá lo hubiera hecho también. En ese caso, ¿por qué no le había dicho nada el comisario?

Mientras le daba vueltas a todas estas preguntas, se quedó amodorrado, viendo una película en la televisión, con el volumen muy bajo. Tampoco él dormía bien, y no era simplemente el *jet lag*.

Hasta que sonó de nuevo el teléfono móvil de la joven.

Esta vez, su interlocutor no tuvo reparos en identificarse desde el primer momento:

—Soy Anthony Carter, ¿podría hablar con Raquel Toledano, por favor?

Esto tenía más lógica. Era natural que la joven se mantuviera en contacto con el gerente de la Fundación.

—Oiga, Carter, soy David Calderón.

—¡Hombre, el experto en pergaminos y piraguas! —intentó ironizar, antes de chillar, amenazador—. Escúcheme...

—... Escúcheme usted, porque no estoy para bromas ni para broncas —le interrumpió David—. Me temo que Raquel no va a poder ponerse. —Como advirtiera un dubitativo silencio al otro lado de la línea, añadió—: Está indispuesta. Pero si me quiere dejar algún recado, se lo daré en cuanto se recupere.

—¿Es algo serio?

—No lo creo. Sólo que necesita descansar.

—Muy bien. Dígale que me telefonee en cuanto pueda.

Aprovechó el móvil para llamar a Bielefeld al suyo y pedirle que le relevara. Faltaban un par de horas para la cita con Gabriel Lazo, y quería dar una vuelta por la ciudad, tomar algo y poner sus ideas en orden.

Cuando llegó, el comisario le tendió un papel.

—Ahí tiene el teléfono de Jonathan Lee.

—No me diga que nuestros muchachos se están volviendo eficientes.

—No han sido ellos, sino viejas amistades que uno conserva. Y aquí tiene su cámara. Ya les he enviado la fotografía de ese individuo.

David estuvo por contarle quiénes habían llamado a Raquel. Pero se había vuelto desconfiado. Se limitó a preguntarle:

—¿Y el permiso para entrar a los subterráneos? Se lo digo por esta chica. Se la ve muy preocupada por su madre. No dice nada, pero la procesión va por dentro.

—Más no puedo hacer. He vuelto a estar con Gutiérrez. Hemos ido otra vez al claustro de la catedral, donde siguen reconstruyendo la custodia pieza a pieza. Desesperante. Por mucho que les insista, siempre terminamos estrellándonos con que no se pueden acelerar los trabajos y no hay pruebas de que ella esté ahí abajo. Al menos, han empezado a retirar los adoquines de la Plaza Mayor y se confirma que el lunes van a explorarla con un radar geodésico. Dicen que es mejor esperar a sus resultados.

—Si al menos pudiéramos probar que Sara está ahí abajo. Eso lo cambiaría todo...

—¿Y usted? ¿Cómo va su cebo? ¿Ha picado algo?

Dudó si contarle o no la cita con Gabriel Lazo. Era una imprudencia ocultarla. Pero se lo pensó mejor y llegó a la conclusión de que, tal como se estaban poniendo las cosas, era mejor andarse con pies de plomo.

—No sé si fue una buena idea salir en el telediario —se despidió.

Tan pronto llegó a su habitación, David llamó al teléfono que le había proporcionado Bielefeld.

—¿Jonathan Lee, por favor?

—Un momento, ¿de parte de quién? —le contestó una voz de mujer.

—De David Calderón... el hijo de Pedro Calderón —añadió.

No tardó en ponerse el propio Jonathan.

—¡David, cuánto tiempo sin saber de ti! ¿Qué es de tu vida?

—Bien, ¿y tú...? Perdona que vaya al grano, pero estoy en España y necesito que me ayudes. Es un asunto muy urgente.

—Tú dirás.

—Eres quien más tiempo pasó al lado de mi padre en el hospital de la Agencia. ¿Recuerdas haber visto a un hombre muy delgado, chupado, que andaba raro, como ladeado?

David pudo notar la vacilación de su interlocutor, y un embarazoso silencio.

—Jonathan, ¿sigues ahí?

—Sí, David, estoy aquí. Discúlpame, pero creo que no deberíamos hablar de esto por teléfono.

—Lo sé, Jonathan, lo sé. No lo haría de no encontrarme en un apuro.

—Lo dices por lo que ha pasado ahí con el Papa, ¿verdad?

—¿Cómo lo has adivinado? —se sorprendió David.

—Porque tu padre hablaba así, con los mismos farfullos del Papa al final de su discurso. Lo vi todo por televisión.

Y esta vez notó miedo en sus palabras. De nuevo aquella sensación que empezaba a percibir por todas partes, en todos sus interlocutores. O quizá es que se le empezaba a contagiar aquella paranoia. Pero se trataba de una pista demasiado importante como para arriesgarse a perderla. Y se apresuró a rogarle:

—Espera, Jonathan, no cuelgues, por favor. ¿Sería mucho pedirte que identificaras una foto? Sólo tienes que decirme sí o no, si ese hombre chupado es el mismo que estuvo en el hospital con mi padre. Nada de nombres.

De nuevo el silencio, esta vez más largo. Al fin, se oyó:

—Está bien. Sólo sí o no.

—Dame tu correo electrónico, y te la mandaré ahora mismo... —tras tomar nota de la dirección, hizo una pausa y añadió—. Jonathan...

—Sí, dime, David.

—Sé que lo haces por la memoria de mi padre. Muchas gracias.

* * *

A las diez de la noche no había un alma en aquel estrecho callejón sin salida. David Calderón comprobó el nombre: calle Roso de

Luna. Tal y como había sospechado, el número escrito por Gabriel Lazo en la nota que le había entregado en mano se correspondía con el palacio de la Casa de la Estanca, la antigua sede del Centro de Estudios Sefardíes que había dirigido su padre. Con sus ojos de niño, le parecía un edificio enorme. Pero ahora sólo era un maltrecho caserón en forma de H que cerraba la calle con su fachada principal. ¿Por qué vivía allí aquel hombre?

La oscuridad aún lo hacía más inquietante. A medida que se adentraba, apenas podía ver el suelo, ni las paredes, ni mucho menos el fondo. Por lo que recordaba, los antiguos registros de agua estaban en el patio trasero, al otro lado del cuerpo principal del edificio. Éste era el travesaño de la H, y había que entrar en él y pasar al otro lado para llegar hasta allí. En cuanto a las dos alas, abrazaban el callejón por los laterales, de modo que éste se cerraba sobre sí mismo en un *cul-de-sac*, sin dejar escapatoria.

«Perfecto para una trampa —pensó—. Pero tengo que arriesgarme».

La noche era calurosa, y el silencio apenas estaba amortiguado por el sonido intermitente de las cigarras. Avanzó hacia el fondo, donde las paredes ganaban altura y se volvían amenazadoras. Una rata chilló cuando estuvo a punto de pisarla.

Avanzó de nuevo, esquivando los escombros y zapatas de madera donde se apoyaban las vigas para apuntalar varias de las casas, abandonadas a su suerte. Un penetrante olor a gato brotaba de las paredes desconchadas, en las que sobresalían los ladrillos desgastados por la intemperie.

Oyó pasos a sus espaldas, a la entrada del callejón. Se echó a un lado y hurtó el bulto tras el quicio de una puerta. En el leve contraluz que perfilaba la boca de la calleja no se veía nada. Si alguien estaba al acecho, era evidente que había decidido, a su vez, ocultarse. Aguzó el oído y se dispuso a escuchar. Fue inútil, porque en el interior del caserón empezó a ladrar un perro.

Los ladridos se oían cada vez más cerca y más fuertes. El perro había detectado su presencia, y arañaba la puerta por dentro. David abandonó el hueco de la entrada donde se había refugiado y se alejó hasta otro vecino. Pero el perro siguió ladrando.

Se encendió una luz en el interior del caserón. Se oyó la tos pedregosa de alguien que se acercaba hacia la puerta desde el interior, caminando por el pasillo. Hubo un ruidoso descorrer de cerrojos. Y por fin la maciza silueta de Gabriel Lazo apareció en el umbral.

Con una mano sujetaba un mastín de gran alzada, y en la otra llevaba una escopeta con los cañones recortados.

«Este tipo no se anda con bromas —pensó David—. O quizá es que alguien lo ha puesto en guardia».

Lazo examinó el callejón con desconfianza, blandiendo el arma en todas direcciones. Orientado por los ladridos del perro, no tardó en volverla hacia donde se encontraba escondido el criptógrafo.

Éste se preguntó de nuevo si había sido una buena idea venir, y si en aquellas condiciones sería prudente arriesgarse a dar señales de vida. Pero cuando vio que el mastín tiraba de la cadena en dirección a él, le pareció evidente que no tardaría en descubrirle, y que lo mejor era salir a su encuentro.

—¡Señor Lazo, soy yo, David Calderón! —gritó primero a modo de advertencia; y, sólo cuando vio que bajaba la escopeta, caminó hasta la raya de luz que permitió su identificación.

—Ah, ¿es usted? Suba, le estaba esperando.

Le bastaron tres zancadas para salvar los peldaños de la escalera. Lazo despedía un intenso olor corporal, al que el mastín parecía estar más que acostumbrado, pues lo primero que hizo fue olisquear al criptógrafo de arriba abajo.

Le hizo entrar por el largo pasillo, que ahora tenía los baldosines desgastados y desencajados. David recordaba la hilera de habitaciones, alineadas a los dos lados, con distintas dependencias, y el despacho de su padre al fondo. Fue allí donde le llevó Lazo.

Estaba convertido en un desastrado salón, presidido por un sofá, en el que el perro se tumbó sin ninguna ceremonia.

—Los chuchos saben muy bien cuál es el sitio más fresco de la casa —celebró Lazo, con una risotada—. Se les deja elegirlo, luego se les echa de un puntapié y se pone uno allí. A ver, *Canelo,* que ahí nos vamos a sentar nosotros.

Lo apartó de un manotazo en el hocico y ofreció el asiento libre a David. Éste prefirió permanecer de pie, y alerta. Tras la persiana medio bajada se adivinaba el patio que daba a la Casa de la Estanca, de donde llegaban en sordina los caliginosos cacareos de las gallinas, que intentaban conciliar el sueño. Por aquel lado, todo parecía tranquilo.

Se volvió hacia Gabriel Lazo y le interrogó con la mirada. Él no se hizo esperar:

—Usted no me conoce, ya me habían echado de aquí cuando nació. En cambio, yo sé bien quién es usted. Traté mucho a su padre. No le habría reconocido de no haber visto su nombre en la televisión. Pero una vez que se sabe, se le ve enseguida el parecido con él.

—Creía que iba a hablarme de Sara Toledano.

Y al decir esto miró con atención a Lazo y calibró qué crédito conceder a sus palabras. Reparó en su rostro cuadrado, de atormentada frente, los labios finos y apretados, y sus ojos negros, diminutos y punzantes. ¿Cuántos años tenía aquel hombre? ¿Sesenta y tantos? De haber estado aún vivo, su padre andaría ahora por los setenta. Parecía verosímil que le hubiera conocido. Es más, aquel hombre quizá fuese el mismo que asomaba al fondo de la foto que presidía la mesa de Sara en la Fundación.

Como si le adivinara el pensamiento, su interlocutor precisó:

—Fui conserje de esta casa cuando aún era el Centro de Estudios Sefardíes. También conocí a don Abraham Toledano, y a su hija. Una bonita historia la que tuvo con su padre de usted, aunque terminara como terminó.

—¿De qué años me está hablando, señor Lazo?

—De principios de los sesenta. Y ahórrese el «señor».

Coincidía, en efecto, con la vuelta de su padre a Antigua y la foto de la Plaza Mayor. El corazón le dio un vuelco. Por fin se encontraba con alguien que podía hablarle de lo que había sucedido allí, de cómo se había embarcado Pedro Calderón en aquellos trabajos y fatigas de los que parecía haberse borrado todo rastro:

—¿Qué le pasó aquí a mi padre?

Para cuando se dio cuenta, ya fue demasiado tarde. La ansiedad con la que David había hecho su pregunta, acercándose a Lazo en actitud vehemente, fue malinterpretada por éste. Y la confianza que podía haber comenzado a surgir entre ellos pareció quebrarse.

—Oiga, no pensará que yo... —empezó a balbucir aquel hombre, revolviéndose con violencia.

—Cálmese, Gabriel, yo no pienso nada... Es que no hay forma de saber qué le pasó a mi padre en esta maldita ciudad.

Por mucho que intentase rectificar el paso en falso que había dado, Lazo amenazaba con replegarse de nuevo sobre sí mismo, surgía en él aquella mirada en ruinas, a la deriva, mientras aseguraba:

—No sé lo que le habrán dicho, pero yo no tuve nada que ver... ¿Ha sido el inspector Gutiérrez, verdad? Ese hombre siempre me ha odiado. Y también odiaba a su padre.

—¿Qué tiene que ver el inspector Gutiérrez con mi padre?

Lazo le miraba ya con desconfianza, y estaba a punto de encerrarse en su mutismo. Tenía demasiado miedo a aquel hombre.

—Gabriel, créame. He conocido al inspector Gutiérrez esta mañana. Si nos ha visto juntos es por razones de trabajo. Eso es todo. Yo no soy policía.

—Entonces, ¿a qué se dedica usted?

No podía contestar: «Soy criptógrafo». Eso habría sido mucho peor. Siempre era un problema explicarle a la gente su profesión. Pero en la España de «hay gente para todo» las cosas se complicaban. ¿Qué oficio decirle a Lazo que no condujese a peores malentendidos?

—Estoy ayudando a Sara Toledano con sus papeles —aseguró, al fin—. Usted también ha trabajado con ella, ¿verdad?

Aquél era, con toda evidencia, terreno más seguro, y Lazo no parecía experimentar de momento mayores sobresaltos. Asintió con un gesto, permaneciendo a la expectativa. Pero aún dudaba. Habría que ayudarle.

—¿Desde cuándo la conoce? —continuó, persuasivo, David.

—Muchos años, muchos.

—¿Venía a menudo a Antigua?

—Al principio, sólo durante los veranos... En su ausencia, yo le guardaba la casa. Cuando venían los Toledano, ellos vivían en el piso de arriba. También su padre de usted vivió aquí, hasta que encontró vivienda propia.

Se detuvo. Otra vez dudaba, desconfiado.

—Siga, por favor —le pidió David.

Lazo decidió limitarse a hablar de su relación con Sara Toledano.

—Yo la ayudaba, y le servía de guía cuando me lo pedía la señora. Pero eso fue al principio. Luego ella fue conociendo bien la ciudad y se las apañaba sola.

—¿Quiere decir que ya no contaba con usted?

—No. Empezó a llevar mucho trajín. Hasta que este año se mudó al convento de los Milagros. Supongo que habría encontrado lo que andaba buscando.

—¿Y qué es lo que andaba buscando?

—Ella decía que la casa de sus antepasados, lo mismo que su padre, don Abraham Toledano. Pero yo nunca me lo creí. Supongo que buscaba lo que todo el mundo... —Y ante la actitud de extrañeza de David, prosiguió—: Ya sabe. El oro y el moro. Tesoros ocultos. Pero ya podía buscar, ya...

Se interrumpió con un carraspeo de pulmones castigados y resecos. Los ojillos aceitosos de Lazo volvieron a brillar cuando bajó la voz para susurrar:

—Lo que se ve de Antigua es sólo la punta del iceberg. No es que las casas sean bajas. Es que son como rascacielos enterrados. La verdadera ciudad empieza debajo. No tiene idea de lo que se traga la tierra, y esta gente camina sobre oro sin saberlo.

Y aquí, sus palabras desembocaron en una ristra de toses. Cuando se hubo repuesto, continuó, moviendo la cabeza, contrariado:

—¿No me cree, verdad? Ya me lo suponía.

Se puso en pie y salió de la habitación. David oyó cómo arrastraba los pies por el interminable pasillo. Luego, puertas y cajones que se abrían, y los pasos de Lazo, que se acercaba, flanqueado por su perro. Entró de nuevo en la habitación, con un fajo de papeles. Echó mano de ellos y le tendió una fotografía.

En ella se veían unas fortificaciones impresionantes, que el flash de la cámara iluminaba en medio de lo que parecía la más absoluta oscuridad. No había nada alrededor. Sea lo que fuere, aquellos muros ciclópeos parecían completamente aislados. Debía tratarse de un subterráneo.

—Esto es lo que realmente buscaba Sara Toledano —dijo Lazo.

—¿Esta foto la hizo Sara?

—No. Es mía.

—¿Se la enseñó a ella?

—No. Es de hace unas semanas, y a Sara apenas si la he visto últimamente. Ella llevaba su vida.

—¿Y por qué supone entonces que era eso lo que buscaba? ¿Qué tiene de particular lo que se ve en esa foto?

—Había un profundo tajo que me impedía el paso y no pude acercarme lo suficiente para examinar esas murallas de piedra, pero no creo que bajen de los cinco metros de grosor. Está claro que quien lo hizo trataba de proteger algo muy valioso.

—Quizá sus propias vidas —replicó David—. Una edificación de ese calibre tiene que responder a un terror de su mismo tamaño.

—Lo que yo le diga: eso es un tesoro —afirmó violento, golpeando la foto con el dedo índice.

—¿Cómo está tan seguro, si no pudo entrar ahí?

—Porque es el Palacio de los Reyes. Me he pasado media vida buscándolo.

David intentó llevarle la corriente, convencido de que a través de aquel hombre quizá pudiera escuchar alguna de las averiguaciones de Sara.

—Dígame, ¿dónde está ese Palacio de los Reyes?

—Debajo de la Plaza Mayor.

—Pero por ahí no se puede entrar.

—La gente dice que hay un auténtico laberinto de pasadizos, kilómetros y kilómetros, y que tiene otros accesos, incluso fuera de la ciudad.

—Ya. ¿Y por dónde ha entrado usted?

—Eso, como comprenderá, no se lo voy a decir —rió Lazo, malicioso—. Pero sé que es lo mismo que buscaba Sara. Y el padre de ella. Y también el padre de usted.

—¿Mi padre? ¿Cómo lo sabe?

—Porque fui yo quien le guió cuando desapareció ahí abajo.

Aquello era nuevo para él, la primera confirmación directa de que Pedro había entrado, efectivamente, en los subterráneos. Intentó no acusar el golpe en exceso, para no espantar las confidencias que le estaba haciendo.

—¿Por qué no ha dicho nada a nadie?

—Me lo prohibió Gutiérrez. Y ese hombre no bromea. Ahora ha venido otro extranjero que quiere saberlo, pero ya, ya...

«Me temo que ya sé quién es ese extranjero», pensó David.

Sacó su cámara y le enseñó la fotografía de aquel individuo chupado que había logrado captar a la puerta del hospital.

—¿Lo conoce? —preguntó a Lazo.

Movió la cabeza, para negar. Pero, por el temor de sus diminutos ojos, el criptógrafo notó que le estaba mintiendo. A su vez, aquel hombre debió de advertir el recelo en su mirada, porque quiso cambiar de tema, revolviendo las fotos hasta encontrar varias que le alargó. Todas ellas hechas en los subterráneos.

—Mire esto —dijo señalándole una.

Parecía una torre. Pero tumbada por tierra, dentro de una cueva, seguramente. Presentaba unas inscripciones que se extendían por buena parte de ella. Había fotos de detalle, tomadas con teleobjetivo.

—¿Qué broma es ésta, Lazo?

—Obsérvelas y me dirá...

David no cedía en su escepticismo, y ya se disponía a devolverle las fotos, cuando vio una que le recordó algo:

—Un momento...

Los trazos de una de las inscripciones coincidían con los fragmentos del pergamino, entre ellos el enviado por Sara Toledano. No sólo eso: estaban ensamblados en forma de cruz, como el gráfico que el doctor Vergara les había mostrado en la unidad del sueño donde había atendido a Raquel. No podía ser un fraude intencionado, porque nadie sino ellos contaban con todas aquellas piezas. Pero eso no era todo. Lazo dejó a un lado las fotografías y le enseñó a continuación unos pliegos de papel milimetrado, preguntándole:

—¿Y esto? ¿Qué me dice de esto?

Nuevo asombro por parte de David. Los pliegos eran como los que se habían llevado de la Agencia. El Programa AC-110.

—¿De dónde los ha sacado?

—Me los dio su padre antes de entrar ahí abajo. Se pasó años y años con estos cuadraditos.

—¿Siguió haciéndolos aquí, en Antigua?

—Días y noches enteras en blanco. Como si se hubiera vuelto loco... Me dijo que los echara al fuego. Pero en vez de encender con ellos la calefacción, los he guardado. Yo lo guardo todo.

A David le bastó un simple vistazo para darse cuenta de la importancia de aquellos papeles. De modo que controló sus emociones para preguntar, del modo más neutro y displicente de que fue capaz:

—¿Me los podría prestar?

Gabriel Lazo se encogió de hombros y asintió.

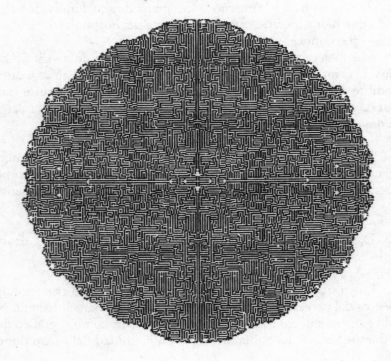

David no quiso arriesgarse a un cambio de opinión. Recogió los pliegos milimetrados y se despidió de él. Lo que acababa de ver le inquietaba mucho más que los documentos sustraídos en la Agencia. Lo dibujado por su padre se expandía desde el centro, hasta formar algo así como el diagrama de un cerebro. Y sus circunvalaciones eran sorprendentemente parecidas a las del propio laberinto que afloraba en los gajos del pergamino.

VI

EL ARTIFICIO

RUTH, ¿has conseguido recuperar el telar de tu madre?
—El banquero que lo retiene reclama una suma de la que no disponemos.
—Es del todo necesario que rescates ese telar para nuestros planes. Sólo servirá ése, y no otro. Pide el dinero en préstamo.
—Nadie nos da crédito desde hace mucho tiempo. ¿Quién nos iba a avalar?
—Juan de Herrera. ¿No aparece por ningún lado?
—La hija de Juanelo Turriano espera su llegada hoy, para hacer el inventario de los papeles de su padre y conseguir una pensión del rey. Pero ya os dije que fue él quien os denunció.
—Y yo te contesté que no me creo una infamia así de Herrera. Tienes que hablar con él. Recuerda que sólo nos quedan cinco días.
—Es suficiente. Seguid contándome lo que sucedió tras regresar a Antigua, huyendo de los agentes del administrador Askenazi que ya os buscaban por los mercados de Jerusalén.
—Tú eras muy niña cuando llegamos aquí.
—No tan niña, padre —le contradice Ruth—. Me acuerdo cuando nos llevasteis a mi madre y a mí a casa de don Manuel Calderón. Y de la cara que puso Rafael cuando te vio llegar en nuestra compañía. No le gustó nada tener que compartirte con nosotras.
—Es cierto. Y eso que había crecido lo suyo.

—Quien lo pasó peor fue mi madre, a pesar del cariño y empeño de Manuel Calderón y su esposa doña Blanca, que nos apadrinaron a ella y a mí en el bautismo, y a vosotros en vuestra boda. Todo lo aceptó mi madre por vuestro amor, aunque nunca os dijo nada. Pero yo la vi llorar muchas veces, cuando volvía del mercado entre las miradas y murmuraciones de las vecinas. Se sentía desgarrada por dentro, y sólo su alegría natural y buena disposición conseguían que pareciese lo contrario.

—Lo hicimos, sobre todo, por ti, hija. No queríamos que crecieras en el temor de las continuas persecuciones.

—Entonces, ¿por qué nos dejaste y te marchaste al poco tiempo? —todavía hay reproche en sus palabras cuando se lo pregunta.

—Ahora lo verás —insiste Raimundo—. Tenía que protegeros de Artal de Mendoza, buscar un modo de ganarnos la vida y hacernos perdonar el estigma de los renegados, allegándonos al favor real, que es de donde procede todo amparo. No podíamos ser una carga perpetua para los Calderón. Era una oportunidad para empezar de nuevo. Y se presentó del modo más inesperado.

Las cosas habían cambiado mucho en esos años que había estado fuera. Nada parecía estar en su sitio después de la muerte del emperador Carlos V. Juanelo no era ya relojero, sino ingeniero, aunque las dos cosas vienen a ser lo mismo. Herrera no era arcabucero, sino arquitecto. Antigua ya no era la capital, sino Madrid. Y, como siempre, yo no sabía dónde estaba mi sitio.

Me puse al tanto de estas noticias don Manuel Calderón. A mi vez, le previne sobre los secretos que podía ocultar la Casa de la Estanca, contándole las partes menos enigmáticas de la historia de Azarquiel, los esfuerzos de aquel hombrecillo que tres siglos antes había viajado desde Fez hasta Antigua para que el rabino Samuel Toledano le ayudara a descifrar el viejo pergamino, la compra de las casas mejor situadas de la ciudad, su enriquecimiento, su muerte y la expulsión de aquellas viviendas de toda la colonia judía, con el reparto del pergamino entre las doce tribus y las señales dejadas en las casas colindantes.

Calderón escuchó con toda cortesía, aunque no pareció muy convencido de aquella relación de los hechos:

—¿Y decís que esta Casa de la Estanca es la única en pie de las que usó Azarquiel para excavar en los subterráneos? —preguntó escéptico—. Yo bien la conozco, y no me consta que desde ella haya otra bajada que no sea la del agua. Pero no es practicable para humanos.

Le insté a revisar juntos sus bodegas en busca de señales que coincidieran con algunos de los trazos presentes en los once gajos del pergamino que obraban en mi poder. Nada hallamos, ni indicio de comunicación viable con el subsuelo. Y me acordé entonces de lo que me había advertido Moisés Toledano antes de entregármelos en Tiberíades: *«Necesitaréis tener los doce gajos, sin que falte uno solo, saber cómo se ordenan y encajan entre sí y, finalmente, descifrarlos. De lo contrario, se pueden tener esas señales delante de los ojos y no reconocerlas».*

—Lo que más me inquieta —añadió Calderón— es que desde hace meses están rodeando la Casa de la Estanca de zanjas y obras de toda especie.

—¿Qué obras son ésas? —le pregunté.

—Es por el Artificio que hace Juanelo Turriano, para subir el agua desde el río hasta el pozo de esta casa —me respondió don Manuel—. He intentado hablar con él, pero me recela. Vos que le conocéis mejor, ¿por qué no vais a verle?

Decidí visitarle. Herrera y él ya me habían hablado del Artificio la última vez que los encontré, algunos años antes, en el hogar de los Calderón. Pero nunca pensé que pasaran adelante. Ahora, según me contó don Manuel, todo el mundo hablaba de aquel ingenio. Ardí en deseos de verlo.

Salvé la muralla de Antigua por la puerta de los Doce Cantos y me topé con la abrupta cuesta que baja hacia el río. En mi descenso, observé la gran actividad y concurso de gentes que se ocupaban en la construcción del Artificio. Era éste una estrecha y peregrina construcción, que trepaba en zigzag por la quebrada, uniendo el tajo del río con la cota más alta de la ciudad, donde se encontraban el Alcázar y la Casa de la Estanca.

Pronto empezaron a estorbarme el paso las mulas, cargadas con tablones o piezas de latón, y los andamios de los albañiles que repasaban la imponente mole del acueducto, para salvar el primer desnivel. Aún me impresionó más la fábrica del Artificio en sí, las dos formidables ruedas que hendían el agua con sus paletas, trasladaban el movimiento de rotación a los árboles de leva, los cucharones de cobre y el ingenio todo, elevando el líquido sin pausa, evitando la excesiva vibración de los robustos ejes y no alzando, en fin, más ruido del necesario.

Entonces entendí mejor el extraño diseño de los edificios escalonados que trepaban desde la ribera hasta el Alcázar. Acogían en su interior un ingenioso sistema de cazos bien concertados entre sí. Éstos tomaban el agua de una gran noria y la iban subiendo de uno a otro, cediéndola al inmediatamente superior, hasta llegar a lo más alto.

Alcancé a ver a Juanelo en una barca dentro del río, navegando a lo largo del azud. Su perfil de ogro torpón, más encorvado y apesadumbrado, se inclinaba para comprobar la canalización del agua hacia el estrechamiento que aumentaba la potencia del artefacto. No me reconoció cuando me llegué a la orilla y le tendí la mano para ayudarle a desembarcar.

—Pronto os habéis olvidado de aquel correo que un buen día en Yuste os llevó noticias de vuestro amigo Cardano —bromeé.

—¡Raimundo, qué alegría! ¿Cómo estáis?

—Todavía vivo, que no es poco. ¿Y vos?

—Con muchos achaques y fatigas, pero con esperanzas de mejorar de estado.

—Sé que os trasladasteis a Madrid y que no os probaron aquellos aires.

—No soy hombre para sobrellevar intrigas. La corte no es para mí —resopló Juanelo—. Prefiero trabajar, e incluso ir a galeras. ¿Quién os lo ha contado?

—Don Manuel Calderón.

—Ah, sí, el intendente de la Casa de la Estanca.

—Dice que no le gustaría morirse sin ver acabado vuestro Artificio.

—Se va haciendo fábrica, ya lo veis. Pero aún queda mucha faena.

Señalé el edificio que trepaba en zigzag por la ladera y le pregunté:

—¿Por qué da tantas vueltas y traveses?

—No puede ir a tiro derecho. Es gran pendiente ésta, más de dos mil setecientos pies castellanos. Ha de salvar ángulos y rincones en los que hay mucha dificultad para concatenar los arcaduces de cobre.

Así se obraba el milagro, sin otra fuerza motriz que el agua: el propio río subiéndose a sí mismo hasta el punto más alto de la ciudad. Nada parecido se había hecho en el mundo. Antes de concluir, las obras del Artificio ya eran más visitadas por los extranjeros que la catedral. Y tanto hablaban de ellas al regresar a sus países, que eran seguidas con expectación en media Europa.

—Juanelo, no se ha podido hacer esto sin grandes consideraciones de cálculo y proporción —dije admirado.

—Todo es aritmética, como algunos dicen que lo es Dios.

Y el rostro de Turriano se alegró con una sonrisa, aquel orgullo infantil, despojado de vanidad, que le iluminaba la faz cuando uno se percataba del ingenio que alcanzaba alguna de sus invenciones. Se lavó las manos en un cubo de agua, y mientras se las secaba con un paño, me dijo:

—¿Tenéis hambre? Vamos a casa a comer. Hay preparadas unas perdices escabechadas que entrarán más que bien con un vinillo que tengo guardado para estas ocasiones.

—Me esperan en casa de don Manuel.

—Enviaremos a un muchacho con el recado de que os excusen.

Vivía el ingeniero en un lugar húmedo y frío, cercano a la plaza del Carmen, una casa de excelente hechura, pero de tan humildísimos ajuares que llamaba la atención en hombre de su calidad. Aunque nada me dijo él, supe luego que las perdices se las había regalado un oficial de las obras que anduvo de caza, asistiendo a unos nobles en una batida. Y fue tanta la volatería que se bajó, que hasta para él hubo.

Salió una gata negra, que se restregó contra las piernas del relojero e ingeniero. Se agachó Juanelo y la cogió con sus grandes manos, alzándola delicadamente. Me la mostró, mientras la acariciaba.

—¿Os acordáis de este animalito, Raimundo?

—¿Debería?

—Estabais conmigo en Yuste cuando llegó en una cesta de mimbre desde Portugal, como regalo para el emperador, de parte de su hermana Catalina.

—Y os la apropiasteis.

—Más bien la adopté. O me adoptó ella a mí. Es lo único que saqué en limpio de allí. Al morir don Carlos, cuando ya tenía mis cosas recogidas para abandonar el monasterio, quise recorrer por última vez aquel lugar, que tantos recuerdos me traía. Bajé al jardín, paseé por él y reparé en algunos estropicios por culpa de las últimas tormentas del verano. Estaba admirando una azucena recién salida que, según el jardinero, fray Marcos de Cardona, debería haber florecido allá por junio, pero que pareció esperar tres meses para abrir su botón como homenaje póstumo al emperador. Estaba admirando la azucena, digo, cuando apareció esta gata.

Apenas un cachorro, flaca, escuálida. Todo habían sido regalos para ella mientras vivió don Carlos, pero a su muerte la gatita había quedado olvidada por el mucho trajín de los cortesanos que de allí se iban. Los frailes, como de costumbre, tenían cosas más importantes de las que ocuparse, y la vida del animal no valía gran cosa en aquel lugar. Me estaba pidiendo que no la dejara allí. Decidí llevármela. Y aquí está, ya muy vieja y medio ciega, pero hecha una reina.

Y mientras nos iban preparando la mesa, Juanelo me enseñó la casa. Al llegar a su taller, vi aquel aparato.

—La habéis fabricado. La máquina combinatoria de Cardano, quiero decir.

—No, ya veréis. He pensado mucho en lo que me dijisteis al entregarme su diseño en Yuste, aquellos propósitos tan ambiciosos que pretendía mi amigo. Pero no la empleo con ese fin, sino para hacer cerraduras y llaves, que es lo que yo le había pedido. Necesito algo que resulte práctico de inmediato. He de ganarme la vida.

—¿Cómo es eso?

—Se hizo obra en el Alcázar, y yo fabriqué distintas cerraduras que se pudieran abrir con una llave maestra. ¿Veis estos dibujos?

Y me mostró aquellos papeles en los que había establecido los esquemas de docenas de cerraduras diferentes, junto a un diseño que los tenía a todos en cuenta empleando una sola llave. Me costó hacerme con aquel ingenioso dispositivo. Pero comprobé que sucedía lo mismo que con el escape de la mano articulada que me había enseñado en su obrador del monasterio de Yuste: aquellos mecanismos eran muy difíciles de concebir, pero fáciles de ejecutar, pues en todo buscaba Juanelo la simplicidad.

—Es que si no son sencillos se estropean a menudo —se justificó—. Funcionó bien en el Alcázar. Mi desafío ahora es que valga para muchas más cerraduras sin que aumente la complicación de su diseño, y por eso necesito el concurso de la máquina combinatoria. Quiero ensayar un nuevo sistema. Imaginaos un edificio con más de mil puertas, cada una con cerradura propia y su llave diferente, pero con una llave maestra que sea capaz de abrirlas todas, y que sólo tendría el rey. Si lo logro, estoy seguro de que me alzaría con el encargo. La máquina me sirve para establecer todas esas combinaciones, usando distintas rejillas a modo de troqueles, con las tarjetas perforadas de Cardano. Tienen que ir las igualdades y diferencias muy precisas, y a mano sería imposible.

—¿Dónde hay en el mundo un edificio con más de mil puertas? —le pregunté, asombrado.

—Pronto lo habrá. En El Escorial. Un monasterio que se está levantando a toda furia, no lejos de aquí, y a siete leguas de Madrid. Juan de Herrera es ahora el arquitecto.

—¿Pues cómo? ¿Dejó la milicia?

—Hace ya mucho tiempo. Él es quien se ha encargado de las nuevas obras del Alcázar de esta ciudad de Antigua. Ahora acaba de enviudar, y heredado bien. Por suerte para él, que no se ve en mis aprietos.

—Metafísico os veo, maestro Turriano.

—A mis años, uno se va poniendo melancólico... En ese Artificio está toda mi hacienda, y es tanto el dinero que debo, que si esto termina mal será mi ruina. Por eso es tan importante para mí que saliera bien el ensayo con las cerraduras del Alcázar, y el encargo de esa llave maestra de El Escorial.

Yo había ido allí con la esperanza de que Juanelo me consiguiera algún trabajo. Pero a medida que fue contándome sus penurias me di cuenta de que poco podría esperar de quien tan mal se las bandeaba para comer cada día. Él pareció leerme el pensamiento, porque me aconsejó:

—Deberíais hablar con Herrera.

—¿Os referís a El Escorial? ¿Qué puedo aportar yo a un monasterio? Es un poco tarde para meterme a fraile.

—El Escorial aspira a ser mucho más que un monasterio —me corrigió Juanelo—. También habrá un panteón y un templo, un palacio y un colegio, una biblioteca y un laboratorio... Todo el que tiene algo que ofrecer intenta participar. Además del diseño de esta llave maestra, yo mismo he trabajado en unas conducciones de aguas y preparo con Juan de Serojas un reloj para su iglesia. Lo que quiero deciros —y Juanelo sopesó sus palabras— es que si lográis encajar vuestras aspiraciones dentro de esa empresa, vuestra situación se verá grandemente facilitada. En ella se van a centrar todos los esfuerzos de la Corona durante muchos años. Estoy hablando de millones de ducados.

—¿Millones decís? Me cuesta creer que un edificio cueste tanto. Aun así, no veo qué relación puede tener con la búsqueda que yo llevo a cabo...

—También en eso os equivocáis —me corrigió de nuevo—. Alguien está aprovechando la obra que hacemos con el Artificio para indagar lo mismo que vos.

—¿Quién?

—Oficiales del Alcázar que vienen a verlo. Muy a la callada, pues habría graves conflictos con la ciudad si se supiera que se hacen excavaciones, y sus habitantes reclamarían cualquier hallazgo. Pero el caso es que se llevan a cabo alrededor de toda la Casa de la Estanca —y se acercó a mí para musitar—. Creo que detrás de todo está Artal de Mendoza.

—¿El Espía Mayor? —me sobresalté.

—¡Bajad la voz, por Dios...! Sí, el Espía Mayor. Ya sabéis cuánto le estimo —dijo con amarga ironía—, y cuánto me estima él, desde que le hice esa mano articulada de plata y nunca me la pagó... Y sospecho que detrás de él está el rey. Se han interesado mucho por algo que descubrimos la semana pasada al ahondar para los cimientos y asientos del Artificio.

—¿Dónde ha sido eso?

—Aquí cerca.

—¡Mostrádmelo!

—Calmaos, Raimundo. Ahora no es posible. Iremos allí tan pronto caiga la tarde y los obreros hayan abandonado el lugar. Estoy esperando a Juan de Herrera, quien también desea verlo, pues tiene un privilegio para buscar tesoros en esta ciudad. ¿Por qué no descansáis un poco mientras llega?

Me condujo junto al fuego, donde no tardé en quedarme adormilado. Hasta que Turriano me despertó, sacudiéndome.

—Mirad quién está aquí.

Era Juan de Herrera. Bastaba verle para apreciar su buena fortuna. Iba vestido con un jubón de holanda y un tudesquillo de paño forrado de tafetán. Se cubría con una gorra de las que llaman de erizo y lucía unas botas de buen cordobán que no desmerecían de sus calzas de terciopelo, con las medias de seda y cuchilladas despuntadas. Aquel joven arcabucero que yo había conocido en Laredo había hecho carrera, sin duda. Pero pagando un alto precio. Estaba muy avejentado. Había menguado a ojos vistas aquel empuje que en otros tiempos asomaba en sus ojos ardientes y negrísimos. Ahora acusaba el desfallecimiento del cortesano que ha de tratar a todas horas con gentes de palacio.

Les puse al tanto de todo lo que me pareció propio del caso y nos contamos brevemente nuestras fatigas. Tras saber las mías, Herrera hizo una pregunta que me desconcertó al pronto:

—Conocéis entonces el árabe, ¿no es cierto?

—Así es —respondí.

—Tenéis que venir a El Escorial. Os necesito allí.

—Todo eso se andará mañana —nos interrumpió Juanelo—. Vamos ahora a ver la obra que se hace para los cimientos del Artificio.

Tomó unas llaves de un clavo que había junto a la puerta y salimos a la plaza del Carmen. La atravesamos, subimos por la ladera y salvamos uno de los desmontes surcados por la fábrica del Artificio. Flanqueamos ésta, pegándonos a ella, y llegamos a una de las torres que servían como depósitos para el agua. Sólo tenía tres muros, ya que el cuarto no era otro que la propia pared del peñasco sobre el que se alzaba la ciudad, y que la cerraba por el fondo.

—Pero... —me atreví a decir—. Estamos al pie de la Casa de la Estanca.

Asintió el ingeniero, pues aquélla era, en efecto, la falda de la colina sobre la cual se asentaba la parte trasera de la casa. Abrió con una de las llaves y tomó una piqueta y dos hachones con los que iluminarnos. Se asomó a la puerta, miró en todas direcciones para asegurarse de que no había nadie, y cerró por dentro.

—Tomad este pedernal y enced los hachones —nos pidió.

Con aquella luz, caminamos por el interior de la torre hacia su fondo, donde las otras dos paredes laterales abrazaban la roca. Una vez allí, nos mostró a Herrera y a mí una hendidura que la atravesaba de arriba abajo. A la luz de las antorchas, parecía mano del hombre. Nos internamos en ella hasta que, al doblar un recodo, el paso quedaba cerrado por una nueva puerta.

—Sujetad este hachón mientras abro esa cerradura —pidió el ingeniero a Herrera.

Cuando dejamos atrás aquella segunda puerta, la hendidura cambió de aspecto. Se diría una oquedad natural, propia de la roca. Anduvimos por ella largo rato, tanteando con cuidado el irregular suelo, que iba estrechándose más y más. Las dificultades aumentaron. Tuvimos que arrastrarnos, debido a un estrangulamiento de la piedra. Hasta que llegamos a un lugar más amplio, donde Juanelo se enderezó, alzó su tea y nos preguntó:

—¿Qué decís a esto?

Ante nosotros se alzaba un obstáculo completamente distinto al granito que nos rodeaba. Eran sillares negros, brillantes, regulares y bien labrados. Enormes. De una magnitud como nunca viera, y tan asentados y duros que parecían impenetrables.

—¿No se puede tirar abajo este muro? —preguntó Herrera.

—Intentadlo y veréis —le dijo Juanelo entregándole la piqueta que había traído consigo.

El arquitecto golpeó la piedra con ella. Sonó un golpe seco que apenas logró sacar unas pocas chispas.

—¡Es durísima! —dijo asombrado—. ¿Qué material es éste? Creo que sólo he conseguido quitarle unas pocas esquirlas.

—Así es —reconoció Juanelo—, pero a la piqueta, no a la piedra. El sillar ni siquiera se ha canteado.

Redobló Herrera su esfuerzo, golpeando de nuevo.

—¡Cuidado! —le advirtió Turriano.

Ya era tarde. El acero de la piqueta se había partido por la mitad.

—¡No puedo creerlo! —exclamó el arquitecto.

—Os lo dije. Y eso que es un hierro de primera.

—¿No habría algún modo de perforar esta piedra?

—¿Cómo? No hay huecos entre los sillares. Parecen sellados.

—¿Y bordearlos? —insistió Herrera.

—Ya lo hemos intentado. Es muy peligroso. Al excavar el granito que rodea esa barrera, caen encima quintales de piedra. Y si se sale vivo del desplome y se intenta despejar, caen otras tantas o más. Sólo podría entrarse si se tuviera un plano muy preciso que evitara estas trampas mortales. Quizá esos pergaminos de los que nos ha hablado Raimundo Randa. Con ellos parecía manejarse aquí abajo el tal Azarquiel.

—El pergamino es uno y el mismo, aunque esté ahora dividido en doce piezas —objeté—. Y yo no lo tengo completo, sino sólo once de sus gajos, sin saber siquiera cómo encajan entre sí. Mal podría utilizarlo como plano. Además, lo ignoro todo sobre la *Crónica sarracena,* donde se explica su origen y procedimientos de uso.

—Ésa es la razón por la que debéis venir con nosotros a El Escorial —dijo Herrera—. Creo que han aparecido algunas páginas de esa *Crónica,* y que andan sobre la pista del resto. Necesito una persona de confianza que conozca la lengua árabe —y añadió, dirigiéndose a Juanelo—: ¿Me habéis hecho copia de la llave de la biblioteca?

—La tengo en mi taller. Pero es algo que debe quedar entre nosotros, pues no cuento con autorización para ello.

Perplejo me quedé ante estas novedades. Tanto, que al día siguiente decidí acompañarles a El Escorial. Estábamos a mitad del camino, cuando se desató una violenta tormenta que nos obligó a refugiarnos en la primera venta a la que conseguimos llegar. Al ver que no escampaba y caía la noche, pedimos alojamiento y algo de comer. No puso buena cara el ventero ante aquellos huéspedes inesperados, pero no podía negarnos cobijo con semejante temporal, y hubo de acogernos bajo su techo.

Apenas empezada la cena, sonó un fuerte ruido contra una de las paredes. Todos los presentes tuvieron que haberlo oído, pero sólo Juanelo, Herrera y yo nos levantamos para asomarnos a uno de los postigos. Desde allí acertamos a ver un caballo que se había estrellado contra el muro de la cuadra, sin que se viera jinete alguno. Nos disponíamos a tomar nuestros capotes y salir a ver lo sucedido, cuando el posadero nos rogó encarecidamente que siguiéramos a la mesa, que él se haría cargo de todo. Y así fue, mientras los otros comensales se miraban entre sí, inquietos.

Terminábamos ya de cenar, cuando se oyó en la habitación de al lado un estrépito de cántaros rotos y otros objetos que caían. Esta vez fue Herrera el primero en reaccionar. Le seguimos, y alcanzamos a ver al posadero que cargaba con un hombre desvanecido, al que trataba de ocultar haciéndolo pasar por ebrio y restando importancia al caso. Pero el arquitecto no era de la misma opinión. Parecía conocer a aquel hombre, le ayudó a cargar con él y le obligó a llevarlo junto al fuego. Le dio algunos bofetones, hasta hacerlo volver en sí. Al abrir los ojos, también él reconoció a Herrera. Tan espantado se quedó al verlo, que se echó a sus pies rogándole que no le denunciara.

El arquitecto se apartó, rechazándolo indignado, y se enzarzó luego en una discusión tan fuerte con Juanelo que se retiraron ambos de allí para que nadie apreciara sus diferencias. Mientras oía las voces que se daban el uno al otro en una estancia vecina, me pregunté qué podía estar sucediendo para que dos amigos habitualmente tan concordes casi llegaran a las manos.

Al cabo volvió solo Turriano, muy disgustado, y llevó aparte a aquel hombre para hablar con él. No pude escuchar sus palabras, pero debieron de ser terribles, porque el forastero rompió a sollozar, aterrado.

Herrera ya no regresó. No así Juanelo, a quien aún no se le había pasado el sofoco. Me propuso beber algo, y yo le acompañé a la mesa, esperando alguna explicación de lo que allí sucedía. Pero no conseguí que despegara la boca.

Ante su silencio, no pude evitar oír los comentarios de nuestros vecinos de mesa, que parecían haberse vuelto más locuaces tras lo sucedido. O quizá fuera la ausencia de Herrera. Aun así, hablaban velando la voz, acercándose a la llama del candil que les iluminaba el rostro y les daba un aspecto temeroso. Sus palabras me llegaban a ráfagas sobre el fondo de la tormenta, pero a pesar de ello pude entender que se referían al recién llegado, a quien reputaban por un fugitivo que huía de las obras de El Escorial:

—Hay allí un gigantesco perro negro que revuelve por los andamios durante la noche —decía uno—. Lo hace con gran arrastrar de cadenas, y sus aullidos no dejan dormir a los obreros, ni rezar a los monjes en el coro…

—Dicen que es el can Cerbero —añadió otro—. El guardián del Averno. Pues el lugar sobre el que se asienta ese monasterio es un escurridero de escorias conocido como la Boca del Infierno. Y por la noche se ven resplandores de grandes llamas, de las que surten vapores venenosos…

—Eso es por los experimentos extraños que allí se hacen. Los hornos están encendidos día y noche, trabajando a escondidas…

—Son muchos los que han muerto intoxicados. Y entre ellos se cuentan los mejores oficiales vidrieros del reino, que han acudido a los altísimos sueldos que se pagan. Pero pocos aguantan más allá de unos pocos meses, en que sucumben, si antes no tratan de huir…

—Es un abismo de misterios cuanto allí se hace…

Aunque estaba de espaldas a ellos y tenía más dificultosa la escucha, estaba seguro de que Juanelo también los había oído, y cuando nos retirábamos a descansar, le pregunté:

—¿Qué hay de cierto en lo que dice esta gente?

Se rascó la barba, indeciso, antes de responder:

—No lo sé. Muchas de las cosas que suceden en El Escorial se llevan en gran secreto. Se están haciendo allí traídas de agua desmesuradas, cuando el monasterio aún está a medio construir. He hablado con el fontanero Francisco de Montalbán, que se ocupa de las fuentes, y tampoco le cuadra a él que se haga tanto acopio de líquido. Y se ha montado en la Torre de la Botica un destilatorio que depende directamente de Herrera, y que ya ha producido algunas víctimas. El médico sanador de la fábrica, Francisco Gómez, está sorprendido por las enfermedades que han aparecido. Otros aseguran que se está enterrando a los muertos en un prado, y no en lugar sagrado. Lo cual es gran sacrilegio.

Todas estas noticias aumentaron mis temores, pero también los deseos de ver aquel lugar, que me empezaba a atraer como la llama a la polilla. Dormí a salto de mata, deseando que amaneciera para reemprender el camino.

La primera impresión que tuve al aproximarnos a El Escorial fue de anonadante grandiosidad. En efecto, sólo una parte estaba concluida, hallándose el resto en obras. Pero con aquello bastaba. Los compactos volúmenes de las torres emergían por entre una algarabía de andamios, grúas y tornos. Sólo la basílica recababa más de veinte cabrestantes de dos ruedas. Una muchedumbre de peones se afanaba sobre la cantería, mientras los maestros iban de acá para allá controlando sus destajos. Y de toda aquella babel surgía un edificio ordenadísimo, una concordia casi musical de manos y herramientas, que entraban en su punto y momento a medida que las piedras subían desde los trazados de los punteros y brocas para ganar sus lugares, al ritmo de las canciones de leva, con sus vocablos en esa jerga de canteros que llamaban *pantoja*.

—Acompañadme —dijo Herrera tan pronto llegamos a las obras.

Esquivamos el humo de los hornos de cal y el agua de las estancas donde los albañiles preparaban el mortero. A su alrededor se apilaban montañas de sillares, ladrillos, azulejos y yeso, en tal cantidad que bastarían para fundar una ciudad entera. Nos apartamos, dejando paso a los carpinteros, que acarreaban tablas y listones para armar puertas y ventanas. Más allá, los esparteros trenzaban el cáñamo para sogas y espuertas, se escuchaba el martilleo de las fraguas donde se trabajaban los metales, se preparaba el estaño y el cobre, se vaciaban los cazos de fundición en grandes planchas de plomo y se labraba el hierro en cerrajerías y clavazones. Juanelo se acercó para examinarlo.

—¿De dónde llega este metal? —preguntó a Herrera, tomando en sus manos un lingote sin labrar.

—De Vizcaya. Excepto el clavazón de la techumbre que está preparando este artesano —respondió el arquitecto señalando a uno—. Ése llega de Flandes, y se ocupa de él un pizarrero flamenco, para lograr el estilo al que don Felipe se aficionó durante su estancia en aquellas tierras.

—¿Cuál sería mejor para las cerraduras? —insistió Juanelo.

—No lo sé, vos entendéis más de esas cuestiones —respondió el arquitecto. Y por su tono noté que aún quedaba en él algún resquemor por la discusión que había mantenido con el ingeniero. O quizá tenía prisa por llevarnos a otro lugar.

Eso debía de ser, porque Herrera nos hizo esperar mientras entablaba consulta con los oficiales de la guardia. Tras ello, regresó junto a nosotros para tender la mano hacia Turriano y decirle:

—La llave.

—No debería haberos hecho esta copia —respondió Juanelo, incómodo—. Pero os he dado mi palabra.

Tan pronto se la hubo entregado, dejamos atrás la zona en obras y nos internamos en la porción construida del edificio. Los pasillos, holgados y umbríos, aún olían a mortero y madera de pino. Nos detuvimos ante una puerta. Herrera sacó la llave, abrió la puerta, nos hizo pasar con gesto apresurado, y nos encontramos en una amplia habitación, tomada al asalto por cientos de libros. Se extendían éstos por el suelo, trepaban por repisas y anaqueles y se acumulaban en una mesa.

—Es la biblioteca provisional —explicó, en voz baja, al notar mi asombro—. Su Majestad trata de reducir aquí las escrituras antiguas derramadas por sus reinos, donde están a riesgo de perderse. Y ha perseguido códices por toda Europa a golpes de ducado.

Se aproximó a aquella mesa de grandes dimensiones donde los volúmenes campaban a sus anchas y señaló una hilera de libros con una extraña signatura. En lugar de las letras o números corrientes llevaban un símbolo que nunca había visto, un número ocho tumbado.

—Son los volúmenes más reservados, copiados a mano por mandato expreso de Su Majestad —dijo Herrera con aire clandestino—. También están los códices árabes, hebreos y arameos. Aquí hay encerrados grandes conocimientos, que llevará mucho tiempo explorar.

Sobre la mesa había algunas páginas de vitela sueltas, escritas con primorosa caligrafía arábiga. Me preguntó, señalándolas:

—¿Seríais capaz de traducir esto?

—¿Ahora? —le pregunté, sin salir de mi asombro.

—No habrá otra ocasión. Sentaos, por Dios, y decidme de qué tratan esas vitelas —me instó Herrera, con vehemencia.

Había empezado él a perder el control que hasta ese momento trataba de mantener sobre sí mismo, y yo a comprender el compromiso en que nos estaba poniendo a Juanelo y a mí. Pero me bastó leer la primera página para sentirme igual de implicado. En ella podía leerse el título, *Crónica sarracena*. Y al pie llevaba el nombre de quien parecía haber sido su último propietario: Rubén Cansinos.

Tal era el Juramentado de Fez, el único superviviente del reparto de los doce gajos, quien tenía en su poder el último de ellos, por no haber acudido a la reunión de Estambul con don José Toledano. Allí, delante de mí, podía estar la clave para completar y descifrar el pergamino.

Tuve un pálpito, y levanté todas aquellas páginas de vitela, esperando encontrar el gajo restante. Pero mis esperanzas resultaron vanas.

—¿Qué hacéis? —me apremió Herrera—. Traducid. Os lo ruego por vuestra vida.

Tomé la primera página, y comencé a leer:

Nos contó Ben Abdelhaken, por haberlo oído a Abdala ben Uahab (muerto en 791), y éste a su vez a Alaits ben Caad (muerto en 748), que en una ciudad llamada Antigua, capital del reino de los godos, había un Palacio de los Reyes que se llamaba la Cava, y se contaba entre las maravillas del mundo. Sus cimientos se hundían en lo más profundo de la ciudad, pero era tan alto que muchos hombres intentaron arrojar por encima de él una piedrecilla sin conseguir pasarla al otro lado. La fábrica exterior era de un mosaico brillante y de muchos colores, donde se representaban diferentes historias. Y su puerta, de bronce, e inexpugnable.

Era fama que se debía a Hércules, quien para construirlo hubo de matar una bestia o dragón que, guarecido en una cueva, vigilaba aquel paraje. Y halló el lugar bueno para encerrar los secretos habidos en sus doce trabajos: toda la sabiduría del Oriente, de los astrónomos caldeos, de los egipcios, de la Atlántida y del jardín de las Hespérides. Tras de lo cual decidió trabarlo con un fuerte cerrojo, dictando un decreto para que nadie se atreviera a abrirlo, antes bien, que todos los reyes que subieran al trono añadiesen otro. Y entregó la llave, para su custodia, a doce hombres entre los mejores de Antigua, a los que hizo jurar que procurarían por que nunca se abriese.

Así se hizo, de tal modo que llegado el tiempo de los godos había veinticuatro candados, uno por cada rey.

En esto, subió al trono el joven Rodrigo, reputado por usurpador, quien por su propia mano se ciñó la corona. Y en vez de añadir una nueva cerradura quiso abrir las que había, por ver el contenido de aquel Palacio o Cava. El visir, los grandes del reino y los obispos trataron de evitarlo, y se le opusieron y resistieron. Pero él se empeñó en saber lo que contenía aquel lugar prohibido. Le ofrecieron entonces las personas principales todas las joyas y tesoros que poseían, con tal de que no lo abriese: «Mira lo que presumes que hay en ella, y eso tómalo de nosotros; pero no hagas lo que no osaron tus antecesores, que eran gente de prudencia al obrar así, por el gran peligro que encierra proceder de otro modo».

Pero él no quiso renunciar a su propósito, pues día y noche le atormentaba aquel secreto oculto a todos. Quebró, pues, don Rodrigo los candados, abrió la puerta y entró en su interior. Lo que allí vio le llenó de asombro...

Oímos, en ese momento, ruido de pasos y voces. Herrera me arrebató aquella página de vitela y la colocó precipitadamente en su lugar, apañando las otras de modo que no parecieran haber sido revueltas. Se oyó el hurgar de una llave en la cerradura, giró la manija de la puerta, y apareció un sacerdote.

—¿Qué hacéis aquí? —preguntó, entre alarmado e indignado.

Era un hombre de cabeza bien proporcionada y rasgos firmes, muy corto el cabello y la barba entrecana. A las claras se notaba que hacía todo lo posible por contener su cólera.

—Nada... nada —se excusó Herrera—. Estaba comprobando si llegaba hasta esa pared una mancha de humedad, y quería consultar con Juanelo Turriano si se debería a una de sus conducciones de agua.

El recién llegado reparó en mí. No parecía satisfecho con la respuesta del arquitecto:

—¿Cómo habéis entrado? Yo tengo la única llave —y la mostraba, en su mano.

—La puerta estaba abierta.

—Eso no es posible. Siempre la dejo cerrada.

—Os digo que estaba abierta —insistió Herrera.

Cabeceó aquel hombre, contrariado, pero no quiso desairar al arquitecto. Desanduvo sus pasos, salió al pasillo y se le oyó decir:

—¡Entrad, don Alonso!

Mientras estaba fuera, Herrera hizo señal al azorado Juanelo para que le dejara hacer a él y me susurró:

—Es Benito Arias Montano, capellán del rey y revisor de la biblioteca del monasterio.

Más tarde, cuando pregunté a Herrera por él, llegué a saber bien quién era. «Ese hombre tiene más aristas que mi edificio», sentenció el arquitecto. Y me contó su marcha a Amberes, para editar la monumental *Biblia políglota*, aquel Escorial de la imprenta. En la que, según las malas lenguas, se habían infiltrado cabalismos de toda laya y esoterismos de rabinos. «En especial todo lo relacionado con el Templo de Salomón —me explicó más tarde Herrera—. Ha investigado sus medidas, para poder reconstruirlo. Y se le han hecho duros reproches por la biblioteca, plagada de volúmenes prohibidos y poco acorde con un monasterio».

Vine a concluir, en suma, que aquel hombre que se sentía invadido en sus dominios era un rehén de sus libros, y entendí entonces por qué nos recelaba. Al parecer, llevaba una vida ascética. Dormía sobre unas tablas en el suelo, y sólo comía una vez al día, sin probar nunca la carne ni el pescado. Su mirada producía una extraña impresión, la de alguien que viviera hacia adentro, exiliado en su propio país.

Lo pude comprobar cuando Montano regresó a la biblioteca tras rescatar del pasillo a aquel tal don Alonso, y se esforzó por recuperar un aplomo que había estado a punto de perder por la cólera. Hablaba ahora sin atropellarse, con largos silencios, en los que no descansaban sus ojos, atentos y escrutadores. Pude notar que sus relaciones con Herrera no eran buenas, y que estaba lejos de querer soltar la presa. De hecho, sugirió a su acompañante —con muy elegantes circunloquios— que se sentara a la mesa y comprobara si todo estaba como lo había dejado. O si, por el contrario, alguien había hurgado allí.

Salió de detrás de él su acompañante, y me pareció conocerlo. Al cabo de largo examen, vi que era Alonso del Castillo, aquel morisco a quien yo había conocido en el monasterio de mi tío Víctor de Castro. No nos habíamos vuelto a encontrar desde el día en que fuimos juntos a la Alhambra de Granada. Era yo entonces lampiño, y por eso no me reconoció él ahora, cuando yo andaba bien barbado.

Noté cómo crecía la tensión en Herrera, ya que todo aquello podía tener para él graves consecuencias. Y mi interés se centró en cómo respondería don Alonso a su pregunta. Le vi dudar, por el compromiso que suponía acusar al arquitecto de haber revuelto aquellos papeles que parecían secreto de Estado. Pude imaginarme el dilema que se libraba en su interior. Miró el morisco a Herrera, como disculpándose.

—Todo cuanto hay en la biblioteca está bajo mi responsabilidad —le advirtió Montano.

Alonso del Castillo volvió la vista a la mesa. Me preguntaba yo qué origen tenían las tales vitelas, y qué había descubierto en ellas, para que aquel asunto presentara tan mal cariz. Iba a hablar el morisco, había pronunciado las primeras palabras, cuando una ensordecedora explosión sacudió el edificio con gran estruendo.

Herrera fue el primero en reaccionar, abandonando a escape la improvisada biblioteca donde Juanelo, Montano, Alonso del Castillo y yo mismo nos mirábamos con estupor.

El arquitecto no pareció dudar ni un segundo hacia dónde debía dirigirse, con una agilidad inesperada. Cuando salimos al corredor, nos llevaba ya mucha ventaja. Le vimos encaminarse a toda prisa hacia el piso bajo de la torre de poniente, donde se había instalado la botica. Montano, Juanelo y yo aligeramos el paso, tras él. Alonso del Castillo nos seguía a distancia. Su escaldado instinto de familia conversa le dictaba prudencia.

Al llegar a la base de la torre, nos encontramos con un retén de alabarderos, que sólo permitió el paso a Herrera. Desde el pasillo, vimos gran humareda, que salía de lo más profundo. Alguien nos dijo que era más el ruido que las nueces, y Montano y Alonso del Castillo se despidieron para volver a la biblioteca.

Juanelo y yo no estábamos seguros de que el accidente hubiese sido tan leve, sobre todo después de lo que me había contado y de lo que habíamos oído murmurar a los lugareños en la posada. Desde fuera, era difícil saber lo que sucedía en el holgado subsuelo de la torre de la botica.

—Ahí dentro está uno de los más modernos destilatorios nunca construidos —me explicó Turriano—. Es uno de los lugares que más agua consume. Día y noche intentan desentrañar los mixtos naturales. Y hay combinaciones muy peligrosas.

Al cabo de un rato salió Herrera en compañía de un hombre tiznado y aturdido, al que dejó en manos de dos alabarderos para que le condujesen hasta la enfermería. Otros dos quedaron de guardia a la entrada de la chamuscada botica, por previsión e instrucción del arquitecto.

—Esto más parece escaramuza de Flandes que un lugar de recogimiento —comentó Juanelo al ver el lugar tan pertrechado de armas.

—No están de más —le atajó el arquitecto con cierta aspereza—, porque andan los canteros un tanto revueltos por un amotinamiento reciente.

Al pasar bajo un antepecho, me di de bruces con algo que pendía de una cuerda. Lo aparté de un manotazo, para que no se me metiera por los ojos, y miré hacia arriba. El espectáculo era macabro: un montón de huesos, colgados de un andamio y agitados por el viento.

—¿Qué es esto? —pregunté espeluznado.

—La última hazaña de nuestro obrero mayor, fray Antonio de Villacastín —apostilló Juanelo—. ¿Os acordáis del Perro Negro de El Escorial, que guarda la Boca del Infierno?

Recordé la conversación oída en la posada.

—Pues bueno —me explicó el ingeniero—. Tanto pavor han llegado a causar estos aullidos y apariciones, que nuestro obrero mayor ha decidido tomar medidas. Este fraile es hombre de mucho carácter, capaz de subir a los andamios para resolver con su propia mano una piedra mal encajada o poner fin a una disputa, por las bravas, si es preciso. De modo que montó la guardia varias noches, atrapó a un perro que erraba por los andamios y lo colgó de ese antepecho, para que lo pudieran ver todos a la mañana, cuando entran a misa. Esos huesos son cuanto queda de él.

Aún no me había curado de este espanto, cuando, al pasar junto a la caballeriza del rey, Herrera me tomó del brazo para que no pisara unas cenizas que allí había.

—Apartaos, Raimundo, no holléis esa hoguera. Son restos humanos. El otro día quemaron ahí a alguien.

—¿Cómo pudo ser eso?

—Un mozo de veinticuatro años —explicó Juanelo—. El hijo de un panadero de la reina doña Ana.

—¿Por hereje?

—Por cometer el «crimen nefando» con dos muchachos de diez años de edad. Los sorprendieron desnudos en los jarales, debajo de la cocina del rey. Confesó, comulgó y rogó por su vida, pero en vano.

—¡Dios mío!

—No todo es barbarie —intentó suavizar Herrera—. La vida de estas gentes ha mejorado mucho con las obras del monasterio, creedme. Fijaos en esta aldea. Cuando llegamos aquí no había en toda ella casa con ventana ni chimenea. Sólo una puerta, y por ella entraban o salían hombres y bestias, la luz y el humo. Y ahora está trabajando aquí lo mejor de España en el oficio de construir, y aun de media Europa.

—¿Y qué es lo que ha pasado en la torre de la botica? —me atreví, por fin, a preguntar.

—No es éste lugar para comentarlo —dijo el arquitecto—. Tengo una casita aquí al lado, para mejor atender las obras. ¿Por qué no me acompañáis?

Juanelo entendió que sobraba y se despidió, con la excusa de que debía aprovechar la luz para proseguir sus trabajos de encauzamiento de las aguas.

Herrera y yo enfilamos un repecho, una cuesta más que mediana que nos dejó sin aliento. Una vez en lo más alto, se detuvo ante un herrén cercado de piedra seca, desde el cual se dominaba una hermosa vista de las obras de El Escorial.

—Éste es el aposento que me prestan. Modesto, pero digno.

El lugar era más amplio de lo que aparentaba por fuera y, a pesar de lo improvisado, acogedor. Había un banco de nogal, un aparador de pino, varios cajones para tener libros y una mesa con una escribanía forrada de cuero, con guarniciones doradas y una arquilla de sándalo con labores de betún negro.

Herrera debía de pasar allí muchas horas. Estaba invadido por las trazas y planos del monasterio, sujetos en algunos casos por los más diversos instrumentos. Ante todo, astronómicos, en una proporción que extrañaba en un arquitecto: un declinatorio, un planisferio, varios cuadrantes, ánulos, globos celestes y astrolabios. Me pregunté qué clase de edificio era aquél que se estaba construyendo con el concurso de tal cúmulo de aparatos. Tampoco me pasaron desapercibidos los diagramas y ruedas giratorias previstos por el *Ars Magna* de Ramón Llull, de quien el arquitecto me confesó que atesoraba cerca de un centenar de libros.

Estaba disponiendo Herrera una hogaza y viandas sobre la mesa, cuando llamaron a la puerta. Antes de abrir, me hizo seña para que me retirara de la vista, haciéndome pasar a la habitación del fondo. Desde allí pude ver un hombre con dos soldados. Era el alcalde mayor, quien dijo al arquitecto:

—Esta noche llega el rey. Se han puesto guardias en el monasterio, se han inspeccionado las posadas y se está haciendo un registro de los forasteros que hay en el pueblo. ¿Tenéis alguien que declarar?

—A nadie —respondió Herrera.

—Quedad entonces con Dios —se despidió el alcalde.

Atrancó Herrera la puerta y me llamó a su lado:

—Podéis salir, Raimundo. Venid a la mesa a reponer fuerzas.

Sacó una jarra de vino para empujar el trasiego de un finísimo embutido. Cuando hubimos acabado, me mostró los planos del monasterio, con las modificaciones que había ido introduciendo.

Tras ello, le pregunté de nuevo por la explosión de la botica, pero hizo como que no le daba importancia y desvió la conversación hacia los papeles de la biblioteca. Deseaba saber mi opinión acerca de los mismos, pero al ver que él no soltaba prenda, yo no estaba dispuesto a contarle lo que sabía de Rubén Cansinos y los Juramentados, ni siquiera que conocía al morisco Alonso del Castillo.

—Poco puedo deciros con lo que vi —contesté—. ¿De dónde han sacado esas páginas de la *Crónica sarracena?*

—No lo sé muy bien. Las trajo hace poco Artal de Mendoza, el Espía Mayor. Debe ser pieza importante, pues de lo contrario no habrían hecho venir a Alonso del Castillo. Es el intérprete de árabe del rey don Felipe y su secretario para los asuntos de Marruecos y del África.

«Otro que ha mejorado su fortuna», pensé para mí al acordarme de aquel joven tímido que me había enseñado las inscripciones de la Alhambra.

En ese momento, llamaron de nuevo a la puerta. Noté la alarma en el rostro del arquitecto, y me hizo señas para que volviera a esconderme. El arquitecto fue hasta la entrada, la abrió, y desde mi refugio oí una voz atiplada, que le decía:

—¡A las buenas tardes, don Juan! Su Majestad acaba de llegar, pero está fatigado y ha decidido retirarse a descansar. De modo que me he dicho: voy a dar la noticia a Herrera, para que no esté pendiente.

—Os lo agradezco, don Luis. Pasad, pasad. ¿Tenéis intención de ocupar la casa? —oí que preguntaba Herrera.

—Oh no, ya me han buscado sitio donde pasar la noche —respondió el recién llegado—. Sólo vine para saludaros.

Le despidió Herrera. Cerró la puerta, volvió a mi lado y me explicó:

—Era don Luis, el bufón. Todos le llamamos *Borrasquilla,* por su pequeña estatura y mucho temperamento. Buen amigo mío. Suya es esta casa, que me presta cuando estoy en El Escorial.

—¿Casa propia tiene un bufón? —le pregunté.

—Y un criado que le sirve. Y un molino con su batán y presa, además de varias dehesillas, prados y huertos, amén de otros inmuebles en Madrid. Y mucho predicamento con el rey. Y con las mujeres —rió.

—¿Pues cómo es eso?

—Tendríais que verle. Aunque enano, está perfectamente proporcionado. Es de ingenio agudo y comedido, gran conversador, muy galante con el género femenino. Tanto que hubo que retirarlo de casa de un aposentador, hombre ya entrado en años y melancólico de carácter, quien dio en tener celos de lo mucho que regalaba su esposa a Borrasquilla.

—No puedo creerlo.

—Pues así es. Borrasquilla ha salido, además, muy bravo con el arcabuz. Y gran cazador, porque su pequeña estatura le permite emboscarse entre los matojos. Y algo torero. Es gran jinete, sobre un caballo enano, también de buena presencia. Y aunque entrambos montados apenas levantan un par de varas, causan gran admiración en quienes les ven, por su agilidad y presteza.

La visita del bufón parecía haberle puesto de buen humor. O quizá la noticia de que no tendría que acudir a cumplimentar al rey. Sacó dos manzanas y me ofreció una.

—Vamos fuera —añadió—. Está oscureciendo.

Las tormentas pasadas habían dejado aún más claro el limpio aire serrano, bajo el que comenzaba a despuntar el gran disco de la luna y las primeras estrellas. Nos sentamos en la hierba, junto a un arroyo crecido. En la fresca noche de plenilunio, el murmullo del agua se perdía colina abajo y se la podía seguir con la vista un largo trecho, una cinta plateada en dirección al monasterio, que descansaba en su explanada, rodeado por un estricto silencio.

Noté que el arquitecto tramaba algo, mientras daba los últimos mordiscos a la fruta. Apretó la mandíbula con decisión, arrojó al agua el corazón de la manzana, y masculló:

—Es nuestra última oportunidad. Vamos a volver a la biblioteca.

La verdad es que estaba deseando hacerlo, pero no se por qué le pregunté:

—Después de lo que ha sucedido con Montano, ¿no os parece muy arriesgado?

—Lo es —reconoció Herrera—. Pero ésta será la última noche que las vitelas de esa *Crónica sarracena* estén aquí. Mañana se las llevarán.

—¿Y Juanelo? —pregunté.

—Prefiero no mezclarle en esto. Lo noto raro. Además, bastante ha hecho con copiarme la llave.

Entró en la casa, salió con dos velas apagadas, me entregó una de ellas, y con un gesto me invitó a que le siguiera. Bajamos hacia las obras. La luna llena permitía ver el camino sin necesidad de ninguna luz. Evitamos las hogueras donde los obreros se agrupaban para cenar su rancho, dimos la vuelta por detrás de los cobertizos, pasamos al otro lado de una tapia para sortear uno de los puestos de la guardia, y poco después salimos por un portillo que nos permitió acceder hasta la parte construida del monasterio, por donde habíamos andado antes.

Allí, el arquitecto se movió con seguridad por el dédalo de pasillos que él mismo había diseñado. No nos costó demasiado llegar hasta la puerta de la sala donde se había instalado la biblioteca.

Herrera sacó su llave y la hizo girar con tiento. Entramos. La recuperó, y cerró por dentro.

Me susurró para que me acercase hasta el lugar donde se encontraba la *Crónica sarracena,* encendió una de las velas, cuidando de que su luz quedase a cubierto, y me pidió:

—Seguid traduciendo donde habíamos quedado.

Me senté a la mesa y leí hasta retomar el hilo:

—Habla la *Crónica* del Palacio de los Reyes llamado la Cava, que había en Antigua cuando era ésta la capital de los godos, y de cómo Hércules encerró allí los conocimientos que allegó en sus trabajos, y mandó poner un cerrojo, y que cada nuevo rey añadiera otro, hasta que llegó a haber veinticuatro candados. Lo que todos cumplieron. Excepto don Rodrigo, quien al subir al trono no sólo no añadió el que le correspondía, sino que rompió los puestos allí por sus antepasados. Y sigue diciendo:

Quebró, pues, don Rodrigo los candados, abrió la puerta y entró en el interior del Palacio de los Reyes. Lo que allí vio le llenó de asombro. Era aquel recinto transparente como el cristal, hecho cual si fuese de una sola pieza, sin madera, clavo ni juntura, y dividido en cuatro galerías. Una de ellas, blanca como la nieve; otra, negra como la noche; verde como la esmeralda la tercera; y la cuarta roja cual la sangre.

Encontró grandes tesoros: muchos vasos y piezas de oro, más de ciento sesenta diademas de perlas y jacintos, piedras preciosas y una sala de audiencias tan grande que los hombres a caballo habrían podido celebrar fiestas y el más hábil de los arqueros disparar una flecha desde un extremo sin poder clavarla en el otro.

Y sobre una mesa muy larga de oro y plata, guarnecida de pedrería, encontró el talismán más valioso del Templo de Salomón, hijo de David (¡sobre ambos sea la paz!). Es éste que ellos llaman ETEMENANKI, que quiere decir La Llave Maestra, por estar en él los secretos todos del universo y permitir la visión del pasado, el presente y el futuro, los rostros de todas las generaciones, desde Adán hasta los que oirán la trompeta. Era una arqueta de peregrino aspecto, brillante y metálica, en la que decía: «Quien abriera este arca no puede ser que no vea maravillas».

La abrió, pues, don Rodrigo. Y en ella vio un a modo de tapiz de colores muy brillantes, en el que se representaban los árabes con sus ca-

mellos y ligeros caballos, sandalias y turbantes ondulantes, con sus arcos, lanzas con pendones y señas alzadas, las brillantes cimitarras al cinto, ricas en adornos. Era esta gente espantosa en su faz y catadura. Y una leyenda decía: «Cuando se abra el arca y sea visto el talismán encerrado en ella, éstos cuya guisa, traza y armas se pintan aquí invadirán el país, derribarán el trono de sus reyes y lo someterán por entero».

Quedó espantado don Rodrigo con esto, y huyó de allí, ordenando a todos los que con él venían que nada dijesen de aquel pronóstico. Pero no bien acababan de salir del palacio cuando vieron un águila caudal bajar de lo alto del cielo. Traía un tizón encendido en el pico. Lo puso debajo de aquella casa y comenzó a aletear para avivar el fuego. Ardió como si estuviese hecha de resina, y las llamas fueron tan vivas y altas que quedó toda ella reducida a pavesas, excepto el talismán, que se hundió hasta lo más profundo de la ciudad. Y a poco llegaron grandes bandadas de aves negras, y tanto revolaron que se levantó la ceniza y esparció por toda la Península. La gente sobre la que caía quedaba manchada con ella como si fuera sangre. Y todos los que la recibían fueron muertos en las batallas que siguieron.

Porque ese mismo año fue la entrada de los muslimes, cuando Tariq ben Ziyad pasó el mar. Y al poco tomó posesión de ella Muza ben Noseir, gobernador de Kairuán. Éste fue apoderándose de las ciudades a izquierda y derecha, hasta llegar a Antigua. Y sucedió todo esto bajo el califato de Al Walid I, de la dinastía de los omeyas. Quien entendió ser aquel talismán tan poderoso que mandó le dieran cuenta de él. Pero sin moverlo ni turbarlo, como había hecho el imprudente don Rodrigo. Antes bien, por copia o noticia en la que sus sabios y alfaquíes pudieran estudiar su poder, y aprovecharlo en las cosas del gobierno. Lo que se llevó a cabo como sigue...

Poco a poco, sin darme cuenta, excitado por aquel descubrimiento, había ido subiendo mi voz. Por eso, Herrera y yo no nos dimos cuenta de lo que estaba pasando hasta que fue demasiado tarde.

Alguien estaba hurgando en la cerradura.

—Éste no puede ser otro que Montano, que recela por lo sucedido antes —dijo Herrera mirándome con pavor.

Su primera precaución fue apagar la vela. Luego, puso el dedo sobre los labios para indicarme que guardase el más absoluto silencio, me agarró del brazo y me arrastró hasta un rincón repleto de libros, tras los cuales nos atrincheramos.

Noté su sobresalto, por lo comprometido de la situación. Su nombre y honor estaban en entredicho. Por no hablar de la confianza regia.

El arquitecto contuvo el aliento al escuchar el forcejeo de quien intentaba entrar. Acababa de darse cuenta de que, al cerrar por dentro, se había dejado puesta la llave en la cerradura, y que ahora, quien quiera que fuese, tropezaba con ella. Esto complicaba su situación. No podría alegar que pasaba por allí y vio la puerta abierta, ni ninguna otra excusa.

—Ojalá no logre introducir su llave, y desista de entrar —me susurró Herrera al oído.

Esperanza inútil. Había sido tanta la porfía puesta en el empeño, que en ese momento se oyó el ruido de la llave del arquitecto, que caía y golpeaba contra el suelo.

—Me temo, Herrera, que ya es demasiado tarde. Y si ve esa llave sabrá que hay alguien dentro.

Se oyó el descorrer de la cerradura. Se abrió la puerta, y una raya de luz partió la habitación en dos. Luego, se introdujo una mano que sostenía un farol. Y, tras ella, una negra silueta.

Apenas nos atrevíamos a asomar la cabeza por entre los libros tras los que nos habíamos escondido. El arquitecto abrió un pequeño hueco entre dos volúmenes y observó al recién llegado. Pegando sus labios a mi oído murmuró:

—Ése no es Montano.

—¿Estáis seguro?

—Completamente.

—¿Quién es entonces?

El recién llegado estaba de espaldas, cerrando la puerta, y no alcanzábamos a reconocerle. Se inclinó y pareció recoger algo del suelo.

—Estamos perdidos: ha visto la llave —musitó Herrera.

Debía de ser eso, porque se volvió, y alzó el farol para examinar la estancia.

Y entonces, alcanzamos a ver su rostro.

Fue Herrera quien lo reconoció. Y se quedó petrificado.

—¡Es el rey! ¡El propio rey don Felipe!

El arquitecto trataba de reaccionar. Pero no era fácil tomar partido. ¿Cómo explicar nuestra intromisión, en contra de la voluntad regia y de sus instrucciones? Ahora que había visto la llave, Su Majestad sabía que alguien estaba allí dentro, y no tardaría en descubrirnos. O, peor aún, en llamar a la guardia. Era mejor salir, antes de que lo hiciera.

El mayor problema sería justificar mi presencia. De modo que Herrera pegó sus labios a mi oreja y dijo, angustiado:

—Escondeos y no salgáis por nada del mundo.

Alzó entonces la cabeza por encima de los libros:

—Majestad, me habéis asustado. Soy Juan de Herrera.

La situación era tan peregrina que su desenlace resultaba imprevisible. Allí estaban, en plena noche, el rey y su arquitecto entrando a escondidas en la biblioteca, cada cual con su copia clandestina de la llave, mientras Montano —que era el único depositario y responsable oficial de la misma— dormía a pierna suelta en su ascética celda, ayudado por la paz de conciencia que le procuraba el ayuno.

Oí que Herrera se disponía a balbucir todo tipo de explicaciones, cuando me di cuenta de que era Su Majestad el que se creía en el deber de darlas, como persona de mayor autoridad y jerarquía. Y tan pueriles, que harto acusaba el monarca haber sido pillado en renuncio. Le bastó al arquitecto con dejarle hablar para que se olvidara de escuchar las suyas. Era tanta su preocupación, que don Felipe se deshizo en detalles no pedidos:

—Estaba desvelado y fui a buscar un libro para esperar el sueño. Pero no lo encontré. Creí haberlo dejado en el cofrecillo bajo el asiento de mi carroza, donde llevo algunos volúmenes para aliviar las fatigas del viaje. Pero tampoco lo encontré. Entonces recordé que quizá fuese de los que ya entregué a Montano para ir formando esta biblioteca. Y ésa fue la razón de llegarme hasta aquí.

Herrera asentía con grandes cabezazos, como si todo aquello fuera la cosa más natural. Por su parte, se limitó a decir:

—Sentí que se levantaba el aire, y me preocupó una de las ventanas, que dejamos abierta para que se secara una mancha de humedad que tratamos de atajar. Y sabiendo el aprecio que siente vuestra Majestad por esos libros, temí por ellos y acudí a cerrarla.

Ni explicó el rey de dónde había sacado su llave, ni preguntó tampoco por la del arquitecto, ni por qué se encerró ni escondió. Ni se acordó de llevarse libro alguno. Se limitó a devolverle la que había recogido del suelo. Asistí así a un hipócrita pacto de silencio entre ambos que, ciertamente, no habría sido posible de conocer mi presencia allí.

Vi que Herrera acompañaba a don Felipe a la puerta, y que salían cada uno con su llave. Me contó luego el arquitecto que su primera intención fue dejar abierto, para que yo pudiera salir. Pero que luego se dio cuenta de que eso podría hacer entrar en sospechas al rey, y prefirió no arriesgarse. De modo que cerró tras de ellos y ambos continuaron su cortesana conversación.

Y allí dentro me quedé yo, encerrado, sin más armas que dos velas apagadas.

«¡Viva el rey y su arquitecto! —pensé—. Ahora, a ver cómo salgo yo de ésta».

Reflexioné con calma, y llegué a la conclusión de que no me dejarían con vida si me descubrían allí. Con un pasado tan recomendable como el mío, me tomarían por espía, como muy poco. De manera que empecé a plantearme con desesperación cómo abandonar aquel lugar.

Examiné la puerta con detenimiento, y aun la forcejeé con suavidad, por no levantar mucho bullicio. Era tan sólida que descarté de inmediato poder escapar por ella. Otro tanto sucedía con la cerradura, uno de aquellos concienzudos trabajos de Juanelo Turriano, cuya pericia en tales menesteres había tenido ocasión de admirar antes, pero maldije en aquel momento. Imposible salir por allí sin entrar en fuertes alborotos. Las ventanas, por las que cundía la luz de la luna, estaban enrejadas, y tan altas que resultaba imposible alcanzarlas. Revisé las paredes una a una, retiré los libros por ver si descubría algún hueco. Sin ningún resultado.

Lamenté con toda mi alma no haber examinado en detalle los planos del edificio que Herrera me había enseñado en su casilla.

Estaba, definitivamente, atrapado.

Oye Randa los pasos de la guardia que viene a llevarse a Ruth. Antes de que los soldados y su carcelero lleguen a la puerta, le advierte:

—Escucha bien, hija. Me has dicho que Herrera está en la casa que fue de Juanelo, haciendo el inventario de sus papeles. Tú o Rafael habéis de veros con él de modo discreto, y encarecerle que busque entre ellos aquel diseño que hizo Turriano de la llave maestra, valiéndose de la máquina combinatoria de Cardano.

—Descuida.

—Herrera ha de acordarse de esos dibujos y mecanismos, porque fue en este Alcázar donde se ensayaron por vez primera, antes de emplearlos en El Escorial. Y el encargo vino de él, que fue el arquitecto de ambos edificios. Es muy importante que los encuentre. Y sólo nos quedan cinco días. ¿Lo entiendes bien?

—Sí, padre, no soy tonta —protesta la joven poniéndose en pie.

7

LA LLUVIA DE LOS VIERNES

Q UIEN no los conociera podría haberles tomado por una pareja endomingada para salir a comer, y la mera idea perturbó a David Calderón. Miró de soslayo a Raquel Toledano, quien taconeaba junto a él luciendo un escotado y estimulante vestido rojo. La melena rubia, peinada en cascada, descendía hasta unirse al ramo de rosas blancas que sujetaba entre sus brazos. Y su aspecto era tan esplendoroso que nadie la habría supuesto víctima de achaque alguno el día anterior. Por fin parecía haber descansado, bastándole un discreto maquillaje para hacerse cargo de sus ojeras.

Nunca la había visto tan guapa, ni tan arreglada, y esperaba que no fueran pinturas de guerra. Aquella visita parecía muy importante para la joven. Después de todo, el arquitecto Juan Antonio Ramírez de Maliaño era su padrino. Y, además, una de las últimas personas con las que había hablado su madre antes de desaparecer. En su carta, la propia Sara insistía en que le preguntaran por *La lluvia de los viernes*, la extraña historia que habían comentado durante la visita a El Escorial que ella y el arquitecto realizaron juntos.

Por otro lado, Maliaño había conocido a su padre, y quizá pudiera aclararle algo sobre el Programa AC-110 en el que había trabajado Pedro Calderón, y que ahora les estaba dando tantos quebraderos de cabeza. Las revelaciones de Gabriel Lazo la noche anterior le inquietaban de modo especial, por mucho que cuestionase las opiniones de una mente a la deriva como la del antiguo conserje del Centro de Estudios Sefardíes.

Los hechos eran irrefutables. Había estado toda la mañana volcado en aquellos papeles, junto con Raquel, a pesar de insistirle a la joven para que guardase reposo. Pero ella no quería dejar de la mano los documentos. Era muy terca. Y no resultaba fácil analizarlos en semejantes condiciones, escrutando montañas de pliegos milimetrados, en busca de una pauta que permitiera desentrañar su significado.

David se había llegado a sentir muy alterado. Y no sólo por el tremendo esfuerzo de concentración exigido en el transcurso de cualquier desciframiento —eso lo había hecho cientos de veces—, sino también por un factor añadido que no alcanzaba a precisar. El caso es que esta vez era distinto. Se sentía bloqueado por una resistencia íntima que bordeaba lo irracional. Quizá se debiera a la tensión añadida de volver a trabajar a solas con Raquel, sin la apaciguadora presencia de Bielefeld, quien tenía sus propias obligaciones. Y a no poder discutir abiertamente con ella, por temor a una recaída de la joven.

Lo peor era tener que explicarle sus sospechas sobre los papeles cuadriculados de Pedro que le había prestado Gabriel Lazo, pero sin poder nombrar al antiguo conserje, ni contar de dónde los había sacado. En principio, ella se lo había tomado a broma; más tarde, sacó a relucir aquella punzante ironía suya; y, por fin, el enfado se había vuelto muy tangible. «Con esos secretismos no vamos a ningún lado», le dijo Raquel. Y luego habían venido sus sarcasmos sobre la progresión de las pautas comunes que él creía observar en el trabajo de su padre. «¿Una pauta común? ¿Un modelo que sirva para los cristales, los vegetales, los animales, los patrones de la configuración cerebral...? ¿De dónde saca esas ideas? ¿Por qué habría de creerle, si me oculta sus fuentes?».

«¡Qué más dan las fuentes! —pensaba David—. Lo importante son los hechos». Por ejemplo, que Pedro hubiese gastado kilómetros de papel y los mejores años de su vida en aquel agotador trabajo. Él sabía muy bien que su padre no estaba loco. ¿Qué es lo que buscaba, entonces? ¿Trataba de encontrar el punto de partida, la regla que originaba aquellos laberínticos trazos de los gajos del pergamino? Pero, ¿por qué? ¿Tan importantes eran? ¿De dónde procedían, en última instancia? ¿Qué poder tenían sobre la mente, que parecían quedar grabados en ella hasta proyectarse en el sueño y anular el propio idioma? ¿Buscaban, acaso, otra lengua, otros códigos anteriores, sepultados bajo la conciencia? ¿Y qué añadía a todo aquello lo descubierto por Sara al estudiar el proceso de aquel tal Raimundo Randa?

De eso y de otras muchas cosas habían hablado y discutido a lo largo de aquella mañana, estudiando cuadrícula tras cuadrícula, intentando adivinar el propósito que regía aquel despliegue interminable. Ahora preferían callar para no echar más leña al fuego.

Anduvieron algunos metros en silencio, antes de internarse en lo que a primera vista podría haberse tomado por uno de tantos callejones sin salida. Sin embargo, cuando se llegaba hasta la pared del fondo, se abría en ella un estrecho recodo que apenas permitía el paso de una persona.

Allí hubo de detenerse la furgoneta que les había venido siguiendo. En su interior, aquel hombre chupado, vestido de negro, consideró la situación, amparado por el cristal de espejo unidireccional que permitía la vigilancia sin ser visto desde el exterior. Y volviéndose hacia el musculoso pelirrojo, con el pelo cortado a cepillo, que se sentaba a su lado, le ordenó:

—Echa un vistazo a ese callejón.

El pelirrojo descendió, se llegó hasta el fondo, y pocos minutos después, regresó para informar:

—Imposible entrar ahí. Es un pasadizo que va a parar a un patio. Y no se ve ninguna otra salida.

—En ese caso, vosotros dos esperadles aquí —dijo el hombre de negro a su otro acompañante—. Yo he de ir al aeropuerto a buscar al jefe.

—¿Y qué hacemos cuando salgan?

—Seguidles. Y tenedme al tanto de sus movimientos.

Tras dejar atrás el espacioso claustro, digno de un palacio, David y Raquel llegaron ante un portón de madera ferrada. La joven buscó el nombre del arquitecto y pulsó el timbre.

Un ascensor privado les permitió atravesar las entrañas del antiguo edificio, ingresando directamente en la guarida de aquel enigmático personaje. Les abrió Marina, el ama de llaves, a quien Raquel saludó afectuosamente.

—Vengan por aquí, el señor les espera en la terraza.

David se sorprendió al entrar en un salón de gran amplitud y altura. Todo lo que abajo era recogido y umbrío se convertía allí arriba en luminoso y abierto. La biblioteca se distribuía en dos pisos gracias a una pasarela, comunicada por una escalera de caracol. El suelo, de amplias duelas de madera veteada, estaba cubierto por una espléndida alfombra y acogedores butacones de cuero. Y aún había espacio para lucir un par de espejos venecianos y tres pinturas de comedido tamaño y excelente factura.

Pero lo que de inmediato atraía la vista era el panorama que se contemplaba desde aquellas alturas. El frontal de la gran biblioteca estaba acristalado y, al encontrarse el edificio en la ladera de una colina, se dominaba la ciudad en su práctica integridad, al tiempo que uno se sentía inmerso en su núcleo más íntimo. Una balconada de madera de teca prolongaba el salón hacia el exterior, abocándolo sobre aquel paisaje de tejados y gatos, todo un mundo de leves y amortiguados sonidos que brotaban de una ciudad inesperada y secreta.

El sol bañaba la terraza donde les esperaba el anciano, pulcro e impecable, con su larga y blanca barba otorgándole un aire intemporal. Estaba regando las plantas, y les hizo señas con la cabeza para que se acercasen. Raquel corrió a abrazarlo, mientras el arquitecto desviaba la manguera para no salpicarla.

—Ten cuidado, mi niña, que llevas un vestido muy elegante —cerró el grifo y se volvió hacia ella—. Veo que te has acordado de que me gustan las rosas blancas. Pero déjame mirarte y ver lo guapa que estás. Nadie diría que acabas de tener un arrechucho. ¿Qué te ha sucedido?

—Nada. El cansancio, supongo.

—Tienes que venirte a esta casa. Yo cuidaré de ti.

—Ni hablar. Tú tienes tu vida hecha, tus costumbres.

Raquel se apartó para que David pudiera acercarse. Los ojos del arquitecto le escudriñaron, bajo las pobladas cejas canas.

—David Calderón —se presentó él mismo.

—Claro. Traté bastante a su padre. ¿Dónde se ha metido usted todo este tiempo?

—Me he movido mucho por esos mundos.

—Voy a poner las flores en agua. Ahora vuelvo y le cuento cómo conocí a Pedro.

David se asomó a la terraza para admirar el panorama. La ciudad se extendía a sus pies, descendiendo por la ladera hasta abrazar el arco del río, que enhebraba su cortejo de puentes antes de perderse en la lejanía, por entre las últimas casas rezagadas.

El anciano arquitecto regresó con un jarrón, esponjó las rosas y aspiró su olor con deleite. Se empezaba a sentir la frescura que venía de las plantas de la terraza. Se acercó al seto de albahaca y lo sacudió, hasta que su delicado aroma se extendió por el recinto.

A David le pareció que había barruntado la tensión entre él y Raquel. O quizá Sara le hubiese prevenido al respecto, como había hecho con Bielefeld. Notó que se tomaba su tiempo para tantear el terreno. Se sentó en uno de los sillones de médula y esperó a que el ama de llaves apareciera con aceitunas, tostadas con aceite, unas cañas de lomo y una botella de manzanilla fría y bien sudada.

—Tomaremos el aperitivo mientras se termina de hacer la comida —les propuso.

Cogió su catavinos, probó la manzanilla y chasqueó la lengua para saborearla.

—El olfato y el gusto son los dos únicos sentidos que van ganando con la edad —reconoció, pesaroso.

—¿Cuántos años tienes, padrino?

—Ni yo mismo lo sé. Pero fíjate si soy viejo que conocí a tu abuelo cuando aún era joven. Y a Sara, de toda la vida. A ti, en cambio, apenas te he visto el pelo.

—No empieces a reprochármelo. Es muy duro ganarse la vida en Nueva York.

—Has tenido que esperar a que pasara lo de tu madre para venir aquí. En fin... ¿Qué novedades hay?

—Poca cosa. Sólo un anónimo que llamó por teléfono a la policía para asegurar que sabía dónde estaba.

—No os fiéis de anónimos. Ni de nadie. Hay muchos intereses en juego.

—¿Te refieres a la conferencia de paz?

—Y a tu madre. El palacio de la Casa de la Estanca sigue siendo suyo.

—Creía que era de la Fundación.

—Pues te equivocas. Es de Sara, y tú lo heredarás en su día. Un solar muy codiciado, en pleno centro, con muchos metros cuadrados. Si lo sabré yo... Tu madre me ha encargado un nuevo proyecto para remodelar el palacio, retomando un poco la idea del Centro de Estudios Sefardíes. Y, si sale adelante, entonces sí, se integraría en la Fundación.

—No tenía ni idea —se sorprendió Raquel.

—Lo llevaba con mucha discreción, porque era una de las bazas de esa conferencia, si es que se celebra algún día... Sara quiere crear una Universidad de Oriente Medio o algo parecido. Un lugar en el que puedan estudiar juntos, investigar y conocerse los cristianos, musulmanes y judíos. Como puedes imaginarte, a mucha gente no le hace ninguna gracia una iniciativa así.

—Y tú crees que eso podría explicar su desaparición.

—Es una pista más. ¿Qué os han dicho en el convento de los Milagros?

—Estuvimos ayer. Ni rastro. Y no nos dejan entrar en el archivo.

—¿Y Bielefeld, o Gutiérrez? ¿A ellos tampoco les dejan?

—Gutiérrez está a lo que diga el arzobispo Presti. Y Bielefeld cree que lo prioritario es obtener un permiso para bajar por el boquete de la Plaza Mayor. El anónimo que llamó a la policía dice que mi madre está allí debajo…

Sonó el teléfono en ese momento, y Marina se acercó a Maliaño tapando el auricular, para consultarle:

—Es el comisario Bielefeld…

—Hablando del rey de Roma… —dijo el arquitecto. E hizo una señal a Marina para que se lo pasara—. Sí, dígame, comisario… Están aquí los dos, todavía no hemos empezado a comer… De acuerdo, el lunes nos vemos… —Y aquí su tono de voz cambió, indicando alarma—: ¡Qué me dice…! ¡Está seguro…? ¿Quiere que se pongan al aparato Raquel o David…? ¿No…? Descuide, yo se lo digo… Hasta el lunes.

Los dos jóvenes le interrogaban con la mirada.

—¿Qué sucede? —preguntó Raquel.

—Bielefeld llamaba para confirmar la cita de mañana. Hemos conseguido que la Plaza Mayor sea explorada con un radar geodésico, que hará una especie de radiografía. Como a nosotros no nos dejan excavar, es el único modo de tener un perfil de lo que hay debajo de ese agujero.

—¿Ha surgido algún problema?

—Por ese lado todo va bien. Pero el comisario aprovechaba para decirme que, al parecer, sus amigos en Estados Unidos han detectado movimientos extraños de la Agencia de Seguridad Nacional en relación con este asunto.

—¿No le ha concretado qué tipo de movimientos? —intervino David.

—Dice que está intentando obtener más información, y que nos lo dirá tan pronto sepa algo.

Marina apareció para anunciarles:

—Cuando gusten pueden pasar al comedor.

De pie junto a la mesa, mientras esperaba a que le asignaran su sitio, David observó a Raquel. La vio acariciar con la yema de los dedos el mantel de lino almidonado, sintiendo su apresto a flor de piel, y se dio cuenta de que no sólo él tenía recuerdos en aquella ciudad. El arquitecto sostuvo la silla de la joven, hasta acomodarla, y señaló a David su asiento, frente a ella. Al ver que su ahijada echaba mano de uno de los crujientes panecillos y buscaba algo, le pasó una aceitera, disculpándose:

—Aquí no encontrarás mantequilla, niña. Tendrás que conformarte con este aceite de oliva.

Sacó la botella de vino blanco de la champanera y lo dio a probar a Raquel:

—¿Lo reconoces?

—Cómo no voy a reconocerlo. Es de tus viñas de Yepes.

Juan de Maliaño sonrió satisfecho. Mientras daban cuenta de un gazpacho, David siguió reparando cuán diferente era aquella Raquel de la que él había conocido hasta entonces. Quizá fuese el idioma, pues estaba hablando en español, y lo hacía de un modo bien distinto al inglés. Se le había pegado aquel suave deje de su más reciente profesora, la mujer de Bielefeld. Y era como escuchar a otra persona.

Pero a medida que fue transcurriendo la comida se dio cuenta de que no era sólo eso. Algo debía de ayudarla también el vino y, sobre todo, la complicidad con Maliaño, quien parecía conocerla bien... Lo cierto es que Raquel Toledano resultaba graciosa. Poseía un increíble sentido del humor, que hasta entonces únicamente había mostrado con él de forma soterrada, punzante e irónica. Y era una estupenda imitadora. Lo demostró en un momento en el que, para rebajar la tensión, ella y Maliaño empezaron a hablar de su madre no como lo hacía todo el mundo —dándola poco menos que por difunta—, sino todavía viva, entrañablemente vital. La joven no sólo era capaz de hablar como Sara: también podía seguir sus razonamientos y su modo de discurrir, con una penetración que le dejó pasmado, pues su madre no era precisamente una persona simple.

El arquitecto miró al criptógrafo de refilón y debió de pensar que estaban desatendiendo a su invitado al hablar de aquellos recuerdos compartidos con su ahijada, de los que David por fuerza tenía que sentirse excluido. De modo que se volvió hacia él para decirle:

—De Pedro Calderón también habría para hablar largo y tendido...

—Me ha prometido contarme cómo conoció a mi padre.

—Lo haré con mucho gusto. Fue a finales de los años cincuenta o principios de los sesenta, cuando volvió aquí para ocuparse de ese antiguo palacio que había comprado Abraham Toledano, la Casa de la

Estanca, de la que acabamos de hablar. El abuelo de Raquel quería que yo lo remodelara para convertirlo en un Centro de Estudios Sefardíes.

—Debió de ser a principios de los años sesenta —matizó David—. Usted aparece en una foto con él, Sara y mi padre. En un balcón de la Plaza Mayor.

—Sí, me acuerdo. Es mi despacho de arquitecto municipal, que da directamente a la plaza.

—¿Por qué lleva Sara un vestido tan raro en esa foto? Y mi padre enseña algo en la mano. Una especie de banderita.

—¿Sale eso en la fotografía? —sonrió Maliaño, nostálgico—. Debía de ser la fiesta de la patrona. Es una antigua costumbre. Los solteros y las solteras pasean por la Plaza Mayor, separados en dos círculos, dándose la cara. Las mozas caminan por la parte de adentro de los soportales, en el sentido de las agujas del reloj; y los mozos por la parte de afuera, en sentido contrario. Pero, si disponen de un balcón, ellas pueden verlo todo desde arriba e intervenir de otro modo, lanzando a los hombres unas banderitas que, con un poco de suerte, se enganchan a la ropa. Los balcones están engalanados con unos gallardetes del mismo color que las banderitas. Y al final del paseo, cuando para la música, los afortunados deben buscar los colores y divisas de los balcones. Suben, y allí las chicas los convidan a moscatel y pastas. En la foto, Pedro enseña esa banderita porque Sara, que estaba en mi balcón, lo alanceó.

—¿Mi madre hizo eso? —rió Raquel.

—Le costó lo suyo cobrarse la pieza, no creas. Falló la primera vez. Y también la segunda. Pero a la tercera vuelta, le logró alcanzar. Cuando terminó la música, Pedro se quedó en medio de la plaza como un pasmarote, y yo tuve que advertirle de la banderita que llevaba en la espalda. A Abraham y a Peggy Toledano, que estaban con su hija, no les hizo tanta gracia, porque era como reconocer en público que había algo entre los dos jóvenes. Y eso era casi como un incesto entre hermanos que se han criado juntos.

—Por eso, en la foto, no se les ve precisamente felices.

—Claro. Temían que Sara se quedase con Pedro en Antigua. Por otro lado, era la primera vez que la veían centrada, apasionada por algo... Fue entonces cuando a ella la mandaron a estudiar a Chicago. Él, por el contrario, se quedó aquí y empezó a hacer cosas raras. Muchos creían que había perdido la cabeza. Y, al final, el Centro de Estudios Sefardíes no salió como se esperaba.

David se preguntó de nuevo cuál había sido la naturaleza exacta de la relación entre su padre y Sara Toledano. Qué había sucedido para que todo se alzara contra ellos. Iba a insistir con nuevas preguntas cuando llegó Marina con el siguiente plato. El arquitecto aprovechó para cambiar de tema:

—Son anchoas con melón, que tanto te gustan —anunció a la joven.

—Marina, me tiene que dar la receta —dijo Raquel—. ¿Qué lleva este melón? ¿Oporto?

—No, señorita, está macerado en hinojo con ojén, cortándolo con el zumo de medio limón.

—¿Y dónde encuentro yo ojén en Nueva York?

—¿Tú ya tienes tiempo de cocinar, con la vida que llevas? —dudó el arquitecto.

—Algo me enseñó mi madre. Pero eso fue hace mucho tiempo. Tampoco ella ha llevado una vida muy hogareña últimamente... ¿Qué razones podía tener para desenterrar esa vieja historia familiar?

—Supongo que le entró prisa. Decía que le quedaba poco tiempo.

—¿Crees que ella ha entrado en los subterráneos?

—En cuanto haya tenido la menor ocasión.

—Pero, ¿por dónde?

—No lo sé. No me lo contaba todo.

—¿Y qué me dices de la Plaza Mayor? Tú estabas allí cuando se abrió ese agujero el día del Corpus.

—Lo del Papa, ¿verdad? Es todo muy extraño. Claro que eso que os dice Sara a vosotros en las cartas ya me lo dio a entender a mí.

—O sea que tú piensas que es ella la que está tras ese farfullo tan raro.

—Imposible no es.

—¿Cómo podía hacerlo, desde ahí abajo?

—La Plaza Mayor tiene un sistema acústico inspirado en el que se usaba en los teatros romanos. Hay una serie de orificios y de vanos que actúan como amplificadores. Están incrustados en su estructura, distribuidos a intervalos regulares, afinados con una técnica muy precisa. Esos resonadores se comunican con los subterráneos. Y alguien que esté allí abajo puede utilizarlos y convertir la plaza en un gigantesco megáfono. ¿Conocéis a Víctor Tavera, el ruidero?

—Estuvimos con él ayer.

—Tavera os lo podría explicar mejor que yo. Lleva años grabando y estudiando los extraños sonidos que emite la Plaza Mayor. Supongo que será por las dilataciones y contracciones de la piedra, pero la verdad es que algunos resultan estremecedores. Dicen que también sucede cuando una gran multitud sufre a la vez un choque emocional muy fuerte y eso impregna, de algún modo, el lugar. Desde luego, emociones fuertes no le han faltado a esa plaza. Entre las comedias, las ejecuciones, las corridas de toros, los autos sacramentales, los autos de fe y los congresos eucarísticos...

—¿Pero existen esos subterráneos?

—Existen, te lo aseguro. Otra cuestión es que nadie haya conseguido recorrer más allá de unos cientos de metros. Enseguida surge algún obstáculo que te corta el paso: un derrumbe, un muro, un callejón sin salida...

—¿Hasta dónde puede haber llegado mi madre?

—Depende de por dónde haya entrado.

—A juzgar por las cartas que nos envió a David y a mí, parecía seguir una pista segura.

—¿Qué clase de pista? Quiero decir que dónde la ha obtenido.

—En el archivo del convento de los Milagros.

—Probablemente. Desde hace muchos años Sara andaba como loca detrás de los documentos de ese pleito... —Se limpió los labios con la servilleta y preguntó—. ¿Habéis terminado? Vamos a pasar a la carne. Raquel, ¿te importaría avisar a Marina y abrir la botella de tinto que hay en la cocina?

Cuando la muchacha hubo abandonado la habitación, Juan de Maliaño bajó la voz para dirigirse a David:

—Perdone la curiosidad, ¿por qué está usted metido en todo este jaleo?

Al criptógrafo le sorprendió la cuestión, planteada así, tan a quemarropa. Pero no dudó en contestar:

—Sara me llamó para tener a alguien de confianza en la Fundación, alguien que la pudiera ayudar con lo que iba descubriendo. No sé si es eso lo que me preguntaba.

—Bueno... —vaciló el arquitecto—. Se lo diré con franqueza, antes de que vuelva Raquel. Es que me extraña que le haya colocado a la par que su hija. Sara la adora, aunque hayan estado distanciadas y no siempre lo exteriorice.

—He trabajado antes para Sara Toledano... —y David calló al ver que volvía Raquel.

Marina retiró los platos y regresó con un costillar de lechal. El anfitrión dio a probar el vino a David y, tras obtener su aprobación, se dispuso a trinchar el cordero.

David señaló frente a él, y preguntó al arquitecto:

—Ese retrato que tiene sobre la chimenea, ¿es una foto o una radiografía?

—En cierto modo, las dos cosas —aseguró el arquitecto—. ¿De veras no reconoce ese rostro?

—Se parece mucho a Sara. Sin embargo, es un hombre, ¿no?

—En esa fotografía está el rostro de Sara, efectivamente —admitió el arquitecto—. Y también el de Abraham. Y el de todos los Toledano que pudo encontrar. Sólo faltas tú, niña. Tu abuelo la llamaba una fotografía «genealógica».

—Ya, pero ¿cómo la obtuvo?

—Se coge el álbum familiar, se encuadran los rostros en un formato similar, para que puedan superponerse, y se proyectan sobre una misma placa, dando a la imagen una exposición rápida, según el número de fotografías. Por ejemplo, si se tienen veinte, se les da la veinteava parte de exposición. De ese modo, los rasgos individuales del rostro que aparecen una sola vez prácticamente pasan desapercibidos. Pero los rasgos de familia que se repiten se van acumulando, corroborando los anteriores. A veces, rasgos que desaparecen en una generación vuelven al cabo de la siguiente, como un Guadiana. Por eso, al final, es como una radiografía genealógica.

Tras el sorbete de mandarina, que apuraron en silencio, Juan de Maliaño les anunció:

—Tomaremos el café en la terraza.

Mientras Raquel y su padrino se sentaban en los butacones de médula, David fue a buscar la bolsa con los documentos.

—Es simpático ese muchacho… y guapo, ¿verdad? —dijo Maliaño como quien no quiere la cosa, al quedarse a solas con la joven.

—Bueno… —replicó ella con fingido desdén—. Es muy cabezota.

—¡Mira quién fue a hablar! ¡Ay, Raquelilla! Conmigo no tienes que disimular. David no te deja indiferente. No hay más que ver cómo te estás ruborizando. Te estás poniendo más colorada que el vestido que llevas… Y no digas que has elegido ese modelo tan atrevido para venir a verme a mí —rió el anciano.

Al ver acercarse a David, la joven hizo un gesto de advertencia al arquitecto para que cambiase de tema, y sacando un cigarrillo le preguntó:

—¿Te importa que fume?

El arquitecto se levantó y volvió con un cenicero. Esperó a que Marina dejara el servicio de café, y se dispuso a escuchar las palabras de David, quien había extendido sobre la mesa los pliegos de papel milimetrado.

—Señor Maliaño, antes ha hablado de mi padre. Y ha dicho que pareció perder la cabeza. ¿Se refiere a la época en la que no paraba de trabajar en esto?

El anciano sacó unas gafas del bolsillo de su camisa y examinó con detenimiento los pliegos milimetrados.

—Sí. Pero hay algo más que debe tener en cuenta para entender lo que pueda haberle sucedido a Sara. Últimamente, ella y yo hemos descubierto algo parecido en unos planos de Juan de Herrera.

—¿Unos planos del siglo XVI? —se sorprendió David.

Maliaño asintió, y tomó un sorbo de café, antes de añadir, muy despacio, como quien intenta ordenar sus ideas:

—Y no es una simple coincidencia. Esas formas recuerdan a las plantillas de los alarifes... Los patrones que usaban los albañiles moriscos o mudéjares. Por lo que me dijo Sara, también aparecen en el proceso que estaba investigando en el archivo del convento de los Milagros.

—En su carta, ella me dice que le pregunte a usted por *La lluvia de los viernes*. Y creo que también a Raquel.

—Justamente. Estuvimos hablando de eso la última vez que nos vimos, durante nuestra visita a El Escorial. *La lluvia de los viernes* es algo que sucede también en el siglo XVI, en la época de ese tal Raimundo Randa. Es una denuncia que hace un particular contra una cuadrilla de albañiles que dejan de trabajar, por sistema, los viernes, porque dicen que llueve. Esto hace entrar en sospechas a las autoridades. Los investigan y resulta que todos ellos están emparentados. Lo que les lleva a pensar que son criptomoriscos, que no trabajan el viernes para guardar el día de fiesta musulmán. Los detienen e interrogan, registran sus casas y descubren que todos ellos tienen unos gajos de pergamino. Sara me los enseñó, y creo que son los que le ha enviado a usted.

—Aquí están —y David los extendió sobre la mesa.

—Al parecer, en el proceso, al ser preguntados por el significado de los trazos que aparecen en esos pergaminos, los albañiles dijeron que se trataba de plantillas para sus decoraciones con el ladrillo.

—¿Eso es verosímil?

—Desde luego. Si el juez llamó a un experto para que confirmase sus palabras o las desmintiese, las habría confirmado.

David puso también sobre la mesa la rejilla y el esquema de la máquina criptográfica de Girolamo Cardano y añadió:

—Esto se lo envió a Raquel. ¿Podrían haberlo empleado para hacer esas plantillas?

—Es posible. Ahora bien, sólo estoy seguro de lo que me ha contado Sara. Sé que ella siguió estudiando el pleito y encontró que el juez instructor del proceso examinó los libros de fábrica de los edificios en los que habían trabajado los alarifes encarcelados. A partir de la lista de edificios de Antigua establecida por el juez, ella me consultó para que yo los identificara, indicándole cuáles se conservaban y cuáles habían desaparecido o habían sido modificados.

—Quiere decir que Sara buscaba en la decoración en ladrillo de esos edificios los mismos trazos que en los gajos del pergamino.

—Ésa fue mi impresión.

—Lo cual convertiría este pergamino en un mapa. Que quizá nos diga lo que interesaba a Sara, o dónde está, o al menos por dónde ha entrado ahí abajo, a los subterráneos. Si es que ha entrado... ¿Qué edificios eran ésos?

—Le hablo sólo de los que han llegado hasta nosotros. Los que más llamaron la atención de los jueces en el siglo XVI fueron el cimborrio que cubre el crucero de la catedral, el ábside de la iglesia del convento de los Milagros, la torre mayor del Alcázar y la Casa de la Estanca. En todos esos edificios habían trabajado los albañiles moriscos, y se sospechaba que hubieran dejado mensajes ocultos.

—¿Qué tipo de mensajes?

—Alabanzas a Alá, textos del Corán, plegarias y cosas así. No sería la primera vez, y con esas decoraciones geométricas no es difícil hacerlo de modo disimulado.

—¿Y aún se conservan?

—Se conservan los del cimborrio, aunque ahora están cubiertos por un aislante que se puso durante la última restauración, para evitar goteras. Los del lateral de la iglesia del convento de los Milagros sufrieron mucho durante la Guerra Civil. Los de la torre del Alcázar están medio destrozados por un reloj que pusieron en el siglo XVIII...

—¿Y la Casa de la Estanca?

—Aunque todo el mundo usa el nombre indistintamente, habría que distinguir entre la casa propiamente dicha y el palacio que la abraza con sus dos alas traseras. La casa tiene decoraciones geométricas en ladrillo, muy afectadas por la humedad. Y en cuanto al palacio, es mucho más reciente, del siglo XVI. Lo hizo uno de mis antepasados. —Ante la sorpresa de David, añadió—: Los Maliaño siempre hemos sido arquitectos en esta ciudad desde hace más de cuatrocientos años. Y seguramente desde antes, por el legado que yo he recibido.

—Pero la que llama Casa de la Estanca propiamente dicha es un edificio miserable. No entiendo por qué aparece en esa lista de monumentos importantes a que usted se refiere. Ni por asomo tiene el rango de la catedral, ni del convento de los Milagros, ni del Alcázar.

—También cumple su papel, no se crea. Quizá por su importancia para las conducciones de agua de la ciudad. Era un distribuidor ya en la época romana, cuando Antigua contaba con un acueducto, que más tarde se cayó. En el siglo XVI se intentó revitalizar la casa para ese fin cuando Juanelo Turriano construyó un mecanismo elevador del agua del río, su famoso Artificio. Por eso, cuando poco después mi antepasado construyó el palacio que la rodea, una de las condiciones fue respetar la Estanca y todas las conducciones que había debajo, un juego de sifones, alcantarillas y otros conductos. En esa parte no se podía excavar. Sólo en los alrededores.

—O sea que es un edificio con grandes probabilidades de no caer bajo la piqueta.

—Sin duda, porque es un señalizador que sirve para acotar la zona que debe ser respetada. Ésa pudo ser la razón por la que lo eligieron los albañiles moriscos para esas decoraciones, si lo que buscaban eran edificios que perdurasen. Y hay algo más que comparten todos esos lugares en los que intervinieron los alarifes procesados. Venid aquí y lo veréis.

Fue hasta la barandilla que daba sobre la ciudad y señaló en dirección a la Plaza Mayor:

—La catedral está al oeste. Enfrente, cruzando la Plaza Mayor hacia el este, está la torre del Alcázar. Al sur, la iglesia del convento de los Milagros, y si se cruza la plaza hacia el norte nos encontramos la Casa de la Estanca. Si se unen, forman una cruz, y sus dos brazos se encontrarían en medio de la Plaza Mayor. Donde está el agujero.

Raquel señaló a la gente que pululaba alrededor del boquete.

—¿Qué están haciendo?

—Son las brigadas municipales. Retiran los adoquines.

—Siempre la plaza —añadió Raquel.

—Es un lugar muy especial —afirmó el arquitecto—. Sirve para articular toda la ciudad. Fijaos bien.

Al primer golpe de vista, Antigua era sobre todo un reducto militar, dominado por el Alcázar, que se alzaba en lo más alto. En un segundo momento, revelaba su naturaleza levítica, sus fatigadas piedras sometidas a la catedral, aquella gran araña que apresaba con sus patas el núcleo primitivo de la población, evitando que se despeñase en el accidentado tajo sobre el río. Sólo la armonía de la Plaza Mayor, con su gran explanada, ponía alguna concordia civil entre los dos conjuntos monumentales. Sólo allí, con su techado de pizarra negra, se apaciguaba el laberinto de calles rojizas de teja árabe. Esto le daba un aire más frío y nórdico, denso y preciso, en el mismo corazón de la ciudad. Toda la anarquía callejera del tortuoso gallinero medieval era reconducida por las nervaduras y tendones de su poderosa musculatura arquitectónica hasta un espacio claro y neto, de impecables proporciones. Al ojo le costaba hacerse cargo de la minucia de los detalles, del cálculo tenaz y sutil para conciliar en las esquinas aquella batalla de ángulos. Y del choque de la algarabía de callejuelas con las de aquel rompeolas, de volúmenes estrictos, surgía un plan, un propósito único.

—Has dedicado muchos años a esa plaza, ¿verdad? —le dijo Raquel tomando la mano del arquitecto.

—Sin ella, Antigua no sería la misma. Desde hace casi cinco siglos, los Maliaño sabemos muy bien que no se pueden tocar algunas de sus partes sin afectar a otras, o a toda ella. Conservar intacta la Plaza Mayor no es ningún capricho, como pretenden algunos de esos cavazanjas. Los concejales y constructores, quiero decir. Es el único lugar en el que aflora la otra Antigua... La parte oculta. Todo lo que ha borrado el paso del tiempo. ¿Te ha explicado alguna vez tu madre que esto es el centro de la Península, donde converge el mayor número de caminos?

—Ella dice que este país ha sido algo así como el Arca de Noé de toda Europa.

—Y no exagera. Aquí se dan el setenta por ciento de las especies de todo el continente. Eso es porque hace quince mil años, en plenas glaciaciones, el sur de la Península fue el único reducto que quedó libre del hielo. Aquí se refugiaron los animales y las plantas, y desde este santuario la flora y la fauna pudieron volver a repoblar y colonizar Europa.

—Pero me estás hablando de hace quince mil años...

—Y de después. Cuando mejoraron las temperaturas, los animales nunca olvidaron el refugio que les había salvado, entre otras razones porque seguían necesitándolo en el invierno, y continuaban cruzando el país en dirección a África. Esta fauna arrastraba detrás a los hombres que vivían de la caza y conocían bien esas rutas. Luego, miles de años

311

más tarde, a medida que domesticaron a los animales y fueron convirtiéndose en pastores, pasaron a ser cañadas ganaderas, y aún las utilizan hoy para la trashumancia. En España hay más de cien mil kilómetros de esos caminos, casi tres veces el perímetro de la Tierra. ¿Sabes que esa plaza es el kilómetro cero de todas las cañadas? Hurgar en ella es como violar la misma matriz de la Península.

—¿Es cierto que nunca se ha hecho? —intervino David.

—Nunca desde la edificación de esa plaza. Herrera la construyó justamente para eso: para dar una perspectiva de milenios a un lugar que necesitaba al menos una tregua de siglos.

—Suena bien, es una buena frase.

—Son sus propias palabras en el proyecto que presentó a Felipe II. Es un documento maravilloso, lo que diseñaría alguien que pudiera leer en esta ciudad como en un palimpsesto. Alguien que no sólo ve lo que hay, sino también lo que hubo, los trazos dudosos, los arrepentimientos, ese diálogo secreto de sus partes que se ha perdido con los edificios destruidos y las construcciones modernas... Venid por aquí.

Les condujo a su estudio de arquitecto. Echó mano de una cajonera y sacó varios planos que extendió sobre la amplia mesa.

—Esto os ayudará a entender lo que buscaba Sara —prosiguió—. Es un pequeño experimento que he hecho. Tengo los planos de esta ciudad que heredaron mis antepasados, o que fueron trazando por ellos mismos, y les he añadido las excavaciones y catas arqueológicas posteriores. Los he ido superponiendo, indicando la etapa a la que pertenece cada resto: la prehistórica, la visigoda, la musulmana, la cristiana. He ido anotando cada nueva piedra encontrada, intentando componer el rompecabezas.

—Otra radiografía, como esa foto genealógica —insinuó Raquel.

—Una radiografía que permite entender mejor el papel de la Plaza Mayor. Queda fijada en el momento en que la concibe Herrera, que es tal como ha llegado hasta nosotros. Pero fijaos lo que sucede antes. Antes de esa remodelación está sometida al mismo trajín que el resto de la ciudad. Excepto un punto. Si comparáis todos los planos de Antigua a lo largo de su historia, comprobaréis que hay un lugar, un solo lugar, que permanece intacto. ¿Lo veis?

—Es en mitad de la Plaza Mayor. ¿Donde está abierto el agujero?

—Exacto. En sus alrededores se han descubierto restos ibéricos, e incluso de una cultura anterior, desconocida, cuya edad no se ha conseguido determinar. Son galerías, cámaras y antiguos mausoleos a más de cien metros de profundidad. Sospecho que eso es lo que buscaba Sara. Una especie de pasadizo maestro, que quizá permita el acceso a todos los niveles.

David se acordó de lo que le había dicho Lazo. Se preguntó si Sara o el antiguo conserje del Centro de Estudios Sefardíes realmente andaban detrás de tesoros escondidos. Pero no quería mencionar a aquel hombre, y se limitó a decir:

—¿Todo gira alrededor de ese punto?

—En efecto, por eso nadie se ha atrevido a construir sobre él. Por algo será. ¿Con qué derecho, entonces, vamos nosotros a hurgar ahí?

—Y usted cree que Herrera sabía todo eso y por ello construyó la plaza —apuntó David.

—Juzgue usted mismo. Esta plaza es su testamento. La hace cuando lleva trabajando más de veinte años como arquitecto y ha asimilado todos los estilos y conocimientos anteriores. Entonces trata de superarlos para establecer una forma de construir integrada en la Naturaleza. O, mejor dicho, en su estructura secreta, no en sus apariencias ni en su envoltorio externo. Herrera estaba convencido de que había formas capaces de penetrar en lo más íntimo de la Naturaleza. Fijaos lo que escribe en su *Discurso de la figura cúbica*.

Juan de Maliaño alcanzó un libro, se caló las gafas y leyó:

—«*En las especies sembradas e incluidas en la generalidad del Caos están los hábitos primeros. Y en todas sus partes los agentes naturales, por modo de generación, visten de los primeros hábitos a cada individuo. Como el león que, engendrando otro león, convierte los hábitos universales de su especie y los comunica a los individuos*».

—Es como si estuviera hablando de la información contenida en los genes —admitió David.

—O como si anticipara esta cita de Borges, que he anotado aquí al lado: «*Decir* el tigre *es decir los tigres que lo engendraron, los ciervos y tortugas que devoró, el pasto de que se alimentaron los ciervos, la tierra que fue madre del pasto, el cielo que dio a luz la tierra...*». Claro que Pío Baroja ya lo había dicho de una forma más sencilla: «*En ti está toda tu raza, y en tu raza está toda la tierra donde ella ha vivido*».

—¿Ése es el modo en que interpreta usted las palabras de Herrera? —quiso confirmar David.

—Él sabía que una ciudad no se construye sólo con piedras, sino también con una trama mucho más sutil —precisó Maliaño—. Buscaba una arquitectura que incorporase las viejas leyendas. Un pararrayos o un atrapasueños que protegiese a los habitantes de sus fantasmas.

—Eso suena a talismán —dijo Raquel.

—*Es* un talismán. Así era como lo llamaba tu madre. ¿Sabes la interpretación que hacía de esa construcción de Herrera?

—Mi madre no compartía esas cosas conmigo.

—No se lo reproches. Intentó mantenerte al margen de todo esto para que no te sucediera como a ella. Si ahora ha cambiado de opinión es porque sabía que le quedaba poco tiempo y ha querido dar un paso definitivo. Eso no debes olvidarlo nunca. Además, no podía compartirlo contigo porque es un trabajo reciente, que le encargué para el catálogo de la exposición que preparamos sobre la Plaza Mayor. Le conté todo esto que os estoy diciendo, y algunas de las tradiciones de mi familia. El antepasado mío que construyó el palacio de la Casa de la Estanca, Jorge de Maliaño, fue amigo de Herrera. Y tu madre relacionaba su *Discurso de la figura cúbica* con la Kaaba de los musulmanes y con la leyenda de la Cava de Antigua.

—La palabra podría ser la misma —asintió David—. *Kaaba* quiere decir *cubo* en árabe. Y es una construcción cúbica. Pero no acabo de ver la relación.

Juan de Maliaño rebuscó en un cajón hasta dar con unos folios.

—Aquí está el artículo de Sara. Leo lo que más me llamó la atención:

Algunas leyendas afirman que el último rey godo, don Rodrigo, perdió el trono de España a manos de los musulmanes porque violó a la Cava, la hija del conde don Julián. Suele relacionarse ese nombre con kaba *(palabra que en árabe quiere decir* doncella)*, o bien con* khaba, *que significa* ramera. *Pero habría que preguntarse si la Cava no es una trasposición de la Kaaba, el santuario cúbico de La Meca en el que está incrustada la piedra negra. Los musulmanes sostienen que es el primer templo que se construyó en el mundo, de la mano de Adán y Eva, y que fue restaurado por Abraham tras ser arrasado durante el Diluvio.*

Lo que don Rodrigo habría violado en Antigua sería ese espacio sagrado, donde en tiempos se dice que hubo una cueva guardada por una bestia, a la que mató Hércules. Fue este último quien construyó el Palacio de los Reyes, y encerró allí los secretos que había aprendido en sus doce trabajos. Por eso lo declaró inviolable, le puso un candado y dictaminó que cada vez que muriese un rey sería enterrado junto al palacio, y sus sucesores deberían ir añadiendo otros cerrojos. El lugar se convirtió así en un recinto tan seguro que fue allí donde decidieron guardar los godos el tesoro de las dinastías hispánicas. Y cuando en el año 710 llegó al trono don Rodrigo, tenía ya veinticuatro cerrojos.

Rodrigo quiso saber qué es lo que contenía, pero nadie supo responderle con exactitud. El más viejo de sus consejeros le habló de un talismán del que dependía la suerte de todo el reino. Lo único que consiguió así fue aumentar el deseo del rey. Con su propia mano rompió los cerrojos y entró en el palacio. Dicen las crónicas que en su centro, rodeada de inmensos tesoros, encontró una urna o arca cúbica. Cuando se acercó a ella y la abrió, salió una luz intensísima y vio, como en un tapiz, unas figuras de espantosa catadura. Vestían extraños atuendos de muchos colores, con anchas espadas al cinto, parecidas en su forma a la media luna de sus pendones. Y una inscripción que decía: «Cuando las cerraduras de este palacio fuesen quebrantadas, unos hombres armados de esa guisa conquistarán España».

El arquitecto miró a Raquel con complicidad.

—Eso es lo que ha escrito tu madre. Como ves, habla de un talismán.

—Pero, padrino, sólo son leyendas.

—Las leyendas es todo lo que nos queda de las verdades de ayer. Troya fue sólo una leyenda hasta que se excavó. Hoy ya es historia.

—Y no hay que olvidar la conclusión a la que llegaron en el Programa AC-110 de la Agencia —añadió David—. Y en particular mi padre, que conocía muy bien a Sara. Me refiero al modo de preservar el respeto por los residuos radioactivos para las futuras generaciones: no se puede explicar con un simple mensaje una tecnología tan complicada. La única manera de transmitir un peligro como ése es mediante el mito.

—Que siempre será sólo eso, un mito... —insistió Raquel.

—Los mitos también son radioactivos —volvió a la carga el criptógrafo—. Mire la que se lía con Jerusalén en cuanto sacan a relucir el Monte del Templo los palestinos o los israelíes. En cualquier caso, en esas leyendas podría estar la clave de todo este asunto, la razón por la que desapareció en su día mi padre y ahora nos pasa esto con su madre.

—A Sara le interesaba algo en particular —matizó Maliaño—, una exploración que hubo durante el reinado de Felipe II, para intentar encontrar el Palacio de los Reyes. Fue la última que se hizo antes de construir la Plaza Mayor, debido a una plaga de algo que llamaron «terror nocturno». Según me contó ella, es uno de los cargos que aparece en el proceso contra Raimundo Randa que estaba investigando en el convento de los Milagros. Y, como usted acaba de intuir, los síntomas le recordaban extrañamente a los de su padre.

—¿En qué sentido? —preguntó David.

—Lo que pasó en el siglo XVI durante esa última exploración conocida no se sabe a ciencia cierta, porque el relato del único superviviente resultó completamente incoherente. Éste logró salir de los subterráneos al cabo de varios días con más cara de difunto que de pertenecer a este mundo. Hablaba en un lenguaje incomprensible, y lo único que pudo sacarse en claro es que sus compañeros habían muerto en lugares inaccesibles, debido a un gran golpe de agua. Murió trastornado al cabo de pocos días. Se pidieron voluntarios para localizar a los restantes y darles cristiana sepultura, pero nadie se ofreció a entrar. En vista de ello, se mandó cerrar, lodar y calafatear la entrada. Luego ya viene Herrera y construye la Plaza Mayor. Y cuando lo hace, es muy consciente de que no se trata sólo de sellarla, sino de respetar las necesidades de algo que hay allá abajo. Por eso le dio forma de cubo.

—La plaza no es cúbica.

—Sí que lo es, si se tiene en cuenta la parte enterrada. Sólo se ve la mitad superior, pero debajo continúa una estructura que equivale a otro tanto como lo construido. Una especie de muralla subterránea asentada en los derrumbes previos de todas las galerías, para impedir que nadie pueda llegar bajo su interior excavando desde fuera del recinto. Para comprender bien la concepción de la Plaza Mayor tenéis que ver los planos de Herrera que tenemos en El Escorial, en la oficina que me han dejado para la exposición. Allí os podría enseñar lo que interesó a Sara, porque ahora que lo veo con perspectiva, ella estaba tomando notas para su posible incursión ahí debajo.

—¿Cuándo le comentó Sara todo esto? —preguntó David.

—El lunes pasado. El lunes es el día en que cierra al público El Escorial, y ella tenía apalabrado un fotógrafo para que le sacara algunas pinturas que quería incluir en su libro. Y, mientras le hacían las fotos, yo le enseñé esos planos de Herrera. Entre ellos hay unos fragmentos de pergamino que se parecen a ésos que me ha mostrado usted antes.

—¿Está seguro? Espere un momento, voy a buscarlos.

El sonido del teléfono interrumpió las palabras del arquitecto. Lo descolgó e hizo un gesto a David para que no se marchara.

—Sí, está aquí, junto a mí. Se lo paso… Es para usted —dijo al criptógrafo—. De John Bielefeld.

—¿Alguna novedad? —preguntó el joven.

—Es sobre lo que le dije antes a Maliaño —le contestó Bele-feld—, los movimientos que hemos detectado en la Agencia de Seguridad Nacional. Creo que es James Minspert quien está viajando hacia Antigua. Si no está ya aquí en la ciudad...

—¿James en persona? —se sorprendió David.

—Ha debido verle las orejas al lobo. No necesito decirle que deben extremar las precauciones.

—Gracias, comisario.

El criptógrafo puso al tanto de la situación a sus acompañantes y fue a buscar los ocho fragmentos del pergamino.

Los colocó sobre la mesa, encajándolos primero de dos en dos, hasta formar con ellos cuatro triángulos equiláteros. Y luego agrupó los triángulos de modo que compusieran una cruz:

—¿Por qué los ordena de ese modo? —le preguntó Raquel.

—Fue usted quien los ordenó así durante su sueño, en el hospital, mientras farfullaba en ese lenguaje ininteligible. ¿Lo ve?

Y le mostró el gráfico que le había entregado el doctor Vergara. Tras ello, se dirigió a Maliaño para preguntarle:

—¿Algo así es lo que tiene usted en El Escorial?

—Déjeme ver —le pidió el arquitecto—. La forma externa, el reborde, es una decoración que aparece a menudo en Antigua, tallada a bisel en los restos visigodos. Se trata de la cruz germánica… Y en cuanto a esos signos laberínticos grabados en el interior de la cruz, efectivamente, hay trazos así entre los planos de Herrera…

Mientras recorría con el dedo aquellos laberintos, Maliaño se había quedado boquiabierto. Tras un momento de reflexión, se quitó las gafas para mirar a los dos jóvenes, y en su rostro se reflejó una profunda conmoción:

—¡Dios mío…! Yo diría que los cuatro fragmentos que guardo allí son las piezas que faltan para completar el diseño de este pergamino.

—¡Creo que lo tenemos! —exclamó David.

—¿Se los enseñaste a mi madre? —preguntó Raquel.

—Sí. Y ahora entiendo su reacción. Debieron de darle la clave para lo que andaba buscando.

—Entonces, también nos la dará a nosotros. ¿Cuándo podremos ir a El Escorial para verlos? —insistió la joven, ansiosa.

—El mejor día sería mañana, lunes. El edificio estará cerrado al público.

—¿No es mañana cuando van a explorar la Plaza Mayor con el radar? —objetó David.

—Lleva usted razón. Bueno, pues el martes.

—¿Y esta tarde? ¿No podríamos ir esta tarde? —se impacientó Raquel.

—Habrá mucha gente, es un poco precipitado, y no sé si los guardias de seguridad podrán atendernos…

—Seguro que tú lo arreglas todo para que podamos ir —le rogó ella, cogiéndole del brazo.

—El señor Maliaño lleva razón, es muy precipitado —intervino David—. Y Bielefeld acaba de decirnos que debemos extremar las precauciones.

Raquel dirigió al criptógrafo una de sus afiladas miradas asesinas. No le gustaba nada que se interpusieran entre ella y su padrino. Aprovechó que lo tenía bien cogido por el brazo para llevarse al anciano hasta la biblioteca, alejándolo de él. El criptógrafo les oyó discutir un buen rato. Hasta que vio cómo el arquitecto accedía. O mejor, sucumbía ante la vehemencia de su ahijada.

—Está bien —le dijo—. Mientras vosotros vais a cambiaros al hotel, haré una llamada, a ver si es posible ir esta tarde.

VII

LOS MISTERIOS DE EL ESCORIAL

V INO Herrera, al fin? —pregunta Raimundo Randa a su hija tan pronto se quedan solos en el calabozo.

—Vino. Yo no pude verle, pero sí Rafael.

—¿Es cierto que me denunció?

—Lo hizo por salvaros la vida.

—¡Extraño modo!

—No ha querido explicar nada más, pero dice que en aquel momento corríais peligro de muerte, y lo primero era evitar que Artal de Mendoza acabara con vos. Y que ya nos relataría la historia con más calma. Rafael cree que dice verdad. Le contó vuestro plan y, tras conocerlo, Herrera insistió también en recuperar el telar. Ha pagado la fianza de su bolsillo y piensa que vuestra idea no es tan descabellada.

—Entonces, ¿está el telar en tu poder?

—Tal como lo dejó mi madre.

—Tenlo todo prevenido. Y recuerda lo que te dije: Herrera debe encontrar de inmediato esos diseños de Juanelo.

—Todos estamos en ello. Contadme ahora lo que os sucedió tras quedaros encerrado en aquella sala de El Escorial que usaban como biblioteca.

—Yo temía el despuntar del día. Barruntaba la luz del sol que se filtraría por las ventanas, allá en lo alto, sustituyendo a la luna llena que en ese momento clareaba en el cielo. Traté de hacerme cargo de lo que implicaría la llegada del bibliotecario, Benito Arias Montano. En cuanto me descubriera, llamaría de inmediato a la guardia, al percatarse de la gravedad de una situación que, de otro modo, habría de afrontar él como responsable de aquel lugar. Aun contando con la mejor disposición por su parte, a Montano le bastaría con verme para sospechar alguna trampa de su adversario Herrera. Por no hablar del rey, quien se sentiría traicionado en su buena fe. Y no había nada que le encolerizase tanto.

Me pregunté por qué no venía a buscarme el arquitecto. ¿Cómo no reparaba en que, caso de ser encontrado allí, él mismo se vería comprometido? Esperé un buen rato, alimentando la esperanza de que apareciese. Cuando la perdí, ensayé todas las posibilidades de escapatoria, sin resultado alguno. Tras ello, me senté en el suelo y me recosté contra una pared, desalentado.

Me empezó a invadir una extraña serenidad, el fatalismo de quien se sabe perdido. Y en ese dilatado silencio, mientras la luna iba deslizando por las paredes el perfil enrejado de las ventanas, escuché un ruido que parecía venir de abajo. Se diría agua, como si hubiesen abierto una compuerta. Reparé entonces en que había desechado desde el principio una posible vía de escape: el suelo.

Era mi última oportunidad.

Pegando el oído a cada una de las compactas losas de granito, fui colocando libros en aquellas bajo las que oía directamente el fluir del agua. De ese modo, y gracias a aquellas señales, obtuve una primera composición de lugar: la sala estaba cruzada en diagonal por una leve corriente. Quizá un conducto para los desagües. Fui examinando las losas así señaladas, y al apoyarme sobre una de las que cubrían el pasadizo subterráneo reparé en que oscilaba ligeramente. Al encontrarse junto a una pared, la humedad era mayor y el mortero estaba reblandecido.

Necesitaba un objeto punzante con el que ayudarme. En la mesa había un pequeño estilete, del que Montano debía de valerse para las encuadernaciones. Apurando el peso sobre la losa desencajada, logré introducirlo entre sus bordes. Pulgada a pulgada, fui recorriendo todo el perímetro para liberarla del mortero. Cuando al fin lo conseguí, el problema era sacarla. ¿Cómo abrazar, sujetar y alzar pieza tan pesada?

Hice un alto y me sequé el sudor mientras recorría la habitación. En la mesa no encontré nada con que ayudarme. Hasta que en un rincón apartado observé un libro descalabrado que el bibliotecario estaba recomponiendo. Se valía para ello de una recia aguja, una lezna de zapatero, y un bramante fino. Probé el cordel, y lo encontré resistente.

Enhebré la aguja con una triple carga de bramante y la introduje por el hueco que antes ocupaba el mortero. Ayudándome del estilete, la hice pasar bajo la losa. Repetí la operación otras cinco veces, cada vez con mayor seguridad y presteza. La losa había quedado sujeta por varias vueltas de aquella cuerda. Arranqué una delgada tira de cuero del respaldo del sillón en el que se sentaba el bibliotecario, y uní los cabos de uno y otro extremo de la cuerda, consiguiendo un asidor con el que centrar mis esfuerzos.

Finalmente, respiré hondo varias veces, hice acopio de todas mis fuerzas, y tiré hacia arriba de la losa. Concentré todo mi esfuerzo en una de las esquinas, en vez de soportar todo su peso de vez. La alcé y coloqué debajo un tope de papel. Luego otro mayor, hasta que logré desencajarla, de modo que sobresaliera. Repetí la operación con las otras tres esquinas. Varios empujones la liberaron del todo.

Cuando la hube retirado, el hueco que dejaba era lo bastante grande como para permitir el paso de un hombre. Metí la cabeza en él y comprobé que se podía avanzar por el desagüe, arrastrándome tumbado sobre la corriente de agua, leve en aquel momento. La duda que me asaltó fue si aquello me conduciría hasta un lugar seguro, o si no me estaba metiendo yo solo en una encerrona mucho más peligrosa.

Miré hacia las ventanas y comprobé que ya apuntaban las primeras luces. Recordé la fama de madrugador del bibliotecario Montano. No había tiempo para hacer cábalas. Tendría que arriesgarme.

Sólo quedaba borrar las huellas de mi estancia en el lugar y, sobre todo, cualquier indicio de por dónde me disponía a escapar. Así pues, situé la losa en paralelo al lugar en el que estaba encajada. Di la vuelta a los bramantes y el tirador de cuero, de modo que quedase abajo y pudiera valerme de él para arrastrarla desde el desagüe y tapar la entrada. Finalmente, me tumbé en el lecho de agua y tiré con todas mis fuerzas, colocándola donde antes estaba. Sobre mí.

«Es como si yo mismo me sepultara en vida», hube de reconocer, mientras cortaba los bramantes con el estilete y recuperaba los cabos, para que no quedase rastro alguno.

Encogido dentro del desagüe, en el que apenas cabía, me envolvió la más absoluta oscuridad. Por instinto, decidí arrastrarme sobre los codos, siguiendo la misma dirección que la corriente. Avancé a tientas, y no tardé en empaparme al contacto con el agua. Estaba muy fría.

Al cabo de un trecho, el suelo del conducto se interrumpía bruscamente. Tanteé el terreno con la mano. Debía de ser un registro. O un pozo. La angostura del canal por el que me deslizaba era tal que no me permitía cambiar de posición, para hacer comprobaciones. De modo que para salvar aquello habría de estirarme hacia delante. Cayendo, quizás, en el vacío.

¿Qué decisión tomar? No sabía si estaba ante un desnivel grande o pequeño. La única forma de averiguarlo era dejarse caer. Y eso fue lo que hice. No fue un espacio plano el que me recibió, sino un escalonamiento o rampa de irregular compostura, por la que rodé. Intenté sujetarme, sin conseguirlo, a los salientes con los que me iba encontrando. Difícil lograrlo a ciegas. De rebote en rebote, sentí las magulladuras por todo el cuerpo. Y un punzante dolor en las costillas. La velocidad que fui tomando hizo que los golpes fueran cada vez más dolorosos.

Sin embargo, mientras estaba en contacto con la rampa, me sabía relativamente seguro, si no me rompía la crisma contra uno de los salientes. Lo peor era el vacío. Acababa de pensar en esa posibilidad, cuando me di cuenta de que eso era lo que estaba sucediendo. La caída se me hizo interminable. Sentía el zumbido del aire en mis oídos, mientras esperaba de un momento a otro el choque contra la durísima piedra.

«Quizá sea lo mejor. Acabar de una vez».

Eso estaba pensando, cuando se produjo el impacto.

Había chocado contra el agua. Fría. Muy fría. Más aún que la del pasadizo por el que había llegado hasta allí. Aunque lo bastante profunda para amortiguar la caída. Y reaccionar al instante.

Me sorprendió la amplitud y fuerza del cauce, que me arrastró sin permitirme más alternativas que mantenerme a flote. Aquello era una acequia.

«¿Cómo es posible que haya bajo el monasterio una corriente de agua de semejante magnitud?», me pregunté.

Mientras nadaba, vino a mi mente el recuerdo de Juanelo. Lo que me había contado sobre sus trabajos hidráulicos en El Escorial. ¿Hacia dónde conduciría aquel canal?

Percibí algo de luz. Debía filtrarse desde la acometida de aquella corriente. Era muy leve. Pero mis ojos, acostumbrados hasta entonces a la más absoluta oscuridad, la apuraron hasta el último rayo. La acequia estaba revestida de piedra, tan regularmente labrada como la bóveda de medio cañón que la cubría. Había de ser la madre principal, hacia la cual se encaminaban los sumideros menores, los de las cocinas, comedores, cavas, patinejos, patios grandes y letrinas.

Sin embargo, el agua estaba muy limpia para ser una cloaca. Y frente a mí no quedaba mucho trecho para toparme con un muro, atravesado por aquel cauce en su descenso. Se trataba de una de las macizas paredes maestras del monasterio. Con un aparejo muy distinto del resto.

No me inquietaba la pared en sí. No corría el peligro de estrellarme contra ella. La acequia la atravesaba limpiamente, gracias a un hueco practicado en el muro. Lo que me preocupaba era que había perdido ya toda noción de dónde me encontraba, adónde me dirigía, o qué podía esperarme tras aquel orificio. Porque iba a entrar en otra estancia. Imposible detenerme. La corriente era demasiado fuerte y me rompería los dedos si intentaba sujetarme a los bordes.

Apenas me dio tiempo a introducir la cabeza bajo el agua, para evitar los golpes contra la rotunda pared. Cuando la saqué, al otro lado del portillo, lo primero que sentí fue un hedor insoportable.

La corriente se remansaba. Perdía fuerza al dividirse en pequeños canales laterales. Yo permanecí en el central, hasta recibir un golpe seco y la constatación de que el agujero de salida de la acequia, tras atravesar aquella estancia, era demasiado estrecho para permitirme salir.

Me hallaba varado en un lugar cerrado por completo, excepto los orificios de entrada y salida del agua, gracias a los cuales el cauce transmitía un poco de luz. Cuando salí de él, chorreando, un macabro espectáculo se ofreció a mis ojos. Sobre una plataforma de piedra se encontraban los despojos de varios cadáveres.

Estaba en el pudridero.

Sacudí mis ropas y miré alrededor, sobrecogido. El escaso aire que circulaba por el lugar no conseguía arrastrar la cargada y sofocante pestilencia de la putrefacción, que emanaba de los cuerpos y subía hasta embolsarse bajo la bóveda de piedra. Tan baja, que apenas permitía estar de pie una vez que se había salido del agua. Me sentí débil y desfallecido. Y me entraron arcadas al ver la masa purulenta de gusanos que daban buena cuenta de uno de los cuerpos.

Me horrorizó la idea de quedarme allí encerrado. Conteniendo la respiración todo lo que pude, recorrí aquella habitación en busca de una salida. La única puerta, de hierro reforzado con robustos remaches, estaba cerrada desde el otro lado, y no presentaba fisuras.

Sólo quedaba regresar a la acequia. Volver sobre mis pasos resultaría harto arriesgado. La corriente era muy fuerte, no me sería fácil remontarla y, aun así, podía suceder que algún obstáculo, un estrechamiento o reja, me impidiese el paso. Por otro lado, tampoco podía continuar aguas abajo, ya que no cabía por el estrecho agujero de salida.

Cuando lo examiné más de cerca, comprobé que el estrechamiento no afectaba a la pared maestra. No era de sillería, sino de mampostería, un añadido posterior a la construcción, que más bien parecía tener como objeto acelerar el curso de la corriente después de su remanso en aquella estancia, para mejor aspirar y limpiar el aire.

Esto me dio una idea. Regresé junto a los despojos y, venciendo la natural repugnancia, tomé una de las planchas de cinc sobre la que yacían las carroñas, vaciándola. Después, la doblé varias veces, hasta improvisar un ariete que utilicé contra el tabique de mampostería. Poco a poco, el obstáculo comenzó a ceder. Cuando calculé que cabía por el orificio, me metí en la acequia de nuevo, sumergí la cabeza bajo el agua, y me dispuse a proseguir mi desesperada huida.

Pronto, el canal se estrechó tanto que la corriente ganó en impulso, arrastrándome con fuerza y golpeándome contra las paredes del cauce. También aumentó la pendiente de éste, y empecé a caer por un embudo que se iba estrechando progresivamente. Mi inquietud creció al escuchar el ruido que brotaba de su fondo, un silbido regular que parecía cortar el aire, segándolo con furia. Miré hacia abajo y pude ver una luz lateral, barriendo aquella oscuridad hacia la que me precipitaba sin remedio. Brillaba a intervalos regulares, reflejándose en algún objeto metálico de un modo intermitente que al principio no acerté a comprender. Hasta darme cuenta de que me deslizaba hacia un molino de los que llaman de rodezno, dotado de aspas tan afiladas como guadañas, que me despedazarían sin remedio.

El pánico se agolpaba en mi cabeza, sin dejarme espacio para pensar. Fue el instinto quien me dictó aquella decisión. Me despojé, como pude, del jubón que vestía, y lo arrojé contra el molinete. A pesar del grosor de la tela, las afiladas paletas dieron buena cuenta de ella, destrozándola. Pero siguieron girando, y sólo me separaba de ellas una pequeña distancia. Me quité, entonces, la camisa, e hice con ella lo mismo que con el jubón. Por ser ésta más flexible, se enredó en el mecanismo. Sin embargo, no paró de dar vueltas, y la distancia era ya mínima.

A la desesperada, aflojé una correa bien herrada que llevaba y me saqué las calzas, lanzándolas también contra las aspas. Y ya me precipitaba sobre ellas, cuando los restos de mis ropas, junto con este último envío y los herrajes del cinturón, al trabar aquellos engranajes, los desencajaron, haciéndolos saltar por el aire y estrellarse en una pared, con gran estruendo.

Yo fui a topar contra el madero que hasta ese momento les servía de eje, provocando la caída de una compuerta sujeta a él, que me cerró el paso. Me agarré a su hoja como pude y, trepando por ella, salí hasta una estrecha escalera que arrancaba en aquel punto, y sólo permitía el descenso. Al bajar los peldaños observé el curso de la corriente que acababa de abandonar de modo tan accidentado: tras mover las aspas del molino, desembocaba en un estanque de gran amplitud. Se encontraba en una estancia muy holgada, un amplio sótano que no alcancé a ver en toda su extensión. Ahora, las paredes ya no traspiraban humedad, sino que el aire era seco, y el calor aumentaba a medida que me internaba en aquel recinto. Lo que agradeció mi aterido y desnudo cuerpo.

Pasado el primer momento, empezó a parecerme sofocante, con un olor acre, como de azufre. Algo muy extraño en aquellas profundidades. Y durante unos segundos pasó por mi cabeza la conseja de la Boca del Infierno sobre la que —según decían— se asentaba la fábrica del monasterio. Y de la que procedían los escoriales o montones de escoria que le daban nombre.

No tardé en oír gritos y voces, sonando cada vez más cerca. Supuse que vendrían a averiguar el estruendo producido por la rotura del molinete y el cierre de la compuerta. Me eché a un lado, tras una columna, y vi pasar dos hombres cubiertos de sudor, que se acercaban hasta un altísimo tragaluz, abierto de manera que pudiera recibir desde el exterior. A un grito, cayeron troncos de mediano tamaño, que fueron apilando en montones regulares y precisos. Cuando no me observaba nadie, salí de detrás de la columna y me escondí entre las pilas de madera.

Avancé agachado hacia el centro de la pieza, todo lo cerca que me permitía la hilera de troncos. Y al asomar la cabeza contemplé un espectáculo que me dejó mudo de asombro.

Ahora podía ver en su práctica totalidad la gran sala que se extendía ante mí, en la que se afanaban hasta una docena de peones. Toda ella estaba cubierta por una enorme bóveda que se apoyaba a modo de columna en un horno central del que salían las nervaduras, como las ramas de una palmera. A lo largo de las paredes había numerosos alambiques, en los que se acumulaban retortas y matraces de las más diversas formas.

Tres fogoneros bregaban en el gigantesco fuelle que atizaba el horno central, ayudados por un complicado sistema de poleas y contrapesos. Cada vez que inyectaban su corriente de aire, las llamas brotaban del horno como de un volcán, esparciendo por la estancia un humo que picaba en la garganta. Un maestro destilador controlaba las retortas sobre el atanor, escupía y pedía a gritos a un ayudante que le trajese un nuevo matraz.

Pero la vista se iba tras aquel inusitado aparato que había en el centro. Sobre un horno de ladrillo se alzaba un cuerpo de cobre rematado en forma de cúpula, al que se sujetaban docenas y docenas de alambiques. En un rápido cálculo, me pareció que superaban holgadamente el centenar. Era una torre filosofal, de tan gran altura y diámetro que nunca hubiera pensado que se pudiese construir algo semejante. Debía superar los veinte pies de alta, y tres hombres puestos el uno encima del otro apenas habrían alcanzado la cima, ni llegarían con sus brazos a rodearla.

Ahora empezaba a entender las muchas medidas de seguridad, la desconfianza de los lugareños respecto a lo que allí se hacía, las murmuraciones sobre perros negros, Bocas del Infierno, los trastornos del clima que se le achacaban, y tantos otros oscuros presagios.

Había logrado salir con bien de la biblioteca para irme a dar de bruces con otro secreto mayor.

«Escapé del trueno y di en el relámpago», pensé.

Intenté examinar el ángulo opuesto de la estancia, por ver si se hallaba allí una salida por la que huir. Pero no podía verlo desde donde me encontraba, ya que lo tapaba una de las pilas de leña tras la que me escondía. Me removí en mi escondrijo.

Entonces, se produjo la catástrofe.

Al apoyarme en uno de los troncos, éste cedió, provocando el arrastre de los que estaban encima, y un desmoronamiento general.

Retrocedí, asustado, al comprobar el alboroto que se producía en el sótano. Hubo voces y carreras. Pronto, el lugar empezó a llenarse de gente.

Fui retrocediendo, y estaba ahora junto al gran estanque que nutría los canales de refrigeración. Observé que los hombres se habían repartido por los pasillos, cubriendo todos los ángulos muertos. No tenía escapatoria.

Una mano me sujetó por el cuello, poniendo un cuchillo en él, y me sacó a empellones de mi escondrijo.

—¡Ya te tengo! —oí que decía mi captor. Y la voz de aquel esbirro me resultó conocida. Pero no podía verle la cara, porque estaba detrás.

Me empujó hasta el centro de la estancia y me arrojó al suelo con violencia. Recibí un fuerte golpe contra las losas. Cuando logré recuperarme y pude alzar la vista, comprobé quién acababa de capturarme. Era Centurio, el soldado fanfarrón con el que me había concertado en Antigua cuando adopté el nombre de Pacheco.

—¡Vaya, quién tenemos aquí, y en cueros! —dijo con sarcasmo—. ¿Venís solo, o con aquel burro sabio que era más listo que vos? Seguro que Artal de Mendoza tiene muchas preguntas que haceros.

Y, por este y otros comentarios, entendí que trabajaba para el Espía Mayor. Deduje también de las palabras de aquel bravucón que Artal se hallaba en El Escorial, adonde había llegado en compañía del rey, con quien despachaba en ese momento. Si caía en sus manos antes de ver a Felipe II, estaba perdido.

Ruth interrumpe a su padre para preguntarle:

—¿Sabía Mano de Plata que erais el hijo de aquel Álvaro de Castro, a quien él había dado tormento en la sierra de Granada?

—Eso mismo me preguntaba yo. Artal no podía saberlo antes de concertarse con Centurio. Pero sí en aquel momento, después de que éste le fuera con el cuento de mis tretas de titiritero para ganarme la confianza de don Manuel Calderón y entrar en la Casa de la Estanca.

—¿Le habíais explicado a Centurio lo que buscabais en la casa? —insiste Ruth.

—Desde luego que no. Pero si Centurio le había contado a Artal lo del borriquillo, a Mano de Plata no le resultaría difícil deducir mis motivos, porque él sí sabía los secretos de la Estanca. El caso es que Centurio me encerró en una habitación, y encargó que fuera custodiada por varios de sus hombres armados.

Se abrió la puerta al rato, y apareció Juan de Herrera. Cerró tras de sí, me llevó hasta un rincón, y me contó con todo el sigilo posible que había pasado la noche en vilo, esperando tener un momento para ir a buscarme a la biblioteca y sacarme de allí. Pero su Majestad estaba desvelado y le había entretenido mucho tiempo revisando planos, que era lo que más le sosegaba en sus preocupaciones.

—Cuando regresé a la biblioteca no os encontré, y esto me inquietó todavía más. ¿Cómo lograsteis escapar?

—Por el desagüe.

—¿La cloaca de las necesarias? Es muy pequeña.

—Decídmelo a mí. Pero se hace más grande al llegar a un colector. Desde allí, si uno se cae de bruces con la debida propiedad, se llega hasta la acequia del pudridero.

—¡Habéis entrado en el pudridero! —se alarmó el arquitecto.

—¿Cómo, si no, creéis que llegué a toparme con ese alambique gigantesco? ¿Qué es lo que está haciendo ahí abajo toda esa gente?

—Oh, nada —remoloneó Herrera—. El destilatorio de la botica.

—¿Decís que nada? Dudo que haya en el mundo un laboratorio semejante.

—Está bien. Tratamos de buscar las quintaesencias... —concedió, irritado.

Y como yo le mirara sin acabar de entender qué relación podía haber entre el destilatorio y el pudridero donde yacían los despojos de la familia real, prosiguió:

—... los hábitos primeros de las especies que yacen bajo los individuos y se transmiten de generación en generación.

—¿Para qué?

—Todo este edificio está construido según esos principios y encaminado a tal fin. Olvidáis que es el panteón de las dinastías españolas, la nueva casa de los reyes donde se ha de enterrar a sus monarcas a la espera del Último Día... Pero no es el momento de hablar de ello, sino de vestiros y salvaros. Es un milagro que aún estéis con vida.

—Lo que resultará un milagro será conservarla después de esto.

—Os equivocáis. Juanelo y yo hemos respondido por vos, al explicar que caísteis a uno de los conductos de agua en el exterior, y que la corriente os arrastró. Pero eso no bastará para libraros de sospechas. Y, menos todavía, de Artal de Mendoza. Para ello tendréis que rendir al rey un servicio que él tenga en gran estima.

—¿Y cómo lograré eso?

—Artal está en este momento despachando con don Felipe, preparando una reunión que tendrá lugar en la Pieza de Consulta. Por eso me ha llegado a mí la noticia de vuestra captura antes de que él la reciba. Tenéis que asistir vos también a esa reunión.

—¿En pelota? —y abrí los brazos para mostrarle mi desnudez.

—He pedido a uno de mis amigos que os traiga ropa. También he hecho llegar a Su Majestad una nota referida a vos, y está deseando confirmar por vuestra propia boca lo que nos habéis dicho a Juanelo y a mí. Es la forma más segura de sacaros de este encierro. Ahora todo va a depender de vuestra habilidad. Y recordad que no tendréis otra ocasión de ver al rey ni poder dirigiros a él.

—¿Pero qué es lo que debo contarle? —me sorprendí.

—Materia no os falta. Lo que debáis decir o callar lo iréis viendo a medida que transcurra la reunión. Yo no conozco todavía cuál va a ser su orden, después del largo despacho que acaban de tener don Felipe y Artal de Mendoza. No debe parecer que estamos compinchados ni, desde luego, saberse nada de nuestra visita nocturna a la biblioteca. Y, menos aún, la de Su Majestad.

Hubo un alboroto en el pasillo. Se abrió la puerta y aparecieron varios soldados de la Guardia Española. Su estatura y vozarrón contrastaban con las de un enano de voz atiplada, con el que mantenían una áspera discusión. Deduje que era Borrasquilla, el bufón del rey, y gran amigo de Herrera, a quien prestaba su casa durante las estancias del arquitecto en El Escorial, como yo había tenido ocasión de comprobar el día anterior.

—¿Qué sucede? —preguntó Herrera.

—Nada grave. Que pretenden arrebatarme estas prendas vuestras —aseguró el enano, mostrando la ropa que me traía.

Herrera se dirigió a los alabarderos, y en las estrictas órdenes que les dio noté que surgía en él aquel curtido militar que yo había conocido durante nuestro viaje de Laredo a Yuste. Quedaron los guardias confusos y, mientras uno de ellos iba en busca de instrucciones, otros dos permanecieron en el interior de la habitación donde yo estaba encerrado. Pero no hicieron nada por impedir que me vistiera, siguiendo las instrucciones del arquitecto.

No tardó en aparecer Centurio, ajustándose la espada. Dijo, señalándome:

—Ese hombre está preso.

—¿Quién ostenta el mando? —preguntó Herrera.

Lo sabía muy bien. Sólo que lo hacía por humillar a Centurio, al que miró con desprecio, reparando en el cinturón ladeado del talabarte, que le daba el aspecto menos marcial imaginable.

—Yo —aseguró el fanfarrón.

—¿Habéis vuelto a la Guardia? Os hacía en las tabernas. Pero ya que estáis aquí, habéis de saber que Su Majestad reclama el consejo de quien suponéis y tratáis como un prisionero. —Y, dirigiéndose a mí, añadió—: Venid, Raimundo, a don Felipe no le gusta esperar.

El arquitecto apartó las picas que interponían los alabarderos y me indicó una escalera interior que nos condujo a una antecámara. Un cauto rumor de diligencia cundía en torno a la pieza pequeña de secretarios y el lugar donde estaba reunido el rey. Herrera dio cuenta a uno de los escribanos, para que avisase a Felipe II de nuestra presencia.

No tuvimos tiempo para muchas más consideraciones, porque bien presto nos reclamaron para la reunión en la Pieza de Consulta. Era ésta una habitación oscura, que daba a la galería del cierzo, donde en aquel momento silbaba el viento cuarteando los postigos. Habían encendido la chimenea, y junto a ella se hallaba la cabecera de la mesa que presidía el monarca. A su lado estaba Artal de Mendoza, y frente a él se sentaban el bibliotecario Benito Arias Montano, y el morisco Alonso del Castillo.

Reparé en el rey, a quien sólo había tenido ocasión de ver en la oscuridad de la biblioteca. Tenía la tez clara y el cabello y la barba rubios. Los ojos, grandes y de un azul acerado, con los párpados caídos, que le daban un aspecto distante. La nariz y las cejas, finas. Todo ello en abierta contradicción con los labios gruesos y sensuales, de un intenso color cereza. Vestía de seda negra con mucha elegancia, y un capote de damasco forrado de marta que destacaba sobre el jubón y bajo el sombrero de tafetán, forrado en armiños finos con vuelta y una cadena dorada rematada en una nuez de aljófar.

El monarca aprovechó nuestra entrada para recabar la presencia de un guardarropa que le despojara del capote, y mientras lo hacía fijó sus ojos en mi persona breve y fríamente, sin apenas pestañear. Sentí gran embarazo, y más todavía cuando vi que preguntaba algo al oído a Artal, y éste también se fijaba en mí, y contestaba algo al rey, haciendo un aparte. Y el rey asintió. Y aunque noté que apenas miraba a quienes hablaban, incluso cuando el interlocutor se dirigía directamente a él; y que mantenía bajos los ojos, y si los levantaba era para dejarlos vagar a uno y otro lado; aunque noté esto —como digo—, vi que más de una vez me vigilaba don Felipe con curiosidad. A saber qué le habrían contado de mí...

El primero en intervenir, a una indicación del monarca, fue Juan de Herrera. De sus palabras se desprendió que había alguna disputa sobre las trazas de aquel edificio de El Escorial en el que nos encontrábamos. Esto me llenó de zozobra, pues no acerté a entender cuál podía ser mi papel en semejante controversia, a no ser que me pidieran opinión sobre la holgura de sus cloacas, pudrideros y letrinas. Que de eso bien podía darla, con pelos y señales.

—Creo, señor —opinó el arquitecto— que los canteros han de adaptarse a los problemas ya resueltos por los maestros de obras que conocen bien nuestros terrenos, sus materiales y clima. Por otro lado, y si no he entendido mal las instrucciones que me habéis venido dando, el edificio ha de servir a propósitos muy diversos. De modo que he estudiado monasterios, templos, hospitales, palacios, castillos y alcázares españoles. Todo ello lo he sometido al escrutinio de la arquitectura más nueva. Y lo he concertado lo mejor que he sabido.

Herrera daba la impresión de haber terminado. Pero aún alcanzó a añadir, resignado:

—Claro que luego vendrán los monjes exponiendo sus necesidades. Y ya se sabe lo regaladas que son las costumbres de los Jerónimos, que no son unos monjes cualesquiera. Total —murmuró entre dientes— que esto terminará siendo una celda para los reyes y un palacio para los frailes.

Volvió el rey la cabeza hacia Arias Montano, para invitarle a hablar. Comenzó el bibliotecario recordando el solemne elogio fúnebre por el emperador Carlos, pronunciado ante Felipe II algunos años antes en la iglesia de Santa Gúdula de Bruselas. Era sermón célebre, a cargo del mejor orador sagrado del momento, el obispo de Arras, François Richardot. Uno de esos discursos que comprometen, pues el prelado, ante la más selecta concurrencia de Europa, había emplazado a don Felipe a asumir el papel de un nuevo Salomón.

—Éstas fueron sus palabras —dijo Montano, tomando un papel y disponiéndose a leerlo con su bien timbrada voz de predicador—: *«Así como el rey David, abrumado por tantos trabajos como había tenido que soportar, declaró sucesor de sus reinos a su hijo Salomón, seguro de su valía y de su saber, así nuestro gran emperador, debilitado por las penas antiguas y las enfermedades presentes, dejó las cargas del reino en las manos de su hijo... El emperador Carlos, ya retirado a España, todavía pudo comprobar por las hazañas cumplidas el día de San Lorenzo, que la responsabilidad había sido entregada a un príncipe que, como Salomón después de la muerte de su padre, también usaría todos sus recursos y sus fuerzas para recomponer las ruinas del verdadero Templo de Dios, que es la Iglesia».*

Montano hizo una pausa, calibrando el efecto de su lectura. Sabía bien el alcance que cobraban esas palabras tras el Concilio de Trento, en el que tan brillante participación había tenido él como teólogo.

Y las dejó reposar antes de continuar con el pasaje más polémico del elogio fúnebre de François Richardot:

—«*David fue muy agradable a Dios por otras virtudes y, no obstante, Él le prohibió que le construyese un templo sólo porque era guerrero. Para construirlo eligió al pacífico Salomón. Si esto sucedió entre los judíos, ¿qué deberá suceder entre nosotros, los cristianos? ¿No deberíamos estimar aún más la paz? Yo considero que ni siquiera contra los turcos debe declararse una guerra a la ligera, porque el reino de Cristo no se originó y propagó por la fuerza de las armas*».

Consciente del alcance de las palabras que acababa de pronunciar, seguro de sí, Montano depositó el papel sobre la mesa, y añadió:

—Nunca ha habido tantos años de paz continuados, como los que ahora gozamos. ¿Y qué hizo Salomón cuando fue ungido rey y debió hacerse cargo de los dos tronos heredados de su padre, el de Israel y el de Judá? Construir un templo que uniese a las doce tribus. Porque los hechos de armas pasan, y a menudo se olvidan; pero los edificios quedan, si están dotados de la suficiente grandeza. Vos, señor, habéis de unir tierras mucho más dispersas que Salomón, pero el primer título que heredasteis de vuestro augusto padre fue el de rey de Jerusalén. Y hoy la Iglesia está tan amenazada y dividida como nos recuerda el Concilio de Trento. Vuestra Majestad necesita un gran templo, no uno cualquiera. Y para ello precisa un gran arquitecto, el mejor...

Todos miramos de reojo a Herrera. Pero la voz encendida de Montano apuntaba en otra dirección. Con un quiebro que anunciaba el golpe de efecto, concluyó:

—... y ese máximo arquitecto no puede ser otro que el propio Dios.

Se produjo un embarazoso silencio mientras todos los presentes se miraban entre sí, atónitos por su osadía.

—Digo, pues —prosiguió Montano—, ¿qué mejor arquitecto que Dios? Quien no sólo ha urdido el diseño de la Naturaleza, sino también algunos artefactos y edificios salidos directamente de sus instrucciones y designios, como el Arca de Noé, el Tabernáculo de Moisés o el Templo de Salomón, destinado a contenerlo. Dios mismo dio instrucciones precisas y detalladas de cómo debía hacerse cada uno de ellos: materiales, dimensiones y usos. Y digo más: en construcciones así concebidas, se armonizan la arquitectura y la Naturaleza, al fin ambas salidas de la misma mano. Un templo tal será una nueva escala de Jacob por la que allanar el trato y comunicación familiar con las Alturas. Si en ese edificio se hallan las proporciones armónicas en que se basa la Naturaleza, se convertirá en un confidente de la estructura secreta del Universo.

Entendí entonces lo que allí se estaba sustanciando. Donde la Historia y las Escrituras decían David y Salomón, ahora se ponía en su lugar al emperador Carlos y a Felipe II. Y donde el Templo de Jerusalén aparecía uniendo a los israelitas del norte y a los judaitas del sur, ahora se refería a los protestantes de la Europa septentrional y los católicos de sus tierras meridionales. Estaban hablando en realidad de El Escorial, el nuevo Templo, el emblema de la Iglesia restaurada tras el cisma de la Reforma luterana. Y prefiguración de la Jerusalén Celeste a la que toda la Historia se encamina.

Me bastó mirar a Herrera para comprender, también, sus dudas y ambiciones. Yo le miraba a él y él me miraba a mí, porque había llegado el momento de tomar partido en aquella diatriba. Al ver que Herrera no intervenía, me planteé hacerlo yo. Ahora bien, ¿cómo encajar mi experiencia en apuesta tan elevada como aquella magna obra? ¿Dónde hallar un resquicio en tan formidable aparejo de ideas, tan bien trabadas doctrinalmente? ¿No sería aquello como meterse en corral ajeno?

Volví a atender a lo que en ese momento se decía en la mesa, donde Herrera se dirigía a Montano para decirle:

—Gran doctrina es ésa. Pero la semana que viene habré de entregar nuevas trazas y despieces a los maestros de obra. ¿Dónde hallaré las instrucciones salidas de la mano de ese Arquitecto Supremo que proponéis? ¿Qué dimensiones, qué medidas, qué proporciones?

No era aquélla respuesta que estuviese a la altura del desafío planteado, sino una mala retirada a la defensiva. Miró entonces el rey a Artal de Mendoza. Aquélla iba a ser, sin duda, la baza inesperada que habían acordado en su despacho previo. Y el verdadero objeto de la reunión.

Dijo Mano de Plata:

—Su Majestad ha hecho venir a Alonso del Castillo para que examine unos libros en arábigo, que hace poco fueron capturados por una de nuestras naves, al abordar otra de los berberiscos que hacía la travesía de Melilla a Argel.

Así solicitado, por este preámbulo, el morisco no se hizo de rogar. Tras pedir la venia al rey, explicó:

—Estos volúmenes se ocupan mayormente de religión musulmana, y van encuadernados de cuarto en pliego con su buena piel de becerro, sus manillas, clavos de cobre y restos de cintas que sirvieron de ataduras. Fue al examinar éstas, y ver cómo se entremetían en las tapas, cuando observé que las tales cubiertas pertenecían a otro códice en vitela, mucho más antiguo, desportillado y aprovechado para encuadernar éste. Y separando esas cubiertas y desplegándolas con cuidado, he encontrado que pertenecen a la *Crónica sarracena,* la más antigua y fidedigna en que se habla de la conquista de España por los primeros musulmanes, Tariq y Muza, y lo que pasó con ellos y don Rodrigo, el último rey godo. Y lo que buscaban en España. Yo bien vi en la Alhambra algunas copias de copias de fragmentos de la dicha *Crónica.* Pero eran éstos muy confusos, y poco de fiar, aunque hayan corrido entre ciertas gentes. Entiendo, por el contrario, que ésta, aunque incompleta, es muy de primera mano, por estar tan cerca de aquellos sucesos, como se echa de ver ya desde su comienzo.

Así que ése era el origen de aquellas vitelas tan antiguas que Herrera y yo habíamos visto en la biblioteca. Cuando el morisco declaró que los volúmenes llevaban el nombre de su antiguo propietario, Rubén Cansinos, de Fez, me pregunté qué conocimiento tenía de él Mano de Plata, y qué es lo que había contado al rey. ¿Sabían ambos la historia del pergamino y que su duodécimo gajo obraba en poder de Cansinos, por no haber acudido a la reunión de Estambul con don José Toledano? ¿Estaban al tanto de que se trataba del único superviviente de su reparto, y que, por tanto, había alcanzado a verlo completo? ¿Conocían su previo descubrimiento por aquel hombrecillo, Azarquiel, en la ciudad de Fez? En cualquier caso, ¿cómo se las iba a arreglar Artal de Mendoza para revestir aquello de una misión regia, por muy secreta que fuera, sin descubrir su doble o triple juego? Porque él contaba con una espesa red de espías en la costa, y sobre todo en Berbería, pero ¿llegaba su brazo hasta Fez, en el corazón del reino de Marruecos?

Estas y otras preguntas me estaba haciendo —tanteando el resbaladizo terreno en el que iba a tener que moverme cuando me llegara el turno de intervenir—, cuando Felipe II carraspeó, esperando nuestros pareceres. El primero con el que contaba era el del bibliotecario Montano, tan versado en aquellas lenguas y materias.

—Vos también habéis leído esas vitelas, ¿las habéis entendido así? —le preguntó el monarca.

—Del mismo modo, Majestad —confirmó Montano.

—¿Les prestáis crédito?

—Pienso, señor, que en esa *Crónica sarracena* se mezclan verdades y patrañas a partes iguales, como suele suceder con estas leyendas. Pero hay otros testimonios que hablan de ese Tesoro de los Godos, obtenido en sus saqueos. Y principalmente en Roma, donde Alarico lo tomó en el año 410 de nuestra era. Luego los godos lo llevaron hasta Tolosa. Y desde allí lo trasladaron a Antigua, cuando asentaron en esa ciudad su nueva capital. Y, para lo que a nosotros nos interesa en esta disputa que mantenemos, es verdad que en el tesoro saqueado por Alarico en Roma estaba el del Templo de Salomón, que el emperador romano Tito había tomado en el año 70, al conquistar Jerusalén.

—¿Pensáis, entonces, que ese tesoro del Templo de Salomón puede estar en nuestros dominios, en Antigua? —preguntó Felipe II.

—Cabe en lo posible, señor.

—Si el tesoro del Templo de Salomón está en Antigua, ¿no sería ése el mejor modo de honrar El Escorial, arrimándolo a su modelo y ejemplo? —y esta vez la pregunta de don Felipe iba dirigida a todos.

Claramente me sentí incluido. Hubo un tenso silencio. Dudé si intervenir. Porque me pareció que había llegado mi hora y que de no hacerlo incurriría en muy graves sospechas. Era la única oportunidad de quedar bajo la protección regia, y toda prudencia en mis palabras sería poca.

—Con la venia, señor —dije—, desearía hacer una pregunta a Alonso del Castillo.

Esperé a que el rey me concediera su permiso, con un asentimiento de la mano. Y aunque su rostro permaneció impávido, noté que sus ojos brillaban por la curiosidad.

—Don Alonso —continué—, ¿había algún pergamino entre esos volúmenes?

—No entiendo vuestra pregunta —respondió el morisco—. Ya he dicho a Su Majestad que las cubiertas en las que está escrita la *Crónica* eran de vitela.

—No me refiero a eso, sino a un gajo triangular como marcado a fuego, con unos trazos a modo de laberinto.

—Nada de eso he encontrado.

Este arranque me dio autoridad, pues todos entendieron que yo estaba en algún secreto conocido de pocos. Pero también había quedado en el aire un fuerte trazo de suspicacia. Y como no quería yo darles a conocer lo que no supiesen —y menos todavía que once de aquellos gajos obraban en mi poder—, hube de explicar:

—Me han hablado de ello en Jerusalén, de donde acabo de venir, no sin antes haber visto ese laberinto en el santuario donde estuvo asentado el Templo de Salomón.

—Pero ése es lugar prohibido a cristianos —objetó Alonso del Castillo.

—Sí, lo sé —admití—. Me hice pasar por natural de Estambul, donde he estado cautivo. Y pude entrar en el Haram y en la Cúpula de la Roca.

—¿Queda algo del Templo? —se sorprendió don Felipe. Y esta vez pude notar su interés por el modo tan directo en que me miró.

—No, Majestad, sino quizá algún rastro de sus cimientos. Pero debajo de la Roca está ese laberinto que ellos honran como un talismán, y hay una inscripción con el nombre del califa Al Walid I, que era el señor natural del moro Muza, el conquistador de España tras vencer al último rey godo, don Rodrigo. De ahí mi pregunta.

Don Felipe hizo entonces un aparte con Artal, y éste buscó entre sus papeles. Para hacer una consulta, me pareció.

Después de privar con aquel su Espía Mayor, don Felipe se dirigió a mí para decirme:

—Tenemos entendido que habláis perfectamente el árabe, y el turco, entre otras lenguas.

—Así es, señor. Debo añadir que cuando estuve cautivo en Estambul, os serví como mensajero, estando vos en Bruselas.

—Lo sabemos. Y deseamos que volváis a hacerlo.

Asentí, pues vi llegada la ocasión de quedar bajo la protección de la real persona y recuperar la confianza perdida a causa de mi azarosa vida. Y esa protección os alcanzaría a Rebeca y a ti. Don Felipe dijo entonces:

—Os pondréis a disposición de nuestro superintendente, Artal de Mendoza, para dirigiros a Fez, de donde proceden esos volúmenes. Deberéis conseguir el resto, los desencuadernaréis y examinaréis sus tapas, donde va escrita esta *Crónica sarracena,* y completarla. Hemos de saber el paradero de ese tesoro tras la conquista de la ciudad de Antigua. Sólo entonces quedaréis libre de las graves acusaciones y sospechas que se han vertido contra vos.

Estas palabras me dejaron sin habla. Yo esperaba algún otro cometido, no caer otra vez en el expediente de correo o agente secreto. Y ahora estaría bajo la tutela de mi peor enemigo, Mano de Plata, aquel carnicero sin escrúpulos que había exterminado a toda mi familia. Se me pasó brevemente por la cabeza denunciarlo allí mismo, desvelando su juego ante el rey. Pero ¿cómo iba a creer a un renegado casado con una judía, que había servido a los turcos? Y no a un turco cualquiera, sino a su más temible adversario, Alí Fartax, el *Tiñoso*. Por otro lado, era una oportunidad irrepetible para hablar con el último superviviente del reparto de los gajos del pergamino y completar éste.

Debió adivinar Artal mis pensamientos, porque me reprochó:

—¿Acaso dudáis? ¿Hicisteis aquella mensajería desde Estambul a Yuste por los judíos, y os negáis a hacerlo por vuestro rey?

—Será un honor —hube de concluir con una inclinación de cabeza.

Raimundo Randa recapitula tomando de la mano a su hija Ruth:

—No podía ignorar aquellas amenazas, que os alcanzaban también a vosotras, a ti y a Rebeca. Comprendí que desde aquel mismo momento quedabais en rehenes, como garantía de mi silencio y lealtad en todo lo que había visto y oído. Ahora podrás entender por qué hube de dejaros, muy a mi pesar. Cuando me dieron suelta, en El Escorial, tardé en regresar a Antigua. Más aún me costó volver a casa, para daros la noticia. ¿Cómo deciros que iba a correr de nuevo peligros sin cuento? Yo, que le había prometido a tu madre traerla a un lugar en que no estaría continuamente al acecho, durmiendo con los ojos abiertos, como dicen que lo hacen las liebres, para mejor correr a la menor señal de peligro.

Fueron tantas sus lágrimas cuando se lo conté, que hube de dirigirme a Manuel Calderón y pedirle que me hiciera aquel favor supremo, de acoger en su casa a mi mujer e hija, y sus apadrinadas, en tanto yo estaba fuera. Rogué también a Juanelo que estuviera en ello, y aun a Herrera, de cuyo predicamento en la corte cabían pocas dudas, pues había visto con mis propios ojos que era el único capaz de enfrentarse al Espía Mayor. Les rogué encarecidamente que parasen los golpes que pudieran prepararse contra vosotras en mi ausencia. Y con el corazón destrozado partí hacia el sur un amanecer, cuando apenas alboreaba.

Pasé antes por Granada, para visitar a mi tío Víctor de Castro en su monasterio, donde lo encontré bien, y le dejé mal, muy preocupado por mi suerte.

Le mostré, ante todo, los once gajos del pergamino que llevaba conmigo, bien ocultos en mi cinturón. Y sólo supo decirme:

—Nunca he visto por acá nada semejante. Ni parece de ese lugar al que te diriges.

—Pero fue encontrado en Fez —insistí.

—Quizá allí sepan decirte. Sin embargo, no lo muestres por entero. Sé muy prudente al hacer preguntas de este género.

Fue entonces, al referirle lo sucedido, cuando me contó todo lo que sabía de Alonso del Castillo, con el que había seguido trabajando en la recogida y examen de los códices arábigos.

—En este tiempo en que tú has faltado de aquí, don Alonso se ha empleado como intérprete en la guerra de las Alpujarras, donde don Juan de Austria redujo a los moriscos con gran derramamiento de sangre.

—He oído hablar de esas matanzas. Después de lo que don Alonso hubo de ver allí —le hice notar—, tiene que ser terrible para ese hombre servir a los enemigos de sus padres y abuelos.

—Quizá evitó así mayores males a los suyos. Y quizá recogiendo los manuscritos moriscos les ayude a mantener su orgullo y sus razones para vivir. ¿No harías tú lo mismo?

Me di cuenta de que, en realidad, era eso lo que yo estaba haciendo por los míos. Y recordé, en efecto, lo que me contaba Alcuzcuz de sus antepasados, sus palacios y mezquitas, y cómo todo ello les permitía sobrellevar su esclavitud y el escozor de sus marcas a fuego en el rostro.

—¿Y Artal de Mendoza? ¿Quién es, en realidad, ese hombre de la mano postiza de plata? —pregunté a mi tío.

—El Espía Mayor del rey, el Superintendente de las Inteligencias Secretas, debajo del cual está el Jefe de Espías, y más abajo aún los agentes, corresponsales, los captados o instrumentales, enlaces, correos... Y, por encima, sólo el propio rey. Ese hombre conoce demasiados secretos. Muchas de sus actuaciones, que a otros valdrían la muerte inmediata, no pueden imputársele a él, porque quizá estén detrás los más inconfesables intereses de Estado. O el propio Felipe II. Sólo alguien que tenga con el monarca igual o mayor privanza que Artal se encontrará a salvo de sus asechanzas. O alguien que cuente con el amparo de la Iglesia, como es mi caso. Ya te dije que este claustro es mi mejor baluarte. Vale tanto como la más gruesa de las murallas.

—¿Por qué va siempre embozado y enguantado, incluso en presencia del rey? —le pregunté.

—Porque tu padre, y hermano mío, el gallardo Álvaro de Castro, le dio un tajo con la espada que se le llevó media quijada y la mano derecha, que hubo de sustituir por una de plata. Quienes han visto lo que le queda de cara a Artal aseguran que su aspecto pone pavor.

—¿Cómo fue eso?

—Un duelo. Cosas de jóvenes compañeros de armas, que se enamoran de la misma mujer y disputan por ella. La mujer era tu madre, Clara Toledano. De una de las más rancias familias de Antigua. Y guardianes de la Casa de la Estanca desde tiempos inmemoriales.

—Por eso disputaron, entonces, Artal de Mendoza y mi padre...

—Mi hermano Álvaro peleó por tu madre, no creo que le interesara la Estanca. En cuanto a Artal, juzga tú mismo. Es un bastardo de la familia de los Mendoza, de las más poderosas del reino, y de las más turbulentas. Al arrebatarle la dote de tu madre y destrozarle la cara, tu padre le rompió con ello las ambiciones. Con su aspecto, no podía hacer carrera en la corte, como no fuera a la sombra. Y así es como se convirtió en espía. Supongo que lo empezaría viviendo como una condena. Pero a todo se le termina tomando gusto. Y en especial si va aumentando el poder que te dan. Ahora controla la red de agentes secretos más numerosa que ha habido nunca en el Mediterráneo. La Corona gasta en ella tantos miles de ducados que no te resultará fácil escapar de él. Ni siquiera en tierra de infieles.

—Ya he podido comprobarlo —dije con tristeza—. ¿Por qué no me contasteis todo esto cuando me recogisteis aquí, tras la muerte de mis padres?

—Muchas de estas cosas no las sabía. Las he ido averiguando a raíz de aquello. Otras las conocía a través de los moriscos, cuyos testimonios no podían darse por buenos sin más. Y otras no te las conté porque no quería que cometieses ninguna locura. Te habría costado la vida. Y quizá me la habría costado a mí, que entonces no contaba con las protecciones que he ido logrando. Tampoco me parecía la mejor idea que un muchacho dedicara el resto de su existencia al rencor y la venganza. Mi esperanza era que olvidases. Ahora veo que todo ha sido inútil, que cada huida no ha hecho más que acercarte al peligro y estrechar el cerco. Tendrás que tener mucho cuidado. No des pasos en falso. Tu mujer e hija están a su merced...

Cuando llegó el momento de la despedida, mi tío aún añadió una última recomendación:

—El reino de Marruecos anda en guerras civiles y los caminos se ven asolados por continuas bandas de saqueadores. Habrás de esperar una caravana bien armada que vaya hacia el sur, y unirte a ella. De lo contrario, no sobrevivirás ni una jornada.

Randa cesa en su relato al oír los pasos de sus guardianes, que se aproximan. Y mientras acompaña a su hija hasta la puerta, baja la voz para advertirle:

—Ahora, cuando abran esa hoja de hierro, no digas nada, por mucho que te extrañe mi conducta.

—¡Por Dios, padre! ¿Qué locura se os ha pasado por la cabeza?

—¡Haz lo que te digo!

Cuando suena la cerradura y aparece Artal en el umbral, el prisionero se dirige a él de modo inesperado:

—Esa mano os está destrozando el muñón —le suelta a bocajarro.

Por el resquicio del embozo, su carcelero le mira sorprendido.

—¡Qué sabréis vos! —replica, despectivo.

—Más de lo que pensáis —le dice Randa, subiendo las escaleras. Uno de los soldados saca su espada y la pone en el pecho del prisionero. Éste ni siquiera se inmuta. Sigue subiendo las escaleras, acercándose a Artal.

—Dejadme ver vuestra mano —insiste.

El soldado mira al Espía Mayor, esperando sus instrucciones. Éste duda durante unos instantes. Pero no quiere ser tomado por timorato. Ordena al soldado que retire su arma, se saca el guante de piel y tiende a Raimundo el brazo derecho, con su mano metálica.

—Es por el frío, que la contrae —explica Artal—. Y ahora ni siquiera vive ese maldito Juanelo, que es el único que sabría repararla.

—Yo puedo hacerlo.

—¿Un correveidile como vos? —y el recelo se acusa en cada repliegue de su ronquera.

Por toda respuesta, el prisionero extiende hacia él la mano, esperando que su carcelero le confíe el postizo. Así lo hace éste, tendiendo su brazo. Con pulso seguro, valiéndose de un simple giro, Randa la desencaja del muñón y examina el mecanismo. Mientras Artal se frota lo que queda de la dolorida extremidad, enrojecida por el tenaz pinzamiento, Raimundo comprueba la articulación de los garfios. Los abre y los cierra, y sin que sus carceleros adviertan el modo en que lo hace, regula el escape que los sujeta a la carne. Luego, se la devuelve a su dueño.

—Probad ahora —le pide.

Artal de Mendoza sigue sus instrucciones al ponerse la mano de plata, forcejea con ella y mueve la cabeza con aprobación. El alivio aparece en su rostro. Pero no el agradecimiento. Más bien, mientras cierra la puerta dejando a Randa dentro, asoma en su rostro la desconfianza.

8

La Piedra Angular

A través de la ventanilla de la furgoneta, James Minspert señaló a Juan de Maliaño, Raquel Toledano y David Calderón. Ajenos a la vigilancia de que eran objeto, el arquitecto y sus dos acompañantes examinaban la mole del monasterio de El Escorial, perfilándose al sol de la tarde.

El vehículo desde el que los habían seguido Minspert y sus tres sicarios estaba ahora aparcado a unos cincuenta metros, y el cristal de espejo unidireccional les permitía observarlos sin ser vistos desde el exterior.

—¿Está lista esa cámara? —apremió James, volviéndose hacia el agente que estaba tras él.

—Cuando quiera, señor.

El musculoso agente había encendido los monitores y probaba la imagen y el sonido, mascando chicle con parsimonia. En la rumia, su poderosa mandíbula cuadrada subía y bajaba tan metódica como sus preparativos. Minspert se situó junto a él en la parte trasera de la furgoneta, se caló los auriculares que le tendía el intérprete y ajustó el micrófono.

—Enfoca un poco más a la izquierda y habla —ordenó al pelirrojo—... ahora... Recibo imagen y sonido... ¿Me oyes tú a través del audífono?

—Sí, señor.

Examinó el disfraz de turista del agente, sus zapatillas deportivas, el pantalón corto, la gorra de béisbol. Torció el gesto al reparar en su chaleco de fotógrafo.

—Deberías haberte puesto algo más discreto. En fin, podrás llevar la cámara de vídeo a la vista, y eso te dará mayor libertad de movimientos. Y ahora, mira ahí afuera —señaló la explanada del monasterio a través de los cristales semitransparentes de la furgoneta—. Fíjate bien en esos tres.

Se refería a Juan de Maliaño y sus dos acompañantes, que se encaminaban ya hacia la entrada principal del monasterio. Pero antes se detuvieron en el ángulo noreste, frente a la esquina de la torre del colegio, donde el arquitecto pareció explicar algo a David y Raquel, señalando con su bastón hacia el edificio.

En el interior de la furgoneta, James supervisaba ahora las instrucciones que el hombre delgado, de rasgos angulosos y vestido de negro, daba al agente:

—¿Ves al viejo de la barba blanca? —le preguntó aquel individuo, afilando su rostro chupado—. Conoce este lugar como la palma de la mano. Pero tú no. Ése será tu primer problema. Segundo: él cuenta con autorización para moverse dentro del monasterio con total libertad. Tú, no. Deberás utilizar una entrada de pago, como todo el mundo, y ceñirte al recorrido turístico habitual, mucho más restringido. Tercer problema: en los lugares donde ellos estén solos, tú no podrás entrar. Y en los sitios donde te dejen entrar, habrá otros visitantes. De manera que no les abordes hasta que te lo digamos nosotros y estés completamente seguro de que no te ve nadie. Entonces sí, ve a por ellos.

—¿Empleándome a fondo? —preguntó el pelirrojo, dirigiéndose a Minspert.

—Sin contemplaciones —le contestó James—. Tienes que conseguir esos documentos a cualquier precio. ¿Entendido? —el agente asintió, respetuoso—. Habla lo imprescindible, para que no sepan de dónde eres. Ese tipo, Calderón, conoce tu lengua. Cuando te comuniques conmigo, hazlo en inglés. Nunca en tu idioma. Y no utilices nombres propios.

—Muy bien, señor. ¿Algo más?

—Que ellos no te vean demasiado. Procura meterte en algún grupo para pasar desapercibido, pero sin perderlos nunca de vista. Y grabando imagen y sonido aceptables, para que yo pueda darte las indicaciones desde aquí. A mí no deben verme en ningún momento, ni siquiera sospechar que ando por aquí. De manera que tú serás mis ojos y oídos.

El hombre de negro desplegó un plano del conjunto monumental y señaló al agente el suyo, para que hiciera otro tanto.

—Vamos a revisarlo por última vez. Hay dos entradas para el público, donde te vas a encontrar con arcos detectores de metales y con escáneres. Por eso, la cámara lleva integrado el transmisor y el arma.

—Pero recuerda que sólo dispones de dos balas, la que ya está lista para disparar y otra de repuesto —añadió Minspert—. Si las cosas se ponen feas, dispara entre los ojos utilizando la fijación del objetivo por láser. Es segura al cien por cien.

—¿Qué hago cuando entren en una zona reservada, donde no me dejarán seguirles? —preguntó a James.

—Esperarles, hasta que vuelvas a tomar contacto con ellos, sin levantar sospechas en los vigilantes. Ten mucho cuidado con ellos, porque están intercomunicados. Si alguno intenta transmitir tu presencia, debes neutralizarlo de inmediato. No podemos fallar, porque no nos dejarán intentarlo de nuevo. Tampoco pierdas de vista a David Calderón. Es el más peligroso.

—¿El criptógrafo? —se extrañó el sicario.

—No es un criptógrafo corriente. Ha tenido entrenamiento militar y se conserva en buena forma física. Es fuerte, muy templado, y con mucha sangre fría. Controla bien sus reacciones. —Y al observar que Maliaño, Raquel y David proseguían su camino hacia la entrada principal, atajó—: ¿Todo claro?

—Creo que sí —concluyó el agente.

—Pues aquí tienes el tique de entrada. Y ahora sal ahí afuera, pégate a ellos y vamos a escuchar lo que dicen. Ésa será la mayor dificultad, que esta visita a El Escorial es improvisada. El traductor y nosotros tendremos que ir deduciendo su plan sobre la marcha, y a medida que lo averigüemos te iremos indicando en el plano tu radio de acción.

El agente bajó de la furgoneta, cruzó la explanada y se unió a un grupo de americanos. Minspert guiaba sus pasos a través del audífono:

—Acércate a ellos, levanta la cámara de vídeo y afina un poco más... Eso es, la imagen del arquitecto está bien. Ahora el sonido... —continuó Minspert—. ¿Qué son esos chillidos que se oyen como ruido de fondo?

—Las golondrinas. Hay cientos de ellas —le informó el agente.

—Pues tendrás que acercarte más.

Al aproximarse, James pudo oír a través del auricular las palabras de Juan de Maliaño, que le fue traduciendo el intérprete:

—A tu madre le gustaba El Escorial con locura —aseguraba el arquitecto a Raquel—. Decía que para Felipe II era algo así como la Casa Blanca, la Biblioteca del Congreso, el Instituto Tecnológico de Massachussets y el Pentágono, todo en una pieza. La maqueta de un Estado moderno, destinada a perdurar a lo largo de los siglos. Lo cual lo convertía en un candidato idóneo para preservar algo valioso. Sara vino a tomar notas con un propósito muy preciso.

—¿Podríamos reconstruir exactamente el recorrido que hicieron usted y Sara el lunes pasado? —pidió David.

—Por supuesto. Dejadme que hable primero con el servicio de seguridad, para que nos asignen luego un par de guardias, cuando vayamos a mi oficina.

Al cabo de unos minutos, el arquitecto regresó junto a los dos jóvenes y les condujo hasta la puerta principal. Maliaño se situó en medio de la entrada, bajo el arco de la biblioteca, y señaló al interior, hacia el Patio de los Reyes, cerrado al fondo por la fachada de la iglesia:

—El recorrido que hicimos es el más lógico, siguiendo el eje longitudinal, que divide el edificio en dos mitades más o menos simétricas. Va de las partes públicas al palacio privado. De oeste a este, porque la cabecera da al oriente.

—O sea, hacia Madrid —apuntó Raquel.

—Para ser exactos, hacia Jerusalén, con un pequeño error de medio grado... ¿Lo veis? Aquí a la derecha está el monasterio, a la izquierda el colegio y el palacio público. Y, en medio, el eje longitudinal, que pasa por la biblioteca, aquí encima de nosotros, esta especie de puente sobre el arco de entrada; luego continúa a lo largo del Patio de los Reyes y la basílica, ahí enfrente. Ése será nuestro recorrido.

En el interior de la furgoneta, el hombre de negro y Minspert habían seguido sobre el plano el itinerario previsto por el arquitecto. James acercó el micrófono e indicó a su agente:

—¡Atención, adelántate a ellos! Se dirigen hacia la biblioteca, que está en la segunda planta, encima de la puerta principal. En tu plano es el número 9... A la izquierda... Ojo, que te vas a encontrar con uno de los controles de seguridad. Tendrás que entrar a través de un arco detector de metales y pasar la cámara por un escáner. Pero tranquilo, que no notarán nada... Cuando la hayas recuperado, sube las escaleras.

James esperó hasta que su agente hubo entrado en la biblioteca. Comparada con la gris austeridad del edificio, el recinto era una llamarada de luz y color. El sol entraba a raudales a través de los cinco balcones que daban al Patio de los Reyes, bañaba la estancia y, reflejándose en el solado de mármol blanco y gris, resaltaba la policromía de los frescos que cubrían sus bóvedas. Comprobó con alivio que la imagen era más que aceptable, excepto cuando la cámara se movía con brusquedad o era sometida a cambios súbitos de iluminación. Tan pronto como vio aparecer por la puerta del fondo a David, Raquel y el arquitecto, indicó al sicario:

—¿Me escuchas? No es necesario que hables. Para confirmar que me escuchas, camina hacia la ventana que tienes enfrente... Muy bien. De acuerdo. Cuando entren, acércate a ellos con cuidado, de modo que podamos oír bien sus palabras.

No tardó en captar a través del micrófono del agente las explicaciones de Juan de Maliaño:

—... Es la joya del monasterio, una de las mejores bibliotecas renacentistas del mundo. La primera que construyó ex profeso un rey en España, donde la monarquía no ha sido muy dada a los libros. Tiene más de cinco mil manuscritos, algunos en árabe, griego, hebreo, chino, persa, turco, armenio, náhuatl... Una verdadera babel de lenguas. Tu abuelo y tu madre adoraban este lugar.

—Se olvida usted de mi padre. Él fue quien pasó más horas aquí —intervino David.

—Lleva razón. Pero en el caso de su padre era sólo por los manuscritos. Creo que a Sara le interesaban más esas pinturas al fresco que cubren la bóveda. Y en especial tres, que fue las que mandó fotografiar para incluirlas en ese ensayo que estaba escribiendo, *De Babel al Templo*. Ésta fue la primera. Como podéis ver, es el arranque de todas las imágenes de la bóveda, y representa el origen del conocimiento.

La pintura a la que aludía el arquitecto mostraba a un rey al pie de una profusa obra de cantería, sobre la que se afanaban los tallistas poniendo orden en un reguero de piedras. Al fondo de la llanura se alzaba hacia los cielos un edificio circular. Sin duda alguna, representaba la construcción de la Torre de Babel, porque debajo una inscripción en latín aludía a la confusión de las lenguas.

—¿Te dijo mi madre por qué le interesaba esta pintura? —preguntó Raquel al arquitecto.

—Tu madre la relacionó con este otro fresco, el que está enfrente. Es el segundo de la serie, y el más difícil de interpretar.

Y señaló una escena ciertamente enigmática. A la izquierda se veía a un anciano en un podio dirigiéndose a un grupo de niños sentados a su alrededor. Al fondo, en el centro, se repetía un asunto similar: otro anciano con otro grupo infantil. Y a la derecha un preceptor mostraba cuatro niños a un rey.

David intentó guiarse por la inscripción latina que figuraba al pie.

—«LINGVA CHALDEOR». ¿Lengua de los caldeos? ¿Qué quiere decir eso?

—Fíjese en la otra inscripción —le sugirió el arquitecto.

—«DANIEL, CAP. I».

—Es la historia de Daniel —intervino Raquel—. Cuando Nabucodonosor arrasó el Templo de Salomón, y desterró a los israelitas a Babilonia, mandó que le trajesen a algunos niños de talento de entre las mejores familias judías, para instruirlos en la lengua caldea. Ese rey de la derecha debe ser Nabucodonosor, y los cuatro niños son Daniel y sus tres compañeros. Daniel la aprendió tan bien que pronto supo descifrar los sueños del rey.

—No me extraña que esta pintura interesara tanto a Sara —apuntó David.

—Ella sabía muy bien que en El Escorial nada se ha dejado al azar —continuó el arquitecto—. Esta sala de la biblioteca es, literalmente, un puente tendido entre el colegio, que tenemos aquí detrás, por donde hemos entrado, y el monasterio, ahí delante. De ese modo, podían acceder a los libros tanto los estudiantes como los monjes, cada uno desde su propia ala del edificio. Sobre la puerta que da al colegio está representada la Filosofía, ¿la veis? Aquí encima. Y sobre la puerta que da al monasterio, la Teología. Y entre ambas, en estas bóvedas, están las siete Artes Liberales. El itinerario entre una y otra viene a señalar la idea básica de todo el conjunto: la cristianización de la cultura pagana. Pues bien, la primera de las Artes Liberales corresponde a la gramática, porque se supone que esa escuela adonde acudían Daniel y sus compañeros junto con los niños caldeos es la primera aula de Gramática de que se tiene noticia. ¿Por qué está ligada a Babel? Porque debe reparar los daños causados por la confusión de las lenguas durante la construcción de la famosa torre. Antes de ella no había nada que aprender: la humanidad era una, su lengua la misma y su conocimiento innato.

El agente de Minspert se mantenía a una prudente distancia, fingiendo leer un manuscrito del *Ars Magna* de Ramón Llull, abierto de par en par en una vitrina para mostrar sus ruedas combinatorias. Pero tenía buen cuidado de que tanto la lente como el micrófono de la cámara de vídeo estuvieran orientados hacia ellos.

—Ya ves, Raquel, tu madre estaba al cabo de la calle —continuó Maliaño—. Y, aun así, le daba otra lectura. Creía que ese fresco alude a la Hermandad de la Nueva Restauración. O al embrión que condujo a ella... La primera gran fraternidad del saber, para remontar la fragmentación del conocimiento humano, debido a la separación de lenguas y a la interposición de las religiones. Ya sabes: antes de Babel, la Biblia habla de la Humanidad, pero después de la torre sólo cuenta la historia de un único pueblo, el supuesto pueblo elegido, el poseedor del Templo. Para Sara, estas dos pinturas hablan de eso.

El arquitecto se llegó hasta el centro de la biblioteca y alzó la vista, señalando el fresco pintado en la bóveda que había sobre el ventanal.

—Ésta fue la tercera escena que mandó fotografiar tu madre —afirmó Juan de Maliaño—. La reina de Saba proponiendo a Salomón una serie de enigmas, para probar su sabiduría. Luego me hizo notar que esta pintura se encuentra exactamente en el centro de la pared más exterior. Y no sólo eso. Venid aquí y asomaros a la ventana que está enfrente del fresco.

Daba al Patio de los Reyes, cerrado al fondo por la imponente fachada de la basílica.

—Mirad ahí. Si unimos esta ventana con el centro de esa fachada, estamos exactamente en el eje longitudinal de todo este conjunto, el vector que lo ordena y le da sentido. ¿Veis aquellas estatuas en el frontispicio de la iglesia? Son las que dan su nombre a ese patio. Representan a los reyes de Judá. ¿Y quiénes están en medio? David y Salomón. Para entenderlo, es mejor que vayamos hasta allí.

El agente bajó la cámara con alivio cuando los vio encaminarse hacia el Patio de los Reyes. En él había gran trasiego, y sería más fácil pasar desapercibido.

Desde abajo, su espacio aún resultaba más ceremonioso. Todo estaba concebido para subrayar la excepcionalidad de aquellas efigies en piedra. Las altas y macizas torres, las cúpulas, arcos y columnas centraban el frontón, otorgando el protagonismo a las estatuas de los monarcas.

—Ahí los tienen —dijo el arquitecto—. Los seis reyes que participaron en la construcción, mantenimiento y restauración del Templo de Jerusalén. Cuando vinimos el lunes pasado, Sara comentó: «Seguimos teniendo a Salomón en el eje del edificio, igual que en la pintura que acabamos de ver en la biblioteca. Él y su padre el rey David sostienen los cetros en la mano, y apuntan con ellos hacia el interior de la basílica. Pero ¿adónde señalan?».

Juan de Maliaño no contestó a la pregunta. La dejó en el aire y se limitó a pronosticar, alzando su bastón para señalar hacia lo alto:

—Ahora lo veréis. Fijaos en esa ventana que está en el centro, entre los dos cetros de David y Salomón, y entremos en la iglesia.

Cuando penetraron en la basílica, se volvieron hacia la bóveda del coro alto, que marcaba el eje exacto del monasterio. Estaba cubierta por un extenso fresco, repleto de figuras, e iluminada por la luz de la ventana que acababan de ver desde el exterior.

—Ése es el lugar adonde apuntan las estatuas de David y Salomón con sus cetros... —indicó Maliaño—. La pintura representa la Gloria. Ahí arriba está la Santísima Trinidad, a la izquierda la Virgen, y a la derecha Felipe II, de rodillas. Y debajo, y a los lados, toda la corte celestial.

—¡Qué extraña!

—Bueno, resulta extraña si se compara con el modelo en el que todos pensamos para un Juicio Final, que es el de la Capilla Sixtina del Vaticano. Es curioso que en la biblioteca hayan tenido tan en cuenta los frescos de Miguel Ángel y aquí no, ¿verdad?

—¿Y a qué crees que se debe?

—Tu madre pensaba que a un deseo de claridad. Algo tan anticuado, tan medieval, sólo se explica si lo que se desea es transmitir algo sin dejar lugar a dudas.

—¿Y qué es ese algo...? —tercio David.

—¿Veis eso que hay debajo de la Trinidad?

—Parece un libro abierto —aventuró Raquel.

—En cierto modo es como un libro, y tu madre relacionaba esa pintura con los frescos y volúmenes de la biblioteca. Nadie antes había convertido una biblioteca en el segundo espacio en jerarquía de un monasterio, y Herrera se atrevió a hacerlo. Pero no es un libro. Es una piedra.

—¿Una piedra?

—Un bloque cúbico. Dispuesto de tal modo que la arista coincide exactamente con el eje del edificio. Es más, esa piedra está colocada en el centro de todo él. Es su centro. En la iconografía tradicional ahí debería ir el globo terráqueo. Pero ha sido sustituido por la auténtica Piedra Angular de El Escorial. Tu madre pensaba que Babel y el Templo de Salomón dialogaban a través de ella: la Palabra y la Piedra. Por eso es como un libro abierto. Y Sara llevaba anotada una frase sumamente misteriosa del cronista oficial de El Escorial, fray José de Sigüenza.

—El que tenía entre sus papeles el gajo del pergamino que encontró mi padre —precisó David—. El mismo que sostenía en sus manos Felipe II cuando murió. Y que por detrás lleva de su puño y letra la leyenda *La Llave Maestra* y la palabra ETEMENANKI.

—Eso es. Pues bien, fray José de Sigüenza dice que esa piedra cúbica pintada ahí arriba es «*el centro donde concurren las líneas de la circunferencia de esta fábrica, el fin donde todo se ordena, y donde todo se junta y todo se ata*». Sara la hizo fotografiar porque la iba a utilizar para la portada de su libro. Cuando la vio dijo esa misma palabra que habéis repetido: ETEMENANKI. Y me explicó que significaba en caldeo *Piedra Angular de la Fundación,* o *Llave Maestra,* y que es el nombre original de la Torre de Babel. Lo curioso es que el arquitecto de este edificio y de la Plaza Mayor, Juan de Herrera, también pensaba que esa piedra cúbica es el módulo con el que está hecho el Universo. Incluso escribió un tratado para explicarlo, su *Discurso de la figura cúbica.*

—Ya nos hablaste de él en tu casa. ¿Ese libro es conocido? —preguntó Raquel.

—No sé qué decirte. Algunos lo citan, pero nadie lo ha conseguido explicar. Según tu madre, daba la impresión de que Herrera pretendía transmitir un secreto de incalculable valor, pero de modo que sólo lo entendieran los iniciados. Leer el *Discurso de la figura cúbica* es como emprender una excursión a través de un gran salón, en la más completa oscuridad. De vez en cuando, y sin previo aviso, el autor enciende una cerilla, y se puede ver algún dibujo en los muros, el bulto de un mueble aquí, objetos que se está a punto de distinguir... Pero entonces, apaga rápidamente la luz, por temor a revelar misterios que le está prohibido difundir. A lo mejor, lo que contiene ese cubo son los auténticos planos del Templo de Salomón, que Felipe II y Herrera quizá consiguieran, y adoptaron o adaptaron en este edificio.

Se hizo un prolongado silencio, que interrumpió Raquel para decir:

—¿Sabes a lo que me recuerda? Al monolito de aquella película, *2001, una odisea del espacio.* Ya sé que es un disparate...

—Pero, ¿por qué la forma cúbica? —preguntó David al arquitecto.

—Porque el cubo es el resultado de una triple operación de la línea o del número sobre sí mismo, como el propio Dios y la Trinidad, de la que el cosmos es reflejo y obra. Ahí están las tres dimensiones del espacio y del tiempo, para demostrarlo. Y porque es el poliedro más perfecto, el módulo con el que está hecho este monasterio. También era el módulo del Templo de Salomón: el sanctasanctórum era cúbico, así como la Kaaba de los musulmanes en La Meca. Para los cristianos es algo parecido: la Jerusalén Celeste del Apocalipsis será un cubo.

—Ya hemos hablado de eso esta mañana. *Kaaba* quiere decir «cubo» en árabe —confirmó David.

—Los dos templos, el de Jerusalén y el de La Meca, se atribuyen a Abraham, y se dice que fueron construidos en el lugar en que Dios le mandó sacrificar a su hijo primogénito. Por lo que Sara me contó, ésa es la esencia de su libro. Y por eso molesta a tanta gente: el acto fundador del monoteísmo se basa en la muerte. En dar la muerte en nombre de Dios. Y en excluir a los demás diciendo: «Sólo nosotros somos el pueblo elegido». Algo que no sucedía antes de Babel.

—Ahora entiendo el interés de mi madre.

—Y de tu abuelo. Cuando Abraham Toledano utilizó el nombre de Fundación para la suya, le daba un sentido añadido. Creo que él se refería también a la Piedra de la Fundación, y por eso la incluyó en su escudo, tomándola del emblema de la Hermandad de la Nueva Restauración. Tanto los judíos como los musulmanes creen que la piedra sobre la que se alzó el Templo de Salomón era la Piedra Angular de la Fundación, donde hoy se levanta la Cúpula de la Roca, a la que debe su nombre. Se suponía que fue lo primero creado por Dios, y que a partir de ahí el mundo se fue expandiendo en todas direcciones. Es, literalmente, el ombligo del mundo. Y también será su sepulcro, el día del Juicio Final.

—Que es lo que se representa en esta pintura.

—Claro, porque esto es un panteón de las dinastías hispánicas, el nuevo Palacio de los Reyes, una prolongación del de Antigua. Ahí abajo, en la cabecera de la iglesia, están enterrados el propio Felipe II y su familia, esperando la resurrección. Todo el monasterio está encaminado a ese fin fundamental.

—Estoy un poco confuso —reconoció David—. Y no acabo de ver la relación con esos gajos del pergamino.

—Es lógico —admitió el arquitecto—. Ya está bien de cháchara. Vamos a ver esos cuatro gajos que parecieron dar a Sara la clave final. Me han prestado un despachito aquí en los sótanos, junto al museo, para preparar la exposición sobre Herrera. Voy a avisar a los de seguridad, para que desconecten la alarma y estén al tanto los dos vigilantes que me habían prometido.

Tan pronto salieron de la iglesia, el sicario de Minspert se retiró a un rincón, acercó su voz al micrófono y susurró:

—¿Qué hago?

—Van a entrar en los sótanos —le puso al tanto James Minspert desde la furgoneta—. Prepara el arma que llevas incorporada a la cámara, quítale el seguro y síguelos. Procura evitar a los guardias de seguridad, pero si alguno te echa el alto has de seguir adelante sin darle tiempo a reaccionar ni a comunicarse con sus compañeros. Evita matar a nadie.

—¿Y si me veo en apuros?

—En ese caso, no te andes con contemplaciones. Recuerda que si te pillan no tendrás ningún tipo de ayuda oficial. Nosotros no existimos.

Desde su escondite, el sicario reparó en el vigilante que se acercaba al arquitecto y sus acompañantes, y sacaba un manojo de llaves para franquearles el paso hasta un pasillo que se abría al fondo.

Le oyó decir, mientras se disponía a cerrar tras ellos:

—Señor Maliaño, cuando hayan terminado, ya me avisarán por el teléfono para que venga a abrirles.

El matón esperó al guardia tras una columna, le tapó la boca con una mano y con la otra lo agarró por el brazo. Tiró de él con fuerza, y lo alzó más y más, hasta oír el chasquido del hueso que se partía. Le arrebató las llaves, abrió una pequeña habitación de servicio, le quitó las esposas que llevaba al cinto y lo ató y amordazó. Se disponía a cerrar tras de sí, cuando oyó una voz a sus espaldas:

—Pero ¿qué hace usted? ¡No se mueva!

No contaba con que otro guardia anduviera tan cerca. Se dio la vuelta, remoloneando, hasta centrar en la frente del recién llegado el visor láser de la cámara. Y disparó. La bala salió con un zumbido sordo, se incrustó entre los ojos del vigilante y lo hizo caer hacia atrás. Apenas había tocado el suelo, lo arrastró junto a su compañero, cerró con llave y se encaminó hacia el sótano.

Tras abrir la puerta y descender la empinada escalera, empezó a calcular el tiempo mentalmente. A partir de ahora, debía mantener un estricto contrarreloj. En el momento en que trataran de comunicarse con los dos guardias que había puesto fuera de combate, sus compañeros acudirían al lugar. Y estaría atrapado.

Se detuvo al doblar un recodo y ver a Raquel, David y Maliaño que se alejaban por un largo y claustrofóbico pasillo. Las paredes estaban flanqueadas por garfios, sogas y poleas que le daban el aspecto de un cadalso. Y sus sombras, alargadas bajo las bombillas, se curvaban al deslizarse por la bóveda, donde el granito adquiría el aire sepulcral de una cripta.

Llegaron ante una puerta de acero de color gris. El arquitecto pidió a Raquel que le sostuviera su bastón, hizo girar la pesada hoja y les cedió el paso. En el interior, tres amplias mesas estaban repletas de planos, papeles y libros. Les hizo sentar bajo el cono de luz de una lámpara que pendía del techo, fue hasta la caja fuerte, compuso la combinación, la abrió y extrajo unos documentos antiguos, que extendió sobre una de las mesas.

—Fijaos en esto —les explicó—. Es de Herrera. Una rareza, porque se sabe que El Escorial generó montañas de planos. Y, sin embargo, apenas si se han encontrado trazas de su propia mano, que la tenía muy buena, por cierto. Esto convierte lo que os estoy enseñando en algo muy valioso. Con otra particularidad: no es un plano destinado a efectos prácticos, para uso de los maestros de obra, sino algo totalmente especulativo, un diseño mental. Está resuelto en módulos cúbicos. Y hay un lugar que ha subrayado varias veces, con una anotación. ¿Lo veis? Es aquí. ¿Podéis leer lo que dice?

—Espere —David acercó el plano y le dio la vuelta—. Aquí dice «La Piedra Angular».

—Exacto. Cuando tu madre lo vio llegó a la misma conclusión que yo: es un espacio reservado para algo.

—Evidentemente, para esa Piedra. ¿De dónde pensaban sacarla?

—No lo sé. Pero fijaos en las notas.

La primera de ellas decía: *A Jesucristo, Piedra Angular del divino Templo, se dedica.* En el mismo círculo, completándolo: *A las dos incomparables muestras o dechados de la Piedra de Abraham se consagra.* Y unos versos que se pretendía grabar en ella:

> *Ofendida esta piedra o despreciada,*
> *mortal ruina o irremediable herida*
> *hará en el ofensor; mas si es temida,*
> *será refugio de salud cumplida.*

—Tu madre pensó que esto es lo que buscaban en Antigua tanto Herrera como Felipe II. Y que, una vez encontrada, la querían instalar en El Escorial. Sería algo así como su piedra de toque, lo que lo convertiría en el nuevo Templo de Salomón.

Fue otra vez hasta la caja fuerte y regresó con una serie de papeles cuadriculados. Aquellos folios, de evidente antigüedad, llamaron de inmediato la atención de David:

—Se parecen a las hojas milimetradas de mi padre. Sólo que en éstas las cuadrículas son más toscas. ¿Podrían haberlas hecho con la máquina combinatoria que nos envió Sara?

—Probablemente. Ella pensaba que Herrera usó el mismo sistema para la Plaza Mayor. Y esto sería la prueba. Aquí los tenéis, por fin...

El arquitecto depositó sobre la mesa cuatro fragmentos de pergamino con aquellos trazos tan familiares para ellos. Sólo que en vez de ser triangulares y cerrarse con una línea plana, parecían configurar cuatro esquinas, como las alas desplegadas de una mariposa.

David y Raquel se quedaron estupefactos. Por muy increíble que pareciese, allí estaban, delante de ellos, las cuatro piezas que faltaban para completar las doce del pergamino. La joven sacó del bolso los ocho gajos que ya obraban en su poder, y compuso con ellos la cruz gótica.

Tomó luego los fragmentos que le tendía el arquitecto y los encajó en las esquinas. La mano le tembló al comprobar que se acoplaban perfectamente, permitiéndoles ver por vez primera el diseño completo del laberinto.

—¡No me lo puedo creer! ¡Por fin tenemos todo el mapa! —exclamó Raquel.

—¿Se da cuenta de que quizá seamos los primeros en ver estos gajos juntos desde hace siglos? —añadió David.

—Bueno… —admitió Maliaño—. Sara sí que los había encajado en su cabeza… Pero lleva usted razón. Eso tiene un valor incalculable.

En ese momento oyeron un ruido a sus espaldas, y el agónico chirrido de las bisagras de la puerta al abrirse lentamente. Al volverse pudieron ver aquella maciza silueta. No se apreciaba el rostro, a contraluz del largo pasillo del sótano. Aún no había entrado lo suficiente en la habitación como para ser iluminado por los conos de luz de las lámparas que colgaban del techo.

Durante un breve instante, David llegó a pensar que era un turista despistado de la manada. Aquel hombre llevaba zapatillas deportivas, pantalones cortos, chaleco de fotógrafo, gorra de béisbol y una cámara de vídeo. Pero era imposible que el guardia de seguridad se hubiese dejado abierto el acceso a los sótanos. Y su comportamiento no era el de alguien extraviado. Cuando cerró la puerta despacio, con un frío y tenso control de la situación, el criptógrafo estuvo seguro de que se trataba de un profesional.

Raquel también se había apercibido, y se apartó hacia el otro costado de la mesa, frente a él, dejando a un lado al arquitecto. Éste fue el último en verlo, y también el último en reaccionar. Alzó la mano, y se dispuso a descolgar el teléfono, pero David le hizo un gesto para que no se moviese ni un centímetro. Conocía demasiado bien a aquella clase de tipos, y su cabeza empezó a trabajar a toda prisa para salir de allí con vida. Si Maliaño intentaba descolgar el teléfono, o activar cualquier alarma o intercomunicador, aquel matón lo eliminaría sin contemplaciones. Y Raquel y él irían después, porque no querría dejar testigos.

Por el modo en que manejaba la cámara de vídeo no le costó mucho deducir que se trataba de un arma. Esperaba que Raquel también hubiese reparado en ello. Pero su temor era que el arquitecto no, y desdeñase el peligro que corrían. O valorase demasiado aquellos documentos como para dejárselos arrebatar sin resistencia. Porque eso era lo que buscaba el intruso, sin lugar a dudas.

El sicario no dijo ni una palabra. Tampoco lo necesitó. El cono de luz de la lámpara que estaba sobre él brilló en la cámara cuando la movió a un lado y a otro para indicar a David y Raquel que se separaran. Se abrieron todavía más, quedando a su derecha.

El intruso siguió moviéndola para que continuaran desplazándose —despacio, muy despacito, las manos en alto, les indicaba por señas— hasta unirse al arquitecto, que estaba a la izquierda junto a la caja de caudales, para tenerlos más a tiro a los tres.

Sólo entonces sacó el matón una bolsa de plástico. Dio varios tirones con la mano libre que le dejaba la cámara, de modo que la bolsa se desplegara, con un ruido seco, cortando el aire. La arrojó sobre la mesa e hizo a Maliaño un gesto inequívoco, para que metiera allí los gajos del pergamino y los planos. El anciano dudó. En su rostro se acusaba el quebranto que aquello le producía. David temió por la vida del arquitecto. Y por la de ellos dos. Buscó su mirada, para advertirle con un leve movimiento de cabeza que no se opusiera. El intruso empezó a dar muestras de impaciencia.

David se dio cuenta de que el tiempo se estaba agotando. El arquitecto parecía haber optado por oponer una resistencia pasiva, ralentizando la operación. Pero su instinto indicaba al criptógrafo que eso resultaría más peligroso aún. Si aquel hombre que les apuntaba era un profesional, sabría que cada segundo contaba. No estaría dispuesto a perder tiempo ni a arriesgar el pellejo. Y en aquel sótano nadie iba a escuchar sus disparos.

VIII

MEDITERRÁNEO

LO primero que ha hecho Randa ese día al oír el descorrer de los cerrojos es aproximarse a la escalera de salida, para escrutar el rostro de Artal de Mendoza. Éste rehuye su mirada. Y, tal como ha supuesto el prisionero, muestra indicios de dolor en su muñón, atenazado por el mecanismo de escape que controla la presión de la mano postiza. Pero ninguno de los dos dice nada. Miden sus posiciones, en la distancia, hasta que la puerta de hierro los separa, al cerrarse con un golpe seco.

Ruth baja los peldaños y se acerca a su padre para preguntarle:

—¿Por qué os aproximáis a ese hombre, igual que hicisteis ayer?

—Una simple comprobación —contesta Raimundo.

—¿Comprobación de qué?

—De un mecanismo. Es algo necesario, antes de que emprendas tu trabajo en ese tapiz, para concluir lo empezado por tu madre.

—¿Cuándo debo ejecutar lo que falta?

—Tan pronto haya encontrado Herrera ese diseño.

—Dejadlo de mi cuenta y continuad vuestra historia, la misión encomendada por el rey don Felipe tras sorprenderos en el destilatorio de El Escorial.

—Después de dejar el monasterio en tierras de Granada, donde había visitado a mi tío el abad, me dirigí a Fez siguiendo sus consejos. Tan pronto entré en el reino de Marruecos me uní a una caravana

361

bien pertrechada y armada que se encaminaba hacia el sur. Llevaba conmigo los útiles de orfebre y artesano con los que trabajé en Tiberíades, de modo que pudiera ganarme la vida y estar en calles y mercados sin levantar sospechas.

Cuando llegamos a la vista de las murallas de Fez, me abrumó la dificultad de la empresa asignada por Felipe II: tal era la cantidad de casas y gentes que allí se agolpaban, tan laberíntica su medina. Parecía imposible encontrar pista alguna de aquellos códices en cuyas tapas andaba el resto de la *Crónica sarracena*. ¿Cómo iba a ir por ahí, preguntando por unos documentos donde se pormenorizaba el paradero de los tesoros de Antigua tras su conquista por los musulmanes? Tampoco se me ocurría un modo seguro de recabar noticias sobre su propietario, Rubén Cansinos, en cuyas manos obraba el duodécimo gajo del pergamino, que le había correspondido como Juramentado. Y sin el cual nada valdrían los once restantes, que yo llevaba conmigo. Dado que debía moverme con suma discreción, sería tanto como buscar una aguja en un pajar.

Me dijeron mis compañeros de viaje que las hospederías eran abundantes, que excederían de las doscientas, y me recomendaron una cerca de la Gran Mezquita. Vi que estaba bien apañada, sin escatimar el agua ni la escoba, de modo que reinaban en ella la limpieza y el buen avío.

Salí a la calle con mis trebejos de orfebre, y pasé el día en varias plazas, manteniendo los ojos bien abiertos y la boca bien cerrada. Noté al volver a la posada que mis cosas andaban algo revueltas y descolocadas, como si alguien hubiese entrado en mi habitación. Empecé a recelar que mis movimientos estuvieran siendo vigilados, y decidí observar mayores precauciones.

Para averiguar qué fuera aquello, a la mañana siguiente tomé ceniza de un fogón y esparcí una leve capa por el suelo de mi cuarto. Al regreso, observé que había en él, de trecho en trecho, unas huellas a modo de rayas, que no parecían rastro humano. Muy preocupado me quedé.

Repetí la operación los dos días siguientes. Y al volver por las noches, de nuevo volvía a encontrar las mismas huellas, varias rayas en paralelo. ¿Qué era aquello? ¿Quién o qué cosa entraba en la habitación en mi ausencia, a pesar de dejarla yo bien cerrada?

Le pregunté al posadero. Se rió, diciendo:

—¡Ah, es esa truhana! La andaba buscando, y no sabía dónde paraba...

—¿A qué truhana os referís?

Y me explicó que tenía una serpiente amaestrada, muy mansa y comedida, que iba y venía por allí como si fuera un gato o perro doméstico, y entraba sin dificultad bajo las puertas. Me pidió disculpas por no haberme prevenido, y con ello quedé más sosegado.

Pensé entonces que quizá era mi recelo excesivo, que debía bajar la guardia y preguntar más, a más gente, y de modo más directo. Pues no avanzaba nada en mis averiguaciones, con gran desesperación. Pero no me atrevía, por no conocer allí a nadie y haber notado mucha desconfianza en mi trato con los sefardíes, entre quienes pensaba que no sería tan arduo obtener alguna noticia del Juramentado Rubén Cansinos, judío como ellos. Pasaron las semanas. Hasta que un día sucedió algo inesperado.

A causa del silencio de los sefardíes, había decidido trabar conversación con los musulmanes, aun a riesgo de que mi presencia y búsqueda trascendiesen más de lo debido. Y a través de ellos me enteré de que los judíos no me decían nada porque me consideraban un *kannaz*, que es como llaman a los buscadores de tesoros enterrados en aquella España que se habían visto obligados a dejar atrás, sin poder sacar sus riquezas del país. Al parecer, antes de mí ya habían venido otros con esas patrañas, creándose no pocos conflictos. Pues era ésta gran industria, y había bellacos que vivían de ella, prometiendo el reparto de lo hallado si sus antiguos propietarios les revelaban dónde habían escondido sus bienes. Pero ninguno regresaba una vez conseguido el botín.

Me inquietó que me vieran como un buscador de tesoros, por no estar tan lejos de la verdad. Y porque pronto sospecharían de mí al correrse la voz y llegar a oídos de las autoridades. Si es que no andaban ya tras de mi pista y esperaban a conocer mis planes, y presuntos cómplices, para caer sobre nosotros. Porque seguía teniendo la sensación de que me vigilaban.

Cuando ya llevaba más de un mes sin haber logrado encontrar vestigio alguno de Rubén Cansinos, empecé a preguntarme a qué se debía tanto silencio en torno a aquel Juramentado. Al resultar imposible cualquier indagación sobre él, decidí hacerlo sobre sus códices. No lo había intentado antes, reservándolo como medida extrema, por lo peligroso que sería. Pues si yo andaba preguntando por unos volúmenes capturados por una nave de guerra de los españoles, corría el riesgo de ser considerado un agente de éstos. Y si alguien me vigilaba, sería tanto como confirmar de lleno sus sospechas.

Con semejante ánimo, decidí instalarme con mis bártulos de orfebre frente a los puestos que tenían los libreros junto a la Mezquita Mayor. Se apretaban unos treinta en la parte de poniente, no lejos de los notarios y memorialistas. Día tras día, espaciando las consultas para que no desconfiaran sobre los verdaderos motivos de mi presencia, empecé a preguntar aquí, dejar caer una palabra allí, examinar unos tomos acullá, haciendo apreciaciones como de pasada... Pero no logré avanzar en mis pesquisas ni una pulgada. No sólo eso, sino que tuve la certeza de que al menos en dos ocasiones me habían seguido hasta la posada.

Y una tarde, cuando ya había hablado con más de la mitad de los libreros, apareció en aquel albergue un hombre que preguntaba por mí. No me dijo allí mismo quién era, ni lo que quería. Se limitó a preguntarme si mi habitación sería lugar discreto para hablar.

—Así lo creo —le contesté.

Una vez solos, fue directamente al grano:

—Me llamo Muley Idris, y he venido a aconsejaros que no sigáis adelante con vuestras averiguaciones.

«O sea que me vigilaban, tal y como suponía», pensé para mí, mientras trataba de adivinar para quién trabajaba aquel sujeto, cuyo rostro no me resultaba del todo desconocido. Pero nada de esto dejé traslucir, sino que, dirigiéndome a él, le dije:

—No sé de qué me estáis hablando.

—Lo sabéis muy bien. Me refiero a esos códices que pertenecieron a Rubén Cansinos.

La expresión de sorpresa de mi rostro fue tal que habría bastado a mi interlocutor para despejar cualquier duda sobre los motivos de mi presencia en aquel lugar.

—¿Conocéis a Rubén Cansinos? —le pregunté, atónito.

—No. Pero he tenido en mis manos otros libros suyos. —Y como advirtiera la desconfianza en mi rostro, prosiguió—: Soy librero, me los trajeron para peritarlos. Ésa es la razón por la que he podido deducir estos días lo que buscabais al preguntar a mis compañeros. Si hubieseis continuado haciéndolo, vos mismo os habríais delatado.

—¿Por qué deseáis ayudarme? —dije, sin bajar la guardia.

—No quiero ayudaros, sino que dejéis de andar por ahí haciendo preguntas, poniéndoos en evidencia y, de paso, poniéndome a mí en peligro.

No acababa de convencerme. Pero era la primera persona que me proporcionaba una pista. Verdadera o falsa, tenía que aferrarme a ella.

—Si no conocéis a Cansinos, ¿quién os llevó sus libros? —le pregunté.

—Maluk, un comerciante que hace ya tiempo compró a ese sefardí su negocio y casa. O mejor sería decir que se las expropió.

—¿Dónde puedo encontrar a Maluk?

—Tengo entendido que marchó de viaje a El Cairo. Pero como veo que no os fiáis de mí y deseáis comprobar si os digo la verdad, os indicaré dónde está su almacén, con la condición de que dejéis de andar preguntando por ahí.

Así lo acordamos. Por mi parte, visité el establecimiento de Maluk e interrogué a sus empleados. Confirmaron éstos las palabras del librero Muley Idris, y que su amo no regresaría de El Cairo hasta pasados dos o tres meses. Pero en cuanto me interesé por Rubén Cansinos, me echaron con cajas destempladas.

Comprobé, de nuevo, que no iba a resultar sencillo dar con el Juramentado. Escaldado, busqué al librero y concerté una cita con él. Esta vez lo encontré menos amistoso aún. Se limitó a decir:

—Veo que seguís sin creerme, de manera que os explicaré por qué no deseo que vengáis aquí ni volváis a verme bajo ningún pretexto, ya que si algo os pasara a vos, yo sería la siguiente víctima.

—Pero ¿de quién debo guardarme y a quién teméis?

—¿Y lo preguntáis después de haber dejado vuestro rastro por media ciudad? Es sólo cuestión de tiempo que caigan sobre vos. Yo sólo sé que el comerciante Maluk hizo dos lotes con los libros de la biblioteca de Cansinos, porque le ayudé a tasarlos y a que estuvieran compensados, según sus destinatarios. Uno de ellos tenía el propósito de enviarlo a Argel, como obsequio al gobernador de allí, quien protege los barcos de Maluk. Y el otro lo llevaba éste consigo a El Cairo, para hacer lo propio con el visir de aquel lugar. Esperó a transportarlo personalmente porque, al parecer, el primer lote nunca llegó a su destino. Lo capturaron los españoles junto a otros volúmenes de nuestro rey. Y nadie desea, en consecuencia, verse mezclado en este asunto, pues podrían sospechar que fue de él de quien partió la información. ¿Comprendéis ahora el peligro que corréis y el compromiso en que me ponéis?

—Está bien —admití—, dejaré de preguntar por los códices. En ese caso, ¿quién podría ayudarme a encontrar a Rubén Cansinos? ¿Vive al menos?

Dudó mucho antes de contestar. Al cabo de un buen rato, quizá para librarse de un inoportuno como yo, me aconsejó:

—Id a ver a Abdullah, el mercader de cautivos.

Y ante mi expresión de extrañeza, añadió:

—No trato de engañaros. Maluk me vendió a mí muchos de los libros que expropió a Cansinos, y a Abdullah sus esclavos. Quizá alguno de éstos aún obre en su poder, y sepa la suerte corrida por el antiguo amo. Son los únicos que se atreverán a hablar.

Me indicó el lugar y día en que mercaba y, antes de despedirse, me advirtió:

—No obréis como con los libreros, a quienes hicisteis perder mucho tiempo con vuestras preguntas, sin adquirir de ellos ni un mal papel que les compensara, lo cual os puso en evidencia, pues quedaba claro que era otro asunto el que os movía. Abdullah es mucho menos amable, y ni siquiera os atenderá si no le compráis algo. Aprovechad para haceros con un criado, alguien que conozca bien la ciudad y callejee por vos. Una persona de vuestra calidad está muy expuesta si va haciendo preguntas de tienda en tienda, sin interesarse por las mercancías de un modo convincente.

Medité mucho estas palabras mientras me dirigía al lugar donde se vendían los esclavos. Cuando llegué allí, consideraba ya seriamente la posibilidad de hacerme con un criado. Pero me bastó un vistazo para comprobar que lo que vendía Abdullah en ese momento eran mujeres. Cuando hubo acabado sus tratos, y ya se despejaba el lugar, me acerqué a él. Estaba echando sus cuentas y retenía tras de sí a una mujer blanca y a una joven mulata.

—Las dos son hermosas, ¿por qué no las ha querido nadie? —le pregunté, por entrar en conversación.

Me miró de arriba abajo, y respondió, malhumorado:

—Ésta es armenia, y las de esa nación tienen fama de poco dóciles. Y esta otra, que es de madre etíope —y señaló a la mulata— resulta igual de ingobernable, por no decir brava, y demasiado joven para la cría de pecho. No ha tenido dueño aún, y lo desconoce todo sobre la sumisión que se debe observar en tales casos.

—Es la más bella de las dos. Y aun de todas las que sacasteis a subasta.

Nada dijo la armenia, quien se mantenía indiferente, y ni siquiera parecía entender lo que de ella se hablaba. Pero noté que la muchacha mulata sonreía con picardía. El vendedor contaba las monedas y no lo advirtió. Se limitó a reconocer:

—Es bonita, para qué negarlo —gruñó, encogiéndose de hombros—. También es verdad que las de su raza tienen la naturaleza más dura que Alá haya creado, y son las más sufridas para las fatigas. Pero su olor es muy fuerte, y no gusta.

—¿Quién puede pensar en el olor de una criatura tan hermosa? —me sorprendí.

—Les hieden las axilas, os digo —refunfuñó—. Y eso impide que se las tome.

A espaldas del mercader, la mulata levantó los brazos e hizo gesto y burla de oler sus sobacos, negando con el dedo. Me quedé perplejo de su desenvoltura.

Volví a la carga con Abdullah:

—Me han dicho que hace poco el comerciante Maluk os ofreció un lote de esclavos de los que pertenecían a Rubén Cansinos.

—No conozco a ningún Cansinos —me respondió. Y noté por su destemplanza que no deseaba para nada hablar de aquel asunto.

—Es un hombre de mucha edad, judío de los expulsados de España —insistí, a pesar de todo.

Negó de nuevo con la cabeza. Me dio la espalda con descortesía, y ya recogía sus cosas, disponiéndose a marcharse, cuando la joven mulata tomó la palabra:

—Yo le conozco.

—¿A Rubén Cansinos? —dije, asombrado.

La muchacha asintió con vehemencia.

—A ti nadie te ha preguntado —la reconvino Abdullah.

—¿Dónde puedo encontrarle? —y me dirigí a ella, para desmentir al mercader.

—No podréis —repuso la joven.

Notó Abdullah mi interés, y no la castigó por su osadía, pues de considerarme un entrometido pasó a verme como la ocasión de colocar una mercancía difícil. Le miré, a mi vez, buscando alguna confirmación a las palabras de la mulata.

—Yo nada sé, pero quizá ella diga verdad —aceptó el mercader—. Pues ha nacido y crecido aquí. Es hija de Samsara, una de las cortesanas más hermosas que hubo nunca en esta ciudad. Me la quitarían de las manos si su madre hubiera tenido tiempo de instruirla en sus artes. Pero murió, y desde entonces esta muchacha ha andado por estas calles en compañía de aguadores y mozos de cuerda de la mañana a la noche. Es ingobernable, una gata salvaje. Aunque, eso sí, conoce la ciudad como pocos.

Al ver que yo dudaba, me preguntó:

—¿Tenéis alguien a vuestro servicio?

Negué con la cabeza.

—Os puedo hacer un buen precio. Por las dos, si así lo gustáis.

—Debo estar seguro de que esa joven mulata sabe dónde puedo encontrar a Rubén Cansinos.

—Sin mí, no lograréis dar con él —insistió ella con descaro.

Como Abdullah estaba deseando rematar su mercancía, me hizo un barato. Pero sólo la compré a ella, con la intención de concederle la libertad tan pronto consiguiera mi objetivo y dejase la ciudad. Lo hice entonces resignado. Estaba lejos de sospechar la destreza de aquella muchacha, que se llamaba Tigmú.

—¿Su destreza para qué? —le interrumpe Ruth.

Calla Randa. No desea contar a su hija asuntos que entendería mal. Por ejemplo, que llevara a Tigmú con él a la posada, aunque cambiase la habitación que tenía por una más amplia, a fin de acomodarla en un lugar aparte, separado de su cama por una pudorosa cortina. No quiere entrar en aquellos enojosos detalles. De manera que nada le dice a Ruth. Pero él bien recuerda lo que sucedió.

Una vez que estuvieron solos, preguntó a la muchacha:

—¿Cómo es que tú, una etíope, conoce a Rubén Cansinos?

Y Tigmú le contestó:

—Habéis de saber, ante todo, que no soy etíope, sino de los judíos descendientes de la coyunda de Salomón con la reina de Saba. Y que no me hieden las axilas.

Otra vez las dichosas axilas. Parecía aquello cuestión de honor. Y se lo quiso demostrar de inmediato: bajando primero al patio donde estaba la fuente; buscando después agua con la que lavarse; y, por fin, volviendo a subir envuelta en una toalla, para levantar los brazos con coquetería.

—Oled —dijo.

Al hacerlo resbaló la toalla, quedando completamente desnuda. Nunca creyó que pudiera haber un cuerpo tan grácil, esbelto como un junco, con la piel dorada, luminosa, del color de la arena. Los pechos, prietos y redondos en torno a unos pezones en sazón, mostraban que estaba ya lejos de ser una niña. Y se movía con una cadencia que fluía de ella sin esfuerzo, una armonía que sólo había visto en las mujeres acostumbradas desde niñas a llevar el cántaro a la cintura. Se turbó al verla así, y le pidió que se vistiese.

Ella se cubrió, sin ocultar su decepción.

—Como queráis, soy vuestra esclava —rió.

—Eres libre. Sólo te pido que me conduzcas hasta Rubén Cansinos. Luego podrás hacer lo que te plazca. Ése es el trato.

—Os llevaré a él. Conozco esta ciudad como la palma de mi mano.

Recuerda Randa que lo tomó primero a broma, una muestra más de aquel desparpajo adolescente de la muchacha. Sin embargo, pronto pudo comprobar que no había exagerado ni un ápice. Se movía como una anguila por la medina, sin perderse nunca en aquellos laberintos. Sólo por eso habría merecido tenerla al lado de uno.

Pero había más. A pesar de toda aquella atropellada vida de zoco y tenderete, se adivinaba en la joven algo profundamente oculto, íntimamente desconocido, secreto y del todo inocente, que no había sido corrompido si siquiera en sus más exuberantes atributos de mujer. Por desgracia, él no alcanzó a entenderlo hasta que fue demasiado tarde. Le desorientó que ella careciera de cualquier sentido del pecado en relación con su espléndido cuerpo. Eso era lo que más le turbaba en el trato con Tigmú. Y lo que le impidió entender que para la muchacha aquello nunca fue un simple juego. Que había en ella una desesperada búsqueda de afecto, y que su tenaz persistencia para entregársele era el modo de decirle que estaba dispuesta a todo con tal de lograr el suyo.

Vuelve Raimundo de estas cavilaciones y repara en el semblante de Ruth, que está esperando a que prosiga su narración.

—Te decía, hija, que en un principio pensé que aquella muchacha mulata más iba a servirme de estorbo que de ayuda. Pero ella estaba muy familiarizada con la ciudad y prometió que me llevaría de inmediato ante Rubén Cansinos.

Salimos un día de la posada con esta intención y, tras un largo trecho, llegamos ante un disparatado edificio. Era en su aparejo suntuoso. Pero estaba tan descuidado que no se entendía muy bien qué cosa era aquella, ni cuál su propósito. Me explicó la joven que se había construido para palacio de una de las concubinas del rey, a quien su madre conocía, por ser ésta gran cortesana y tener el camino expedito a harenes y divanes. Pero que el monarca, hombre dado a la bebida, estaba un poco achispado cuando lo inauguró, y al despedirse felicitó a su visir y al arquitecto «por este hospital tan necesario al reino». Ésas fueron sus palabras. Y como un soberano nunca se emborracha, y mucho menos se equivoca, pues hospital se quedó.

Le dieron por ello dicho uso, aunque no sólo ése, sino que también servía para otros, como encerrar a los locos. Vi que las camas de éstos eran sólo paja molida, y que les escatimaban la comida, pasando por sus yacijas durante el reparto como gato por brasas. Y el resto del tiempo se la guardaban a mazo y escoplo. Lo cual hacía penoso contraste con la prosopopeya del edificio, que era gran casa aquélla, con un enorme patio, donde Tigmú dijo a un guardián que parecía conocerla bien:

—Venimos a ver a Calambres.

Nos dejó el paso expedito. Al cruzar el patio escuché un extraño ruido, como un castañeteo, que descendía desde lo alto de los tejados, sin acertar su causa. La muchacha se encaminó hasta un soportal y gritó en dirección a un anciano con una gran ave en el regazo. Tenía el rostro anguloso y la barba tan cana como las plumas de aquella ave, que se dejaba hacer sin apenas mostrar señal de inquietud. Parecía estar curándole una pata. Labor dificultosa de por sí, que se complicaba por las convulsiones de sus manos, a las que debía su apodo de *Calambres*. La soltó al ver a Tigmú, pero el animal apenas si se alejó de su lado.

La muchacha se llegó hasta él y le saludó con particular afecto. Noté que el anciano estaba paralítico de las piernas. Ella le explicó el objeto de mi visita. Por el modo en que habló con él comprendí al punto que Calambres no era otro que Rubén Cansinos. Traté de disimular mi emoción: allí estaba, al fin, el último Juramentado. Nunca habría dado con él sin la ayuda de Tigmú, pues fuera de aquel lugar todo el mundo parecía haberse desentendido de su existencia, y dentro de aquel recinto no conocerían su anterior nombre.

Pero pronto hube de volver a la realidad para preguntarme de qué me serviría hablar con él, si le habían encerrado por loco. Noté su voz cascada, rota por un cansancio infinito, cuando, tras explicarle lo que me traía ante su presencia, dijo:

—¡Cuánto habéis tardado! Me temo que llegáis demasiado tarde. Esa parte de mi vida ha muerto, y sólo a través de ellas he mantenido algún contacto con allá arriba.

Y al decir «ellas» señalaba hacia el ave que tenía en su regazo en el momento de nuestra llegada, y que ahora se había apartado un poco, pero allí seguía, aliñando sus plumas con el pico.

—Es una cigüeña, ¿no es cierto? —pregunté.

—No una cigüeña cualquiera. Es *Susana*. Y aquellas *Cristina* y *Víctor*, y esa otra *Perla*, con *Jonás* —e iba señalando, hacia lo alto del tejado, a las parejas que crotoraban en sus nidos—. Pero *Susana* es un caso especial. Ella no tiene pareja fija. La ha herido una rival al echarla de su nido.

Estas palabras me dieron alguna esperanza, pues quizá no fueran las de un loco. Traté de pasar adelante en nuestra conversación, preguntándole:

—¿A qué os referís al decir que sólo a través de ellas habéis mantenido algún contacto con «allá arriba»?

Me explicó entonces, en su desgastado ladino, que las cigüeñas se emparejaban de por vida, y que al llegar el buen tiempo regresaban al mismo nido, que éstas tenían en España. Comprendí que su mundo se había detenido con la expulsión. Que seguía pensando como si estuviera «allá arriba», y fuera y viniera con aquellas aves. Que su memoria estaba tan roída por el recuerdo de Sefarad como las paredes del hospital por la lepra del salitre que las desconchaba.

Por lo demás, no me pareció que su mente flaqueara demasiado. Me contó que había tenido gran biblioteca, en la que llegó a contar con algunos volúmenes rescatados de las de Córdoba, y en particular la que mantuvieron el califa Al Hakam II y su canciller Ibn Saprut. Nombres ambos que había mencionado Moisés Toledano en Tiberíades, al entregarnos a su sobrina Rebeca y a mí los once gajos del pergamino, y contarnos su historia.

—Todo eso se va perdiendo con los nacidos aquí, a quienes ya no interesan los recuerdos de allá —añadió—. Se dice que en tiempos las costas de España se hallaban tan cerca de las de África que estaban unidas por un simple puente de piedra, por el que pasaban las caravanas que iban de un país a otro. Luego subió el nivel de las aguas y quedó sumergido. Pero los marineros aseguran que aún se puede ver con la marea baja.

Me dio a entender que ahora sólo podía mantener relación con todos aquellos lugares a través de las cigüeñas. Así esperaba la muerte.

—Tendríais que verlas cómo llegan de allá arriba cuando el estrecho de Gibraltar no les es propicio —suspiró—. Vienen agotadas. Tanto, que cierran los ojos y no los abren en horas. Cuido de las cigüeñas enfermas, y les doy sepultura llegado el caso. Muchos dejan donaciones para que así se haga, por creer que traen buena suerte. Piensan que son personas que toman esa forma cada año para regresar, recobrando luego la suya humana. Por esa razón se consideraría un criminal a quien matase a una de estas aves. Llegado febrero marchan hacia el norte. Sin embargo, sus nidos permanecen intactos. Y al volver cada cual reconoce el suyo.

Por esas y otras razones que expuso, me pareció este hombre el más cuerdo del mundo. Y la prueba fue que, a pesar de la atención que yo le prestaba, debió de leer la ansiedad en mi rostro, y no tardó en añadir:

—Pero otros son los asuntos que os traen hasta aquí, ¿verdad?

No me hice de rogar. Saqué el cuchillo, eché mano de mi cinturón y lo descosí para recuperar los once gajos del pergamino que había escondido dentro. Se los mostré, extendiéndolos delante de él, y le expliqué cómo los había conseguido.

—Ya comprendo —dijo—. Os falta el último gajo, el mío. Pero no lo tengo. —Y al apercibirse de mi decepción, añadió—: Estaba cosido a las guardas de uno de los códices que me arrebató ese comerciante, Maluk, junto con el resto de mis bienes, cuando consiguió que me declararan loco y me encerraran aquí, para ensanchar su casa a costa de la mía. Apenas pude salvar la ropa que llevaba puesta. Y sólo haciendo que se olvidaran de mí he podido conservar la vida.

—¿No recordáis el título de ese códice? —le rogué tomándole de la mano.

Negó con la cabeza. Procurando no dejarme ganar por la desesperación, señalé los once fragmentos del pergamino que obraban en mi poder y añadí:

—Sois el único superviviente que consiguió ver los doce gajos juntos, antes de que los Toledano los dividieran a causa de la expulsión de 1492. ¿Cómo era este pergamino cuando estaba entero?

—Cuadrado.

Tomé los once gajos, y los uní de manera que formasen un cuadrado.

—¿Así? —le pregunté.

Lo examinó un largo rato, y al cabo hubo de admitir:

—No lo sé.

Repetí la operación una y otra vez, en distintas combinaciones, siempre con el mismo incierto resultado.

—Para encajarlos habría que saber leerlos —dijo el anciano.

—¿Esto es escritura?

—Lo es, aunque sólo el rabino Toledano sabía descifrarla. Por lo que oí, es un arte que procede de Mesopotamia, y que muy pocos calígrafos conocen hoy en día. Quizá allí, o en La Meca...

—Pero eso queda muy lejos.

—Allí dicen que están los mejores calígrafos —insistió Cansinos.

—Tengo entendido que, antes de cortarlo en doce gajos, unos albañiles moriscos dejaron señales en algunos edificios, indicando por dónde se entraba a los subterráneos. ¿Qué marcas son ésas?

—No tienen la misma forma que este laberinto, aunque dicen lo mismo. Esas señales están puestas de manera más sencilla, y en ladrillo. Oí decir que todos los edificios así marcados en Antigua estaban unidos por debajo mediante un pasadizo que iba a dar a un gran pozo, por el que se entraba hasta el tesoro. Y que dicho pozo contaba con varios pisos y salas en su interior, algunas de ellas habitables. Pero tan confusas en su disposición, y tan ramificadas, que los que entraron casi nunca acertaban a salir. Y que en ese pergamino estaba el único modo de no extraviarse. De manera que es necesario para reconocer las entradas, para no perderse una vez dentro, para conjurar los peligros que allí aguardan, y para encontrar luego la salida.

Me quedé admirado con todo aquello. Le pregunté entonces por la *Crónica sarracena* que se había utilizado para encuadernar aquellos códices de su biblioteca.

—No lo sabía. Yo los compré con esa encuadernación —confesó.

Su extrañeza ante lo que le conté fue tan sincera que le creí, y me limité a explicarle que debería esperar el retorno de Maluk de El Cairo, para averiguar el paradero de aquellos libros, ya que no podía regresar a España sin la *Crónica*.

Mientras volvía con Tigmú a la posada, confuso y agotado, reparé en lo arriesgada que sería aquella espera. Había ido dejando por todo Fez rastros de mi interés por unos volúmenes capturados por naves españolas. Recordé las advertencias del librero Muley Idris, y decidí llevar una vida lo más discreta posible, hasta el retorno de Maluk.

Y al llegar aquí calla Randa de nuevo. Pues nada de lo que entonces sucedió puede contárselo a su hija. Y hasta a él le duelen los recuerdos al evocar aquellos días, en que le atenazaba la tensión de la espera y tantos sentimientos encontrados. ¿Cómo relatarle a Ruth lo que pasó entre él y Tigmú?

Cuando esa noche llegó a su habitación, y se dispuso a acostarse, no contaba con la vitalidad de la muchacha, exultante por haber conseguido aquel encuentro con Cansinos que tan dificultoso se presentaba hasta entonces. Tampoco podía él concebir la naturalidad con la que Tigmú se metió en su cama, sin hacerle ningún caso cuando le dijo que saliera de ella. Tuvo que sacarla a rastras, y llevarla a su propia esterilla, desde donde se dedicó a mascullar extrañas palabras que debían de ser, como poco, maldiciones e insultos en el idioma de su madre. Sólo calló cuando él le lanzó sus dos sandalias, una detrás de otra.

No tardó en deducir qué es lo que le había llamado en sus insultos. A la mañana siguiente salió al mercado, de buena mañana, para comprar algo que comer. Pero no sólo trajo comida, sino un muchacho. Era un guapo chico, más o menos de su misma edad, y creyó al principio que era un amigo que Tigmú había encontrado. Se equivocaba.

—Es para ti —le dijo, con un burlón gesto de desprecio.

Y se dio una significativa palmada en el trasero.

—Escucha, Tigmú —le dijo, llevándola aparte—, no me gustan los hombres.

—Entonces, ¿qué es lo que te pasa conmigo? ¿Qué te sucede?

—Tengo mis razones —se escabulló él.

Sus razones eran el recuerdo de Rebeca, sus ojos turquesa que le perseguían por todas partes y llenaban sus sueños, poblándolos de deseo, y tan vívidos que era como dormir con ella al lado. Además, Tigmú le parecía tan tierna que le daba reparo. «Apenas es una chiquilla», se decía tratando de convencerse a sí mismo.

Pero la mulata parecía de muy distinta opinión.

—¡Tus razones! —dijo ella frunciendo los labios con desdén—. Dame unas monedas. Esta tarde voy a ir al *hammam*. Quiero bañarme, y he de comprar jabón y perfumes.

Por si no tenía bastantes preocupaciones, allí estaba Tigmú. Y dependía de ella y de su discreción, al menos hasta que Maluk regresara de El Cairo. De manera que le dio el dinero, con tal de que le dejara en paz. No conocía su tenacidad.

Volvió, fresca y olorosa. No venía sola. Esta vez traía una muchacha, un poco mayor que ella. Y blanca.

—Es la muchacha más blanca y bella que había en el *hammam*. La he elegido para ti —fue toda su explicación.

Las dos se reían con complicidad.

—Escucha, Tigmú, no es eso. Tú eres más hermosa —le dijo. Y no era sólo un cumplido.

—Bueno —reconoció ella—. Quizá no me haya traído a la más bella que vi allí. No quería que lo fuera más que yo. Pero sí que es más blanca. ¿No es eso lo que quieres? ¿Pálidas, descoloridas?

Por toda respuesta, Randa se encerró en su habitación, mientras ella peroraba a sus espaldas. Oyó luego de nuevo las risas de las dos muchachas, cuando entraron más tarde y se llegaron hasta la cama de Tigmú. Se rieron toda la noche, mientras yacían juntas. Y no sólo se reían. Le pareció oír jadeos, sin saber muy bien si eran de veras o para burlarse de él.

Apenas le dejaron dormir. A la mañana siguiente se encaró con ella mientras calentaba el desayuno. Su respuesta le dejó helado:

—Cuando hables conmigo, no olvides que mi madre fue una cortesana, una mujer infinitamente más pulida, respetada y educada que las del común. Ella me enseñó muchas cosas sobre los hombres... —Le miró de modo desafiante para añadir—: Y ahora, dame algo de dinero. Quiero prepararte un nuevo plato.

Todo el día la vio llevar gran ajetreo. Fue al mercado y trajo una planta de intenso olor. La cortó en pedazos y la puso en una vasija de barro, con manteca de cordero. La dejó hervir a fuego lento durante muchas horas. Luego, se fue al *hammam* y volvió muy acicalada, con una extraña sonrisa que quería decir algo así como «ahora verás». A la caída de la tarde, filtró la manteca y sazonó con ella el relleno de unos delicados hojaldres con miel y almendra picada.

La noche era cálida, y él había subido a la terraza. Desde allí contemplaba la ciudad, arrullada por los leves sonidos de la noche. En el patio, los grillos rascaban el aire esponjado y leve. Las tejas de las casas vecinas crujían entre los aleteos de las palomas, y desde el suelo ascendía un olor de arcilla regada.

En eso, llegó Tigmú con una bandeja de dulces y horchata fría. Atrancó la puerta de acceso a la terraza, de modo que nadie los molestara, se empinó hasta el armazón de maderos que sustentaba el toldo que durante el día protegía aquel lugar del calor, y lo descorrió, dejando al descubierto las vigas, para que entre ellas corriera la brisa nocturna. Luego se sentó a su lado, tan cerca que le inundó su olor.

—¿Qué te has puesto? —le preguntó él.

—Es un perfume sirio. Rosa de Damasco, con aceite de flor de azafrán, ungüento de azucena, almizcle, mirra y un toque de mejorana.

Resultaba, en verdad, embriagador.

Empezaron a comer en silencio. No tardó en experimentar una extraña sensación. Los sonidos reverberaban con ecos que parecían venir del interior de su cabeza. Los sentidos se volvían más sutiles y la piel afloraba por todos los poros. Y, a través de ellos, la ciudad y la noche parecían traspasarle. Se sentía bien, muy bien, allí bajo el parpadeo de las estrellas.

—¿Con qué has sazonado los dulces? ¿Qué hierbas son éstas? —le preguntó Randa.

—Oh, nada —respondió ella con una sonrisa—. Es una que llaman *kif,* o hachís.

Se acercó a él. Apenas cubría su cuerpo con una tira de recia tela, pero el calor irradiaba a su través a pesar de la consistencia del tejido. Las caderas de Tigmú estaban pegadas a las suyas cuando le preguntó:

—¿Por qué me rehuyes? ¿No te gustan las de mi raza?

—No es eso, Tigmú. Eres la muchacha más hermosa que he visto nunca. Cualquier hombre se sentiría orgulloso de estar aquí contigo.

—¿Qué es entonces?

—Que echo de menos a alguien.

—¿Una mujer? ¿Eso es todo? No vale la pena destrozar el presente pensando en otros lugares o momentos. Además, yo sólo quiero cuidar de ti, estar a tu lado. Ven, túmbate aquí.

Echó a un lado la bandeja y lo hizo colocarse boca abajo sobre la alfombra en la que hasta ese momento estaban recostados. Le quitó la túnica y la apartó de sí, desnudándolo por completo. Se sentó a horcajadas sobre él y empezó a frotarle la espalda con ungüento de sándalo. Aplicó primero el simple tacto de los dedos para explorar su cuerpo con lentitud, músculo a músculo. Demostró ser increíblemente experta, al restregar de un modo sutil aquellos lugares que la muchacha entendió más propicios. Y siguió ocupándose de ellos como si prensara, apretando y aflojando de un modo tal que no tardó en notar toda su piel en rubor y calentura.

Para entonces, Tigmú, que seguía sobre él, se había despojado de la tira de tela que llevaba, y recorría el cuerpo de Randa con el suyo, tan ceñida a su piel que no sólo podía sentir sus pechos duros y llenos, sino también el calor de sus muslos y vientre, palpitando en oleadas.

Sabía él bien que cuando una mujer monta sobre un hombre es cuando vuelca toda su pasión. Pero nunca pudo sospechar que cupiera tanta en un cuerpo tan menudo. Estaba ella ardiendo. Raimundo se dio entonces la vuelta para verle el rostro. Tenía la muchacha los ojos entornados y la boca entreabierta por los jadeos. Intentó enlazarla por la cintura, pero ella lo rechazó y empujó hacia atrás, reclinándolo con suavidad hasta tumbarlo sobre la esterilla, donde siguió acariciándolo, con infinita delicadeza. Y cuando lo tuvo extendido cuan largo era, se acuclilló abriendo sus piernas y se sentó de plano sobre sus ingles, removiéndose sobre él, cimbreando su talle delicado y elástico con lentos movimientos circulares en torno a su verga.

—Esto es lo que llaman batir la manteca —le susurró con voz ronca.

Cuando se hubo acoplado por completo, empezó a removerse de arriba abajo y de abajo arriba, elevándose y reculando, bajando con movimientos rítmicos, hasta que lo inundó su humedad. En cada vuelta procuraba cerrar y ajustar cada vez más los labios de su sexo, estrechándolo hasta quedar enteramente clavada en su miembro, que sintió envuelto en su intenso calor.

—Esto es la tenaza —dijo entonces.

Pero no se detuvo ahí. Tomó la tira de tela que llevaba, la sujetó por uno de los extremos, y lanzó el otro sobre su cabeza. Lo recuperó después de hacerlo pasar por encima de la viga tendida sobre ellos, de la que quedó suspendida aquella recia tela.

—Esto es el columpio —musitó Tigmú.

Alzó los brazos para sujetar con cada mano uno de los extremos de aquel tejido sujeto a la viga. Y, colgada en esa posición, empezó a girar como una rueda, tomando como eje su verga, clavándose en ella como en una pértiga y haciendo que la penetrara más y más. La sensación era tan viva y aguda que la sangre le golpeaba en las sienes como un tambor, y creyó morir por la excitación. Pero la muchacha aún tuvo suficientes recursos para pedirle:

—Espera, no te dejes ir, quiero unirme a ti cuando llegue el momento. Déjame hacer el trompo.

Al girar, Tigmú había ido trenzando la tela, del mismo modo que se rodea el trompo con la cuerda, dando vueltas alrededor. Y cuando toda ella estuvo entrelazada como un torniquete, levantó del suelo los pies de los que hasta entonces se había valido para gobernar sus giros. Y se quedó suspendida en el aire, colgada de aquel estribo, pero siempre acoplada a su miembro. Y entonces, al destrenzarse aquella tira como un muelle que se destensa, su sexo empezó a girar sobre el de Randa, desenroscándose alrededor de él, que la penetró como un barreno, estallando entre indescriptibles oleadas de placer, en un fluir interminable.

Oyó sus gritos, la sintió estremecerse de arriba abajo, dejándose llevar, hasta que su leve cuerpo se desplomó sobre él y se apretó contra el suyo formando uno solo. Notaba el corazón de la muchacha, saltando entre las costillas, como un pájaro brincando dentro de la jaula, entre jadeos que tardaron largo tiempo en atemperarse.

Cuando recuperó el resuello, alcanzó a preguntarle:

—¿Dónde has aprendido todo eso?

—¿Qué hay que aprender? —rió la muchacha—. El macho y la hembra asientan la especie sin que nadie se lo enseñe.

En aquellas y en otras sentencias que salían de su boca resonaba en ella una sabiduría que parecía venir de muy atrás. Como si perteneciera realmente a aquella estirpe de la que tanto hablaba. Y a la vez encarnaba ese abandono que aún perdura en las adolescentes cuando empieza a aflorar en ellas la mujer, y nada es cálculo, sino pura manifestación de la sangre. Un instinto casi animal que le permitía averiguar los cuerpos a través del sabor, del olor, de las caricias, con una sutileza que le pasmó.

Pero estos encuentros con ella, que se repitieron una y otra noche, tuvieron un efecto inesperado. Algo se quebró en su interior, como si realmente le estuviera sometiendo a un hechizo. Y dejó de soñar con Rebeca. En vano lo intentó, invocando su imagen pieza a pieza. Cuando empezaba por un extremo, esa imagen se iba desvaneciendo por el otro, dejándole sólo un poco de niebla en la memoria. Era como atrapar una nube que cada vez se fuera alejando más de él. Y Raimundo se pregunta si todo lo que vino a continuación, aquel largo e interminable peregrinaje, no se desencadenó como un castigo o expiación. Pues él, a diferencia de Tigmú, no era capaz de disponer de su existencia desechando cualquier remordimiento. Ni, quizá, sentía hacia la muchacha el mismo desesperado apego con que ella había decidido entregársele.

Randa ha ido volviendo lentamente a la realidad de la celda, expulsado de estos recuerdos, y trata ahora de explicar a su hija cómo terminó su estancia en Fez. Le resulta difícil justificar el modo en que bajó la guardia, en aquella espera por el regreso de Maluk desde El Cairo, para que le diera noticia de los códices que había expropiado a Rubén Cansinos. Una espera que primero fue tensa, luego abandonada y perezosa, para tornarse al final, de nuevo, angustiada. Seguramente fue Tigmú quien habló más de la cuenta, en sus callejeos incesantes, en sus parloteos con unos y con otros.

—El caso es que un buen día —dice a su hija— la propia Tigmú vino al hospital donde yo solía visitar a Rubén Cansinos, y me avisó que no regresara a la fonda, porque unos soldados me andaban buscando para prenderme. Y ella misma me traía lo más indispensable para el viaje.

Me dispuse a partir de inmediato, a pesar del grave peligro que supondría andar por los caminos sin protección alguna. Quiso la muchacha venir conmigo. Pero le respondí que eso era imposible y muy arriesgado, además de la promesa que había hecho de dejarla libre y la necesidad de que alguien cuidara de Cansinos. Intenté que el anciano aceptara una suma para atender a su mantenimiento. No accedió, alegando que le entregaban en donaciones mucho más dinero del que podía gastar.

Randa calla de nuevo, pues no puede explicar a su hija las razones por las que Tigmú no quiso despedirse. Se quedó acurrucada, a la sombra de un pórtico. No lloraba. Era mucho peor. Cantaba en la lengua de su madre una melodía tristísima, que le puso los pelos de punta. Al verlo mudo, paralizado por el asombro, Cansinos le dijo:

—Sus antepasados tenían la costumbre de cantar a coro. Pero cada cual se reservaba una «canción secreta» que entonaba a solas, porque si alguien la supiera podría entrar en su alma, y aprisionarla.

Y como viera el anciano que Randa no reaccionaba, añadió:

—Os está entregando su alma. Eso es lo que quiere deciros.

—Perdonadme, pero no os entiendo.

—Ella cree que los dos os habéis convertido en uno solo.

Recordó las muchas noches en que así había sido, y comprendió lo que Cansinos pretendía decirle.

—Espera un hijo vuestro —le confirmó—. Pero si os quedáis aquí, ni vos, ni ella, ni vuestro hijo sobreviviréis. Si deseáis su bien, debéis partir de inmediato.

Al abandonar Fez a escondidas, como un ladrón, aún resonaba en sus oídos aquel lamento de la muchacha, que venía de tan lejos y tan hondo, rebotando de boca en boca. Y al mirar por última vez la ciudad desde un cerro tuvo la amarga sensación de que toda una etapa de su vida quedaba atrás. Y de que en su interior estaba a punto de caducar cualquier vestigio de la edad de la inocencia. Se sentía como un pozo seco, e intentó mitigar aquella quemazón alejándose de allí a toda prisa.

Raimundo Randa recupera el hilo de la narración volviendo al momento en que, tras errar de noche por los caminos, pudo unirse a una caravana y viajar de día, con lo que cesaron los sobresaltos hasta acercarse a la costa.

—Cuando ya se barruntaba el mar —prosigue—, hubimos de enfilar una garganta para atravesar la barrera montañosa que se interponía. Era aquél paso obligado para salvar un río, muy bravo de corriente y encajonado en una hoz apeñuscada y profunda. El único puente eran dos gruesas cuerdas sujetas a sendos tirantes que había a cada orilla, y del que colgaba un cestón trenzado con mimbres y juncos marinos. Cabían en él hasta una docena de personas, que debían tirar de unas poleas hasta ganar el lado opuesto.

Los primeros pasaron sin problemas. Cuando llegó mi turno, que era el último, quedábamos trece. Quisimos pasar todos de vez, por ahorrar tiempo. Y, ya fuera por lo nefasto del número, o por lo fatigado del puente colgante, o por la sobrecarga del cestón, el caso es que a mitad de camino se desfondó éste, cayendo la mayor parte a lo más hondo de aquella hoz, donde había pavorosa corriente y muchas piedras cortantes. Otro y yo nos quedamos colgados, sujetos a sus restos, y gritamos pidiendo ayuda. Pero de poco nos valió, porque en su intento por rescatarnos, tirando de la cuerda, nuestros acompañantes forzaron ésta, que andaba fuera de su sitio. Se desprendió el colgante, arrastrándonos en su caída. El desdichado que estaba agarrado conmigo se partió la cabeza al golpeársela contra una piedra. Y yo intenté mantenerme a flote agarrándome al cestón con todas las fuerzas que me quedaban. Luego, perdí el sentido.

Cuando volví en mí, me dolía todo el cuerpo, sin apenas poder moverme. Me encontraba rodeado por los restos del puente colgante, tan destrozados como yo mismo. Estaba varado en la desembocadura del río, donde éste iba a morir al mar entre meandros, hasta terminar sepultado en una playa inmensa, de arenas blanquísimas. Tan blancas, que el sol hería como un cuchillo al reflejarse en ellas, y le daban un aire fantasmagórico.

A ello contribuían los enormes huesos esparcidos aquí y allá, semienterrados. Algunos eran tan grandes que sobrepasaban a un hombre montado a caballo. Debían pertenecer a alguna bestia descomunal, una de éstas que llama el vulgo pez mular, el más monstruoso y disforme que navega por los mares, aunque otros le dicen ballena, como aquella que se tragó a Jonás.

Advertí que, no lejos de mí, había un refugio bien trabado, a modo de santuario, que había sido hecho utilizando para las vigas y paredes costillares de aquellos animales marinos, y cubriéndolos de ramaje. Supe luego que eran muchas las bestias de aquella especie que morían en el lugar, lo que achacaban al santuario. Pero a mí me pareció que se debía a la violencia de las corrientes, que allí concurrían con unos escollos muy afilados, contra los cuales iban a estrellarse las ballenas cuando el mar estaba agitado, causándoles tan graves heridas que terminaban muriendo en la costa.

Era aquélla la única sombra que había a la vista, para resguardarse de un sol inmisericorde que quemaba la piel, por lo que me arrastré hasta allí y me guarecí en su interior, esperando que cediera el sofocante calor. No tardó en vencerme el cansancio, y caí en un profundo letargo.

Me despertó la punta de un alfanje contra el pecho. Al abrir los ojos vi varios hombres armados, uno de los cuales me enfilaba con una ballesta. El que me apretaba con su alfanje señalaba mi mano izquierda, y de sus palabras deduje que habían reconocido la marca a fuego que me grabara Alí Fartax. Vi detrás de ellos una barca sobre la arena, y una nave al fondo, meciéndose con las velas recogidas. Me miraron y remiraron. Trabaron entre sí conciliábulo. Temí lo peor. No me equivoqué. Eran corsarios berberiscos, que estaban haciendo aguada para regresar a Argel. Y así fue cómo, maldiciendo mi suerte, me encontré de nuevo en cautiverio.

Más que prevención, Argel provocaba terror. Lo primero que nos hicieron ver, recién desembarcados en el puerto, me espeluznó, a pesar de que ya creía estar a aquellas alturas curado de espanto. Quizá nos lo mostraron para que supiéramos a qué atenernos si intentábamos fugarnos.

Acababan de descubrir a un grupo de cautivos en una cueva, donde llevaban varios meses malviviendo, a la espera de una barca en la que escapar. Iban ellos en los puros huesos, descoloridos y tosiendo, por la humedad del escondrijo, y aun uno de ellos era manco. Un grupo de rapaces, morillos descarados, piojosos y pelones, alborotaba a su alrededor, cantándoles en español aquellos versos con los que les quitaban toda esperanza de rescate por don Juan de Austria:

Cristiano,
non rescatar, non fugir,
don Juan no venir,
acá morir,
perro, acá morir.

Se llegó hasta ellos un berberisco de gran alzada, que espantó a los muchachos a patadas y, tomando al más flaco del grupo de fugitivos, un jardinero que les había procurado aquella cueva en la que esconderse, lo gancheó. Era éste en Argel tormento más frecuente que el empalamiento usado en Estambul. Cogen un gancho curvo y afilado en la punta, como de ganado, y enganchan al sujeto, y luego lo cuelgan de cualquier lugar hasta que muere. Forcejeó el jardinero, y con el mal movimiento se lo clavaron en un ojo. Así lo dejaron suspendido de un madero, pataleando y gritando por la atroz agonía que le esperaba.

Se revolvió otro de los cautivos, echándoles en cara su crueldad a los verdugos. Ellos se rieron, diciéndole que no se preocupase, que si no le gustaba lo que había visto tenían algo mejor para él. Lo tumbaron sobre un madero. Dos hombres lo tomaron de las piernas y estiraron de ellas, y otros dos de las manos, e hicieron otro tanto. Aquel berberisco de gran alzada tomó una cimitarra muy afilada, de gran peso, y la descargó contra él a la altura de la cintura, partiéndolo en dos. Tiraron la parte baja del cuerpo a unos perros alanos que por allí había, los cuales empezaron a disputarse aquellos miembros chorreando sangre, que todavía se movían, de lo que se asustaron un tanto. Y la parte superior, el resto del hombre aún vivo, aullando de dolor, la llevaron hasta un tonel lleno de cal viva, donde lo metieron. Y a su alrededor se arremolinó una chusma espesa que borracheaba por las tabernas, y que levantaba sus jarras y brindaban por él mientras se deshacía en alaridos.

Quedamos con esto en suspenso el grupo de cautivos. Que éramos muchos, pues no nos llevaron a los almacenes para encerrarnos de inmediato. Antes bien, estábamos todos allí a la espera de algún personaje importante que debía entrar en el puerto. Pasó el día adelante, apretaba el sol, seguíamos esperando, pero nadie se atrevía a moverse después de lo visto.

En eso que dio un grito el vigía y se produjo gran clamor entre aquel gentío. No tardó en aparecer una nave, seguida de otras muchas. La primera que digo enfiló el puerto y el muelle donde nos agolpábamos. A medida que se iba acercando, me parecía más y más familiar. Yo conocía bien aquella galera bastarda, aunque estuviera engalanada para la ocasión. En sus bancos había estado encadenado durante meses que me parecieron años, y al ver los remos que se alzaban en señal de homenaje, se me acalambró el espinazo. Porque, no cabía duda, era Alí Fartax, el *Tiñoso*, quien acababa de llegar a su guarida.

Aunque su vieja galera estaba bien mantenida, se le notaban los años. El corsario tenía apego a sus cosas, y sólo cabía esperar que no fuera tan tenaz en su promesa de empalarme.

El gentío que había acudido al muelle rompió en aclamaciones cuando su almirante apareció en el castillo de proa. Mientras descendía de la nave, reparé en cuánto había envejecido Alí Fartax. Bajaba por la pasarela llevando de la mano a una viejecita arrugada como una pasa, y ella, que debía de ser algo sorda, le gritaba en un dialecto que me pareció italiano, reprochándole que no la sujetara bien. Debía de ser su madre, Pippa del Chico, de la que había oído hablar en Estambul. Y la mansedumbre que mostraba el feroz corsario en aquel trance componía una escena que en otras circunstancias y personas habría resultado enternecedora.

No pude ver más, porque en cuanto echaron pie a tierra los rodeó la guardia que escoltaba a los gerifaltes. Éstos salieron de debajo de unas sombrillas y palios para agasajarle, y no tardaron en llevárselos de allí.

Nos encerraron en uno de aquellos almacenes que llaman baños. Al día siguiente nos sacaron al patio y vino un escribano a asentar los ingresos de los recién llegados. Y cuando llegaron a mí, vi que el que llevaba los registros me miró largo rato, hizo muchas preguntas y me mandó poner aparte. Al cabo, vino un carcelero con un guardia y me encerraron en un calabozo. Pensé que mi suerte estaba echada. Y allí esperé buena parte del día, con la natural angustia.

A la tarde, sonó el cerrojo fuera, descorriéndose, y vi que volvía el carcelero, y con él un moro, de poco más de mi edad. Vestía con gran lujo y aparato, y sentí al punto que era hombre de importancia, pues venía con gente muy armada y de aspecto fiero, que se puso en torno mío, rodeándome. Imponía especialmente uno alto, muy ancho de espaldas, tuerto, que dejó de comer garbanzos tostados para espantarse de un manotazo una mosca posada en el agujero del ojo que le faltaba.

Aquel otro moro principal se me quedó mirando muy de fijo. Se acercó y llevó su mano a mi cuello. Dudé cómo reaccionar, pero la compaña que andaba con él no ofrecía mucha elección. Le dejé hacer. Cogió entre los dedos el cordón trenzado de vivos colores que yo llevaba, y al punto reparé en que tenía él otro igual y, con la proximidad, se me hicieron más presentes las cicatrices que surcaban su rostro, y que eran de haber sido marcado a fuego.

Entonces habló, y no lo hizo en árabe o turco. Sino en castellano. No sólo eso. Me estaba llamando por mi antiguo nombre.

—¡Diego! —exclamó—. ¿No me reconoces? ¡Soy Ishaq! Aunque tú me llamabas *Alcuzcuz*.

—¡Ishaq ben al Kundhur! —estallé, al fin.

Y me abrazó. Vi que los fieros hombres que le rodeaban sonreían, incluso cabría decir que amistosos. Lo cual me alivió no poco.

¡Cuántas veces me había perseguido su recuerdo al jugar yo con aquel cordón trenzado que había hecho en la rueca la vieja morisca! Me perseguía, sobre todo, su imagen abriendo la puerta del castillo, para que entraran los suyos, sedientos de sangre. Yo estaba confuso. Él había respetado entonces mi vida. Por otro lado, después de haber estado cautivo, podía entender mejor sus razones... Pero, aun así, me perturbaba estar recibiendo un abrazo del cómplice de los asesinos de mi familia.

Alcuzcuz ordenó al carcelero que soltara los grilletes, me llevó hasta su casa, y en cuanto me hube aseado y vestido con propiedad, dijo:

—Vámonos de aquí, o empezarán a venir comisionados del Tiñoso y no nos dejarán hablar.

Propuso celebrar nuestro encuentro en una taberna cercana. Acepté, con la secreta intención de preguntarle por aquello que me obsesionaba.

—¿Por qué abriste la puerta del castillo? —le dije en cuanto pudimos sentarnos en una mesa.

Me miró de hito en hito, por encima del jarro de vino que estaba apurando. Se limpió la boca y la cerró, torciendo el gesto. No quería hablar de aquello. Insistí en mi pregunta.

—¿Que por qué lo hice? —me contestó, señalando las marcas a fuego que llevaba en el rostro—. Esto nunca se me irá de la piel. ¿Por qué iba a irse de mi memoria? Yo era tu juguete... —Abrí la boca para replicar, pero él se anticipó a mis palabras—. Es verdad que tú siempre me trataste como a un hermano, no como si fuera tu esclavo. Pero no todos eran así. Te diré, por si te sirve de consuelo, que cuando franqueé el paso de vuestro castillo a los moros de la sierra yo no sabía que iban a matar a tu familia para no dejar testigos, ni que aquel hombre atormentaría a tu padre como lo hizo.

—Podías haberlo imaginado. Tú no eras tonto ni iletrado. Menudos humos te dabas con tu linaje cuando te convenía...

—Te digo que yo no traté con aquel hombre de la mano de plata, sino con el cabecilla de los moriscos. Y lo del linaje aquí no cuenta. En Argel nadie te pregunta por él, ni por tu pasado, ni tu nación, ni el Dios que dejaste atrás.

—Ya. Aquí se vive del pillaje, del robo, de la esclavitud... —objeté.

—Como en todas partes, Diego —se me hacía raro que alguien me llamara así, por mi verdadero nombre—. Sólo que aquí no se invocan los pretextos de la estirpe ni los títulos. Además, para los que llegaron tarde al reparto del botín, vosotros tenéis América. Pues de igual modo, para la gente que ves alrededor, éstas son sus Indias. Éste es su Perú. Sin Berbería estarían condenados a morir como nacen. Aquí pueden prosperar. Y sin necesidad de acudir a Salamanca o Alcalá a mortificarse con vuestros latines.

—No es lo mismo —intenté defenderme.

—¿Que no es lo mismo, dices? Los hermanos Barbarroja empezaron como bandoleros, pero terminaron siendo reyes. ¿Crees que el sultán de Estambul no sabía muy bien quiénes eran y a qué se dedicaban?

—Quizá en Estambul sean así las cosas, pero no en España...

—Has de saber algo. El emperador Carlos intentó atraerse a Jeredín Barbarroja y prometió nombrarle rey de Berbería si reconocía su autoridad en vez de la del sultán de Estambul. Tú mismo has estado cautivo con el Tiñoso. ¿Crees que vuestro rey, Felipe II, no estaría dispuesto a hacerle a él idéntico ofrecimiento? Se les considera bandidos cuando están enfrente, y nobles cuando se pasan a tu lado. ¿Cuándo deja un hombre de ser un pirata, salteador o ladrón y se convierte en respetable?

No supe qué responderle.

—¿Cómo decidir quién es digno de ser rey? —continuó—. ¿El que mató más hombres? ¿El más anciano? ¿El más hermoso? ¿El mejor bebedor? En ese caso ganaría yo —rió mostrando su jarro de vino—. Desengáñate. Da igual cómo obtenga el rey su trono, si por herencia, elección, usurpación, la fuerza de las armas, astucia o mañas cualesquiera... Con tal de que sea justo y gobierne bien. Por el trono de Argel han pasado gobernantes que ya los hubierais querido allá arriba, en vuestros reinos cristianos.

Entró en ese momento un muchacho, que llevaba una cesta con sardinas. Eran tan frescas que algunas aún saltaban entre sus mimbres. Ishaq llamó al mozo y tomó un puñado de las más inquietas.

—¿Ves estos pescados? —me dijo—. ¿A qué país pertenecen? Hay demasiado Mediterráneo de por medio para que las fronteras sean tan fijas como pretenden vuestro honor y vuestra limpieza de sangre. Éste es un mar en el que el agua bulle, como esos peces en la cesta. Y Argel es el cogollo de la cesta. Aquí el mar está hirviendo.

Eligió unas cuantas sardinas más, de las que estaban encima, y después de pagárselas encargó al muchacho que se las llevara al fogonero, para que nos las hicieran a la brasa.

Siempre tuve a Alcuzcuz por un muchacho listo, pero no sabía que fuera tan elocuente. Quise poner fin a aquel chaparrón y bromeé:

—Sólo te había preguntado por qué abriste la puerta del castillo. Y menos mal que has dejado de tartamudear...

—Llevas razón —rió—. Parezco tu padre, cuando trataba de convencerme de las virtudes del cristianismo, para que me convirtiera... Pero dime, ¿qué has venido a hacer aquí? ¿No serás un espía? Porque aquí ya están todos los puestos ocupados. Hay al menos tantos como en Estambul y Ragusa juntos.

Le conté lo sucedido, aunque tuve buen cuidado de callar el objeto final de mis pesquisas. Que, de todos modos, él debía de sospechar vagamente, pues era persona muy bien informada.

—Así que al final —concluyó— te acusarán de haber malogrado los presentes que enviaba a Fartax ese comerciante de Fez, Maluk. Un soborno como otro cualquiera, dada su debilidad por los libros. Porque los volúmenes que iban en la nave capturada por los españoles cerca de Melilla debían venir a Argel. El Tiñoso se pondrá hecho un obelisco cuando sepa que tú andas metido en esto.

—¿Cuál es tu relación con él?

—Soy su lugarteniente aquí.

—¡Tú, el segundo de Fartax! —me asombré.

—Pues claro. ¿Quién creías que nos apoyaba en nuestras escaramuzas de la sierra de Granada? Era Fartax quien mantenía viva la esperanza de los moriscos de las Alpujarras.

—De manera que Artal de Mendoza está en connivencia con Alí Fartax cuando le conviene —dije, pensando en voz alta—... el Espía Mayor de Felipe II se entiende en secreto con el almirante del sultán de Estambul... Y usó del Tiñoso, y de ti, en Granada, para el asalto a nuestro castillo. Y luego de sus galeras para el abordaje de la nave en la que yo iba.

—Así van estas cosas. Si Fartax cae en desgracia en el serrallo de Estambul, es mejor mirado en el Alcázar de Madrid, y se le ofrecerá independizar Berbería del turco para anexionarla al imperio español. También aquí en Argel hay agentes de los vuestros que alientan a nuestros cautivos cristianos a sublevarse. Ayer capturamos dos.

Me acordé del que habían enganchado por un ojo y del que partieron por la mitad y metieron en un tonel de cal viva. Debí de quedar con el rostro tan demudado que se creyó en el deber de tranquilizarme.

—No lo digo por ti. No te preocupes. Fartax no te empalará. Tiene cosas más importantes de que ocuparse. Ahora es el gran almirante del Imperio Otomano y controla toda la Berbería, desde Alejandría de Egipto por el oriente hasta Marruecos por el occidente. Por cierto, que he hablado con él y nos recibirá esta noche.

Nada dije, pero pensé: «Esto sólo me pasa a mí, que por mi propio pie he venido a meterme en la boca del lobo. Y aquí estoy, lejos de mi mujer e hija, emparedado entre mi antiguo esclavo y mi viejo amo. ¿Qué más se puede pedir?».

Encontramos a Fartax en compañía de su madre, Pippa del Chico. Supe luego que ésta pasaba temporadas enteras en el lujoso palacio que el Tiñoso tenía en Estambul, donde era tratada como una sultana. Pero la buena mujer suspiraba por su modesta casita de pescadores en Calabria y, tenaz como era, no cesaba de repetir que deseaba morir en tierra de cristianos. El hijo le estaba mostrando ahora sus dominios, y si ninguno de éstos le convenía, al regreso la dejaría en su pueblecito natal de Licasteli, cerca del cabo de las Colonas.

La viejecita tenía su carácter. Gritaba mucho por la sordera, llamando a su hijo por su nombre de cristiano, que resultó ser Dionisio. Y él obedecía, dócil como un niño.

—Tú y yo tenemos que hablar —fue lo primero que me dijo el Tiñoso.

Pero no había cólera en su voz, ni amenaza, y con su *mamma* de la mano aquellas palabras casi sonaban afectuosas.

Cuando hubo despedido a su madre, volvió junto a mí, y enseguida comprobé que no me guardaba rencor. Se había quitado el turbante y mostraba aquella desdichada calva suya, roída por la tiña, que se secó con un pañuelo, para aplacar el calor.

Comentó con Alcuzcuz algunos de los negocios que le inquietaban, con una franqueza que no dejó de preocuparme. Tras ello, vinimos a nuestros asuntos, bebiendo y comiendo en exceso. Tuve que ayudar a Alcuzcuz a llevar a Fartax hasta su cama, y me di cuenta de que sólo era ya un hombre torpe y envejecido, dado a la bebida y a los recuerdos.

Habíamos hablado, como digo, de muchas cuestiones. Les pregunté por las gentes de Estambul que nos eran comunes. Al llegar a Askenazi, hizo un gesto tan significativo que no habría necesitado decir lo que dijo:

—Empalado. Es lo menos que le debíamos —rió.

Aunque yo no les había declarado por completo mi misión, no pude ocultarles que mi vida y la de mi mujer e hija estarían en entredicho si no conseguía aquellos libros que Maluk había llevado hasta El Cairo.

—Ni siquiera sé lo que ha sido de ese comerciante —confesé al Tiñoso—, pues no pude esperar su regreso a Fez. Es de suponer que habrá entregado los volúmenes al visir de El Cairo.

Nada dijo en ese momento Fartax. Pero al cabo de unas semanas me mandó llamar y afirmó:

—A mi madre no le prueba Argel. De manera que pienso mostrarle Alejandría. Quizá aquello le guste. No queda lejos de El Cairo, de modo que vendrás con nosotros. Te llevaré hasta allí, encontraremos esos libros y podrás volver a España y llevárselos a Felipe II o al preste Juan de las Indias, reuniéndote en paz con tu mujer e hija.

Era un ofrecimiento tan generoso que rechazarlo hubiera supuesto una ofensa que me costaría la vida. A pesar de todo, lo intenté, implorando los buenos oficios de Alcuzcuz. Pero éste ni siquiera quiso escucharme. Hasta que llegó el día de partir, intenté zafarme de aquella protección inesperada, que podía dar al traste con mis planes y misión, llevándome a la ruina. Fue inútil. Lo único que conseguí fue que me permitiera haceros llegar un mensaje a ti y a Rebeca, advirtiéndoos de mi suerte y nuevo destino. Uno de los criptógrafos de Fartax lo examinó, por ver si podría contener alguna información en cifra, y viendo que no era así, me permitieron entregárselo a un fraile mercedario de los que andaban por Argel rescatando cautivos.

—Nunca recibimos ese mensaje tuyo —le interrumpe Ruth.

—Lo sé, hija, lo sé. Debí haber sospechado que todos esos envíos pasaban por las manos de Artal, y que él lo iba a interceptar. No sólo eso. Luego supe que el fraile hubo de transmitirle la idea de que yo no estaba cautivo, sino en gran amistad y confianza con Alcuzcuz y el Tiñoso, dos de los más grandes y peligrosos corsarios que hostigaban a España, al menos oficialmente. Y que, habiendo renegado una vez con los judíos, no era raro que lo hiciera ahora con los moros. Con lo que yo mismo me iba preparando el cepo para cuando regresara.

Todo esto rumiaba, en la nave del Tiñoso, mientras perdíamos de vista Argel y a Alcuzcuz, quien nos despedía desde el muelle. Durante la travesía pude darme cuenta de hasta qué punto Alí Fartax se había dado al alcohol. Su madre intentaba que se contuviera, pero mi presencia parecía estimular la necesidad de contarme sus hazañas. Y cuanto más me contaba, más veía yo cómo había declinado ya su hora y le llegaba el ocaso. Algo que también sabía él, pues era tan lúcido o más que Alcuzcuz, y más leído que éste. Costumbre que mantenía, teniendo siempre a mano buenos libros.

En estas y otras consideraciones, llegamos a Alejandría. Yo esperaba que, con el mucho trajín que allí le darían, Fartax se olvidase de su ofrecimiento de ayuda para encontrar los volúmenes de Cansinos traídos por el comerciante Maluk. Pero me equivocaba. Tan pronto acomodó a su madre, al día siguiente mandó proveer una guarnición de hombres armados de a caballo y los envió con un recado suyo para el visir de El Cairo. Apenas abrí la boca para intentar disuadirle, me atajó diciendo:

—No me lo agradezcas. De todas formas, tenía que prevenirle de mi llegada. Y entre tanto celebraremos nosotros la fiesta de despedida.

Me llevó hasta un lugar de la costa donde se había asentado un grupo de exiliados andalusíes. Tenía allí casa propia, y pensaba establecer en ella a su madre, por si le probaba aquel clima y gente. A medida que me acercaba pude admirar la laboriosidad de aquellos moriscos. Habían convertido el lugar en un vergel. Los emparrados eran soberbios, con racimos de uvas tan gordas como la cola de un cordero. Los pistacheros, cerezos y algarrobos estaban lustrosos, y podados con mimo. Pero el rey era el omnipresente olivo. Allí entendí qué cosa era el Mediterráneo. Me lo explicó Fartax. Estábamos en la azotea de su casa, mecidos por la brisa cargada de salitre que venía del mar y se perdía entre las colinas cubiertas de aquellos árboles, cuando dijo, señalándolos:

—Todo lo que se extiende desde el primer olivo que se alcanza a ver, bajando del norte de Europa, hasta los primeros palmerales que contienen aquí el avance del desierto por el sur, todo eso es Mediterráneo.

Me mostró sus almazaras. Vi obtener un aceite purísimo, dejando que madurase la aceituna sobre un ladrillo acanalado, y que gotease por sí solo. Tomó el Tiñoso una gota en la yema de un dedo, la hizo brillar al sol como una pepita de oro y la saboreó con deleite, invitándome a hacer lo propio:

—Ésta es la lágrima del aceite, su quintaesencia. No lo hay mejor en el mundo.

Llegaron los mensajeros que había enviado Fartax a El Cairo, y trajeron noticia de aquellos libros que Maluk había comprado a Cansinos para regalárselos al visir. Éste no era muy dado a frecuentar bibliotecas, y los había donado al imán de la más antigua de sus mezquitas. Hice ver al Tiñoso mi necesidad de partir tras su pista, visitando aquel templo. Le pareció bien.

—Te extenderé un documento recomendándote al imán —se ofreció—. Pero no sin antes aderezar una cena a la turca como fiesta de despedida.

Comimos sobre un guadamecí o cuero grueso, con unas toallas corridas alrededor, en las que nos limpiamos. Pusieron primero algunas menestras y potajes, con pasas de Alejandría, que son negras, muy pequeñas y sin semilla dentro. Y en especial me llamaron la atención unas lentejas muy finas, con zumo de limón y carne picada menuda dentro de hojas de parra. También le entramos a un cordero gordo hecho pedazos de a libra, guisado con hinojo, garbanzos, espinacas y cebollas.

Pero aún faltaba lo mejor. Fue esta cosa nunca vista. Trajeron un buey entero asado, lo abrieron a espada, y salió un relleno de peras y almendras. Dentro había un cordero, que también trincharon, con relleno de nueces y ciruelas. Lo partieron, a su vez, y salió una gallina con miel y cilantro. Abrieron ésta, y dentro de la gallina había un huevo. Todo esto, junto, lo habían hecho dándole vueltas en un espetón, sobre un gran fuego. Pero, a pesar de tanto atavío, es la gracia de este asado que el huevo conserve su propio sabor. Tenía gran cocinero el Tiñoso, puesto que el huevo, que me fue reservado, lo encontré muy en su punto.

—¿Seguro que no está algo duro? —me preguntó Fartax.

Y noté que mis dientes tropezaban con algo. Eché mano al huevo y vi que tenía dentro un rubí de gran tamaño. Nunca he acertado a explicarme cómo lograron ponerlo dentro. Protesté y traté de devolvérselo. Pero él porfió tanto que habría sido una ofensa rechazarlo.

—Es un regalo de los dos —explicó—. De Ishaq y mío. Fue Alcuzcuz quien lo eligió.

Y aún añadió una generosa provisión de monedas de oro y todo tipo de arreos de viaje. Tras ello, sólo me quedaba una cosa por hacer antes de dejar la costa y partir para El Cairo. Era encontrar a alguien que viajara a España, y encomendarle un mensaje para ti y para Rebeca. Fui al puerto en busca de alguna nave. Y allí, junto a una taberna de marineros, vi a un viejo que cantaba para ganar algún dinero con el que embarcar para mi país. No tenía buena voz. Ni siquiera entonaba bien. Era el suyo un canto áspero, a garganta raspada. Pero aquello que decía en su ladino lleno de tropiezos era tan triste que me conmovió hasta lo más hondo de mi ser.

Conocí, por lo que decía, que era judío. Sefardí, por más señas. Por él parecía cantar todo el agobio y fatiga de los suyos, prisioneros de leyes y costumbres que les habían sido otorgadas bajo cielos tan diversos. Calló, recogió sus monedas, y ya tomaba su bastón y se levantaba para marcharse, cuando le llamé. Volvió la cabeza hacia mí, y por el modo en que lo hizo conocí que era ciego.

Le hice entrar en la taberna y le convidé. Le dije quién era yo, y lo que pretendía, y le pedí que me contara su historia. Cuando la hube oído, comprendí por qué su canto era tan desgarrador. Había decidido «volver a casa» y por eso cantaba, aunque mal. Para reunir algún dinero.

—Cuando decía «volver a casa» se refería a España —explica Randa—. Se dirigía a Antigua, en la creencia de que seguía siendo la capital. Le ayudé con dinero y buscándole ocupación en los fogones de uno de los barcos de Fartax que venía hacia Occidente. ¿Os transmitió el recado que le entregué para vosotras?

—Nos lo dio —asiente Ruth—. Estaba débil y enfermo, y le socorrimos. Pero Artal, que nos vigilaba, cayó sobre él, nos arrebató vuestro mensaje, y le intentó sonsacar otras noticias. Nada más pudo decirle él. Creyendo que las tenía, pero se negaba a hablar, ese canalla lo entregó a la Inquisición. Lo quemaron en la hoguera, por practicar el judaísmo. Ésa fue su vuelta a casa.

Randa ha de contener su cólera cuando oye el ruido de la cerradura y ve aparecer en el umbral a Mano de Plata. Pero sabe que debe contenerse para sacar adelante sus planes. De modo que pega los labios a la oreja de su hija y le dice:

—Sólo quedan tres días. ¿Crees que podrás terminar ese tapiz?

—Perded cuidado —se despide Ruth.

Y entonces, sí, se dirige a Artal y le pregunta, haciéndose de nuevas:

—¿Os ha vuelto a doler ese muñón?

—¡Maldito seáis! Nunca me dolió tanto.

—Es porque lo habéis forzado con algún movimiento brusco —y se acerca a él con ánimo de examinar su mano postiza.

El Espía Mayor lo retiene con un gesto de rechazo.

—No me fío de vos. ¿Quién me asegura que al cabo de unas pocas horas no volverá a convertirse en un cepo aún peor?

—No sucedería si me dejaseis esa mano algunas horas, y me devolvierais mis tenacillas de orfebre, para repararla con calma. Ayer sólo pude hacer un pequeño ajuste.

—¿Vuestras tenacillas de orfebre? Ni hablar.

—Entonces, nada puedo hacer.

9

La ciudad borrada

EL cementerio de Antigua perfilaba sus cipreses bajo un cielo color pizarra, cargado de electricidad. Un día opaco y tristón, «bueno para un entierro, si es que hay días buenos para tal cosa», pensó el comisario John Bielefeld, mientras bajaba del coche. Perdido en el bloque de capillas del dilatado paseo central, se dirigió a un hermano fosor, aquella extraña orden que habitaba en el campo santo, cuidando de él. Le llevó el fraile hasta un pequeño tablón de anuncios y consultó las ceremonias del día. Preguntó luego qué hora era, dedujo que el funeral ya debía de haber terminado, y le indicó el lugar donde se estaba procediendo a la inhumación.

El comisario encontró el mausoleo sin mayor dificultad. Destacaba dentro de aquella peculiar colonia de tumbas en tierra de nadie, a mitad de camino entre el cementerio católico y el civil, sin que fuera fácil asignarle su lugar a uno u otro lado. Los panteones carecían de las cruces más habituales en aquel recinto, las convencionales, planas, de cuatro direcciones. En su lugar, estaban rematados por cruces cúbicas tridimensionales, de seis brazos. Las mismas que ya había tenido ocasión de ver en el escudo de la Fundación Abraham Toledano y en el estandarte de la Hermandad de la Nueva Restauración. Ésta le vino a las mientes al reparar en el inconfundible cortejo. Nada habitual, con la excepción de Marina, el ama de llaves del arquitecto Juan de Maliaño. Llamaba la atención aquella compacta formación

393

en torno al féretro, que era llevado a hombros por miembros de la hermandad, con sus solemnes ropajes.

El grupo de cofrades avanzó hasta que los sepultureros les hicieron señales para que depositaran el ataúd sobre los tablones y sogas que cubrían la tumba abierta. Tensaron luego las cuerdas, retiraron los maderos, y lo hicieron bajar a pulso hasta su lugar de reposo. Tras ello, los asistentes fueron desfilando para arrojar en la fosa puñados de tierra, tomándola de la pala que les ofrecía uno de los hermanos.

Bielefeld esperó a que la numerosa asistencia se dispersara para localizar a Raquel Toledano. Se acercó a ella, estrechándole el brazo en silencio. La joven le devolvió una mirada desolada, sin poder contener las lágrimas.

—Yo tuve la culpa —sollozó, apoyándose en él—. Si le hubiese hecho caso no habríamos ido a El Escorial y no le habrían matado... Además, tú ya nos habías dicho que tuviéramos cuidado.

—Vamos, vamos —la consoló el comisario tomándola por el hombro para alejarla de allí—. Eso os podría haber pasado en cualquier otro lugar.

—Si no hubiera intentado guardar esos papeles en la caja fuerte... —suspiró Raquel—. Parecían importarle tanto que, para evitar que cayesen en otras manos, no dudó en sacrificar su vida.

—Eso seguramente salvó la vuestra —dijo Bielefeld.

—¿Cree usted que aquel individuo no tenía más balas? —le preguntó David Calderón, que se había acercado a ellos, flanqueando a Raquel por el otro lado.

—Supongo que fue eso, y que ya había gastado otra con el vigilante que le dio el alto.

—De todas formas, ahora estamos de nuevo a cero —observó el criptógrafo—. O peor que a cero, porque no es difícil imaginarse quién nos ha arrebatado esos documentos.

—Pues sí. Por desgracia, mis informaciones eran exactas y ya tenemos por aquí a James Minspert, haciendo de las suyas. Es lo que yo llamo una jornada bien aprovechada: mientras allí os asaltaban, aquí han registrado vuestras habitaciones.

—Desde luego, la mía la han revuelto a conciencia.

—¿Y se han llevado algo?

Los dos jóvenes negaron.

—Todo lo importante lo teníamos en la caja de seguridad —añadió David—. Menos los ocho gajos del pergamino... Sospecho que Minspert dejó que nos los lleváramos de la Agencia para que le hiciésemos todo el trabajo. Luego, ya se ha encargado de recuperarlos cuando el rompecabezas estaba completo. Y no se quedará ahí.

—¿Qué quiere decir?

—Ojalá me equivoque, pero intentará servirse de este pretexto y de la misión oficial que le hayan encomendado para resolver sus viejas cuentas pendientes. Eso es lo que me da más miedo.

—Y yo me temo que el papel de Gutiérrez es controlarnos a nosotros, mantenerles informados a ellos y darles ventaja —sentenció Bielefeld—. Ayer, el inspector intentó llevarme una vez más al claustro donde van juntando las piezas de la custodia. Yo me negué. «¡Quiero avances, algo concreto!», le grité. Entonces, fuimos al agujero de la Plaza Mayor y me estuvo enseñando el estado de las obras. Es desesperante. Excavan con pequeñas piquetas, limpian con brochas y cosas así. El director de los trabajos me aseguró que si todo iba bien, aún tenían para tres días.

—En ese tiempo ya no habrá nada que hacer —dijo Raquel.

—Lo sé. Por eso es tan importante lo de hoy. ¿Te encuentras con ánimo? —preguntó dirigiéndose a la joven.

—No podemos aplazarlo, después de todo lo que nos ha costado.

—Pues vamos para allá —dijo señalándoles el coche que acababa de abrir con una pulsación de la llave.

Tuvieron que dar un largo rodeo para acceder al interior de la Plaza Mayor, más protegida de lo habitual. El recinto tenía un aspecto despojado, desnudo. Los adoquines habían sido arrancados uno a uno y cuidadosamente amontonados bajo los soportales. El boquete central, donde se hundieran la fuente y la custodia, estaba protegido por tramas de plástico naranja. El resto había quedado reducido a un lecho de arena grisácea, rastrillado, alisado y dispuesto para el comienzo de aquella decisiva operación.

De sus resultados iban a depender muchas cosas. Según el informe que saliera de allí, les concederían, o no, el ansiado permiso para la exploración del agujero y subsuelo, como pretendía Bielefeld y recordaba a Gutiérrez siempre que tenía ocasión.

El inspector les saludó desde la distancia. Su borrosa y cenicienta presencia le mostraba derrengado entre las brumas de una noche mal dormida. Había tenido una boda. Una sobrina que se casaba, explicó. Y con los preparativos de todo aquello, siguió explicando, no había podido ir al entierro. Que lo sentía, dijo.

Por fortuna, no tardó en entrar el vehículo que esperaban, con absoluta puntualidad. De él descendió un hombre de mediana edad, vestido con traje de faena. Gutiérrez, que se había ocupado de aquella gestión, hizo las presentaciones.

—José María Calatrava, del Servicio de Geofísica.

El recién llegado saludó a todo el mundo mientras, a sus espaldas, el equipo que le acompañaba se iba desplegando como un comando bien entrenado. No sólo parecía un tipo simpático. Lo era. Echó un vistazo al panorama, dio una palmada de satisfacción y bromeó con aire jovial:

—A ver si tenemos suerte y no nos llueve, porque amenaza tormenta. Vamos allá con la radiografía. Por lo que estoy observando, la plaza tiene un infarto de miocardio ahí en medio —y señaló el agujero—. Hace tiempo que se echaba en falta un repaso a fondo. Pero ha habido que esperar a que sucediera una hecatombe para poner de acuerdo a estos borricos y que, por fin, se ablandaran.

—Qué me va usted a contar —pregonó Gutiérrez.

—¿Se refiere al ayuntamiento? —dijo David al geofísico.

—A todos —confirmó Calatrava—. Al ayuntamiento, porque ahí está su edificio; a la Iglesia, por la cercanía de la catedral; y al ejército, porque detrás está el Alcázar. Las tres instituciones tienen competencias en el subsuelo de la plaza, y los unos por los otros, la casa sin barrer. Pero no crea que han cedido demasiado. De momento, no se puede tocar nada. Sólo mirar. Y dependiendo de nuestro informe, decidirán si les conceden permiso para bajar. Supongo que cuando hayan rescatado todas las piezas de la custodia. Ahí entra ya de nuevo el inspector Gutiérrez.

—¿Y cómo se las van a arreglar ustedes para averiguar lo que hay sin tocar nada? —insistió David.

—Utilizaremos el radar.

—Creía que eso era para detectar aviones o submarinos. No pensarán encontrar ninguno ahí abajo —bromeó Bielefeld.

—Ahí abajo puede haber enterrada cualquier cosa, desde obispos hasta diplodocus. En un sitio como éste no podemos utilizar otro sistema, porque nos daría lecturas muy confusas. El radar terrestre que vamos a usar es lo más seguro para pozos, criptas, túneles y cosas así. Y detecta bien el agua. Porque creo que salió agua para dar y vender.

El ayudante del geofísico le interrumpió para advertirle:

—Estamos listos. Cuando quiera, doctor Calatrava.

Antes de empezar, supervisó el trabajo de sus colaboradores. Habían tendido de lado a lado varios cordeles, de modo que la plaza quedaba dividida en estrechos pasillos longitudinales. A continuación, habían extraído del vehículo todo un complejo equipamiento, que procedieron a montar. Mientras unos ensamblaban los tubos que iban a servir de antenas, otros armaban los radares, y un informático ponía a punto los ordenadores.

—¿Ven aquel joven con eso que parece una serpiente de color azul? —les explicaba Calatrava—. Es un georadar que llamamos Python. Permite un barrido de más de tres metros de ancho en cada pasada. ¿Y a aquel otro, el más forzudo, que arrastra una especie de trineo? Va a peinar el suelo con ese modelo, que tiene una antena tubular de metro y medio de ancho. Y afinaremos más con el aparato que lleva la chica, esa plancha con un largo mango, como un aspirador.

Los tres colaboradores vestían un arnés sujeto a la espalda, que les permitía llevar sobre el pecho una plataforma con un ordenador portátil, en el que iban recibiendo las imágenes del radar. Además, cada uno de ellos enviaba la señal hasta el vehículo, cuya parte trasera albergaba una batería de monitores, de tal modo que desde ella se podían seguir las imágenes de los tres radares a medida que iban rastreando el terreno.

Calatrava se sentó junto a los paneles y encendió los interruptores. Las pantallas de los monitores parpadearon antes de enviar sus señales. Luego se dirigió a sus observadores invitados y les ofreció otras tantas sillas plegables.

—¿Cómo funcionan esos radares? —se interesó David.

—Emiten ondas electromagnéticas. Cuando inciden en la frontera entre dos materiales, o entre un material y el vacío, rebotan y vuelven al receptor, acusando el hallazgo. El tiempo que tardan nos da la profundidad a la que está enterrado. Son tres radares de distinta frecuencia, con antenas que les van a permitir trabajar a 75, 190 y 300 megahercios. Digamos que a menor frecuencia, mayor penetración en tierra, pero menor resolución de imagen en pantalla. Y viceversa. Los dos más anchos nos van a dar primeras aproximaciones, y afinaremos con el más pequeño, el *aspirador*.

Se frotó de nuevo las manos y gritó, dirigiéndose a los suyos:

—¡Vamos allá, muchachos!

Los tres radares comenzaron a rastrear la plaza. Avanzaban uno detrás de otro, escalonados. El barrido del primer corredor acotado mediante los cordeles, el que estaba más lejos del centro, no arrojó ninguna señal significativa. Hacia la mitad del recorrido aparecieron en la pantalla de los dos aparatos más grandes un par de manchas, en forma de horquillas superpuestas. Calatrava esperó a que llegara a esa misma altura la joven que iba detrás de ellos, con el *aspirador,* y la previno.

—Despacio, Patricia. ¿Ves en la pantalla de tu ordenador esas dos señales? Pues da otra pasada.

—¿Algo en especial, doctor Calatrava? —preguntó Raquel.

—Dos objetos metálicos.

—Eso serán fragmentos de la custodia —aventuró la joven.

—No lo creo. Están demasiado lejos del agujero. Parecen más bien barras metálicas o alguna tubería de cierta longitud. Yo diría que andan entre el metro y el metro y medio de profundidad. Pero todo esto no nos incumbe a nosotros. Me han dicho que ya han pasado con los detectores de metales —y alzó la voz para llamar la atención de Gutiérrez—: ¿No es cierto, inspector?

—Así es —confirmó el policía, reprimiendo un bostezo.

—Eso tenía entendido. ¡Seguimos! —gritó.

Continuaron, desdeñando algunos otros tropezones menores. Tras recorrer las siguientes franjas acotadas por los cordeles, se estaban acercando al corredor que marcaba la cuarta parte de la plaza. Entonces fue cuando el panorama empezó a cambiar.

—Esto se está poniendo interesante. ¡Despacio, muchachos, más despacio! ¡Detente un momento, Patricia!

Volviéndose hacia sus invitados, y señalando uno de los monitores con el dedo, trazó un círculo imaginario en el centro de la pantalla. Era una imagen extraña. Las bandas formadas por el rebote de las ondas, que comenzaban siendo regulares y paralelas cerca de la superficie, se quebraban a medida que iban ganando en profundidad, formando un gran hoyo en forma de U. Eran esos quiebros lo que Calatrava había aislado con un círculo.

—¡Marcad esa zona con unas estacas! Y seguimos rastreando.

—¿Qué es eso? —preguntó Raquel.

—El arranque de una cavidad, señorita Toledano.

—¿Grande?

—Es pronto para decirlo. Habrá que ver si continúa hacia el centro de la plaza, en las franjas que quedan por explorar, o se acaba ahí. Por lo que veo en el radar que da mayor superficie de barrido, seguramente acabamos de rozar su borde exterior. Ahora, en el siguiente pase, confirmaremos si es un hueco aislado o empiezan ya las secuelas del boquete central.

Tras recorrer varias franjas más, salieron de dudas. Aquello se fue ampliando en sucesivas pasadas hasta mostrar una oquedad de gran magnitud, que se distribuía en torno al agujero por el que había desaparecido la custodia. La oquedad se iba haciendo más y más profunda a medida que se acercaban al centro de la plaza.

—¡Es inmenso! Muy profundo. Y hay agua, mucha agua... Perdonen un momento.

Calatrava, que no parecía demasiado impresionable, estaba preocupado. Se levantó de la silla, se dirigió a quienes ayudaban a sus tres colaboradores con los radares y volvió hasta el vehículo acompañado por ellos. Sacaron otros artefactos. Uno de ellos era un *aspirador* todavía más pequeño que el de Patricia, mucho más maniobrable y cómodo de manejar. Se parecía a un carrito de niño. Iba sobre unas ruedas de goma, y en medio de ellas, encima del eje, estaba montada la batería, apuntalando el centro de gravedad. Remataba en un monitor de televisión y un manillar que permitía subir y bajar la plataforma de exploración del radar haciendo palanca con las ruedas.

—Esta estructura tubular integra una antena de 900 megahercios que le permiten una gran resolución en pantalla —explicó Calatrava—. Y de vez en cuando afinaré con calas selectivas de este otro radar más pequeño, que trabaja nada menos que a dos gigahercios.

Mientras los otros tres continuaban con su sistemático barrido en franjas, que ahora abarcaba la primera mitad de la plaza, Calatrava tomó por sí mismo el nuevo radar y emprendió un recorrido circular. Empezó en la parte exterior, donde habían detectado la cavidad subterránea, y fue cerrándose en espiral hasta el agujero central por el que había desaparecido la custodia.

La imagen que iba surgiendo en la pantalla pareció sumir a Calatrava en un estado de gran perplejidad. Y su rostro reflejaba una honda preocupación cuando se detuvo en el recorrido de una de las espirales, abandonando las manijas del carrito para agacharse sobre el monitor.

Raquel se acercó hasta él y le preguntó:

—¿Qué sucede?

—Es ese agujero. Fíjese en la pantalla.

La joven acercó su rostro para ver mejor las imágenes. Eran bastante nítidas. El fondo de la U que dibujaban habían ido hundiéndose más y más a cada vuelta que daba el geofísico en torno al orificio central.

Calatrava reanudó su recorrido hasta bordear la perforación, seguido por Raquel. El geofísico había tenido la precaución de avanzar despacio al llegar al agujero. Aun así, la estructura tubular del aparato comenzó a agitarse, las imágenes empezaron a oscilar, y el monitor zumbó de un modo amenazador.

Intentó sujetar el carrito, apretando con fuerza sus manijas. Pero el monitor pareció enloquecer, sus imágenes se agitaron de un modo incontrolado, y aumentó la potencia del zumbido. No sólo eso: debajo de aquel agujero, en lo más hondo, algo parecía revolverse como una fiera herida en su guarida.

Bielefeld, que había seguido la exploración conteniendo el resuello, lanzó un grito que puso en guardia a todos. Calatrava abandonó el artefacto y trató de alejar de él a Raquel:

—¡Apártese, señorita Toledano!

Pero Raquel estaba como hipnotizada. Sumida en un trance que parecía bloquearla, se desasió de él, manteniéndose con la vista fija en las imágenes, que se estabilizaban de nuevo, hasta descubrir un perfil inquietante.

El ruido del monitor se hizo insostenible, una estridencia aguda que recorrió toda la gama del espectro sonoro hasta quedar fijada en un silbido que reverberó en toda la plaza. Simultáneamente, la luminosidad de la pantalla se convirtió en un foco de irradiación tan intensa que la vista apenas podía soportarla.

Ni siquiera entonces pareció reaccionar Raquel. Ni ante los gritos que le lanzaban Bielefeld y David.

El criptógrafo corrió hacia ella antes de que fuera demasiado tarde.

Un chisporroteo salió de la plataforma de barrido del radar, pegada al suelo, junto con un humo denso y negro, de olor acre.

David saltó, se abalanzó sobre Raquel y la derribó de un empujón, protegiéndola con su cuerpo.

Aquel movimiento fue providencial, porque libró a la joven de la explosión del monitor, que de lo contrario la habría alcanzado en pleno rostro. Los cristales del tubo de rayos catódicos saltaron hechos añicos en torno suyo, y el carrito con el radar se desequilibró, cayendo por el agujero con un estrepitoso ruido metálico, tras de lo cual el recinto pareció sosegarse.

Bielefeld y Calatrava les ayudaron a levantarse. El comisario se había acercado y acariciaba el rostro manchado de arena de la joven, tratando de reanimarla:

—¡Raquel! ¿Qué es lo que te ha pasado? —Luego se dirigió al criptógrafo para preguntarle—: ¿Está usted bien?

—Perfectamente. Vamos a llevarla hasta esa silla —aconsejó David.

Quien parecía estar más conmocionado era Calatrava. Poco quedaba ya de su aire jovial. Rodeado de sus colaboradores, tartamudeaba:

—Así que era cierto... Lo del agujero era cierto... Y también aquellas pruebas sismográficas.

—¿De qué está hablando? —le interrogó David mientras se sacudía la arena.

—De un experimento que dirigí hace unos años.

—¿Aquí mismo?

—En toda la Península... Intervinieron cerca de doscientos geofísicos de todo el mundo... Fue la medición sismográfica más grande que se ha hecho en España. Lo que pasa es que los militares decidieron mantener los resultados en secreto.

—¿Y qué tenían que ver los militares?

—Dependíamos de los buques de la armada. Había que lograr tres ejes de detonaciones que atravesaran el país de costa a costa uniendo en línea recta seis naves. Uno de los ejes iba de norte a sur, unía un barco situado en San Sebastián con otro en Marbella; otro eje iba de este a oeste, de un barco en Alicante a otro en el Atlántico, en Viana do Castelo, cerca de Galicia; y un tercer eje atravesaba la Península en diagonal, uno de los barcos estaba en Faro, en la punta de abajo de Portugal y el otro en Tarragona. Si unen esas tres líneas, verán que se cruzan aquí, en Antigua, que es prácticamente el centro geográfico, formando un gigantesco asterisco. A una hora dada, cuidadosamente sincronizadas, se produjeron las explosiones en los buques, reforzadas con otras en varias canteras. Y alineamos con ellas unos doscientos sismógrafos, para establecer el perfil sísmico de la Península. ¿Saben cuál fue nuestra sorpresa?

Silencio expectante. El geofísico miró a sus oyentes y concluyó:

—Las ondas de las detonaciones no se cruzaban. Rebotaban antes de llegar hasta aquí.

—¿«Hasta aquí» quiere decir exactamente esta plaza? —preguntó David.

—Así es. Antes de lo que acaba de pasar, yo mismo me habría reído de semejante precisión. Pero ahora ya no me río.

—¿Y a qué conclusión llegaron entonces?

—A ninguna. El experimento no se pudo completar. Los buques deberían haber repetido las detonaciones para hacer las comprobaciones con garantías, pero la armada se negó. Y todo se quedó en hipótesis.

—¿Qué hipótesis?

—Sólo le puedo decir las mías: o bien aquí abajo hay una cavidad de enormes proporciones, o bien algo que absorbe las ondas. O las dos cosas.

Todos comenzaron a hablar a la vez, muy alborotados. David tomó a Calatrava por el brazo para hacer un aparte con él.

—Prefiero que no nos oiga el inspector Gutiérrez —se excusó—. ¿Qué va a decir en su informe? Perdone la franqueza, pero de lo que usted diga va a depender que nos dejen entrar o no. Y sospechamos que ahí abajo hay una persona, desde hace ya cinco días, la madre de la señorita Toledano. Tenemos que entrar.

—¿Después de lo que ha visto?

—Ahora más que nunca.

—No puedo informar otra cosa que lo sucedido. Lo contrario sería una irresponsabilidad. La exploración de los radares está ya en los discos duros de esos ordenadores. No tiene vuelta de hoja.

—¿Podría pasarme una copia de esos gráficos que hemos ido viendo?

—No sé si está usted autorizado para ello, pero digamos que no se lo he preguntado y he supuesto que sí. Distráigame un poco a ese tal Gutiérrez mientras los imprimo. —Y como viera dudar a David, le aconsejó—: Por ejemplo, lléveselo a un bar. No le dirá que no. Y, de paso, denle algo a la señorita Toledano. Tampoco ella le dirá que no —rió, mientras le guiñaba un ojo.

David se los llevó a todos a una cafetería cercana. No tardó en aparecer un ayudante de Calatrava, quien le hizo saber que su jefe tenía que consultarle algo.

Al ver llegar a David, el geofísico levantó la vista de los paneles para advertirle:

—Si después de ver esto aún insiste en su idea de entrar ahí, yo no sé nada. Desde luego, no lo enseñe a quien no sea de su absoluta confianza.

Y le tendió un folio. Colocándolo apaisado, se distinguía una imagen en forma de embudo, como una Y invertida. La parte estrecha arrancaba desde la superficie, correspondiéndose con el agujero abierto en la plaza. La parte ancha del embudo se abría hacia abajo. Y en medio de las dos ramas se adivinaba un borroso esquema. Fue aquello lo que atrajo la atención de David.

—¿Qué diablos es esto?

—Espere, no merece la pena que se esfuerce. Se lo estoy imprimiendo con mayor detalle. Es lo último que grabó el radar antes de estallar. Tenga.

Ahora ya no cabía duda. Allí abajo se destacaban, aunque borrosas, las formas del laberinto. Las mismas que habían tenido en sus manos durante unos minutos en el despacho de Maliaño en El Escorial, antes de que se lo arrebatara aquel sicario. No necesitaba contrastarlo con los gajos que le había enviado Sara o el que había surgido del gráfico que registraba los sueños de Raquel. Lástima que, al interrumpirse la exploración, no estuviera completo.

Intentó sobreponerse. Imposible explicarle a Calatrava todo aquel follón. Mejor ir a tiro derecho.

—Se supone que esta imagen surge de esa gran cavidad.

—Es evidente —confirmó el geofísico.

—Este perímetro cuadrangular, ¿podría ser un muro?

—Podría serlo, si ahí abajo existen muros de esa extensión y grosor. Desde luego, es demasiado regular para ser natural —aseguró Calatrava.

David se quedó pensativo: de modo que Gabriel Lazo no estaba tan trastornado, después de todo. ¿Y si fuera cierto lo que le había contado? ¿Había conseguido explorar aquel hombre la ciudad subterránea? ¿Cómo explicar, si no, las coincidencias entre las fotografías de aquella fortaleza enterrada que le había mostrado y el gráfico del georadar, que le acababa de pasar Calatrava? ¿Y el laberinto? ¿Cómo podía haber surgido del sueño de Raquel? O de su «estado alterado de conciencia», que era el término empleado por el doctor Vergara. ¿Qué es lo que había en aquellos subterráneos?

—Hay que bajar ahí. Ya. Ésa es la respuesta —dijo con convicción.

—¿Quiere un consejo, señor Calderón? Ni se le ocurra.

—No podemos seguir esperando. Si ahora nos han permitido desempedrar y examinar la plaza es porque la catedral quiere recuperar su custodia, el ayuntamiento tiene en perspectiva una conferencia de paz y el ejército se ha visto arrastrado por las circunstancias. Si desaprovechamos esta oportunidad, ¿cuándo volverán a ponerse de acuerdo para permitir explorarlo?

—No puedo avalarle, lo siento. Créame que me gustaría. Pero hay demasiados testigos, empezando por ese comisario Gutiérrez, que está justamente para eso. Y no es sólo usted quien estaría en peligro. Nos enfrentamos a algo desconocido, que tendrá que ser estudiado con mucho cuidado antes de dar ningún paso en falso.

—Por favor... Se trata de la vida de una persona. Ella no podrá aguantar todo ese tiempo.

Calatrava lo miraba y remiraba, pero no encontraba ningún modo de maquillar la rotundidad de los hechos.

Antes de que le dijera que no, David se arriesgó:

—Está bien, pongamos que no bajo. Pongamos que no baja nadie. ¿No podría usarse algún aparato, alguna cámara, que lo hiciera en mi lugar?

—Bueno. Eso es otra cosa. Hay unos robots que podrían usarse. Pero nosotros no disponemos de ellos. Eso es tecnología muy avanzada. Y muy cara.

—¿Me avalaría usted si consigo uno de esos robots?

—Haré cuanto esté en mi mano, pero recuerde que mi autoridad termina en la superficie.

* * *

Quizá no debería haber desaparecido tan bruscamente. Pero David se sentía incapaz de soportar el regate del inspector Gutiérrez, su capacidad para estar sentado en una silla sin mover el culo hasta arrastrar la negociación a su terreno, desovillando su taciturna retahíla de obstáculos.

«Llevamos así tres días. Si alguien no fuerza de nuevo la situación, nunca avanzaremos», se dijo.

De modo que decidió hacer dos visitas que le rondaban por la cabeza.

Allí estaba la primera. Comprobó la dirección que le había entregado la monja y enfiló la esquina de la facultad hasta llegar a una minúscula tienda en la que podía leerse «EnRed@ando. Suministros Informáticos. Papelería. Fotocopias».

Tras el mostrador estaba una mujer ya mayor, que alzó la cabeza hacia él cuando oyó la campanilla de la puerta. Su rostro era pueblerino, suspicaz. Se tocaba con moño y vestía un anticuado modelo con grandes lunares. Pero se desempeñaba con gran desparpajo ante dos estudiantes, hablando de informática. Cuando los dos chicos salieron, se volvió hacia él.

—Buenos días, supongo que es usted Mercedes —la saludó David—. Vengo de parte de la hermana Guadalupe, del convento de los Milagros.

Le tendió la nota de presentación que le había escrito la religiosa. La mujer la leyó con parsimonia y al terminar alzó la vista hacia él, desconfiada, esperando sus palabras.

—No sé si sabe que Sara Toledano ha desaparecido —prosiguió el criptógrafo. Y por su gesto de asentimiento comprobó que ya se lo habían dicho—. El caso es que estamos siguiendo su pista, y la hermana Guadalupe me informó de la visita que le hizo Sara el miércoles pasado.

David se alegró de haber traído la nota de la monja. Porque experimentó algo que ya empezaba a ser una costumbre: la sensación de llegar, de nuevo, tarde. A juzgar por el modo en que le miraba aquella mujer, alguien había estado allí antes que él, y le había hecho la misma pregunta. Sólo que de sopetón. Lo que la habría llevado a no soltar prenda.

—Estuvo con una profesora de la facultad —contestó la mujer, y señaló al edificio vecino, que se alzaba casi enfrente—. Quería comprar un CD virgen, para grabar algo.

—¿Uno o dos discos? —y antes de echarlo todo a perder, le explicó—: Se lo pregunto porque en una carta suya, Sara me prometía enviarme uno a mí y otro a su hija.

Aquello pareció ser la prueba definitiva: sólo alguien que viniera realmente de parte de Sara podía conocer aquel dato. La mujer le contestó, bajando la guardia:

—Ella no tenía grabadora en su portátil, y me pidió que le hiciera una copia del CD que trajo. Tenía que haberse pasado a por ellos, pero ya no la volví a ver. Aquí la tengo, y también el original.

Se los entregó. David no terminaba de creérselo. Por vez primera, las cosas empezaban a ir a derechas. Tocó madera.

—¿Me podría decir el nombre de esa profesora con la que Sara vino aquí?

—Elvira Tabuenca, la arqueóloga.

—¿Estará en la facultad?

—Creo que ya se ha acabado el curso. Pero no le cuesta nada probar.

Dio las gracias a Mercedes y atravesó la calle para entrar en la Facultad de Filosofía y Letras.

La secretaria del departamento negó con la cabeza:

—Está fuera. Tiene un examen dentro de tres días, el jueves.

—¿A que hora terminará el examen?

—A las once y media. En el Aula Magna.

—¿Puedo dejarle una nota?

La secretaria le tendió una hoja y un sobre. Tras escribir su mensaje, David la previno:

—Dígale también, por favor, que la telefonearé antes del examen para confirmar la cita.

Mientras bajaba las escaleras pensó que era una posible pista... Que ya poseerían quienes se les estaban adelantando continuamente. ¿Por qué nadie le había hablado de aquella arqueóloga?

Miró el reloj y calculó qué hora sería en la costa este de Estados Unidos. Si iba andando hasta el hotel, podía comer algo por el camino, haciendo tiempo para comprobar si Jonathan Lee le había enviado el *e-mail* prometido, y telefonearle desde allí con la debida seguridad, a través del equipo de comunicaciones especiales.

* * *

El *e-mail* de Jonathan sólo decía SÍ. Pero no era necesario nada más. Aquello significaba que la foto de aquel hombre chupado y vestido de negro que le había enviado se correspondía con el mismo individuo que vio en el hospital donde estuviera internado su padre. ¿Qué relación podía haber mantenido Pedro con semejante individuo? ¿Quién era aquel hombre, y a qué se dedicaba? ¿Para quién trabajaba?

Había prometido no volver a llamar. Pero no pudo evitarlo.

La mujer que cogió el teléfono hablaba con la voz velada. Se oían al fondo gritos y sollozos. A David le costó entenderla, y tuvo que explicarle varias veces quién era.

—Soy David Calderón, y hablé ayer con Jonathan.

—Soy su hija. Él ha muerto.

—¿Cómo ha sido?

—Un coche. Lo han atropellado. Ayer por la tarde, mientras paseaba al perro. Los mataron a los dos.

—Créame que lo siento mucho. Y gracias —se despidió David.

Cuando colgó el teléfono, se quedó mirando el aparato, incrustado en su maletín de comunicaciones de alta seguridad. ¿Hasta qué punto era de fiar?

«Hasta el punto que quiera Minspert. Seguro que la Agencia lo ha estado interceptando», se contestó a sí mismo.

Miró las dos copias del CD que acababan de entregarle en la tienda de informática, y dudó si introducirlo o no en el ordenador. Estaba deseando leer lo que allí decía Sara. Pero la muerte de Jonathan Lee y de Juan de Maliaño le hizo reconsiderar la situación. Cada vez parecía más claro que James no actuaba sólo por razones profesionales, limitándose a acatar las instrucciones recibidas para despejar el camino a la futura conferencia de paz. Ése era el pretexto que le permitía utilizar los enormes recursos de la Agencia de Seguridad Nacional a la medida de sus intereses personales. Y no desaprovecharía aquella oportunidad para encubrir sus apropiaciones del trabajo de los Calderón. Antes bien, trataría de borrar todas las pistas, asegurándose así la exclusividad de los importantísimos descubrimientos que se estaban derivando de aquello. Lo cual significaba eliminar a los últimos testigos molestos. Y a cualquiera que se interpusiese en su camino.

«Si estoy en lo cierto —pensó—, el siguiente en la lista es Gabriel Lazo. Tengo que hablar con ese hombre».

Había sido el último en convivir con Pedro, y quizá pudiera completar el testimonio de Sara y decirle qué es lo que podían encontrarse allá abajo, en los subterráneos, para no correr más peligros de los necesarios. Él era el único que había entrado y salido con vida. Quizá porque no había llegado lo suficientemente lejos.

Antes de aventurarse en una nueva entrevista con él, ¿debía cubrirse las espaldas, pidiendo a alguien que le acompañara y contándole lo que sabía de Lazo? ¿Y a quién debía contárselo? A Gutiérrez, por descontado que no. ¿Y a Bielefeld? Pretendería tomar medidas, echándolo todo a perder. Además, Lazo desconfiaría de un extraño, sobre todo si había averiguado que se trataba de un americano, y policía. Tampoco era buena idea.

En cuanto a Raquel, su presencia quedaba descartada, entre otras muchas razones por la animosidad que aquel hombre sentía contra los Toledano. Tenía que volver a aquel caserón, aun a riesgo de ser inoportuno. Y tenía que volver solo.

Se asomó a la ventana. Caía el sol, se estaba yendo la luz y había empezado a llover. Escribió una breve nota, la metió en un sobre junto con una de las copias del CD, se puso un chubasquero, dobló cuidadosamente los pliegos milimetrados que le había prestado Lazo y los metió en el bolsón del impermeable.

En la recepción del hotel, dejó el sobre con el CD a la atención de Raquel Toledano y la otra copia en la caja fuerte. Pero ahí acabaron sus precauciones. Las prisas por coger uno de los taxis que esperaban a la puerta le hicieron bajar la guardia. No se fijó en que alguien controlaba sus movimientos en el vestíbulo, y que le seguían.

Bajó del taxi a la entrada del sombrío y embarrado callejón. Avanzó entre los edificios en ruinas que flanqueaban el camino hacia la Casa de la Estanca, sujetos con un andamiaje de tablones para evitar que sus fachadas se desplomaran. Miró alrededor edificio por edificio, y continuó teniendo la sensación de que le vigilaban.

A medida que se acercaba al fondo, donde se encontraba el palacio, éste empezó a reclamar toda su atención. Sobre todo, cuando vio que la puerta estaba entornada. Una señal nada tranquilizadora, sabiendo el gran número de cerrojos con que se atrincheraba Lazo. Apresuró el paso entre los charcos.

Cuando se aproximó, no le cupo ninguna duda. La puerta estaba abierta. Subió en cuatro zancadas la escalera que conducía hasta la entrada. Ingresó con precaución en el largo pasillo. Las habitaciones que se alineaban a uno y otro lado estaban cerradas, y en él reinaba una oscuridad casi total. Buscó la llave de la luz y la pulsó varias veces, pero no sirvió de nada. Quizá se había ido con la tormenta. Al fondo, se adivinaba, más que verse, el salón donde lo había recibido Gabriel Lazo. El silencio era absoluto. Se acordó del perro, y le extrañó no oír sus ladridos.

Dudó entre moverse sigilosamente o gritar su nombre. Optó por lo primero. Creyó escuchar algo en el salón del fondo. Se quedó completamente inmóvil. Pero no oyó nada. Sólo el ruido de la lluvia golpeando en los cristales. Se encaminó hacia allí por el largo pasillo. Despacio, conteniendo la respiración, atento al menor ruido que pudiera apreciarse en el resto de la casa. Ahora pasaba por delante de una de las habitaciones en las que había entrado Lazo, en busca de las fotografías. Trató de reconstruir los movimientos del hombre en aquella ocasión, pero no logró recordar nada que le fuera útil en ese preciso instante.

Siguió adelante. Empezaba ya a percibir algunos matices dentro del salón, formas borrosas. Un hilillo de luz se colaba a través de la persiana de madera mal encajada que daba al patio trasero, y vio en el sofá una mancha blanquecina. A medida que se acercaba empezó a identificar algunos de los ruidos. Se colaban a través de la ventana. Venían del patio que Lazo utilizaba como corral. Debían de ser las gallinas.

Al fin llegó al salón. Y allí pudo comprobar por qué no había ladrado el perro. Estaba en el sofá, con la lengua fuera, espuma en la boca y un alambre al cuello. Estrangulado.

Ni rastro de Lazo.

Le pareció oír un ruido en una de las habitaciones. Las malditas habitaciones. Tendría que registrarlas, una por una. Vio una linterna sobre el televisor. Comprobó que funcionaba. Salió al pasillo, con ella como única arma. Era un error empezar el registro por el primer cuarto: demasiado previsible. Pero eso fue lo que hizo. Abrió con precaución la puerta, forzándola hasta la pared, por si alguien se hubiese ocultado detrás. Estaba casi vacía, sólo una cómoda desvencijada y una cama sin colchón, con un somier desnudo y baldado. Se oía el zumbido de una mosca y sus cabezazos estrellándose contra los cristales, de donde colgaban los restos de otros insectos en las tupidas telarañas, que se perfilaban al trasluz azulado del haz de la linterna.

Se detuvo ante la siguiente habitación. Comprobó que se encontraba llena de trastos y papeles. Seguramente había sido allí donde entró Lazo la noche de su anterior visita. Fue esta convicción lo que le empujó a registrarla. Debería haber tenido la precaución de no entrar hasta el fondo, quedándose en el quicio y bloqueando la puerta. O haberse asegurado de abrirla por completo. Pero de todo esto se dio cuenta demasiado tarde. Tropezó con un obstáculo y cayó de bruces, en su interior. Gateó, buscando la linterna, que se había apagado con el golpe. No lograba encontrarla. Tanteó con la mano lo que parecía una mesa, y se metió bajo ella. Se sobresaltó al oír cómo se cerraba la puerta tras él, y se dio un fuerte golpe contra la mesa al alzar la cabeza.

Oyó cómo alguien cerraba con llave. Y luego escuchó unos pasos, alejándose. Parecían corresponder a más de una persona. Se oían en dirección a la calle, bajando luego las escaleras. Salió de debajo de la mesa e intentó incorporarse. Tropezó de nuevo con el mismo obstáculo. Tanteó con el pie. Era un cuerpo humano. Siguió tanteando con el pie, hasta encontrar la linterna.

La encendió. Y entonces lo vio. A Lazo. Con la cabeza en medio de un gran charco de sangre. Muerto, sin duda.

Cuando pudo forzar la puerta y salir al pasillo, le pareció que alguien abandonaba la casa a toda prisa. Sin pensárselo dos veces, corrió en su persecución. Al llegar a las escaleras exteriores, miró en todas direcciones. Alcanzó a ver al fugitivo, que desaparecía chapoteando en uno de los edificios en ruinas que flanqueaban el callejón.

Fue tras él. Y al llegar al último bloque, se lo encontró. Allí estaba aquel hombre delgado, vestido de negro, que se había encontrado en la conferencia de prensa, en el convento de los Milagros y en el hospital. El criptógrafo se abalanzó contra él. Pero no fue muy lejos. El hombre se apartó, y un coche entró en el callejón. Tan pronto enderezó la dirección, enfiló contra David a toda velocidad. Un todoterreno. Un verdadero tanque.

Pudo esquivar la primera acometida. Se lanzó a un lado y empezó a rodar sobre el barro, hasta refugiarse tras las zapatas que sujetaban los tablones del andamiaje de una fachada en ruinas. Para cuando se hubo incorporado, el coche ya daba marcha atrás, intentando arrollarlo de nuevo. Se llevó por delante varias de las zapatas, el apuntalamiento se tambaleó y la fachada empezó a desplomarse sobre David, en medio de una gran nube de polvo.

Hubo de protegerse la cabeza con los brazos para evitar que le golpearan en la cabeza los escombros que cayeron sobre él. E inmediatamente, aprovechando la confusión y la falta de visibilidad, se situó en el otro lado, protegiéndose tras una farola. El todoterreno no tardó en ir de nuevo a por él, embistiendo ahora de frente. Ante su sorpresa, no dudó en arremeter contra la farola, que empezó a doblarse. Y David, que había retrocedido ante aquel movimiento inesperado, cayó hacia atrás, rodando por tierra. La farola se partió y la cabeza de hierro forjado cayó contra la suya.

Apenas alcanzó a percibir un fortísimo estruendo, el ruido de cristales que se quebraban en multitud de fragmentos. Los ojos se le nublaron debido a la sangre, y le pareció oír los gritos de una mujer que increpaba a los ocupantes del coche. El conductor aceleraba para superar el obstáculo de la farola tumbada en el suelo y rematarle, pasándole por encima. David sintió el tufo acre de los gases del tubo de escape, forzado por los acelerones, y vio cómo las enormes ruedas se aproximaban hacia su cabeza. Luego esta imagen se debilitó, bañada en el rojo de la sangre, mezclada con el barro que le salpicaba la cara. También se debilitaron los ruidos del motor del coche, los gritos. Y cayó en la más absoluta oscuridad.

IX

LA ÚLTIMA MISIÓN

C UANDO ese día se abre la puerta de la celda, a Randa le basta con ver a Artal de Mendoza para calibrar la situación. Apenas puede disimular el insoportable dolor que le provoca el pinzamiento del muñón al que sujeta su mano postiza. Según los cálculos del prisionero, el mecanismo del escape ha seguido actuando como un cepo, apretándose más y más cada vez que su portador lo fuerza, hasta atenazarle por completo. Hay un callado duelo de miradas entre ambos. Finalmente, el carcelero desvía sus ojos malhumorados y cierra la maciza hoja metálica.

Repara entonces Raimundo en la sonrisa cómplice de su hija, que le dice al oído:

—Padre, ya tengo ese diseño de la llave maestra de Juanelo.

—¿Te lo dio Herrera?

—Él me lo dio.

—El tiempo apremia. Sabes lo que tienes que hacer, ¿verdad?

—He empezado a trabajar en el telar. Ahora, seguid con vuestro relato, o seréis vos quien no concluya.

—¿Qué puedo decirte? Cuando salí desde Alejandría hacia El Cairo no podía apartar el pensamiento de Rebeca y de ti, de quienes me alejaba una vez más. Aunque me tranquilizaba un tanto saber que navegaba hacia aquí el mensaje que yo acababa de entregar a aquel pobre ciego que cantaba por calles y plazas.

En esa confianza, he de admitir que El Cairo me deslumbró. Estaba tan bien iluminado que resplandecía de noche. Yo debía visitar la más antigua de sus mezquitas, donde habían ido a parar los libros de la antigua biblioteca de Rubén Cansinos, regalados por Maluk a un visir que, al parecer, no era muy aficionado a ellos.

Se hallaba este templo en la ciudad vieja, que llaman Al Fustat, y había sido levantado a imagen del Haram de La Meca, pues se enorgullecían de sus vínculos y privilegios con aquel lugar, de cuya jurisdicción espiritual dependían mucho más que del propio visir. Me informaron que el imán situado al frente de él era de los de mayor conocimiento y teología. Iban muchos a consultarle sus cuitas, y de ordinario él andaba en gran faena. A ello se añadía en esos momentos un trabajo que debía acabar a plazo fijo, por lo que verle resultó en extremo dificultoso. Sólo logró este milagro el firmán extendido por Alí Fartax, a modo de carta de recomendación. Y, con todo, hube de insistir durante cinco días.

En este tiempo, vi despedir a gran número de los que pretendían ser recibidos, y sólo uno de aquellos visitantes perseveró, acudiendo jornada tras jornada. Pude comprobar que se trataba de un hombre de rango y, a pesar de ello, humilde. Pues nunca alzó la voz ni gritó a una especie de portero malencarado que le negaba el paso, aun cuando llevaba más de una semana esperando audiencia.

Antes bien, se mostró muy cortés conmigo. Todas las mañanas, sin faltar una, llegaba un muchacho con un saco, del que extraía dos piezas de terracota ligera, las ajustaba una encima de la otra, llenando la de abajo de carbón vegetal, hacía fuego y preparaba un café verde con cardamomo, muy espeso y sabroso. Y al que insistió en invitarme, para hacer más tolerable la espera. Esto me dio confianza para preguntarle, al cabo, por las razones de su perseverancia y el objeto de su visita:

—Me llaman Sidi Bey at Tayïr, y soy el armador de un barco que espera en el puerto de Suez, para llevar a La Meca un flete muy preciado, que deben entregarme en esta mezquita. Pero al parecer no está aún listo, por lo que no podemos partir. El muchacho que viene todas las mañanas es mi hijo Mehamat. Él ha nacido en Estambul, donde tengo un establecimiento para tomar café, pero yo soy natural de Moka, y utilizo la nave para el transporte.

—¿Tanto negocio es el café? —me asombré.

—Está de moda. Los peregrinos turcos lo han llevado a su país desde La Meca, donde abrí mi primer establecimiento para tomarlo.

—¿Cómo pensáis llegar hasta allí?

—Una vez en Suez, navegaremos hasta el puerto de Yidda, desde donde nos dirigiremos por tierra hasta la Ciudad Santa. Pero antes de emprender el viaje me gustaría «dar unas puntadas», y ésa es la razón de mi insistencia en ser recibido por el imán de esta mezquita.

Iba a preguntarle qué quería decir con «dar unas puntadas», cuando aquel portero o acólito del templo me anunció que podía pasar.

—Pero este hombre está antes que yo —dije, señalando a Sidi Bey.

—¿Deseáis ser recibido, o no? —me preguntó aquella especie de sacristán o sabandija.

—Claro que sí —repuse—, pero no robándole el turno a este hombre.

El forastero se volvió hacia mí, y expresando su gratitud con la mirada me dijo:

—No os preocupéis. Seguiré esperando.

Una vez en presencia del imán, le expliqué el motivo de la recomendación de Fartax y le puse al tanto de los códices que andaba buscando. Movió la cabeza con contrariedad, para anunciarme:

—Es gran lástima que no vinierais antes. El comerciante Maluk partió hace tiempo de vuelta para Fez, después de entregarme esos libros por indicación del visir. Y se va a cumplir casi un mes desde que yo los envié a mi vez al jerife de La Meca.

Mi primer impulso consistió en una mezcla de desesperación y profunda cólera, al ver que de nuevo se alejaban de mí aquellos indicios que venía persiguiendo como una quimera. Luego experimenté una extraña impresión, la de estar ingresando en una trama o urdimbre cuyo fin y sentido se me hurtaban, pero que mis interlocutores, de algún modo, parecían dar por supuestos. Logré contenerme y, disimulando mi despecho, enseñé al imán algunos trazos como los del laberinto, que llevaba dibujados en un papel, preguntándole:

—¿Habéis encontrado dentro de esos volúmenes un gajo de pergamino de forma triangular, con un diseño como éste?

—En efecto —respondió sin la menor sombra de duda—. Y ésa fue la razón de enviarlos a La Meca.

—¿Pues cómo? —dije sorprendido.

—Porque sus formas me parecieron en todo semejantes a las que se conservan allí, dentro de la Kaaba.

Aquello todavía me asombró más. Sin embargo, resultaba plausible. Recordé nuestra estancia en Jerusalén y mi visita al Haram de la Cúpula de la Roca y al Pozo de las Almas, donde a través de un agujero yo había atisbado durante unos segundos las mismas formas de aquel laberinto. ¿Qué escritura o trazos eran aquéllos? Muy importantes debían ser, para estar preservados en algunos de los santuarios más venerados por los creyentes. Y así lo confirmaba la historias de Azarquiel, el hombrecillo que había excavado en el corazón de Antigua siguiendo la pista de aquel pergamino tan ansiado por Al Hakam II e Ibn Saprut para su biblioteca de Córdoba. Todos ellos parecían haberse convertido de algún modo en instrumentos de aquel laberinto, enredados en las trazas de un designio superior.

Pero lo que más me turbaba era el barrunto de haberme convertido en un eslabón de aquella cadena, desde el momento en que Moisés Toledano nos había entregado a Rebeca y a mí los once gajos. O quizá desde mucho antes. Todo esto pasó por mi cabeza antes de decir al imán:

—¿Vos habéis visto ese diseño dentro de la Kaaba?

—Hace ya muchos años.

—¿Y a mí? ¿Me sería permitida la entrada? —osé preguntar.

—Eso lo veo imposible. A no ser que…

Se interrumpió en este punto. Echó mano a la carta que sobre mí le enviaba Fartax, la releyó y me miró de arriba abajo, como sopesando una decisión. Y de nuevo volví a tener aquella sensación de estar interpretando el papel que me habían reservado en alguna conjura o contubernio.

—Venid conmigo —dijo, al fin, con aquel laconismo suyo.

Me condujo hasta un gran patio, cubierto por un entoldado para protegerlo del sol. Había en él mucha gente de aguja, sentada en alfombras y cojines sobre el suelo, aplicada a coser laboriosamente una descomunal tela de brocado negro. Tan grande, que habían tenido que doblar sus extremos para que cupiese en aquel espacio.

—Estamos terminando la Camisa —me explicó.

—¿Quién puede vestir semejante prenda? —pregunté.

Sonrió el imán de la mezquita ante mi pregunta, y contestó de un modo enigmático:

—Ahora lo veréis.

Nos acercamos hasta donde trabajaban, cosiendo con hilo de oro letras arábigas de varias pulgadas, que contenían la profesión de fe: *«No hay más Dios que Alá, y Mahoma es su profeta»*.

—¿Ya habéis reparado en quién es lo suficientemente grande para vestirla? —insistió el imán—. Es la Camisa de la Kaaba. Dentro de poco, deberá cubrir la Casa de Dios, en La Meca.

De modo que se trataba de la pieza de tela que protegía aquel edificio cúbico en el que estaba incrustada la piedra negra, dentro del cual parecían hallarse reproducidos los trazos del pergamino y, quizá, su significado. Creía que nunca me sería dado llegarme hasta La Meca, la Prohibida para cualquier infiel. Sin embargo, ahora mismo, delante de mis ojos, en aquel umbrío patio de la mezquita, se me presentaba la remota ocasión no sólo de visitarla, sino de algo mucho más difícil, casi imposible para un mortal: penetrar en el interior de aquel cubo. Pues, como me explicó el imán, cuando cambiaban la Camisa de la Kaaba el jerife de La Meca entraba allí y procedía a su purificación, junto con dos personas elegidas por él mismo. Pero los demás debían conformarse con ayudar a coser la tela que la revestía.

Comprendí entonces la expresión «dar unas puntadas» que había escuchado a Sidi Bey mientras esperábamos en la puerta. Tuve el barrunto de que en su compañía quizá resultara todo más fácil. Y pregunté al imán:

—¿Podríamos yo y un amigo dar unas puntadas en esa Camisa?

—Es acto piadoso y meritorio —respondió él—. ¿Se trata de una persona de calidad?

—Es el armador del barco que espera vuestro flete.

—¿Sidi Bey at Tayïr, el comerciante de café? —se extrañó—. ¿Es amigo vuestro?

—Mío y de Fartax —mentí, con gran convicción. Y antes de que reaccionara le pregunté—: ¿Puedo ir a buscarle?

—Está bien. Traedle con vos —aceptó el imán.

Salí hasta la entrada e indiqué a Sidi Bey que viniese conmigo. Le costó creer que alguien se ocupara de sus problemas:

—No olvidaré este gesto vuestro —dijo conmovido—. Mientras están fuera, todos parecen de tu lado, pero pocos son los que se acuerdan cuando han conseguido entrar.

Nos hicieron sitio en el corro, ofreciéndonos aguja, hilo y dedal. Les ayudamos a terminar las inscripciones de lo que llaman el *Hazem*, o la Cintura, es decir, la faja donde van las letras doradas.

Mientras nos aplicábamos a nuestra tarea, mucho pensé en la decisión que me disponía a tomar, y que no era otra que ir a La Meca. Supondría esto alejarme aún más de Rebeca y de ti, en busca de algo que parecía huir cada vez que me acercaba. Pero de nada habrían valido mis esfuerzos si regresaba a España de vacío. Y nunca jamás se me presentaría una ocasión como aquélla. Cierto era que internarse en la Ciudad Santa sería tanto como meterse en la misma boca del lobo. Que cualquier paso en falso supondría la muerte. Y que, aun así, nadie me aseguraba que pudiera acceder a aquellos códices que contenían el gajo restante del pergamino y la *Crónica sarracena* donde se explicaba el paradero de los tesoros de Antigua. Tampoco tendría ninguna garantía de poder descifrarlo. Y menos todavía de entrar en la Kaaba, donde quizá pudiese saber, por fin, cómo encajar las piezas de aquel laberinto y averiguar cuál era aquel secreto que parecía tener vida propia y ser capaz de mantener sus propios designios, por encima de los de los hombres, por muy poderosos que éstos fueran, a través de siglos y continentes.

A medida que iba concluyendo aquella jornada, se iba aproximando la hora de tomar una decisión, pues debería despedirme de Sidi Bey. De manera que antes de levantarnos de allí, me sorprendí a mí mismo diciéndole:

—¿Habría en vuestra nave un lugar para mí?

—¿Deseáis viajar hasta La Meca? —me preguntó, a su vez. Y ante mi respuesta afirmativa, aseguró—: Contad con mi barco hasta Yidda, y con una montura desde el puerto hasta la Ciudad Santa. Pero una vez allí todo resultará mucho más complicado. Debo advertiros que ni siquiera yo estaré seguro. ¿Os mantenéis firme?

—Sí. Y pagaré mi pasaje, desde luego.

—Eso está fuera de lugar. Seréis mi invitado. Mi hijo y yo podemos acomodarnos en un solo camarote y cederos el otro.

En este entendimiento, tan pronto estuvo aparejada la tela negra para la Kaaba, partimos hacia Suez, en cuyo puerto nos esperaba una de esas naves que llaman *daus,* las de mayor porte que hacen la travesía por el mar que separa África y Asia.

Fue al tercer día cuando se presentó en toda su crudeza un problema que dificultaría toda mi estancia en aquella tierra. La primera noche que pasé en el camarote noté un olor extraño que venía de abajo, de la sentina, y a la mañana siguiente me desperté mareado. Me aconsejó Sidi Bey que masticara jengibre, que él solía llevar para esos casos, los del mareo. Pero tan pronto quedaba encerrado en mi camarote, aquella pestilencia aumentaba. El lugar se volvió irrespirable, tuve mi primer vómito de bilis negra y empecé a delirar por la fiebre. Con toda la delicadeza de que fui capaz, para no desairar su hospitalidad, pedí al comerciante que me dejara dormir en cubierta, y él se dio cuenta de que no me encontraba bien.

Tras uno de los desmayos que me acometieron, encontré a Sidi Bey a mi lado, poniéndome unos emplastos calientes en la frente y los pulsos de las muñecas.

—¿Qué os ha pasado en esta mano? —dijo, señalando la marca que llevaba en la izquierda, y que yo cubría habitualmente con la manga de la camisa.

Ignoré su pregunta, pero sabiendo que vivía en Estambul, no dejó de inquietarme. Le agradecí que no insistiera. Me sentía muy débil. A pesar de sus cuidados, mi salud empeoró, y empecé a temer por mi vida.

Calla Randa un momento. Y aunque nada diga ahora a su hija, recuerda el tumulto y confusión de imágenes que le asaltaban en los momentos de fiebre, entre los ladridos de una perra ratonera que tenía el capitán de la nave, como si el animal barruntase las tormentas que se libraban en su interior. En sus delirios, al hilo de aquel laberinto que presidía el pergamino —y, al parecer, su ánimo— se iban enhebrando y desplegando, del modo más caótico, retazos de su intimidad con Tigmú. Veía a la joven mulata en el mercado de esclavos, en el hospital junto a Rubén Cansinos, y la sentía desnuda sobre su cuerpo, su piel contra la suya, o cantando aquella melodía desolada el día de la partida de Fez.

Se preguntaba qué poder tenía aquel laberinto para incrustarse en él de semejante modo, cobrando vida propia cuando la fiebre debilitaba su conciencia. En vano intentaba conjurar la imagen de la muchacha, descartándola para invocar en su lugar la de Rebeca. Ésta se resistía a venir. Trataba de construir los recuerdos de su esposa en el duermevela, valiéndose de la casa de los Toledano en Estambul, donde la había conocido sintiéndola rebullir sobre sus sueños, o en el soleado huerto de Tiberíades, sentada al telar a la sombra de una higuera… Todo terminaba disolviéndose en la niebla, perdido en un torbellino de voces.

Retoma entonces el hilo Raimundo, para referir a Ruth el desenlace de aquella singladura:

—Para ganar el puerto de Yidda debíamos atravesar un golfo plagado de arrecifes de coral, tan duros como afilados, donde era necesario ir muy despacio y alerta, con el ojo avizor y poca vela. Pero eso no fue posible, porque nos alcanzó un temporal tan impetuoso que me hicieron subir a cubierta, por si naufragábamos y teníamos que abandonar la nave. Pasábamos tan cerca de uno de los arrecifes que pude ver a los cangrejos que había sobre ellos, corriendo despavoridos en todas direcciones.

Con aquel ajetreo terminó de desgobernársele el rumbo al timonel y acabamos encallando en la arena de una playa cercana. Caímos derrengados en ella. Cuando Sidi Bey me despertó, señaló de dónde procedían aquellos vapores pestilentes que salían de la bodega y me habían enfermado. A través del casco hendido de la bodega asomaban unos sacos que habían ido vertiendo al mar unas hebras de color rojizo. Al parecer, el capitán de la nave se dedicaba por su cuenta y riesgo al contrabando de azafrán, que escondía para no pagar impuestos. Sólo que esta vez el retraso en la partida había echado a perder su carga, al no poderla airear en su escondrijo. Y al fermentar había producido aquellas viciadas y venenosas miasmas.

Por lo demás, me explicó el comerciante que ya habían recuperado el resto del cargamento y equipajes de la nave encallada, y se estaban haciendo cargo de nosotros quienes de ordinario le atendían en el vecino puerto de Yidda. Cuando nos dispusimos a partir hacia La Meca, y a la vista de mi extrema debilidad, Sidi Bey tuvo la deferencia de alquilar un camello con un armazón y litera en la que yo podía ir acostado con bastante alivio, a pesar de los molestos movimientos del animal.

Tras estas penurias, atravesamos unos bosquecillos y pequeñas lomas, salvamos una estrecha garganta fácil de defender con unos pocos hombres, y un día, a la caída de la tarde, me despertaron fuertes gritos. Descorrí las cortinas del castillete que cerraba mi litera, encima del camello, y se ofreció ante mis ojos un espectáculo memorable.

Los alaridos eran de júbilo. Estábamos llegando a la vista de las primeras casas de La Meca. Algunos peregrinos, hombres curtidos, hechos y derechos, echaron pie a tierra y la besaron sin poder contener las lágrimas. Durante muchos años habían vuelto la vista hacia aquel lugar cinco veces cada día, cuando se disponían a rezar. Y allí estaba, de pronto, al alcance de su mano, el santuario de los santuarios, la cuna de Mahoma, el corazón del islam. Yo mismo no pude contener la emoción. Agotado y enfermo como estaba, hice acopio de todas mis fuerzas para llegar con el mayor decoro posible hasta aquel recinto.

El jerife de La Meca salió a recibir la Camisa de la Kaaba, con mucha caballería, brillante cortejo, agudas trompetas y atabales que atronaban el desfiladero y los montes vecinos. Yo iba junto a Sidi Bey, quien me previno de no hacer caso alguno a los que porfiaban para darme hospedaje, porque él se sentiría muy honrado alojándome en su casa. Que la tenía, y muy amplia, junto a la montaña y las torres de vigilancia de aquella parte, no lejos de la que vio nacer al profeta.

Expuse allí a mi anfitrión el deseo de visitar al jerife, para preguntarle por los códices de Rubén Cansinos que le había enviado el imán de El Cairo. Sidi Bey me hizo ver que mi primer deber sería honrar la Kaaba, tan pronto como pudiera tenerme en pie. Y con ello y otras prevenciones, barrunté que tenía buen cuidado de que yo no me apartara de las normas que cabía esperar de un buen musulmán en lugar de tanto respeto. Pues era hombre muy observador y dudaba de que yo las conociera en todos sus detalles, aunque no me lo daba a entender por no ofenderme.

De ese modo, en cuanto nos hubimos instalado en su casa, hicimos una ablución general y nos encaminamos hacia el santuario, que estaba a corta distancia. El Haram era espléndido. Un grandioso patio se extendía ante nosotros, y en el centro se alzaba imponente el cubo, con su tela negra, impregnada de misterio. Revoloteaban a nuestro alrededor cientos de palomas, que pertenecían al jerife, y una inmensa muchedumbre de peregrinos lo llenaba a rebosar, gritando sus oraciones. Empezamos a dar las siete vueltas a la Kaaba, dejándola siempre a la izquierda, y gritando: «En el nombre de Alá. Alá es grande». Y aquel girar tenía algo de impulso milenario, que sujetaba el acontecer de los hombres alrededor del cubo, como si prolongaran el impulso del Universo todo. Se dice que el mundo se acabará cuando los hombres dejen de dar esas vueltas. Porque tal movimiento es reflejo del de las estrellas en los cielos.

Al aproximarnos hasta la Kaaba pude ver que la inmensa tela negra sólo dejaba al descubierto el zócalo del edificio, en cuyo ángulo oriental está incrustada la piedra oscura que según la tradición fue entregada a Abraham por el ángel Gabriel. Frente a ella se halla siempre apostada una guardia de eunucos negros, para protegerla. Cuando me llegó el turno de besarla, me estremecí al aproximarme. Su forma era la de un corazón, palpitante bajo la tela agitándose al viento, como si recibiera el latido de los miles y miles de fieles que se volvían hacia ella todos los días desde los cuatro puntos cardinales.

Nos llegamos luego al lugar de Abraham. Es éste un quiosco ligero con una cúpula de cobre, sostenido por seis columnas y protegido por una reja de hierro. Dentro se ve un ara de pequeño tamaño, donde debió de haberse realizado el sacrificio de su hijo, y la huella del pie del patriarca. Allí se reza otra jaculatoria antes de pasar al pozo Zemzem, cuya agua salvó la vida a Agar y su hijo Ismael cuando Abraham los arrojó de su lado por instigación de la esposa legítima, Sara. Los musulmanes creen que, cuando Agar vio el agua surgiendo de la arena, exclamó: «*¡Zem, zem!*», que significa «*¡Alto, alto!*».

Se bebe de aquella agua hasta más no poder, pues es fama que su efecto resulta benéfico para los fieles, mientras que cualquier infiel que la tome se ahogará sin remedio. Aunque a mí no me pasó nada. Se besa de nuevo la piedra negra, antes de abandonar el lugar por la puerta llamada de Saffa, cuidando de hacerlo con el pie izquierdo. Dicen que quien hace lo prescrito sale de aquel santo lugar como naciendo de las entrañas de su madre. Pero yo estaba exhausto, y rogué a los dos criados que me transportaban que evitasen el recorrido entre las colinas Saffa y Merua, como es costumbre, pues debe hacerse siete veces con paso ligero.

Regresé al día siguiente acompañado de Sidi Bey, para hablar con el encargado del templo y asegurarme de que podría asistir a la purificación del santuario, antes del cambio de la tela negra. Durante ésta es cuando se abre el cubo, para que el jerife acceda a su interior con dos elegidos, y estar allí significaría mi única y remota oportunidad de ser uno de esos dos privilegiados. Me miró aquel hombre con curiosidad, y hasta con simpatía, por ver a qué esfuerzos me estaba llevando mi devoción, aun encontrándome tan quebrantado. Sin embargo, él no se consideraba con la suficiente autoridad como para concederme aquel permiso:

—La ceremonia será en una semana, pero deberéis hablar primero con el jerife —fueron sus palabras.

No supe muy bien si me las dirigía a mí o a Sidi Bey, pero fue éste quien más las acusó. Su rostro se puso sombrío, y se limitó a despedirse musitando algo que no alcancé a oír. Camino de casa, no despegaba los labios.

—¿Sucede algo? —le pregunté—. Nos acaba de brindar la excusa perfecta para visitar al jerife y preguntarle por los códices de Cansinos sin despertar sospechas.

—Ese hombre lleva razón. Es el jerife quien abre la Kaaba con una llave de plata, y tendremos que hablar con él, como máxima autoridad de esta ciudad.

—¿Le habéis tratado?

—Sí, claro —me contestó—. Ése no es el problema.

—Entonces...

—El problema es que tan pronto sepa que traéis con vos una carta de Alí Fartax querrá conoceros... Y nos invitará a su palacio... Y ofrecerá un banquete en vuestro honor... Y...

Noté que decía todo esto como quien expone los pasos de una catástrofe irremediable.

—¿Y...? —le pregunté, intentando que concluyera.

—Nada... No quiero ser imprudente. No sé si él es amigo o enemigo de Fartax, porque las intrigas con los turcos sólo son conocidas de unos pocos. Muchos que se abrazan en público se desean la muerte en privado. Ya lo veréis vos mismo.

Dediqué el resto de la jornada a un reparador descanso. Al día siguiente me sentía mucho mejor, recuperación que todos atribuían a la virtud de la piedra negra. Y al final de la comida Sidi Bey me anunció:

—He estado en el palacio del jerife, y os recibirá pasado mañana. —Respiró hondo y añadió—: Os invita a cenar.

—A vos también, espero —le dije.

—Así es, por desgracia —añadió resignado.

Rechazó con un gesto la pregunta que adiviné en mis ojos. Prefería no dar explicaciones, y me dejó muy preocupado que hombre tan leal y franco rehuyera sincerarse conmigo ahora, precisamente, cuando el peligro acechaba a cada paso. Algo grave sucedía.

El día convenido se dispuso a acompañarme al banquete. Yo podía caminar por mí mismo, pero el comerciante prefirió tomar una silla de mano. Antes de entrar en ella me llamó aparte, me cogió por el brazo y me entregó una cajita de oro.

Me miró a los ojos y me dijo lentamente, con mucho énfasis:

—Prestad atención a lo que voy a deciros. Fijaos en esta señal.

Y se pasó la mano derecha por la nariz, sacudiendo la punta con un rápido gesto, como si espantara una mosca.

—Si en un momento determinado os miro y os hago esta señal, alegad que no os encontráis bien a causa de vuestra dolencia, preguntad por el excusado, id allí, tomad el contenido de esta cajita y esperad a que os haga efecto.

—Pero...

—No hay pero que valga. Si llega el caso, os lo explicaré con todo detalle. Tenéis mi palabra. Si no os hago ninguna señal y no sucede nada, me devolvéis esa cajita intacta. Y no habrá preguntas. Ése es el trato.

El jerife Omar resultó ser un hombre amable, culto y hospitalario. Tuve la impresión de que mantenía excelentes relaciones con Sidi Bey, por lo que no entendí las reticencias de éste para acudir a aquella casa. Me hizo saber que se sentía muy honrado con mi visita, que me agradecía de corazón, dado mi estado de salud, por la que se interesó de inmediato. Alabó también mi piedad, de la que le habían llegado cumplidas noticias. Con todo lo cual me pareció que no resultaría tan difícil conseguir su permiso para examinar los códices de Cansinos y asistir a la ceremonia de purificación de la Kaaba. Otra cuestión sería entrar en el cubo.

Pero, como de costumbre, me equivocaba.

Omar era un hombre en extremo astuto. Me hizo sentar a su lado durante el banquete, y no cesó en estrecharme a preguntas. Lo hacía de un modo casual, sin que en ningún momento pareciera un interrogatorio, de manera más sutil que el inquisitivo jeque de la Cúpula de la Roca. Pero su interés se echaba de ver en la minuciosidad de las cuestiones que me planteó, en cómo calibraba mis reacciones, y en la leve —pero continua— chispa de desconfianza que brillaba al fondo de sus ojos. Me preguntó de dónde venía, por dónde había pasado en mis viajes, cuáles eran mis planes, qué noticias tenía de aquellos reinos... Tras una hora larga en estas idas y venidas, ya muy avanzado el banquete, empezó a ceder en sus averiguaciones y me dirigió el primer cumplido que me pareció enteramente sincero:

—Habláis muy bien el árabe.

Aproveché esta circunstancia para hacerle saber mi interés por los libros, la caligrafía y otras materias que me permitieron aproximarme con naturalidad al paradero de los códices de Cansinos. No me atrevía a preguntar directamente por ellos, pero al oírme hablar con tanta pasión, Omar me dio la clave, diciéndome:

—Deberíais ver a mi calígrafo en el santuario.

Sólo entonces disfruté algo de la comida. Yo permanecía atento a Sidi Bey, al que tenía enfrente, por si apreciaba la señal que habíamos convenido. Le notaba tranquilo y confiado, sin que acusara ningún motivo de alarma en cuanto estaba sucediendo. Hasta que, de pronto, empezó a mirarme fijo y alterado. Parecía decirme que prestara atención a algo que estaba sucediendo en la sala.

Recorrí con la vista aquel gran concurso de comensales, pero no vi nada extraño. Volví a mirar a Sidi Bey. Con un leve movimiento de sus ojos me indicó a alguien que acababa de entrar en la sala y se dirigía hacia nosotros. Era un joven de aspecto delicado y distinguido, casi podría decirse que angelical, por la regularidad de sus facciones.

Se llegó hasta la cabecera del banquete y mostró sus respetos al jerife, quien le recibió con grandes muestras de afecto. Por el contrario, noté que el saludo entre el recién llegado y Sidi Bey era frío y distante. Omar le explicó quién era yo y añadió, dirigiéndose a mí:

—Este joven se llama Nabik, y es el guardián del pozo Zemzem.

Entonces creí entender por qué Sidi Bey me había mirado con tanta insistencia. El agua del pozo Zemzem era el elemento más importante en la ceremonia de la purificación. El astuto jerife había citado sin duda a aquel muchacho al final del banquete para tomar una decisión, tras haber conversado conmigo un tiempo más que suficiente.

—¿Podrán asistir con nosotros a la purificación? —preguntó el jerife al recién llegado, señalándonos a Sidi Bey y a mí.

—Será un honor —respondió el joven, mientras se inclinaba de un modo tan cortés como encantador.

Pero Nabik no se fue. Sino que, mirando a Sidi Bey, se dirigió al jerife para añadir:

—Señor ¿necesitáis algo más, *ahora?*

Vi cómo Sidi Bey se ponía tenso como un resorte, y enrojecía todo él, conteniendo la cólera. También noté que alzaba la mano en dirección a la nariz, disponiéndose sin duda a hacerme la señal convenida en caso de peligro, puesto que me miró de nuevo fijamente.

En ese momento escuché al jerife Omar decir al joven Nabik, con voz clara y lenta:

—Nada necesito *ahora.*

Sidi Bey interrumpió su gesto de alarma, sin llegar a rozar la punta de su nariz con la mano derecha.

El muchacho recuperó sus impecables modales y se despidió.

No tardamos en hacer nosotros otro tanto. En cuanto llegamos a casa y nos quedamos a solas, tomé a Sidi Bey por la túnica, y le devolví su cajita.

—Conservadla —me dijo, rechazándola con un gesto—. La vais a necesitar.

Entonces no pude contenerme ya más, y le rogué:

—¿Queréis decirme, por Dios, qué es lo que ha sucedido esta noche?

—Que el jerife os ha concedido permiso para visitar a su calígrafo en el santuario. Y también para asistir a la ceremonia de la purificación. Eso significa que quizá lleguéis a entrar en la Kaaba. ¿Os parece poco?

—¿Por qué tantas precauciones? ¿Por qué convinisteis conmigo esa señal? ¿Por qué esta cajita? ¿Qué contiene? ¿Y qué es lo que hay entre vos y ese muchacho, Nabik?

—Os dije que nada de preguntas. Creedme, Randa, es mejor que no os mezcléis en estos asuntos. Cuanto menos sepáis, mejor para vos.

—Sidi Bey, os estoy muy agradecido por cuanto habéis hecho por mí. Nunca podré pagaros vuestra generosidad y amistad. Pero no puedo seguir bajo este techo si a la primera ocasión que se presenta de estar a vuestro lado no me permitís tomar partido, ocultándome lo que está sucediendo.

Dudó largo rato antes de decidirse a responder.

—Está bien —admitió—. Quizá sea mejor así. Lo entenderéis si os digo quién es realmente Nabik, ese joven de aspecto tan angelical.

—¿No es el guardián del pozo Zemzem?

—Sí que lo es. Pero su verdadera función es mucho más importante, y nunca podrá ser reconocida en público. Y si alguien llega a saber que vos la conocéis no sobreviviréis en esta ciudad.

—¿Cuál es, entonces? —le apremié.

—Juradme que no saldrá de nosotros.

—Tenéis mi palabra.

—Es el envenenador del jerife.

—¿Cómo habéis dicho? —le pregunté con incredulidad.

—Ya sé que resulta una paradoja, pero pensad con calma y veréis cuán importante y eficaz es su función, cuán sencillas de ejecutar son sus muertes y cómo quedan en la más absoluta impunidad. Cuando hay que eliminar a alguien, a Nabik le basta con disolver el veneno en un vaso de agua del pozo Zemzem. Beberla forma parte inseparable del ritual del peregrino, nadie puede rechazarla, porque sería considerado una blasfemia. Si alguien no encuentra excelente esa agua, es señal inequívoca de que se trata de un infiel. Cuando una alta personalidad llega a la Ciudad Santa, el jefe del pozo Zemzem registra su nombre en su gran libro, y un criado se encarga de llevársela a casa puntualmente todos los días. Y como por La Meca, tarde o temprano, pasa todo el mundo importante, el jerife Omar se vale de él para desembarazarse de aquellos que estorban sus planes.

O los de sus superiores o amigos o aliados en Estambul, El Cairo u otros lugares, los cuales envían en peregrinación aquí a aquellos bajás, ministros o personas de las que desconfían, pero no se atreven a ejecutar en público, deshaciéndose de ellas por este procedimiento, sin que nadie sospeche de ellos, por estar tan lejos. Es favor que luego se cobra caro, y de este modo todas las vidas de los peregrinos están en manos de ese hombre.

—Como me sucede ahora a mí.

—Así es. Por eso debéis seguir llevando con vos esta cajita.

—¿Qué contiene?

—Un vomitivo y un antídoto. En cuanto experimentéis los primeros síntomas, debéis tomarlo sin tardanza. Sólo os ruego que, para mi seguridad, lo hagáis discretamente, sin que os vean. De lo contrario, yo volvería a tener problemas con ese hombre.

—Supongo que os referís a Nabik, porque el jerife parece apreciaros.

—Omar siempre me ha dado muestras de afecto. Pero no le gusta que me entrometa en esos asuntos.

—¿Y lo habéis hecho?

—Involuntariamente. Mi establecimiento de café sirve también otras infusiones y hierbas medicinales, hasta el punto que tiene algo de farmacopea. Y cuando Nabik empezaba su carrera y aún no había perfeccionado sus venenos, más de una de sus víctimas se salvó gracias a mí. Cuando observé que los síntomas se repetían, yo barrunté lo que pasaba y puse mis sospechas en conocimiento de Omar. El jerife me hizo jurar que nada diría y que no volvería a interponerme entre Nabik y sus envenenados.

—Y por eso no queríais que yo acudiera a ese banquete.

—En efecto. No sabía si iban a tratar de desembarazarse de vos. Y aún no lo sé. Ignoro si una carta de Fartax como la que lleváis significará protección o una sentencia de muerte. Por eso es una temeridad que asistáis a la ceremonia de la purificación. Son los dominios de Nabik, y en ellos no tendréis escapatoria. Los fanáticos que nunca faltan podrían acabar con vos a la más mínima sospecha o indicación de ese joven. Ni siquiera necesita el veneno, aunque siempre podría acudir a ese recurso. Espero que no le facilitéis la tarea cometiendo algún error.

—Vos vendréis conmigo y me serviréis de guía, ¿no es cierto?

—Lo contrario sería un desaire imperdonable. Y no os confiéis con mi antídoto. He oído que Nabik ha conseguido elaborar *drao*.

—¿Qué es *drao*?

—El veneno más tóxico que se conoce. Y el más indigno para un musulmán, pues seguirá actuando incluso después de la muerte.

—¿Cómo puede ser eso?

—Contiene puerco, y eso impide alcanzar el Paraíso. Su base es el hígado de cerdo. Se mata uno de estos animales, se abre en cruz, se le extrae el órgano y se cubre con una mezcla de babasco, unto de hombre, pájaros pintos y veneno de víbora preñada, que es más activo que sin preñar, pues la naturaleza la ayuda de ese modo a preservar la prole. Una vez que se ha recubierto el hígado de cerdo con esa maceración, se entierra durante veinte días, envuelto en un lienzo impregnado con cera virgen. Cuando se desentierran los restos del puerco, el producto es tan venenoso que mata por simple contacto.

—¿Y este antídoto?

—Ese antídoto que os he dado vale más que la cajita de oro que lo contiene. Es polvo de piedra bezoar. No es de las que llevan en el buche nuestras cabras de Arabia, que se reputan como las mejores, sino algo aún más preciado, de las que llaman «lágrimas de ciervo». Dicen que se forman sobre los ojos de estos animales cuando, tras comer serpientes para robustecerse, por instinto natural se meten en el agua de un río hasta que sólo queda fuera la cabeza, pero sin beber, porque entonces morirían al instante. Deben esperar a que fluya por sus párpados ese humor que se va concentrando hasta el tamaño de una nuez. Luego vuelven a sus cotos, donde se les endurece como una piedra.

—¿Y vos creéis todo eso?

—Yo ni creo ni dejo de creer. Pero he hecho la prueba, y funciona. Atravesé la pata de un perro con una aguja en la que había enhebrado un hilo impregnado en *drao,* esperé que le acometieran los síntomas del envenenamiento, le di a beber agua en la que había disuelto ese polvo y el animal no tardó en recuperarse. Aún sigue vivo.

Pasados dos días, nos dispusimos a asistir a la solemne ceremonia de purificación de la Kaaba, tras de la cual le sería colocada la nueva Camisa que habíamos traído desde El Cairo. Con ese motivo, el jerife abriría la puerta del gran cubo e invitaría a otras dos personas a entrar en él, concediéndoles el honor de ayudarle a limpiar el lugar. Esperaba que en esa ocasión pudiésemos ser Sidi Bey y yo mismo, pues ya había tenido buen cuidado de dejar caer en la conversación que ambos habíamos dado unas puntadas en aquel brocado.

Desde el amanecer, una gran multitud rodeaba el santuario, presa del fervor. Cuando entramos, se produjo gran alboroto, y hubo de abrirnos paso la guardia personal del jerife, integrada para la ocasión por unos treinta hombres. Nos ayudaron, desde el otro lado, los cincuenta eunucos negros que guardan la Kaaba, tocados con turbantes, largas túnicas sujetas con cinturones de cuero y bastones de madera blanca, de los que no dudan en hacer uso a la menor ocasión.

La única entrada a la Kaaba está cerrada con dos medias puertas que me parecieron de oro macizo. Se halla en la parte de oriente, cerca de la piedra negra, a unos siete pies de altura. Por ello es necesario utilizar una escalera de madera bien labrada, que se lleva sobre seis cilindros de bronce. El jerife fue el primero en subir, provisto de una llave de plata. Cuando la hubo abierto, se alzó un torbellino de brazos, y fue tanto el alboroto de la multitud que la guardia de eunucos negros empezó a repartir palos sin miramientos.

Nos hicieron con ello retroceder hasta muy atrás, y quedamos tan lejos que apenas podían vernos, pues tuvimos que refugiarnos junto al pozo Zemzem para protegernos de los empujones. Era imposible salvar la distancia que nos separaba, y menos en mi estado de convalecencia. Había alrededor de la Kaaba más de un millar de personas, tan enfervorizadas, apretadas y fundidas en uno que era un milagro que pudieran desplazarse o realizar movimiento alguno. Me había explicado Sidi Bey que el jerife Omar designaría los dos elegidos en función de los asistentes que observase sobre el terreno, según sus compromisos con ellos. Y me pareció que mis posibilidades eran muy escasas.

Renació en mí cierta esperanza cuando noté que no había elegido aún a nadie para acompañarle en la ceremonia de la purificación, y que parecía buscar a alguien con la mirada. Agité los brazos, con desesperación. Tanto debí de hacerlo que terminó reparando en mí, y pude ver cómo hacía una señal al jefe de los eunucos. Entonces éste, un negro gigantesco, me tomó por los brazos, gritó varias órdenes a sus hombres y, cargándome sobre él como un fardo, me llevó en volandas por un pasillo que abrieron de modo expeditivo, hasta depositarme al pie de la escalera. Una vez allí, me advirtió que subiera teniendo buen cuidado de pisar el primer peldaño con el pie derecho. Y de ese modo, logré llegar hasta el interior del cubo.

Lo que me angustiaba ahora era lograr que se nos uniera Sidi Bey, pues mi posición estaría seriamente comprometida si no acertaba a comportarme en una ceremonia tan pública y solemne. Y sin el comerciante a mi lado me sentía por completo extraviado. Sabía bien que debería haberme conformado con el privilegio que se me concedía, pero hube de arriesgarme a incurrir en la desaprobación del jerife, señalándole al comerciante, que había quedado al otro lado de aquella impenetrable marea humana. Me miró Omar no poco contrariado. Quizá porque en sus planes era a otro a quien pensaba conceder aquel honor, o quizá por lo dificultoso que resultaría volver a abrir de nuevo el pasillo entre la escalera y el pozo Zemzem. Pero accedió, y Sidi Bey se unió a nosotros para comenzar la ceremonia de la purificación.

Entonces pude comprobar que, de todos modos, debían mantener expedito aquel pasillo de comunicación para transportar los odres de agua desde el manantial hasta la puerta de la Kaaba. Dirigidos por Nabik, los servidores del pozo formaron una cadena que llevaba aquel preciado líquido, baldeándolo sobre el fino suelo de mármol del interior del cubo. Luego, éste caía por un canalillo hasta el patio, donde los fieles se apretujaban para recoger el agua, echándola por encima de su cabeza y bebiéndola, a pesar de su suciedad. Bien es verdad que, según noté, estaba perfumada con aroma de rosas.

El jerife Omar nos entregó sendas escobillas de finas hojas de palma, y él mismo tomó otra y se puso a barrer el suelo. Poco había que limpiar, puesto que el baldeo había dejado el suelo como una patena, si se me permite esta inoportuna expresión. Además, toda mi preocupación era buscar de un modo discreto dónde andaban aquellas inscripciones de las que me habían hablado el jeque de la Cúpula de la Roca de Jerusalén y el imán de la mezquita de El Cairo, y que podrían aclarar cómo se ensamblaba y descifraba el pergamino.

El interior del cubo estaba sostenido por dos columnas, revestidas de seda de color rosa. De columna a columna había barras de plata, de las que colgaban varias lámparas, también de plata, y doce textos devotos que no estaban a la vista, sino velados, y que, según supe luego, se reputaban por los más delicados trabajos caligráficos conocidos. El pavimento estaba enlosado con mármoles de diversos colores, y corría por todo el interior un hermoso zócalo de esta misma piedra, con inscripciones de oro.

Estaba yo perplejo, sin acertar a qué indicio atender. ¿Dónde estaba la clave para los gajos del pergamino que yo llevaba conmigo? ¿En aquel zócalo? Alcancé a leerlo, y sólo vi allí una de las aleyas del Corán, la que llaman del Trono, que es jaculatoria muy usada. Pregunté discretamente al jerife por aquellas señales de devoción, y noté una fuerte desconfianza en su mirada cuando me respondió:

—Muchos de estos presentes se renuevan cada vez que un nuevo sultán sube al trono en Estambul. Y la última vez fue mucho el socorro recibido, pues Solimán el Magnífico restauró todo el techo y otros pormenores.

Me temí que, con todas estas atenciones, la Kaaba hubiese perdido aquellas trazas y rastros que tan valiosos me habrían resultado, y que el zócalo no respetase el original que habían visto en tiempos el jeque de la Cúpula de la Roca y el imán de El Cairo. Por lo tanto, debía de tratarse de aquellos escritos colgados del techo, que en tanto aprecio parecían ser tenidos. Había empezado a preguntar por ellos al jerife, cuando noté la mirada de advertencia que me dirigía Sidi Bey. Esto me hizo desistir de mis propósitos, pues cualquier recelo supondría poner en peligro mi vida y, de rechazo, la suya. De modo que me apliqué a la tarea de escobar el suelo en actitud de recogimiento, mostrando la más ardiente fe, y musitando oraciones sin cuento. Comprobé de ese modo que el interior era un cuadrado de algo más de treinta pies por cada lado. Y que tendría otro tanto de alto. Era, pues un cubo. Quizá no perfecto, pero sí en su intención y diseño.

En esos momentos, mientras yo hacía tales cálculos, desatendiendo las oraciones, el jerife —que había estado observándome en mis exploraciones del recinto— se alzó y vino hacia mí. Por su actitud, directa y decidida, temí que me hubiera descubierto, al comparar mi actitud con la de otras personas a las que les había sido concedido aquel raro privilegio. Me tomó del brazo con toda firmeza, me hizo levantar y me llevó hasta la puerta. Miré hacia atrás, hacia Sidi Bey, pidiéndole ayuda con la mirada. Pero él apartó la vista, como indicándome que llegado a aquel punto él nada podía hacer.

Me llevó Omar, como digo, hasta la puerta y desde aquella altura me mostró a la muchedumbre, que comenzó a levantar fuerte algarabía. Pidió silencio alzando una mano. Se volvió hacia mí con una actitud que, así, de repente, se me antojó maligna. Entre los que observaban la escena junto al pozo Zemzem, estaba Nabik, el envenenador. Y sonreía de un modo taimado.

Poco a poco se hizo el silencio. Y entonces dijo estas solemnes palabras, que nunca olvidaré:

—*Haddem Beït Alá el Haram.*

Acababa de proclamarme servidor de la Casa de Dios, la Prohibida. La multitud estalló en vítores, y yo suspiré tan hondo que mi rostro estuvo a punto de descubrir el verdadero sentimiento que me embargaba: el alivio.

Había pasado la primera prueba.

Llegados a casa, Sidi Bey me reprochó:

—Sois un imprudente. No debisteis preguntar allí por esos pergaminos colgados del techo de la Kaaba. Es mejor hablar con el calígrafo que mantiene el jerife en el santuario, cuando le visitéis para examinar los códices de Cansinos. Él tiene que saberlo. Muchos le consideran el mejor calígrafo del islam.

—¿Lo conocéis vos?

—Es un viejo amigo, y cliente habitual de mi establecimiento. Os acompañaré hasta el lugar donde trabaja en el oratorio. Pero no os aseguro ningún resultado, porque es hombre muy desengañado. La ventaja es que, yendo en mi compañía, será también sincero, y no dudará en daros una negativa si así lo estima oportuno.

Se llamaba Abbas, y pude ver que, en efecto, se mostró afectuoso con Sidi Bey, pero mantuvo las distancias conmigo. Mientras charlábamos, y por hacer gasto para compensarle el tiempo que nos dedicaba, le pedí un certificado como recordatorio de haber asistido a la ceremonia de la purificación. Me preguntó el nombre para ponerlo en él, con la advertencia de que debería someterlo a la firma el jerife, como máxima autoridad del lugar.

—Pagando un estipendio, claro está —añadió.

Por el modo en que lo dijo, vi que no sobrellevaba bien aquel modo venal en que había desembocado su oficio. Elogié su trazo mientras escribía, y reparé en su cálamo.

—Lo he heredado de mi padre —dijo con orgullo—, y no cuento con tener otro igual en lo que me queda de vida.

Cuando hubo terminado, le pagué generosamente, y él lo agradeció, creo que más que por el dinero, por el aprecio que yo había mostrado a su arte.

Intervino entonces Sidi Bey para decirle:

—Randa deseaba haceros una consulta.

Dibujé sobre un papel algunos trazos como los que llevaba el pergamino y le pregunté:

—¿Habéis encontrado algo así en los códices que os enviaron recientemente desde El Cairo?

—¿En cuál de todos exactamente? —me preguntó, señalando los muchos tomos que había tras él.

—En uno que lleva el nombre de Rubén Cansinos.

Esta respuesta pareció convencerle. Buscó entre aquellos volúmenes y puso tres de ellos sobre una mesa baja. Al hojear el segundo, apareció aquel fragmento de forma triangular, con sus inconfundibles trazos. No cabía duda: era el duodécimo gajo del pergamino. A duras penas pude disimular mi contento.

Pedí al calígrafo que me dejara verlo. Intentó pasarme el gajo, pero estaba tan fuertemente cosido a las guardas del códice que, al tirar de él, se despegó la vitela que habían utilizado para su cubierta, con un pasaje de la *Crónica sarracena*. Y ello le convenció para que me permitiera desencuadernarlo, así como también los otros dos pertenecientes a Cansinos. Para vencer su recelo, hube de anticiparle la materia sobre la que versaba lo que íbamos a encontrarnos, y él lo comprobó, encontrando ser cierto. De tal modo que, poniendo en orden aquellas vitelas, pudimos leer estas palabras, que completaban lo que yo conocía de aquella *Crónica:*

El mismo año en que el último rey godo, don Rodrigo, rompió los veinticuatro cerrojos del Palacio de los Reyes, fue la entrada de los muslimes en España, cuando Tariq ben Ziyad pasó el mar y el gobernador de Kairuán, Muza ben Noseir, fue apoderándose de las ciudades a izquierda y derecha, hasta llegar a Antigua. Pues ardía en deseos de hacer suyo aquel tesoro donde se encontraba el talismán que protegía el reino.

Sucedió todo esto bajo el califato de Al Walid I, de la dinastía de los omeyas, quien gustaba de pasar largas temporadas en Qasarra, en el desierto de Siria. Y hasta allí hizo llamar a Tariq y Muza, para que le rindieran cuentas. Por sus palabras y las de sus consejeros y alfaquíes, a los que consultó, entendió que todo el poder del talismán se cifraba en el dibujo o laberinto que en él había, y que poniéndolo bajo su trono se aseguraría el poder de las tierras extendidas desde Qasarra hasta Al Ándalus, a través de todo el Mediterráneo. Pero que no convenía moverlo ni turbarlo, como había hecho el imprudente don Rodrigo.

Por ello, ordenó el califa que el laberinto fuera copiado con todo detalle, y encomendó al mejor de sus calígrafos que trazase un mosaico con aquel diseño, para colocarlo bajo su trono de Qasarra. También lo mandó poner en el Haram de La Meca y en el de la Cúpula de la Roca de Jerusalén, que había construido su padre. Y otro tanto mandó levantar en Antigua, siguiendo el modelo del laberinto que protegía aquel talismán, de modo que sólo pudiera llegar a él quien conociera tal secreto, sin que nadie más lo turbara en su poder y efecto.

Y por que se vea como fue, trazamos en esta Crónica ese diseño, tal como nos fue transmitido a nosotros, por cierto y verdadero. Y lo ponemos aquí en esta fina piel de gacela, por mejor preservarlo.

—¿En qué parte del desierto de Siria está la ciudad de Qasarra? —pregunté al calígrafo.

—Al sur. Pero no es ciudad, sino uno de aquellos palacios a modo de castillos o pabellones de caza, que los omeyas usaban para alejarse del ajetreo de la corte.

—¿Y cómo puedo llegar hasta allí?

—Tomando la caravana que va desde La Meca a Bagdad, y desviándoos hacia el oeste antes de alcanzar el río Éufrates.

Me di cuenta de que ahora el calígrafo Abbas recelaba menos de mí, pero que no pasaría a mayores si yo no le daba una muestra inequívoca de los afanes en los que andaba. Creí llegado entonces el momento de jugar mis bazas, y saqué uno de los gajos del pergamino. No uno cualquiera, sino aquel que llevaba por detrás escrito ETEMENANKI. Se lo tendí. Y él lo tomó, examinándolo largo rato por la parte delantera, en el más absoluto silencio. Le dio luego la vuelta, y cuando leyó la palabra ETEMENANKI bien vi que palideció. Pero no soltó prenda.

Dirigí entonces los ojos hacia Sidi Bey, cuya expresiva mirada me había ejercitado en interpretar hasta sus menores matices. Y leí en ella la necesidad de poner toda la carne en el asador, para vencer las dudas que corroían al calígrafo. De manera que extendí en la mesa los diez gajos restantes, que completaban los doce, junto al que acabábamos de encontrar y el que llevaba escrito al dorso ETEMENANKI. Y volví a la carga, haciendo una apuesta arriesgada, a todo o nada:

—Entonces —dije—, si encuentro en Qasarra ese mosaico con el laberinto, que hay debajo del trono, podré saber cómo encajan estos fragmentos del pergamino...

—Eso parece —afirmó Abbas, entrando en mi juego de un modo tácito.

—Y, una vez ordenado, ¿qué creéis vos que resultará? —y señalé los doce gajos, con toda naturalidad—: ¿Es esto laberinto, como dice la *Crónica*, o escritura?

—Quizá ninguna de las dos cosas, y las dos —respondió de modo enigmático.

—Si vos, que sois calígrafo, no lo sabéis, ¿quién podrá responderme?

—Semejante estilo no se gasta por aquí, sino que viene de Mesopotamia. Se dice que de la ciudad de Kufa, que no está lejos de Qasarra. Pero tengo para mí que es anterior a la fundación de ella y procede de la vecina Babilonia. Su diseño se usó tanto en la escritura derivada del cuadrado como en la arquitectura procedente del cubo, que es su rudimento o fundación. En él están contenidos los alfabetos más antiguos, los jeroglíficos y las lenguas primitivas, antes de que se separaran las distintas voces de la Naturaleza, las imágenes y las palabras. Y permite captar el alma y esencia del mundo, como una gota de agua puede reflejar todo lo que la rodea.

—¿Y cómo es posible esto? —le pregunté, no muy seguro de entender lo que me estaba diciendo.

—El lenguaje de estas formas es universal porque Dios es geometría. Y la Kaaba es la Piedra de la Fundación, el templo más antiguo, donde Él, junto con sus pensamientos y designios, se comunica con el mundo material, al que imprime su alma y sustancia. Pues lo creó a partir de ese cubo que veneramos, creciendo en todas direcciones, como un niño en el vientre de su madre.

—Si no entiendo mal, estos trazos contienen esa forma de comunicarse con todo lo creado —insinué—. ¿Quién podría ayudarme a leerlos, una vez puestos en orden?

Esperaba que se ofreciera él. Pero no parecía que estuviese dispuesto a franquear esa barrera. Quizá por desconocimiento. Quizá por prudencia. Quizá por entender que ya había ido demasiado lejos. O que esta tarea correspondía a otro rango de iniciados. El caso es que me dijo:

—Sólo conozco una persona que podría hacerlo, Gabbeh, el mejor de los calígrafos, el maestro de maestros. Aunque no creo que quiera daros enseñanza. Hay muchos que lo han pretendido, sin que él haya accedido, incluso tratándose de gente de muy alto rango, que se lo han solicitado humildemente. Pero ninguno superó las pruebas a las que los sometió. Todo eso, suponiendo que deis con él. No puede ejercer públicamente su oficio, por estar desde hace tiempo en búsqueda y captura. Le acusan de pertenecer a una secta muy perseguida.

—¿La de los sufíes? —intervino Sidi Bey.

—Eso se ha dicho. Pero en realidad prolonga las doctrinas de una hermandad mucho más antigua, la de ETEMENANKI. Quizá esa palabra, escrita en el primer gajo que me habéis mostrado, os ayude a franquear el camino.

—¿Por qué están perseguidos? —pregunté.

—Porque mediante esta su escritura secreta consiguen transmitir mensajes ocultos en alfombras, caligrafía y arquitectura. Y las autoridades temen lo que dicen de ese modo, que es manera que sólo entienden los que abrazan la hermandad. Vuestro viaje a Qasarra o a cualquier otro lugar donde exista ese laberinto será inútil si no aprendéis a leerlo y descifrarlo. Y eso sólo puede enseñároslo Gabbeh.

—¿Cómo dar con él y consultarle?

—Una vez que hayáis encontrado el pabellón de caza de Qasarra y encajado esos gajos en su orden preciso, habréis de dirigiros a Kufa, en las orillas del Éufrates. Os escribiré una carta de presentación para Yunán, que ejerce mi mismo oficio en la mezquita mayor de esa ciudad. Es lo único que puedo hacer por vos.

Intenté sonsacar más información al calígrafo, pero él hizo claro gesto de que no deseaba seguir hablando. Enrolló mi certificado, lo ató con un cordón y me lo entregó, despidiéndose con un gesto de cortesía.

Al salir de allí, me advirtió Sidi Bey:

—Es inútil insistir, ni siquiera yendo en mi compañía y teniendo en vuestro poder ese pergamino. Si alguien llega a enterarse de que os ha hablado de la Hermandad de ETEMENANKI le quitarían su lucrativo negocio en La Meca, lo encarcelarían y seguramente lo ejecutarían.

—¿Pertenece él a esa secta?

—Nunca lo he sabido —admitió Sidi Bey—. Ni se lo he preguntado, ni se lo preguntaré, para no comprometer nuestra amistad. Si queréis averiguar algo más tendréis que ir allí.

—¿Adónde exactamente? —me inquieté, ante la perspectiva de un nuevo viaje.

—Primero a Qasarra. Y luego a Mesopotamia. A la ciudad de Kufa. Dentro de poco saldrá la caravana para Bagdad. Es nutrida y segura, e irá en ella gente de mi confianza. Os puedo apalabrar a alguien que conoce aquellos desiertos y os acompañará hasta esos dos destinos. No os resultará caro.

Di muchas vueltas a aquel asunto, porque de nuevo me alejaría de ti y de Rebeca, y aquello parecía el cuento de nunca acabar. Sin embargo, hube de admitir una vez más que de nada valdrían todas aquellas fatigas que había pasado si no regresaba a mi patria con algo tangible, que disipara cualquier sospecha o ambigüedad y nos asegurase el descanso y protección real que andábamos buscando con tanto ahínco. Además, por las consultas que hice, no resultaría luego tan fatigoso tomar la caravana de Bagdad a Damasco, y desde allí llegarme hasta la costa de Tierra Santa para embarcar de regreso a España.

En cualquier caso, me prometí a mí mismo no ir más allá del río Tigris, pasara lo que pasara. Y también os lo prometí a vosotras de modo solemne en una carta que os escribí, con la esperanza de hallar algún modo de hacérosla llegar. Me encontraba escribiéndola, en casa de Sidi Bey, cuando entró corriendo un criado, anunciando:

—¡Se ha empezado a formar la caravana de Bagdad!

Fui a ver a mi anfitrión, para comunicárselo.

—Tenéis tiempo de sobra —me tranquilizó—. Unos versos del poeta Mayrata dicen que una caravana bien urdida se teje tan despacio como una alfombra.

Sentí, sin embargo, que iba llegando el momento de la despedida. Eché mano a mi faltriquera y le mostré el rubí que me había regalado Alí Fartax al despedirnos en Alejandría.

—Nada puede pagar una hospitalidad como la que me habéis dado. Pero os ruego que aceptéis esta muestra de mi agradecimiento y amistad.

Sidi Bey miró aquella magnífica joya y me la devolvió.

—La vais a necesitar. Guardadla para cuando vuestra vida esté en peligro.

No lo permití. Cerré su puño en torno a la gema y le besé la mano en señal de reconocimiento. Movió la cabeza con desaprobación. Dio unos gritos y apareció su mayordomo, al que hizo una seña que él pareció entender de inmediato.

—Venid conmigo —dijo.

Me condujo hasta la parte posterior de la casa, donde se encontraban los establos. El mayordomo salió de ellos llevando por las riendas un espléndido caballo. Con un giro de la mano, Sidi Bey le indicó que lo hiciera dar vueltas al patio. Era alto de grupa, esbelto de cuello, con las patas finas, las orejas largas y el ojo centelleante. Tordillo de color. Un ejemplar soberbio que no llegaría a los tres años.

—¿Cómo habéis adivinado lo que me gustan estos animales?

—Me ha bastado observar cómo los tratabais. De lo contrario, nunca os lo confiaría. Es un *yelfé*. Pura raza árabe. Del sur. Su madre era una yegua yemení. La mejor que he tenido.

—¿Cuál es su nombre?

—*Dekra* —contestó. Y como esa palabra significase «recuerdo», y yo le mirase interrogativo, añadió—: Se lo puse al morir mi esposa. Nació el mismo día de su muerte.

—Yo lo conservaré, en recuerdo de esta amistad —concluí.

A causa del dinero que me llegaron a ofrecer por *Dekra* cuantos lo vieron, supe que pertenecía a la clase de caballos árabes más apreciados. Magnífico en la carrera, ágil, fogoso, lleno de nervio, incansable, resistente a la sed y el hambre. Pero, a la vez, muy dócil, pues jamás coceó ni hizo amago de morder. Y en una ocasión me salvó la vida.

El día en que la caravana estuvo formada, me encontré a *Dekra* dispuesto y enjaezado con una primorosa silla de montar, que muchos me elogiarían y codiciarían a lo largo del trayecto. Sidi Bey había hablado, además, con algunas de las gentes de la caravana para que cuidaran de mí, y apalabrado el servicio de cinco hombres para que me asistieran en el desvío hasta el pabellón de caza de Qasarra y posterior viaje a la ciudad de Kufa.

—Se está haciendo tarde —me excusé para evitar la despedida.

—Tranquilo. No partiréis antes de la caída del sol —me dijo—. Haréis el camino de noche, iluminándoos con antorchas. No podríais atravesar ese desierto de día.

Algunas horas más tarde, el sol empezó a declinar. Mientras daba un abrazo a Sidi Bey, apenas podía reprimir las lágrimas. Nunca me había encontrado a nadie tan generoso. Antes de dirigirme hacia la caravana, él sujetó las riendas del caballo y me dijo con una sonrisa:

—Y que tengáis un feliz regreso a España.

Lo había dicho en turco, para que nadie le entendiera. Pero, aun así, estuve a punto de caerme del caballo.

—¿Cómo decís?

—Conozco vuestra historia, Raimundo Randa. Vuestra historia con Alí Fartax, quiero decir. He visto su marca en vuestra muñeca, ya cicatrizada y difícil de reconocer de un simple vistazo. Pero si se está prevenido de antemano y se ha vivido en Estambul regentando un establecimiento de café, se saben bien todas esas cosas.

—¿Y no me habéis denunciado?

—¿Por qué habría de hacerlo? Cuando uno se sienta alrededor de un vaso de café se oyen opiniones muy diversas, y hace tiempo que he aprendido a vivir y a dejar vivir. Además, nunca había visto un peregrino con tanta devoción —sonrió burlón.

—Estaba débil por la enfermedad —reí, a mi vez.

—Eso debió ser.

—¿Os puedo pedir un favor? —me atreví a decirle.

—¿Algún mensaje? —me preguntó.

—¿Cómo lo habéis adivinado?

—Porque también conozco vuestra historia con la bella Rebeca Toledano —respondió.

Le entregué la carta que ya llevaba prevenida. Me prometió confiarla en Alejandría al primer barco que pudiera encomendarla a una estafeta o correo seguro que llegara hasta España. Y cuando ya me alejaba, aún alcanzó a preguntar:

—¿Habéis probado esa bebida que trajeron de las Indias Occidentales, el chocolate?

—Alguna vez.

—¿Creéis que funcionaría? Como el café, quiero decir.

—¿En Estambul?

—Sí. Ya sabéis la regalada vida que se dan los turcos —me dijo alzando un poco la voz, para cubrir la distancia que nos iba separando.

—En vuestras manos, seguro que funcionará —y alcé la mano en señal de despedida.

—¡Quizá lo intente! —me gritó, ya desde lejos.

De pronto, se dio la señal de partida, repetida como un eco a lo largo de la caravana. Hubo gritos de júbilo. La arena se removió, cobrando vida. Estaba cayendo el sol, un enorme disco naranja entre la calima amoratada. Sus últimos rayos alargaban las sombras de las dunas y, rozando de soslayo la tierra, doraban las nubes de polvo, creando una visión hipnótica. La tensión de una nueva aventura que comenzaba. La última misión.

Cuando Ruth oye que se abre la puerta de la celda, dice a su padre:

—Nunca recibimos esa carta. O se perdió por el camino, o la interceptó Artal. ¿Os dará tiempo para terminar vuestra historia? Mirad que sólo quedan dos días.

—Eso espero, hija.

Hay en los ojos de Artal de Mendoza una mezcla de súplica y amenaza, mientras se sujeta con la izquierda su otra mano, el postizo que le está destrozando el muñón. Hace a Randa un gesto ambiguo, esperando quizá que éste dé el primer paso y se ofrezca a examinarlo, como la otra vez. Pero el prisionero no se aviene a razones, y ataja cualquier equívoco, al decirle:

—Nada puedo hacer si no me dejáis esa mano para que os la arregle con calma. Y también mis tenacillas de orfebre.

Artal cierra de un portazo, echa la cerradura y se le oye alejarse por el pasillo, entre maldiciones.

10

LOS TÚNELES DE LA MENTE

SU cabeza era una montaña rusa. No parecía un sueño, sino el ingreso en otra dimensión. Un torbellino de sensaciones afilándose en retazos de imágenes, esquirlas cortantes de un espejo roto. Una ciudad. Antigua, sin duda. El apeñuscado tajo del río, los puentes, la arboladura de aquel esforzado alzar de torres, entre un burbujeo de cúpulas. Una plaza, una feria de otros tiempos. Poblada de gentes, canciones y gestos. Susurros sepultados en su interior, en algún recoveco de su mente, y que ahora afloraban reverberando en la memoria. O quizá más abajo, más profundo, más lejos.

La atracción súbita hasta la fuente perforada en el centro de la plaza. El paso a través de la cortina de agua que le cegaba. La caída. Se precipitó sin remedio por aquel cilindro de piedra. Pudo sentir el corazón de la plaza, encharcado en oscuros presagios de sangre y ceniza, comunicando dos mundos nunca reconciliados. Sintió el latido de la ciudad sumergida, la supuración de sus catacumbas húmedas y frías. Aquel terco alfabeto de escaleras umbrías y pasadizos dormidos, que se desenroscaba a través de las piedras, hasta atraparle y succionarle.

¿Qué era aquel agujero interminable? ¿Un pozo? Al principio, un agujero mínimo. Luego crecía, haciéndose más profundo. Tanto, que acarició la absurda idea de que sus ojos se acostumbraran a la oscuridad y alcanzaría a distinguir las sombras adheridas a sus paredes. Pero apenas podía verlas, en su vertiginoso descenso. En vez de palabras, farfullaban algo ininteligible. Una de aquellas sombras, un hombre barbado, vestido a la antigua, salió a su encuentro y le preguntó su nombre. «David», le dijo. Lo perdió de vista, y siguió cayendo. Volvió a encontrarse a aquel hombre, que había descendido a su zaga. Le miró con sus extenuados ojos, hundidos sobre la barba poblada, y le preguntó dónde se encontraban.

—Arriba de este pozo está la Plaza Mayor de Antigua, la fuente que se halla en el centro de sus edificios —le contestó David, con extraña familiaridad.

Y siguió cayendo. El agujero se iba estrechando en embudo, convergiendo hacia un confuso fondo donde cabrilleaban reflejos metálicos con el chapotear del azogue. Las paredes —ásperas, sin desbastar— se curvaban hacia dentro amenazando con despellejarle. Él se encogía, intentando salvar la piel, a medida que se aproximaba el brutal impacto. Cerraba los ojos, se hacía un ovillo, sentía que se acercaba el momento. Milagrosamente, lograba pasar y, tras la estrechez, cedía el agobio. Todo parecía volverse más blando y tibio. Esta primera sensación de levedad no tardaba en convertirse en aprensión al advertir el tacto, húmedo y viscoso como la baba del caracol. Cuando intentaba agarrarse para frenar la caída, resbalaba, resbalaba, y seguía resbalando hasta que el fondo se desintegraba en espesas gotas que se disolvían como una charca de mercurio agitada por la caída de una piedra.

Algo horadaba esas imágenes, un zumbido lejano que parecía proceder de lo alto. El rumor fue en aumento, se hizo más insistente, sus párpados empezaron a vibrar inseguros. Sintió la boca pastosa, la lengua apelmazada. Empezó a percibir en torno suyo voces que se esforzaban en hablar quedamente. Poco a poco, sus sentidos se fueron abriendo a esas y otras sensaciones, hasta conseguir rehacer la percepción de sí mismo. Venciendo la pesadez de los párpados, abrió los ojos e intentó aflorar hasta la luz. Vio caras borrosas y, cuando consiguió enfocarlas, entendió que se hallaba en una cama. Estaba en un hospital, y ante él se alzaban John Bielefeld y Raquel Toledano.

—Bienvenido al mundo de los vivos —le sonrió la joven, aliviada.

—¿Cómo se encuentra nuestro héroe? Además de enfadado con el mundo, como siempre —añadió Bielefeld.

—Agua... Un poco de agua...

Mientras bebía, David Calderón se tentó los rasguños de la frente. Y empezó a recordar lo sucedido: la visita nocturna al palacio de la Casa de la Estanca, el callejón solitario bajo la lluvia, la puerta entornada, el perro estrangulado, la habitación a oscuras y el cuerpo ensangrentado de Gabriel Lazo. Después, aquel tipo siniestro y el coche todoterreno que trataba de embestirle, la enorme rueda que giraba salpicándole los ojos de barro, la farola que se le vino encima, los cristales que estallaban junto a su rostro...

—¿Dónde estoy? ¿Qué me ha pasado?

—Poca cosa —aseguró el comisario—. Mucha sangre, algún coscorrón, pero nada importante. ¿Le duele?

—Las heridas, no. Me duele la cabeza. ¿No tendrán un calmante?

Raquel le acercó una bandeja con comida.

—Empiece por estos calmantes. Luego le traeré una aspirina.

Al incorporarse en la cama, se dio cuenta de los electrodos que tenía sujetos al cuero cabelludo.

—¿Qué es esto? —preguntó.

—Se los ha puesto el doctor Vergara.

—¿Y aquel hombre flaco, vestido de negro? —preguntó a la joven, mientras ésta le sujetaba la servilleta.

—Huyó en el coche. En cuanto me oyeron gritar, empezó a llegar gente, y se asustaron. Creo que dejarán para otro día lo de terminar de aplastarle la cabeza. Una lástima, porque a lo mejor conseguían meter en ella algo de sensatez.

—¿Por qué no nos dijo que iba a ver a Gabriel Lazo? —le reprochó Bielefeld—. Si no llega a ser por Raquel, que le siguió, ahora no lo contaría.

—Sabía que me ocultaba algo —añadió la joven.

—No podía decirles nada. La vez anterior en que le visité, Lazo me insistió mucho en que fuera solo, y si les hubiese visto a ustedes, habría desconfiado. ¿Está muerto, verdad?

—Acabaron con él a golpes —confirmó el comisario—. Seguramente intentaron hacerle hablar.

—¿Le mató ese hombre chupado, vestido de negro?

—Él era uno de los que vi salir de la casa —aseguró Raquel.

—Pero no creo que fuese él —terció Bielefeld—. Ese hombre es un científico. Se llama Daniel Kahrnesky, alias *El Topo*. Acabo de recibir este informe.

Le enseñó una fotografía.

—O sea que contábamos con su ficha —dijo David—. ¿Por qué razón a mí me daba negativo en las consultas que hice a la Agencia?

—Porque es un «C-12». Los que tienen ese código están protegidos.

—Lo cual quiere decir que trabaja para ellos.

—Depende lo que entienda por «ellos». Desde luego, ha colaborado con la Agencia de Seguridad Nacional.

—¡Ese maldito Minspert! Él me aseguró que no había nada.

—Kahrnesky también ha trabajado lo suyo con Israel.

—¿Con el Mossad?

—No. Es un colaborador del LAKAM, la Oficina de Enlace Científico del Ministerio de Defensa de Israel.

—¿Por eso lo llaman El Topo, porque es un enlace? ¿O por su aspecto?

—Cualquiera de esas razones valdría. Pero no, lo llaman así por el nombre del programa en el que trabaja: Túneles de la Mente.

—¿Qué diablos es eso?

—Ahora se lo explicará el doctor Vergara, que es quien ha estudiado esa parte del informe. Yo lo único que puedo decirle es que lo llevan muy en secreto. Kahrnesky es un intermediario, un coordinador científico. No creo que sea un matón. Recurren a él cuando hay cuestiones delicadas en las negociaciones políticas, o temas así. Es lo que en su jerga llaman «toma de decisiones en escenarios de incertidumbre».

—Escenarios en los que Kahrnesky desempeñará un papel esencial. ¿Me equivoco?

—Ha estado presente en todo el proceso preparatorio de la conferencia de paz. Dispone de muchos recursos y un equipo en el que hay un poco de todo: médicos, psicólogos, lingüistas, sociólogos, informáticos... Su especialidad son los estados alterados de conciencia. Eso es lo que le permite llegar más lejos que cualquier otro. Y lo que le hace tan peligroso si detrás de él hay alguien sin escrúpulos.

—Y por eso le encargaron que recuperara una información que andaba extraviada en el cerebro de mi padre.

—¿Qué clase de información? —preguntó el comisario.

—Quizá la misma que ahora tratan de averiguar sobre mi madre —añadió Raquel.

—Tiene que ser algo muy importante para ellos, a juzgar por cómo se han quitado del medio a dos testigos incómodos —afirmó Bielefeld.

—Tres —matizó David—. También han eliminado a Jonathan Lee, que estuvo con mi padre en la Agencia y en su hospital.

—Si han acabado con un ciudadano americano, eso quiere decir que no se van a detener ante nada... En fin, descanse un poco antes de que venga el doctor Vergara.

—¿Quiere algo más, señor Calderón? —le preguntó Raquel Toledano.

—Sí. Que no me llame «señor Calderón». Creo que va siendo hora de que nos tuteemos.

—No sé si sabré —rió ella—. Ya le había cogido gusto a lo de «señor Calderón por aquí, señor Calderón por allá...». Me sentía como en una de esas viejas comedias inglesas.

—Raquel...

—¿Qué sucede?

—No sé cómo decirlo...

—Pruebe a ser amable, para variar.

—Sólo quería darte las gracias. De no ser por ti me habrían aplastado la cabeza.

—Y Antigua habría quedado sepultada bajo una inundación de serrín... Descansa un poco.

* * *

—John Bielefeld y Raquel Toledano acaban de salir del cuarto —informó el agente apartándose del visor telescópico del fusil—. Pero no consigo tener a tiro a ese maldito criptógrafo.

—Déjame ver... —le ordenó James Minspert—. ¿Cómo vas a darle a David Calderón, si tenemos en medio un árbol que tapa esa parte de la habitación? ¿Gutiérrez no ha sido capaz de conseguir algo mejor que este cuchitril?

—Es lo único que había libre, frente al hospital.

—Pues habrá que probar otros métodos —dijo devolviéndole el arma.

—Es imposible llegar hasta él. Han puesto vigilancia en todos los accesos y las enfermeras y personal auxiliar están controladísimos.

—Entonces hay que cortar ese árbol.

—Estamos en ello, señor. Pero tienen que hacerlo las brigadas municipales, para no despertar sospechas.

—Démosles un buen pretexto.

—Ya lo hemos hecho. Mañana estará completamente seco.

Aquel hombre chupado, Daniel Kahrnesky, que había estado rezongando todo el rato, estalló al fin, para decir:

—¡Mañana será tarde! En manos de ese neurólogo, habrán averiguado demasiadas cosas. Hay que hacerlo ahora.

* * *

Cuando Raquel y Bielefeld regresaron a la habitación de David, venían acompañados por el doctor Vergara y Víctor Tavera.

—¿Qué tal se encuentra? —le saludó el médico.

—Tengo la cabeza como una batidora.

—No me extraña, a juzgar por lo que ha quedado registrado aquí —y le mostró uno de sus gráficos, que David reconoció de inmediato. Su forma circular, el laberinto que recordaba las circunvoluciones cerebrales... Inconfundible.

—¿Cómo lo ha dibujado?

—No, yo no. Ha sido usted. Yo lo único que he hecho ha sido utilizar algunos programas informáticos para amplificar y procesar lo que sucedía dentro de su cabeza, y poder visualizar todo el proceso. Pura cartografía cerebral.

—Busque en mi ropa, por favor. Y tráigame unos papeles que llevaba en el bolsillo del chubasquero.

El neurólogo rebuscó en el impermeable y le entregó los sobados pliegos. David los hojeó, entregándole uno de ellos.

—Mire esto. Me lo prestó Gabriel Lazo, pero es de mi padre. Fue lo último que hizo.

El doctor Vergara lo puso junto a su gráfico cerebral, observó ambos dibujos en silencio, se los pasó a sus acompañantes y miró intrigado a David, antes de decirle:

—Creo que su mente está buscando lo mismo que la de su padre, a juzgar por los electroencefalogramas que le hemos hecho durante *eso* que ha tenido. Que no sé si llamar sueño, o cómo llamarlo. Mientras su cerebro generaba esas imágenes a través de los electrodos, usted habló, o farfulló, o algo así. Y lo hizo de una forma muy parecida a la señorita Toledano. Y a su madre. Y al Papa, y al delegado israelí. ¿No es verdad?

La pregunta iba dirigida a Víctor Tavera, que se encontraba a su lado. El ruidero asintió, extrañado:

—¿Qué sucede aquí? Llevo años grabando en esta ciudad sin que nadie me haga ningún caso. Y, de pronto, todo el mundo parece interesarse por mi trabajo.

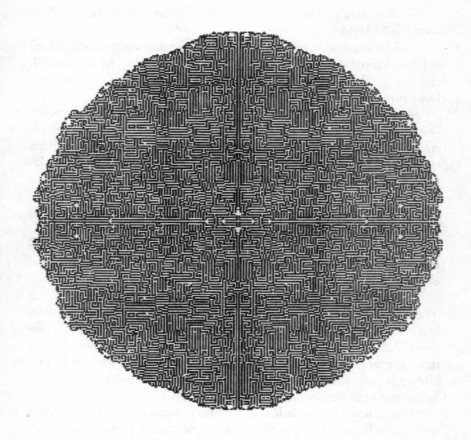

—¿Quién más lo ha hecho? —se alarmó David.

—Ese tal Kahrnesky, por ejemplo...

—¿Usted también lo conoce?

—Yo le enseñé la fotografía —aclaró Bielefeld.

—Ese tipo vino a verme al estudio, al sótano donde estuvieron ustedes el otro día —continuó el ruidero—. Con dos matones. Empezaron a registrarlo todo. Me amenazaron. Pero en ese momento llegó mi hijo Enrique y anunció que el comisario estaba aparcando el coche y se disponía a entrar. Entonces abandonaron el lugar a toda prisa.

—Suponemos que buscaban las grabaciones de la Plaza Mayor, y quizá también las de Sara —sugirió Bielefeld.

—Pero ésas ya las tienen ellos, ¿no? Quiero decir, las del Papa —precisó David.

—El comisario se refiere a las grabaciones que vengo haciendo en la Plaza Mayor desde hace años. Y a las de Sara aquí, en el hospital, cuando me llamó el doctor Vergara para que registrara sus farfullos. Los primeros síntomas.

—Le he insistido a Víctor en lo delicado de nuestra situación —añadió Bielefeld—. Si pudiéramos comparar esas primeras grabaciones de Sara aquí y las que se oyeron durante el discurso del Papa en la Plaza Mayor, probaríamos que es ella quien habla, y nos dejarían entrar ahí abajo, por ese maldito agujero. Es que, si no, nadie nos va a creer...

—Supongo que lo del Papa ya lo habrán analizado otros con más medios que yo —se interesó Tavera.

—Desde luego, pero quienes han examinado esta cinta en mi país no tienen ni idea de lo que significa esa plaza. Usted sí —le aclaró el comisario.

—Fue Sara quien me advirtió —dijo Víctor—. Ella fue la única que se dio cuenta de que la Plaza Mayor tiene un ruido de fondo regular y modulado, casi imperceptible, porque es de muy baja frecuencia. Y porque, además, se extiende por toda la ciudad, de manera que uno se acostumbra a él y cuesta localizarlo. Sin embargo, sale de la plaza. Sara pensaba que la gente no lo escucha, pero lo oye. Sobre todo cuando están durmiendo.

David recordó lo que le había dicho el informático de la Sección de Señales Especiales de la Agencia: «Aquí hay un patrón fijo, algún tipo de lenguaje». De manera que preguntó a Tavera:

—¿Se le ocurre alguna explicación?

—Si yo fuera más crédulo, le hablaría de psicofonías. Son repliegues de energía sonora. En circunstancias normales, se dispersa sin dejar ningún registro. Pero cuando una gran masa de gente está sintonizada en la misma onda, la sobrecarga de energía psíquica hace que se concentre en lugares especiales, que actúan como condensadores. Dicen que la Plaza Mayor es uno de ellos.

—¿Las grabaciones que usted ha oído coinciden? Me refiero a las de Sara y Raquel Toledano en esta Unidad de Sueño, la del discurso del Papa y la del delegado israelí en la conferencia de prensa.

—Punto por punto. La única diferencia es que la del Papa y la conferencia de prensa se oyen a través de unos resonadores. Quizá los tubos acústicos que comunican la plaza con los subterráneos. La señorita Toledano ha reconocido su propia voz en la grabación, aunque no tiene ni idea de lo que dice. ¿Quiere oír la de usted?

—Por favor.

—Preste atención —le pidió Tavera pulsando el arranque de la grabadora, de la que no tardó en salir una secuencia de sonidos que ya empezaba a resultarle familiar:

—*Et em en an ki sa na bu apla usur na bu ku dur ri us ur sar ba bi li.*

Tras ese balbuceante comienzo, no tardaba en alcanzar un estado más reposado, menos abrupto:

—*Ar ia ari ar isa ve na a mir ia i sa, ve na a mir ia a sar ia.*

—¿En qué lengua estoy hablando? —se preguntó David.

—Yo diría que no está hablando —precisó Tavera—. Es más bien una letanía, como si estuviera recitando o cantando.

En efecto, las sílabas, antes más dispersas, se habían agrupado de una forma rítmica:

—*Aria ariari isa, vena amiria asaria.*

—¿Cree que estoy cantando?

—Algo así —intervino el doctor Vergara—. Desde luego, es un nivel más profundo de su actividad cerebral. La música se cuenta entre lo último que queda de una persona cuando otros sistemas de comunicación se han deteriorado o bloqueado. Fíjese si será profundo ese nivel que hay quien piensa que los patrones musicales están basados directamente en los del ADN del genoma.

La cantinela que salía del altavoz repetía una y otra vez, de forma clara, alta y perfectamente vocalizada, y a un ritmo monocorde:

—*Aria ariari isa, vena amiria asaria.*

—Hay una posibilidad: glosolalia —dijo Tavera. Y, sintiendo que invadía competencias ajenas, consultó a Vergara con los ojos, en busca de su aprobación. El médico le indicó que continuara.

—¿Glosolalia? —trató de confirmar David.

—Sí. Lo que se llama comúnmente «don de lenguas». Cuando alguien arranca a hablar en una lengua que ni siquiera conoce. O que creía no conocer. Me han llamado para hacer grabaciones alguna vez. He oído a gente totalmente iletrada entrar en trance y hablar o cantar durante horas en versos perfectamente medidos y ritmados, de una manera rápida, regular, perfectamente uniforme, de un modo que era imposible que fuese premeditado. No había truco.

—Las mujeres son más propensas —refrendó el doctor Vergara—. Y cuando entran en trance se bambolean y bailan girando en el sentido de las agujas del reloj, lo que indica que el impulso motor procede del hemisferio derecho.

—Como en la Plaza Mayor —dijo Raquel.

—Algunas de las grabaciones están hechas allí —la informó Tavera.

—No me refería sólo a eso —continuó la joven—. Cuando usted hablaba del giro en el sentido del reloj, me acordaba de la rotación de las mujeres en la plaza, enfrentadas a los hombres, que dan la vuelta en sentido contrario.

—Yo siempre he creído que tenía algo de baile —aseguró el doctor Vergara—, una de esas contradanzas en las que los chicos y las chicas giran en distinta dirección llevando de la mano unas cintas, que se van trenzando en torno a un tronco puesto en el centro. La danza de la vida, como si dijéramos: el ADN abriendo y cerrando sus cremalleras para hacer copias y reproducirse.

—La glosolalia también suele tener esa dimensión colectiva —dijo Tavera—. Es un fenómeno que se produce en momentos dramáticos o muy intensos, o en oficios religiosos bajo la dirección de un líder carismático que llega a crear un ambiente rítmico determinado. Lo del ritmo es clave.

—¿Lo dice por las pautas que marcaba la voz de mi madre y ese ruido de fondo de la grabación? —intervino Raquel.

—Me refiero en general. Sea cual sea la lengua que hable habitualmente quien entra en trance, y sea cual sea la lengua o sonidos que emita, siempre tienen la misma secuencia rítmica, la misma alternancia regular de sílabas tónicas y átonas. ¿Sabe a qué me recuerda ese ritmo? A este otro: «*Menim aeide thea Peleiadeo Achilleos*».

—Eso es griego, ¿no? —preguntó David.

—Es el primer verso de *La Ilíada* —confirmó Tavera—. La idea no es mía. Es de Sara. Me comentó que ella había trabajado con Julian Jaynes, un investigador de la conciencia. Y éste creía que, a diferencia de *La Odisea*, en *La Ilíada* los personajes todavía no son plenamente conscientes, actúan siguiendo las voces de los dioses que oyen dentro de su cabeza. Por eso comienza así *La Ilíada*, porque es una invocación a la musa: «*Canta, diosa, la cólera de Aquiles*». El rapsoda se ofrece como médium para que a través de él hablen los dioses, y lo hace llevando el ritmo con un bastón, para inducir la inspiración. Se ha dicho que la poesía es la voz de los dioses. O quizá llamemos así a las voces de más atrás o de más adentro, de la parte oculta de nuestro cerebro.

—¿Los Túneles de la Mente?

Víctor Tavera se encogió de hombros, inhibiéndose:

—Ahí ya entra el doctor Vergara.

—Yo no creo en eso del don de lenguas, ni en espíritus santos ni las voces de los dioses —dijo el médico, con escepticismo—. Lo que supongo es que al entrar en trance, el menor control cortical y la pérdida de la conciencia provoca descargas rítmicas procedentes de las estructuras más antiguas del cerebro. Las innatas. Las que ya vienen conectadas de fábrica. Todos las tenemos, y usted también. ¿Se siente con fuerzas para hacer unas pruebas?

—Desde luego.

—Se lo pregunto porque éste es el momento ideal, antes de que transcurra mucho tiempo. Pero si se siente mal o está cansado, dígamelo, y lo aplazamos. Me gustaría tenerle aquí al menos otro día para hacerle mañana un escáner cerebral en condiciones. Pero entre tanto podemos empezar con algo más sencillo.

—Por mí adelante. Ahora mismo.

—Muy bien. —Y dirigiéndose a los tres visitantes añadió—: En ese caso, vayan ustedes a la sala de espera, porque voy a llevarme a nuestro paciente aquí al lado.

* * *

—Señor, vea esto, se lo están llevando a otro lugar.

James Minspert se acercó a los prismáticos y examinó la ventana del hospital.

—Pues sí. Coge el rifle y síguelo a través de la mira telescópica —ordenó al agente.

El tirador enfiló el arma y vio aparecer la camilla en el corredor, entre un hueco de la copa del árbol que se interponía en su campo visual. Movió el rifle sobre la rótula del trípode y fue siguiendo el recorrido de la cama a través de una ventana del hospital, y otra más, hasta que nada se interpuso entre el cañón y la cabeza del criptógrafo, que destacaba sobre la almohada.

—Lo tengo a tiro —informó a Minspert.

—Demasiado al fondo, y siguen moviéndolo. Espera a ver si entra en una habitación y se queda quieto. No dispares hasta estar completamente seguro, porque si fallas ya no tendremos nada que hacer.

—¡Están entrando! —exclamó el sicario—. Se acercan a la ventana.

—Déjame ver —le pidió Minspert.

Y observó cómo, en efecto, la cabeza de David Calderón quedaba perfectamente centrada en el punto de mira. Se retiró del arma y ordenó a su agente:

—¡Prepárate!

El tirador recuperó su puesto. Se colocó una banda de algodón en la frente, para cortar las gotas de sudor, acercó el ojo a la mira telescópica, apoyó el dedo en el gatillo, respiró hondo y se dispuso a disparar.

* * *

El doctor Vergara fue hasta la ventana y se interpuso entre ella y David. Desde allí, le fue explicando uno por uno los pasos que se disponían a dar y, cuando se hubo asegurado de que su paciente los había entendido, encendió una pequeña lámpara auxiliar, bajó las persianas, y se sentó junto a él. Al quedarse a oscuras, el criptógrafo empezó a percibir la luminosidad de dos paneles verticales de plástico frente a sus ojos, a uno y otro lado de su eje visual.

—Fíjese bien en las imágenes que va a ver —le anunció el neurólogo.

Se escuchó el chasquido de un conmutador y dos rostros humanos aparecieron ante David, uno en el panel de la izquierda y otro en el de la derecha.

—¿Le parecen iguales? —preguntó Vergara.

Los miró con detenimiento. En realidad, más que rostros humanos parecían dos vaciados o máscaras.

—Pues... sí —dudó David—. Quizá la luz sea un poco distinta.

—Pero, por lo demás, usted aseguraría que estas caras son idénticas.

—Creo que sí.

—Muy bien. Preste atención ahora. No las pierda de vista.

Los dos paneles de plástico sobre los que parecían sustentarse las imágenes empezaron a girar lentamente. Lo hacían como dos puertas que se abrieran, pero en sentido opuesto, de tal modo que los dos rostros situados en ellos giraron también: el de la izquierda hacia la izquierda, y el de la derecha hacia la derecha.

El criptógrafo siguió aquellos movimientos con total concentración. Y, de repente, sucedió algo tan extraño que no alcanzó a comprender lo que estaba pasando. Mientras la cara de la izquierda seguía su rotación, siempre en el mismo sentido, la de la derecha se bloqueaba, parecía desplomarse súbitamente y cambiaba su dirección de giro, produciéndole una indescriptible sensación de vértigo y desasosiego. Algo así como un cortocircuito dentro de su cabeza.

—¿Qué me está pasando? —preguntó David.

—Digamos que ha entrado usted en uno de sus Túneles de la Mente. O, más bien, que ha caído en él —contestó el médico—. Nada grave, tranquilícese. Se lo iré explicando mientras continuamos con las otras pruebas.

—¿Es normal lo que ha sucedido?

—Perfectamente normal. Se ha activado un dispositivo que hay en su cerebro, un programa especializado en leer el rostro. Haces de neuronas sincronizadas, que entran en funcionamiento cuando en su campo visual se presenta una cara. Entonces, ese programa se pone en marcha de forma automática y se combina con otros dos reflejos innatos: el primero es considerar que un rostro es convexo y se proyecta siempre hacia adelante, hacia nosotros, y el segundo es dar por supuesto que está iluminado desde arriba, como si le diera el sol desde lo alto.

—¿Y eso por qué?

—Resultado de la evolución. Son las condiciones en las que nuestros antepasados, los primates, tenían que reconocer los rostros de sus semejantes y procesar la información a toda velocidad, para saber, por su actitud, si eran amigos o enemigos. De ello dependió la supervivencia durante miles y miles de años. De manera que se creó un circuito autónomo y automático. La prueba que le acabo de hacer está diseñada teniendo en cuenta esa inercia del cerebro. La cara de la izquierda es convexa y está iluminada desde arriba. Sin embargo, en la cara de la derecha esos dos parámetros se han invertido: es cóncava y está iluminada desde abajo. Lo uno compensa lo otro, y el ojo, por simetría, la percibe igual que la otra. Al menos, mientras está quieta. Cuando los paneles empiezan a girar, en un principio el cerebro mantiene el error. Pero, al continuar la rotación, se rompe la simetría, es imposible seguir con el engaño, y en un momento determinado se produce el desplome, ese vértigo que tanto le ha inquietado.

—Entiendo. Y si ahora que lo sé repitiera el experimento, caería en la cuenta desde el principio.

—Se equivoca. Volvería a experimentar lo mismo, porque ni la memoria ni la conciencia pueden forzar al ojo a ver de otra manera, ni desactivar esas neuronas que han construido un atajo que escapa a su control. Eso es un Túnel de la Mente. Puro bricolaje del cerebro, que es una chapuza que ha ido creciendo como ha podido, como estas viejas ciudades que se edifican sobre las ruinas de las anteriores. Sin embargo, al final sucede lo que con esas operaciones de asfaltado en que se dejan debajo los adoquines, las cañerías y las alcantarillas en desuso: no sirven para nada, pero ahí están, y de vez en cuando alguien las utiliza para atracar un banco.

—Pero esto es un experimento de laboratorio y nosotros andamos detrás de algo que parece suceder en todo tipo de circunstancias.

—Y esto también. Buscaré un ejemplo más de diario. Cuando a usted se le pone «carne de gallina» porque tiene frío o se asusta, está activando unos circuitos que a nuestros antepasados, que eran muy peludos, les servían para poner los pelos de punta, con lo cual aumentaba su aislamiento térmico y su tamaño, como un gato cuando se eriza ante un enemigo. Hoy, eso no nos sirve de nada, porque apenas tenemos vello en la mayor parte del cuerpo. Y, sin embargo, hasta el hombre o mujer más lampiños tienen el mecanismo cerebral y las conexiones neuronales que provocan ese fenómeno.

—Me está poniendo ejemplos de reacciones físicas. ¿Eso vale también para las mentales?

—En el caso de los humanos, son las más graves. A veces gravísimas, porque no son tan visibles y, sin embargo, afectan a la toma de decisiones. Es algo que le pasa a todo el mundo: estadistas, generales, jueces, científicos, economistas, pilotos de aviación, conductores de autobuses, cirujanos, cocineros, criptógrafos, comisarios de policía... Y en todas las circunstancias. Incluso cuando actuamos con la mejor buena fe y en plena forma física y mental. Incluso cuando nos movemos en nuestro terreno.

—Bueno, pero eso es lo que se ha llamado toda la vida el subconsciente, ¿no?

—En absoluto. Son mecanismos objetivos. No son racionales, pero tampoco caprichosos ni arbitrarios: empujan siempre y a todos los humanos en la misma dirección. En la misma dirección errónea, habría que aclarar. Son independientes de la inteligencia y de la cultura del sujeto, y no debe confundirlos con la deficiencia de información, ni con los simples errores de juicio, la falta de atención, el cansancio, los desequilibrios emocionales... Se dan incluso cuando estamos relajados, atentos, bien dispuestos, sin nada que ganar o que perder.

—Algo tendrán que ver los prejuicios o intereses de cada cual...

—Todo eso contribuye a amplificar sus efectos, pero no son la causa. Los Túneles de la Mente pertenecen a otro orden. Son una herencia en la evolución de la especie humana. Seguramente salvaron a nuestros antepasados remotos de las fieras y de otros peligros durante miles de años, cuando vivían en los árboles o cazaban en las sabanas africanas. Pero ahora distorsionan nuestra percepción de la realidad.

David Calderón se quedó pensativo un largo rato y dijo, al fin:

—Una última pregunta. Si todo el mundo tiene Túneles de la Mente, quiere decir que son de validez universal.

—En efecto —confirmó el neurólogo.

—Y si son específicos y actúan en situaciones concretas, supongo que se pueden explorar, estudiar y clasificar.

—Igual que un plano del metro. Requiere mucho equipamiento, tiempo y dinero, pero como poderse, se puede.

—Gracias, doctor —concluyó David—. Ahora es cuando me hago cargo del peligro que representa ese tipo chupado, el tal Kahrnesky. Porque a él no le faltará nada de todo eso para investigarlos.

* * *

—Es lo que me temía —dijo Kahrnesky señalando la ventana del hospital, que seguía con la persiana bajada.

—¿Qué coño están haciendo ahí adentro? —preguntó James Minspert.

—Estarán examinando a Calderón —contestó El Topo. Y, viendo su rostro en aquel momento, era difícil imaginar un apodo mejor para él.

—¿Habrán descubierto algo?

—No lo sé. En esa sección de Neurofisiología tienen profesionales bastante puestos, y un equipamiento aceptable.

—O sea, que estamos jodidos —bufó Minspert—. ¡Escuchadme todos! Quiero tener a Calderón a tiro ya. Mañana ese árbol tiene que estar cortado. ¿Queda claro?

* * *

John Bielefeld y Raquel Toledano acababan de oír las explicaciones del doctor Vergara, y era patente su preocupación. David Calderón intentó quitar hierro al asunto, al pedirles:

—No me miren así, que ustedes también tienen túneles de éstos, y a saber en qué estado.

Pero Raquel no parecía bromear cuando tomó la palabra, para expresar sus dudas al neurólogo:

—Lo que no acabo de ver es la conexión entre esos farfullos que nos ha grabado Víctor Tavera a mi madre, a David y a mí y las imágenes que ha obtenido usted en paralelo, esa especie de radiografía del cerebro. Y todavía entiendo menos que Pedro Calderón llegara a ellas trazando cuadrículas en papel milimetrado. Que, para colmo, coinciden con un viejo pergamino y unos planos antiguos... Todo esto es demasiado increíble y disparatado.

David intervino para recordarle:

—A no ser que esos Túneles de la Mente de Kahrnesky tengan relación con el Programa AC-110, que por algo se llamaba Programa Babel, porque se trata de un traductor universal. Eso significaría que el laberinto del pergamino, las imágenes que trataba de componer mi padre con esos papeles milimetrados y los farfullos contienen un mismo patrón de información, capaz de difundirse en cualquier medio, desde un cerebro hasta un ordenador.

—Pero, ¿qué patrón de información podría hacer eso? —objetó la joven.

—Cualquiera capaz de modular una corriente eléctrica con un lenguaje binario. ¿Existe eso en el cerebro, doctor Vergara? —preguntó el criptógrafo.

—Existe. Algunos lo llaman *mentalés,* el idioma de la mente. Las pautas de actividad eléctrica mediante las cuales el cerebro se comunica con todas las células, y con el exterior. Eso es lo que han recogido los aparatos con los que yo he explorado el interior de sus cabezas y, amplificado a través del ordenador, se ha convertido en sonidos e imágenes. En el fondo no son sino patrones de información.

—¿Y cómo explica que Sara y Raquel, mi padre y yo los compartamos?

—Lo de Raquel y Sara podría ser genético. Después de todo, son madre e hija —argumentó el doctor Vergara—. Y lo de usted y su padre, también. Pero entre ustedes... —dijo señalando a los dos jóvenes—. ¿Hay algo especial, alguna relación...? No sé cómo decirlo...

Se hizo el silencio. Un silencio incómodo, que rompió David:

—Espere, doctor. Quizá haya una respuesta a su pregunta. Sí que hay algo que nos une a los dos, a Raquel y a mí. En realidad, a los cuatro, si incluimos a su madre y a mi padre. Los cuatro hemos estudiado durante mucho tiempo esos patrones, los del laberinto y los papeles milimetrados.

—¿Y eso qué tiene que ver?

—Si fuera criptógrafo lo entendería. Descifrar algo exige una tremenda concentración, que produce serios trastornos. Lo que estás estudiando te impregna totalmente, sueñas con ello, se te hunde hasta lo más profundo. Y aunque suene ridículo, creo que, de un modo inexplicable, algo se nos ha metido dentro del cerebro. Supongamos que ese laberinto es una clave, una llave que abre un pasadizo desconocido. Que está escrito en un lenguaje o en imágenes que activan unos Túneles de la Mente que habitualmente están cegados o infrautilizados. Y que producen un efecto poco habitual.

—Eso es ciencia ficción. Comprenderá que no puedo dar por buena semejante hipótesis.

—Porque no sabe a qué me refiero. Disculpe que le hable así, doctor, pero es que ese laberinto no es algo común. Esconde algún lenguaje extraño. No sé de qué tipo. Puede tener cientos o miles de años. No lo sabemos. No lo sabe nadie.

—¿Algo así como un virus en un ordenador?

—Usted mismo dijo que el cerebro está lleno de partes abandonadas, de viejos andamiajes. Pasadizos de mantenimiento, o de seguridad, donde están las instrucciones y los códigos, los programas secretos e inaccesibles a la conciencia. ¿Quién le dice que además del ADN no haya otros códigos intermedios para la construcción de un ser humano? ¿Cómo se explica, si no, que sea la única especie que ha evolucionado hasta tener conciencia, religiones y mitos, y un lenguaje articulado?

—Bueno. Hay quien considera que las palabras no sólo son una conquista adquirida por el cerebro, sino invasores o parásitos que crean sus circuitos y atienden a sus propios intereses. Hay quien ha hablado de *memes,* que son algo así como los genes de la memoria, que tienen su propio caldo de cultivo en la cultura humana, donde evolucionan en paralelo a la biología.

—O sea que, en cierto modo, el lenguaje es como un Túnel de la Mente. Muy especializado, claro.

—Pues, hombre, si quiere decirlo así...

—Y si hubiera una lengua universal habría un túnel universal, una llave maestra para el cerebro —concluyó David.

—A su manera, me está contando usted la historia de la Torre de Babel.

—Quizá ese laberinto guarda los secretos del lenguaje anterior a Babel. Quizá no sea algo físico y externo, hecho de ladrillos, sino que esté dentro, en algún lugar del cerebro, agazapado, esperando que alguien le abra la puerta.

Bielefeld aprovechó el silencio que siguió a estas palabras para recordar a los presentes:

—Mientras ustedes arreglan y averiguan el mundo, a mí me reclama la dura realidad. Tengo que irme a una excursión guiada por el inspector Gutiérrez, a ver cómo va lo del agujero de la Plaza Mayor, y si podemos entrar ahí o no.

—Y usted no está en un congreso de neurología, presentando una ponencia —añadió el doctor Vergara dirigiéndose al criptógrafo—. Tiene que descansar para que le podamos hacer mañana ese escáner en condiciones.

—Antes de marcharnos —prosiguió el comisario—, una cuestión de orden práctico: ¿cómo pudieron saber Pedro Calderón y Sara Toledano lo que ustedes acaban de averiguar?

—Buena pregunta —dijo David—. Quizá la respuesta esté en los CDs que nos iba a enviar Sara. Con todo este follón no había podido contarles que los recuperé y los he guardado en la caja de seguridad del hotel... Por cierto, ¿a qué día de la semana estamos?

—Miércoles —contestó Raquel.

—Mañana había quedado con la arqueóloga que trabajó con tu madre, Elvira Tabuenca.

—Iré yo. ¿Dónde es la cita?

—En la Facultad de Filosofía y Letras, a las once y media. Llámala antes, para confirmar.

Mientras se encaminaba hacia la puerta, Bielefeld se volvió hacia Raquel para preguntarle:

—¿Te dejo en el hotel?

—No, yo me quedo, dormiré en esa otra cama. —Y, ante la mirada de asombro del criptógrafo, añadió dirigiéndose a él—: Hay que amortizar eso que tienes ahí sobre los hombros. Eso no es una cabeza, es una mina. No sabemos lo que va a pasar esta noche en su interior. Y tú también te quedaste velándome a mí, ¿no?

—Está bien —aceptó el comisario, observando el sosiego en que quedaba aquel frente de batalla—. Pero ten cuidado. Hemos detectado mucho movimiento entre los sicarios de Minspert. Están tramando algo gordo. Mañana no quiero que vayas sola a la facultad. Pasaré a recogerte con el coche y te acompañaré a ver a esa arqueóloga.

* * *

—A propósito de esa arqueóloga, ¿qué pasa con ella? —preguntó James Minspert.

—Se está trabajando el tema, señor, pero hasta el momento no hemos descubierto nada entre sus papeles… Una pregunta a ese respecto: ¿qué hacemos con Raquel Toledano?

—Ya la he avisado que no se interponga, pero últimamente no contesta a mis llamadas. Espero que sepa lo que le conviene.

—¿Y si no lo sabe?

—Pues, en ese caso, si no eres parte de la solución es que formas parte del problema. La necesitamos para ver si esa arqueóloga le cuenta algo. Y después, no olvidéis que es una ciudadana americana, y periodista, y de una familia influyente. Con ella hay que afinar, debe parecer un accidente. Pero antes hay que acabar con Calderón. Es él quien supone una verdadera amenaza.

X

ETEMENANKI

E SE día, el penúltimo del plazo fijado, Artal de Mendoza y Raimundo Randa ni siquiera se miran. Es el cansancio, que hace mella en ambos.

El carcelero baja la vista por no dar a entender aquella debilidad que le destroza un cuerpo ya muy castigado por la edad y las fatigas, a sabiendas de la terrible vejez que le espera. Temido y rechazado por todos, querido de nadie, sumido en el frío y la soledad. Despreciado por un rey al que su simple presencia recuerda lo peor de sí mismo, la parte más inconfesable de su gobierno y la podredumbre que acompaña las razones de Estado.

El prisionero, porque empieza a temer que sus planes se tuerzan. Y le abruma aquel destino no querido, de múltiples disfraces y tretas, que le ha llevado a perseguir con renglones tan torcidos una vida en paz y a derechas que nunca acaba de llegar.

Por eso, cuando su hija Ruth se queda a solas con él, intenta animarle diciéndole:

—Padre, habrá una sorpresa en el tapiz.

—Mira, hija, que no estamos para esas alegrías. Acabemos de una vez. Esto dura ya demasiado, y todo ha de ir muy en su punto.

—Juan de Herrera me ha dado unos planos suyos de este edificio del Alcázar en que nos encontramos, cuando rehizo una escalera y los sótanos que la sustentaban, por los desplomes que había.

—¿Dices que hay desplomes? Otro peligro más que complicará nuestros planes.

—Rafael ya está preparándolo todo. Tiene los caballos. Hoy los llevará a herrar como acordamos.

—Espero que el herrero sea de la total confianza de tu marido.

—Rafael lo conoce bien. Guardará el secreto. Y un amigo nuestro ha revisado las postas y apalabrado las monturas de refresco.

—¿Terminarás el tapiz a tiempo?

—Estará terminado. Tranquilizaos... Seguid ahora con vuestro relato. Quiero saber de una vez a qué nos enfrentamos y también adónde os llevó aquella caravana que acababais de tomar en La Meca.

—Está bien… —se resigna Randa—. Como te dije, hacíamos de noche nuestro camino hacia Bagdad. Fue aquella una forma muy liviana de viajar por el desierto. Hube de acordarme hartas veces de sus ventajas cuando, antes de llegar al río Éufrates, abandoné la caravana para dirigirme hacia aquel pabellón de caza de Qasarra donde, según rezaba la *Crónica sarracena*, el califa Al Walid I había hecho trazar el laberinto en un mosaico, bajo su trono. Me acompañaban los cinco hombres apalabrados en La Meca por Sidi Bey.

Al cabo de algunas jornadas, en las que fuimos siguiendo un *wadi*, que es como llaman a los cauces secos de los ríos, me anunciaron que abandonaríamos esta senda más cómoda y segura, para internarnos en los arenales del desierto. En ellos —me dijeron—, escaseaba todo, excepto el sol.

Sobrellevamos bastante bien aquellas ásperas llanuras hasta que en las proximidades de una cisterna tuvimos que dar un rodeo, para esquivar a los salteadores que allí acechaban a los viajeros. No pudimos reponer el agua. Mis guías esperaban compensarlo con un pozo al que debíamos llegar al día siguiente, ya cerca de Qasarra. Su nombre, Faswat at Ajuz, que en árabe quiere decir «el coño de la bruja», no presagiaba nada bueno.

Avanzábamos por entre las dunas, cuando el suelo comenzó a vibrar con un estrépito ronco, que parecía surgir del entrechoque de millones de partículas. Creció luego, hasta convertirse en un rugido que asustaba a las caballerías. Y remató en una furiosa tormenta de arena que nos impedía el avance, nos laceraba los ojos, no nos dejaba respirar y amenazaba con sepultarnos vivos.

Logramos sobrevivir. Pero cuando salimos del refugio aparejado con nuestros animales y tiendas habíamos perdido todo rastro del pozo y de la ruta seguida. Tratamos de adivinar dónde quedaba Qasarra. Cabalgamos sobre pedregales torvos y resecos, de los que se desprendía un calor polvoriento que nos quemaba las gargantas al respirar. No se veía ni un árbol, ni una roca lo suficientemente alta como para ofrecer un poco de sombra. Un sol implacable caía sobre nuestras cabezas. El pedregal dio paso a una arena blanca, de la que brotaba un calor infernal. Apenas soplaba el viento, y cuando lo hacía era en corrientes súbitas y abrasadoras.

Avanzábamos lentamente. Ni nosotros ni nuestras caballerías habíamos bebido desde hacía tres jornadas. No nos quedaba una sola gota de agua, y pronto comenzamos a apreciar sus devastadores efectos. Las primeras en caer fueron las mulas de carga. Tuvimos que acudir en su ayuda, aliviándolas de todo lo que no fuera imprescindible. Lo que resultó extenuante y acabó por agotar las pocas fuerzas que nos quedaban.

Poco después del mediodía, uno de mis acompañantes cayó de su cabalgadura y rodó por una duna abajo, hasta quedar inmóvil, yerto como un cadáver. Nos detuvimos a socorrerle. Exprimimos sobre su boca nuestros odres, hasta que salieron algunas gotas de agua. Pero de poco valió auxilio tan parco. Yo mismo experimentaba una flojedad en mis miembros y una debilidad extrema, que hicieron muy penoso acomodar a nuestro compañero en su cabalgadura.

De habernos caído cualquiera de nosotros, habría resultado imposible volver a montar. Seguimos nuestra marcha a sálvese quien pueda. Incluso mi caballo, *Dekra,* el más fuerte y dotado de todos, empezó a temblar debajo de mí. Un silencio de muerte se adueñó del grupo. Finalmente, mi mirada se nubló y caí desfallecido por la fatiga y la sed.

Noté la piel completamente reseca, los ojos ensangrentados y heridos por la arena, la garganta como el cuero. La lengua y la boca, tumefactas y salitrosas, estaban cubiertas de una capa de sarro del grosor de una moneda. Llegué a tocar aquel sedimento con la mano y pasar la lengua por él, y era insípido y blando, como la cera de los panales. El cuerpo había caído en un profundo letargo que me impedía cualquier movimiento. Una pesadez, parálisis o congoja parecían ponerme un nudo que impedía a mi pecho respirar. Yo mismo me quedé sorprendido de que se escaparan de mis ojos algunas lágrimas gruesas, pues me parecía imposible que aún quedara en ellos alguna gota de humedad. Y lo achaqué al coraje de verme morir allí, tan sin sentido, en medio de aquel vacío, separado de mi mujer e hija.

Luchaba por no perder el conocimiento, cuando noté unos golpes secos. Lo tomé en principio por algún delirio mío, porque tenía los oídos obstruidos y el corazón me golpeaba en el pecho con violencia. Hice un esfuerzo e intenté concentrar la atención. Me parecieron reales, y cercanos. Sacando fuerzas de flaqueza alcé la cabeza. Con una mano despejé los lagrimones que me impedían la claridad de la visión. Y entonces vi la razón de aquel ruido.

Era mi caballo *Dekra*. Estaba de pie, y coceaba en la arena con su mano derecha. En medio de tan confuso estado, me extrañó su actitud. Pero vi que insistía en ella. Siguió coceando, y de un modo tan persistente que ya no me cupo ninguna duda de que estaba escarbando en la arena. Me pregunté para qué. El animal debió de advertir que yo estaba consciente, y relinchó para llamar mi atención.

Arrastrándome sobre mis codos, fui ganando terreno pulgada a pulgada, acercándome hasta el lugar donde excavaba el caballo. Vi que sobresalían de la arena unas manchas rojizas. Me costó darme cuenta de que se trataba de adelfas enterradas en la arena. Un arbusto de adelfas rosas, que revelan la presencia de agua subterránea. A medida que retiraba la arena reseca y polvorienta, ésta iba cediendo su paso a algunas capas más consistentes, con rastros de humedad. Aquel hermoso animal había olfateado un pozo.

Llamé a mis compañeros. Las mulas, que ya dábamos por perdidas, fueron viniendo, y de ese modo dispusimos de provisiones y herramientas con las que excavar. No tardamos en llegar al agua. Anocheció. Al día siguiente, tras muchas horas de sueño reparador, examiné el lugar y pude darme cuenta de cuán providencial había sido aquel hallazgo. *Dekra* no había encontrado un pozo cualquiera, sino el de Qasarra. Me habían informado de que en sus buenos tiempos aquel pabellón de caza contaba con baños y agua en abundancia, antes de que terminara, al cabo de los siglos, azotado y sepultado por las tormentas de arena.

Nos llevó muchos días despejarlo. Poco a poco, el edificio construido por Al Walid I fue emergiendo, como el esqueleto de un animal derrengado. El edificio principal estaba casi intacto y nuestros esfuerzos se centraron en llegar hasta la sala del trono, señalada por una cúpula. A medida que íbamos sacando la arena, descubrimos en las paredes pinturas en un razonable estado de conservación. Me quedé pasmado al observar entre ellas una imagen de don Rodrigo, el último rey godo.

Sentado ante ella, me vino a la memoria la razón de mi presencia allí, tan lejos de mi patria. Recordé la reunión en la Pieza de Consulta de El Escorial, donde Felipe II me había encomendado aquella misión. Y consideré cuán paradójico era que allá en el corazón de Castilla un soberano soñase con el Templo de Salomón, hasta el punto de estar levantando un edificio en su honor, mientras aquí, en los desiertos de Siria, un califa omeya había despachado sus asuntos siglos antes ensimismado en los tesoros y vergeles de la lejana España. Quizá llevaran razón Alcuzcuz y Fartax cuando aseguraban que en el Mediterráneo tanto daba el Oriente como el Occidente, pues las gentes eran tan comunes que sus destinos terminaban por comunicarse por encima o por debajo de cuanto oleaje se les interpusiera.

Animado por este descubrimiento de la pintura de don Rodrigo, no resultó difícil dar con el laberinto, que se hallaba a los pies del lugar reservado al califa. Era un mosaico de neto y rotundo dibujo, y sus trazos coincidían punto por punto con el pergamino. Me dejó desarmado comprobar lo lógico que resultaba ajustar los gajos, una vez que se conocía el orden preciso.

El resultado era un cuadrado, como ya había pronosticado Rubén Cansinos cuando le pregunté en Fez si recordaba su forma original, antes de ser cortado en doce fragmentos. Y dentro de él se distribuían aquellos trazos con estricto rigor geométrico, sin una sola curva, siguiendo siempre ángulos rectos. Ciertamente, parecía un plano, que jamás habría podido reconstruir sin tener delante el modelo de aquel mosaico.

Pero Abbas, el calígrafo de La Meca, había afirmado que también era escritura. De manera que lo examiné largo rato, con este propósito. Y aunque puse mi mejor voluntad, e intenté evocar a través de sus rasgos y líneas algunas letras arábigas, no conseguí entender qué clave o mensaje podía yacer allí. Sólo aquel Gabbeh tan mentado parecía ser capaz de entenderlo. Y para conocer su paradero debía llegarme hasta la cercana Kufa, a las orillas del Éufrates, y presentarme ante el calígrafo de su mezquita mayor, con la carta que su colega de La Meca me había escrito para él.

Mis guías me condujeron esta vez por sendas más descansadas y seguras, buscando los poblados y aduares. Hasta que un día llegamos al primer oasis de agua fresca, clara y dulce, tan distinta de la tibia, embarrada y salobre que habíamos tenido que sobrellevar. Era la primera avanzadilla del río. Tras un leve montículo, vislumbramos una extensa meseta, nos abrimos paso por entre las cabras que allí pastaban, y al llegar al borde, uno de mis acompañantes exclamó, alzando los brazos:

—¡Al Furat!

Que es como llaman al Éufrates. El valle apareció en toda su anchura y extensión, un estallido de verdes serpenteando en el cauce arcilloso. La sensación de humedad y vida reconfortaba el ánimo. No tardamos en llegar a Kufa, donde, antes de despedirse para seguir su camino a Bagdad, los guías me condujeron hasta la gran mezquita.

Una vez allí, pregunté por el calígrafo Yunán y le entregué la carta de presentación que llevaba conmigo. La leyó atentamente y me preguntó:

—¿Por qué razón deseáis ver a Gabbeh?

No quería arriesgarme a una negativa, de modo que le mostré el pergamino. Después de mí, era la primera persona que lo veía recompuesto en su estado original. Quedó sobrecogido. Lo examinó tomándose su tiempo, pasando la yema del dedo pulgar sobre los trazos que parecían grabados a fuego. Luego le dio la vuelta y rascó por detrás con la uña, para comprobar la textura. Se detuvo, inevitablemente, al llegar al que llevaba escrito por detrás ETEMENANKI. De nuevo pude notar el asombro en sus ojos.

—Ya veo —dijo—. Deberíais enviarle este pergamino.

Se lo arrebaté de las manos, asegurando, con firmeza:

—Unir todas sus piezas ha sido el trabajo de media vida. Desde que conseguí la primera no me he separado de ella ni un solo momento. Y menos aún pienso hacerlo ahora. Seré yo quien vaya a ver a Gabbeh.

—No sabéis lo que decís. ¿Estáis dispuesto a poneros fuera de la ley?

—Lo estoy —afirmé.

—En ese caso, yo mismo os acompañaré. Dudo que quiera recibiros. Pero eso ya es asunto vuestro...

Una vez más, me quedé admirado del fulminante efecto que parecía producir aquel documento en cuantos lo veían. De inmediato comenzó Yunán a hacer los preparativos para el viaje, y tan pronto hubo terminado, me pidió que le esperara:

—Cuanto menos os vean, mejor. Volveré enseguida.

Para cuando quise darme cuenta, ya estábamos cabalgando ribera abajo. Poco sabía yo de nuestro destino, excepto que nos dirigíamos hacia las marismas donde el río Éufrates se une con el Tigris, para formar las tierras de Mesopotamia. Yunán se condujo en todo momento con gran sigilo, comprobando que nadie nos seguía, hasta que hubimos perdido de vista la ciudad.

Al cabo de unas pocas jornadas, dejamos nuestros caballos al cuidado de una familia que parecía conocer bien, y me hizo subir a una embarcación de juncos trenzados y fondo plano. Era ligera, muy manejable. La llevaba mi acompañante con un solo remo, que utilizaba con habilidad para mantenerla en las mejores corrientes y esquivar los abundantes arrastres del cauce.

El valle era un borbotón de vida a causa de la primavera, que lo había tomado al asalto. A nuestra derecha quedaban las resecas muelas, que pronto cedían su lugar a la red de canales, con sus reumáticas norias de riego. Venían luego los palmerales, cobijando naranjos y limoneros, higueras y granados, donde cundía el canto aflautado del bulbul. Y ya más cerca, cuando la huerta feraz se descolgaba hasta los carrizos y cañaverales, el paciente picoteo de las grullas, y las golondrinas partiendo el agua.

Pero Yunán no parecía disfrutar de aquellas amenidades. Estaba el río en época de crecida, lo que convertía la navegación en algo muy peligroso. El cauce principal era rápido, lleno de remolinos y obstáculos donde se podía volcar fácilmente.

Pareció bajar la guardia cuando delante de nosotros aparecieron los impenetrables marjales plagados de vegetación que se extendían entre el Éufrates y el Tigris, el cogollo de Mesopotamia. Los canales eran tan angostos, y tanta la espesura, que me pregunté cómo lograba orientarse en aquel laberinto de zarzas, enredaderas y espadañas. Sin duda se guiaba por señales que para mí resultaban invisibles. Al bote le costaba avanzar por entre las aneas grises y las juncias, de hojas cortantes como cuchillos.

A partir de determinado momento noté que Yunán cuidaba de tener la daga siempre a mano. Se veían de tanto en tanto jabalíes hozando y manadas de perros salvajes, que nos perseguían largo rato, ladrando, por la orilla de los canales. Luego, el silencio empezó a ser más profundo, sólo roto por el chapoteo del remo y el romper del agua bajo la proa. Hasta que llegamos a un oscuro túnel de vegetación que transcurría entre la espesura. Era éste tan tupido que no parecía natural, y al pasar a través suyo nos encontramos en la más absoluta indefensión.

Tras él, salimos a un espacio abierto. Una laguna donde el agua se volvió de un azul limpísimo bajo el cielo despejado. Y tan grande que había viento y olas. No podía creer lo que estaba viendo. En el corazón del pantano, en medio de aquella vasta extensión de agua, se alzaba un poblado. Estaba escondido entre cañas tan altas como varios hombres, y protegido por una empalizada. En su interior, se apretaban unas cabañas alargadas hechas con troncos de palmeras, cañas y juncos.

—¿Son los fugitivos? —pregunté.

—Los que han sobrevivido a las persecuciones —me contestó Yunán.

Ante nuestra presencia, una bandada de ánades reales alzó el vuelo, graznando, hasta tomar altura. Sorteamos una manada de malhumorados búfalos de agua. Al acercarnos al poblado, se podía apreciar que el suelo sobre el que se asentaba estaba trenzado por una alfombra de espesa vegetación, compuesta por juncos, cerraja, menta, espigas de agua y adelfilla. Todo ello entremezclado con una densa capa de raíces, algas y ondulantes plantas acuáticas, entre las que afloraban las burbujas con un susurro. Algunas gallinas picoteaban entre las casas, y había otras subidas a los tejados.

El jeque del poblado nos atendió en el *mudhif,* que es como llaman a la sala de recepciones, construida con haces de cañas gigantes. El interior, en una acogedora penumbra, era tan espacioso que se tenía la impresión de estar dentro de una de nuestras catedrales. Yunán me había hecho saber que Gabbeh sólo se mantenía en contacto con aquel hombre. Y cuando le hice saber mis intenciones, el jeque utilizó la misma fórmula que ya le había oído al calígrafo:

—Podréis ir hasta allí. Pero dudo que os reciba.

—¿Dónde se encuentra?

—Nunca se sabe con seguridad. ¿Habéis visto nuestro poblado? Lo hemos asentado nosotros, pero es como una isla flotante. Algunas de estas se hallan a la deriva. Y Gabbeh vive en una de ellas, que va de aquí para allá.

Aún hubimos de parlamentar largo rato, mientras preparaban la comida, que hubimos de agradecer como muestra de hospitalidad. Tras ello, el jeque dio a Yunán una serie de indicaciones, que no alcancé a entender, y éste volvió a ponerse al remo. Nos despedimos del poblado y bordeamos su empalizada, hasta llegar a un puesto de guardia. Allí, habló con los vigías y éstos nos franquearon el paso.

Navegamos largo rato por un canal despojado de toda vegetación, tan angosto que pronto hubimos de echar pie a tierra. Yunán me indicó un sendero por el que caminamos hasta salir a un claro sembrado de costras negruzcas de sal. Iba yo a atravesarlo, cuando él lanzó un grito:

—¡Pisad sobre mis huellas! No os desviéis ni una pulgada.

—¿Son arenas movedizas? —pregunté.

—Mucho peor. Observad.

Tomó un grueso tronco y lo lanzó junto a mí. Rompió el madero la costra salitrosa, salpicando mis pies con una sustancia oleaginosa de color oscuro. Y se hundió de inmediato, engullido por ella.

—Estos pozos de alquitrán se han tragado búfalos enteros —explicó.

Pasado aquel peligro, se abrió ante nosotros un palmeral, abrazando un brazo del río. Allí, junto al agua, en una especie de isla, había una casa asentada sobre pilotes de madera. El silencio sólo era roto por la brisa en los cañaverales. Se respiraba una gran paz. Nos llegamos hasta la casa, y Yunán pareció buscar a alguien.

No tardó en aparecer un hombre. Tan pronto lo vio, mi acompañante se acercó a él, le saludó con gran respeto y señaló hacia mí. Vi que el recién llegado asentía con la cabeza. Era delgado, atezado por el sol, los rasgos regulares y nobles, la barba entrecana, muy aseado todo él, e iba vestido con una ligera túnica de lana blanca y un turbante del mismo color que le cubría la cabeza. Traía un manojo de cañas en la mano.

—¿Sois Gabbeh? —le pregunté.

Asintió, indicándome que le siguiera hasta el interior de la casa. Una vez allí, depositó las cañas en un rincón, donde había otras, y señaló un cojín en el que sentarme.

Le mostré el pergamino, y lo miró con deferencia, aunque sin sorpresa. Por primera vez me encontraba ante alguien que parecía conocerlo y, sin embargo, no se le alteraba la faz. Me dispuse a hablar, para explicarle el motivo de mi presencia, pero me retuvo con un gesto.

Tomó con delicadeza una flauta de caña, de las que llaman *ney*. Y sopló hasta obtener un sonido envolvente, que se ajustaba hasta tal punto al momento y lugar que no parecía posible imaginar otro. En sus notas afloraban a la vez el cañaveral, el viento que lo mecía y el pájaro que se mantenía en el cimbrear de los tallos, formando parte de un vasto lamento.

Todo esto lo hizo durante un largo rato, tan concentrado que no parecía hallarse junto a nosotros, sino en algún lugar lejano, en un tiempo remoto. Cesó al fin, en oleadas tenues, y abrió los ojos para decirme, como volviendo de ese otro lugar y tiempo:

—La flauta *ney* representa el soplo original del Creador, e intenta unirse a Él. Por eso canta el dolor de la separación del tallo del que se la ha cortado, como el alma sufre por la separación de su origen. Dice el poeta que todos hemos escuchado esta música en el Paraíso, y que algo de ella vuelve así a la memoria.

Me explicó entonces que la flauta *ney* tiene el poder de reabrir en nosotros una herida nunca cerrada, la cicatriz de un pasado en que estábamos unidos a las piedras, al agua, las plantas, las estrellas...

Describió un círculo, señalando la marisma que nos rodeaba:

—Se dice que aquí estuvo el Paraíso terrenal, donde Dios creó a Adán, de estas arcillas. A través de esta caña habéis escuchado la misma tierra, la misma agua, el mismo aire.

—Pero yo he venido a aprender caligrafía —objeté tímidamente, temiendo que cualquier actitud inapropiada por mi parte me costase la negativa de aquel hombre a inculcarme sus enseñanzas.

—También el cálamo del calígrafo se hace con estas cañas —observó él, de un modo pausado—. Primero tendréis que aprender a conocerlas. Su sonido tiene la capacidad de ir directamente al corazón de las cosas, como el calígrafo puede evocar con unos pocos trazos la esencia de un objeto o paisaje.

Y como barruntara en mí la prisa y la resistencia ante aquella tarea, prosiguió:

—La música no introduce en el corazón nada que no esté ya en él. Sólo despierta mundos que ni se sospechaban que existían, ecos de algún estado de vida anterior que frecuentó.

A aquellas alturas de mis angustias, no estaba yo muy conforme con tanta filosofía de charca y cañaveral. Antes bien, deseaba conocer cuanto antes el significado de los trazos del pergamino y regresar a España. Pero hube de someterme a estas y otras doctrinas, a las que me tuvo aplicado largo tiempo. Hasta que un buen día dijo:

—Creo que ya podemos pasar adelante.

Corrí a por el pergamino, lleno de contento. Por fin iba a conocer el lenguaje que se escondía en aquel laberinto. Sin embargo, él lo miró, me miró a mí y negó con la cabeza. Me mordí los labios, intentando contener la rabia. Él pareció ignorar mis sentimientos. Se levantó, entró en la casa, tomó un puñal, afilado y fino, bellamente decorado, y me ordenó:

—Dejad eso y venid conmigo.

Le seguí por los marjales. Llegamos a una zona de aguas limpias y tranquilas, donde la corriente se remansaba en torno a juncos y carrizos. Nos detuvimos junto a un grupo de cañas. El calígrafo las examinó, dictaminando:

—Son buenas para una techumbre, pero no para un cálamo. Este año no han espigado bien. —Y me mostró la flor—: Es errática, no dará un buen cálamo.

Seguimos andando. Para mi desesperación, fue desechando los tallos uno tras otro, a pesar de que yo los veía todos iguales. Hasta llegar a un seto donde el cañaveral empezaba a flor de agua para trepar por un ribazo. Se acercó allí y comprobó la cañazón. Eligió un tallo recto y fuerte, le dio un tajo seco, y con la yema del dedo pulgar examinó la textura del corte y el rezumar de la savia lechosa. Repitió esta operación varias veces, rechazó un par, y ató el resto con un junco, formando un manojo, que sujetó al cañaveral.

—Regresemos—me dijo.

—¿Las vais a dejar ahí? —le pregunté, sorprendido.

—Es ahí donde deben curarse. En el mismo lugar donde han crecido, recibiendo el mismo sol, la misma humedad, el mismo aire. Durante semanas, si es preciso, para que no pierdan de pronto su flexibilidad, agrietándose. —Y como observara mi escepticismo y contrariedad, añadió—: Os queda mucho que aprender para ser un buen calígrafo.

Volvimos otro día, pero no las encontró a su gusto. Y un segundo día, y tampoco las recogió, sino que las dejó. Yo empezaba a desesperarme. No era sólo que me ganara la nostalgia por veros a ti y a tu madre. Sino que tan dilatado viaje por fuerza había de poneros a ambas en peligro. Porque decaería aquella misión, volviéndola inútil y levantando fuertes sospechas sobre mi competencia y, lo que era peor, mi lealtad.

Había corrido peligros sin cuento para llegar hasta allí. Sin embargo, todos ellos habían dependido, de algún modo, de esfuerzos exteriores a mí. Pensaba, por ello, que no me aguardaría nada peor, después de haber sido galeote, surcado mares y desiertos, sorteado tormentas, escaramuzando espías, haciendo rostro a envenenadores y fanáticos. Pero me equivocaba. Aún tenía que vencer obstáculos internos que parecían insuperables. Y ahora, delante de aquel hombre —en cuyas manos estaba la clave de aquel laberinto y, con ella, mi destino—, me sentía impotente, casi prefería los peligros pasados.

Al menos, en aquéllos, todo transcurría más rápido, contando yo con alguna defensa y posibilidad de elección. Por el contrario, la dependencia de Gabbeh me dejaba inerme. Lo peor es que él captaba de inmediato mi estado de ánimo, y hasta llegué a pensar que cuanto más deprisa pretendía ir yo, más tascaba el freno. Tardé mucho en comprender que tampoco él podía hacer otra cosa, ni transmitir aquellos secretos al primero que dijera necesitarlos, sino siguiendo las mismas leyes a las que había tenido que sujetarse. En definitiva, que dependía tanto o más que yo de aquel pergamino capaz de dictar a todos sus propios designios.

De modo que hube de esperar a que encontrase aquellas cañas en su punto. Sólo entonces las recogió, separó, desbastó y pulió, eligiendo la que iba a dar los cálamos que servirían para mi aprendizaje. Y para probarme.

Sacó un estuche de cuero, lo desplegó, y aparecieron sus instrumentos, la cuchilla para cortarlas, unas tijeras y el puntero. Separó las hojas de las cañas, las desmochó y eligió el mejor tallo. Tras un largo examen, colocó la caña en la palma de la mano izquierda y la cortó de forma oblicua. Luego se concentró para hacer la hendidura central, explicando:

—No debe romper ninguna veta natural de la caña, sino que ha de ser paralela a sus paredes, ya que servirá para almacenar la tinta cuando se está escribiendo. Sólo si utiliza las propias paredes de la caña fluirá con armonía. Y ha de cortarse por el centro, de modo que las dos mitades sean iguales. De lo contrario, la mano se desequilibrará.

Una vez que hubo acabado, lo tomó en su mano derecha, espaciando bien a lo largo del asta los dedos corazón, índice y pulgar.

—Será un buen cálamo —aseguró satisfecho—. Debes protegerlo, para preservar su temple y que no se despunte.

A continuación, tomó una resma de papel, y la alisó con una piedra de ágata. Empuñó el puntero y, ayudándose de una regla de madera, fue trazando las guías, distribuyéndolas en renglones casi invisibles. Dividió la resma en dos partes y me entregó una de ellas, concluyendo:

—Ha llegado la hora de la verdad. Haced como yo.

Se sentó en su alfombra, sosteniendo el papel sobre una tabla que apoyó en las rodillas.

—Un buen calígrafo ha de ser entrenado desde muy joven, a ser posible desde la infancia. Pero intentaré al menos que conozcáis los rudimentos del oficio, para que podáis entender lo que encierra ese pergamino. Pues sin estas lecciones nunca lo entenderíais. Ni se pueden transmitir los secretos de ETEMENANKI a quien no haya superado estas pruebas.

Mojó la punta del cálamo en la tinta, tomando muy poca porción de ella.

—Haced lo mismo —me dijo, mientras mantenía el cálamo en alto—. Os preguntaréis por qué es tan importante la caña y su corte, y en especial el de la punta. Ésta es la razón.

Posó el cálamo sobre el papel, con extrema suavidad. El resultado fue un pequeño rombo, limpiamente dibujado, en forma de punta de diamante.

—Esto se llama *nuqta,* y condicionará toda la caligrafía que tracéis. Si vuestro *nuqta* está bien proporcionado, también lo estarán las letras a las que sirve de módulo. Es muy importante porque, una vez establecida la altura de un texto, debe respetarse a lo largo de él. Y las variaciones han de establecerse con extremo cuidado y mano muy experta. De lo contrario, nunca seréis un buen calígrafo.

Esperó a que yo entintara el cálamo y me dispusiera a trazar un *nuqta* para aleccionarme:

—Cuando la punta de la caña está bien cortada, bastará con una pequeña presión sobre el papel para obtener un buen *nuqta.* Si es mayor, el resultado será un borrón.

Así lo hice, y apareció aquel romboide preciso y nítido.

—Muy bien —aprobó—. Ésa es la anchura por la que debéis guiaros para el grosor del trazo. Ahora escribid encima de él otros seis.

Los dibujé con sumo cuidado, hasta obtener una línea discontinua de siete de aquellos rombos.

—Eso os dará la altura. Escribid la primera letra, el *alif,* de modo que se ajuste a ella.

Tracé un *alif* de aceptable compostura, que en esencia es un trazo vertical, no muy diferente de la *ele* del alfabeto latino.

—Se puede mejorar ese arranque y ese final, pero el pulso es bueno. Ahora, trazad un círculo, utilizando ese *alif* como diámetro.

Seguí sus instrucciones al pie de la letra.

—Esa circunferencia os servirá de referencia para la anchura. Usadla como guía para hacer la siguiente letra, la *ba.*

Y él mismo me dio ejemplo, trazando una elegantísima *ba.* Y de este modo prosiguió, hasta enseñarme todos los módulos. Cuando hubo terminado, se volvió hacia mí y me preguntó:

—¿Comprendéis ahora la importancia del corte de la caña?

Acepté con la cabeza. Delante de mí tenía la prueba palpable de cómo podía incorporarse a una caligrafía la vida de una caña, y hasta la de una marisma. Mi rostro se iluminó con una sonrisa. El corte de la punta daba el *nuqta,* y el *nuqta* daba la altura y anchura de las letras. Y con éstas se podía reescribir el mundo.

Era la satisfacción del que cree haber comprendido. Pero Gabbeh se encargó de borrarla de un plumazo.

—Las partes adquiridas con el esfuerzo, la artesanía y la técnica son importantes. Así como saber guardar los módulos y proporciones. Pero eso es lo que corresponde al cuerpo, el tributo al mundo material. Sólo es el principio. Sólo es geometría. Y aspiramos a ser calígrafos, no agrimensores.

—¿Qué es, pues, lo importante? —pregunté, confuso, ante esta andanada.

—Las cualidades que atañen al alma. La pureza de la escritura debe reflejar la del corazón que la guía. De ahí brotará vuestro estilo. Una sensación de libertad y ligereza sobrevolará el texto, y el que lo lea se contagiará de esa belleza.

—Y entonces será como un arte —corroboré.

—El arte es un grado superior, pero tampoco basta con eso —me reprendió—. El calígrafo es mucho más que un simple embellecedor. Cada rasgo del cálamo debe ser como un gesto de amor. No es lo mismo hacer el ojo de la letra *sad* de cualquier modo que pensando en el ojo de la amada. O al trazar la curva de la letra *nun,* si tomáis como modelo sus cejas cuando ella os acaba de ver a lo lejos, en el tumulto del mercado, y está planeando cómo acercarse a vos para que el encuentro parezca casual. Esas cejas no tendrán reposo, y habrá un momento en que celebren la felicidad del encuentro, con su mezcla de coqueteo y desafío. Tal será el instante elegido, esa fugaz epifanía. Pues esos ojos, esas cejas, no hacen sino reflejar la grandeza y amor de Dios. Y celebrarlos es como celebrarle a Él.

—Pero escribir así será tanto como pintar el mundo.

—No. Que eso sería idolatría. ¿Para qué reproducir lo que ya existe? ¿Para qué competir con los espejos o con el Creador? Los cristianos complementan sus escrituras con imágenes. Incluso osan pintar al mismo Dios. Nuestro desafío es representarlo todo con la línea, su ritmo y modulación, asumiendo la palabra creadora de la que todo procede. La escritura es una facultad que Dios ha otorgado sólo al hombre. Nuestro objeto no es la apariencia, sino el Alma del Mundo, como hacen los números con las leyes que amparan todo lo creado. Sólo así las astas de vuestros *alifs* se alzarán en la página en blanco como la caña del cálamo en los cañaverales del río. Y vuestra caligrafía será otra manifestación más del soplo del Creador, de su palabra.

Agaché la cabeza, anonadado.

Gabbeh posó su mano en mi hombro y me dijo:

—Ahora es cuando, por vez primera, estáis en condiciones de entender lo que hay en ese pergamino. Mostrádmelo.

Corrí a buscarlo, y lo extendí sobre la tablilla en la que me apoyaba para escribir.

—¿Veis este trabajo? —me interrogó—. Es una obra maestra, porque en él se ha utilizado el módulo *nuqta* de un modo férreo e implacable. Pero sin violencia alguna. Como si se estuviera escuchando una voz interior, que saliera de lo más profundo. Esta labor es de la época del califa Al Walid I. Sólo se ha empleado una vez, a raíz de la conquista de Al Ándalus, en tres lugares: en Qasarra, un pabellón de caza al sur del desierto sirio; en Jerusalén, para sujetar el Pozo de las Almas que hay bajo la Cúpula de la Roca; y en La Meca, para el zócalo del interior de la Kaaba.

Me asombró la precisión de los conocimientos de Gabbeh.

—¿Podéis leerlo? —le pregunté.

—Ya lo he leído. Es la aleya del Trono, los versículos del Corán que se emplean como talismán.

Recordé entonces que, en efecto, aquella aleya se hallaba en el interior de la Kaaba, en letras cursivas. Pero yo no había sido capaz de relacionarla con el laberinto del pergamino en aquel momento, en el que desconocía este otro modo de escritura cuadrangular. Ahora veía a Gabbeh recorrer aquellos trazos con su dedo, dando la vuelta en espiral, arrancando en el exterior, en una de las esquinas del cuadrado en el que se inscribía, hasta terminar en el centro. A medida que leía las letras yo podía reconocerlas. Sin embargo, sólo después de varios recorridos guiado por su experta mano pude hacerlo por mí mismo.

—¿Es esto un plano? —volví a la carga.

—Puede servir como tal —me respondió—. Ya que indica el orden en que ha de recorrerse el laberinto. Que es el de la lectura de estas palabras puestas aquí en clave, tal y como yo acabo de hacerlo. Pero, en realidad, es un viaje a la semilla. A la semilla del mundo, de todo lo existente.

—¿Esta clave es el modo que los calígrafos llaman ETEMENANKI? —insistí.

—No sólo ellos, sino también los arquitectos, cuando trabajan en tres dimensiones. En ambos casos se considera la Llave Maestra o

Escritura Primordial con la que Dios creó el Universo. Quienes conocen bien los secretos de ETEMENANKI son capaces de disimularlos en la arquitectura, los tejidos y la caligrafía. Quien penetra en un edificio así concebido, admira un tapiz que los contiene o recorre un diseño o texto que se ha hecho siguiendo esos designios, se ve alcanzado por sus efectos, incluso sin saber descifrarlo, y con independencia de su religión, raza o creencias. Se dice que hay una mezquita en Isfahan donde todo el que entra se ve embargado por una intensa emoción y rompe a llorar, sea del país que sea, porque sus proporciones contienen los secretos del alma humana y el modo de hacerla vibrar y reverberar al unísono con el resto de lo creado. Otras veces, esos diseños están contenidos en un sonido o en una melodía.

—¿Cómo puede estar un dibujo dentro de un sonido?

—Puede, no lo dudéis. ¿No habéis visto cómo tejen alfombras las niñas ciegas? Trabajan en el telar siguiendo el ritmo de la canción que entona una anciana, la cual va midiendo las longitudes de la lana teñida. Cada tribu, y hasta cada taller, cuenta con sus propias melodías, que hacen que sus alfombras tengan un diseño tan único como una genealogía. Pues lo mismo sucede con un calígrafo.

—¿Y cuál es el secreto de este modo que llaman ETEMENANKI?

—Se puede trabajar con una plantilla. De números o de letras.

—¿Pensáis que este calígrafo lo hizo así?

—Seguramente. Con una retícula de 60 por 60, es decir, de 3.600 cuadrículas o *nuqtas,* que está debajo de ese diseño y permite combinaciones casi infinitas. Pero sólo es una guía puramente mecánica, algo externo. Para que actúe como una llave maestra lo que cuenta es que se ajuste a la verdadera plantilla, la que está en el interior de cada hombre, y sobre la cual están edificados todos los idiomas que se hablan, y aun todo lo creado, pues fue el lenguaje utilizado por Dios para hacer brotar el mundo. Y también el alma humana.

—¿Y cómo puedo conocer ese lenguaje, esa plantilla?

—No se trata de ningún idioma de los que hablamos, aunque se manifieste bajo esa forma, según las épocas y lugares. Sino de un lenguaje anterior, de aquel que se habló antes de que se dividieran los pueblos. Del mismo modo, debajo de ese laberinto está la escritura original o verdadera. Habréis de impregnaros de esos trazos que hay en el pergamino, dejarlos macerar dentro de vos, hasta que encajen allí, y fermenten y afloren, despegándose del resto de la aleya del Trono para ofreceros esa clave. Si lo lográis, habréis recorrido por vuestro interior un trayecto que os abrirá la mente como una llave al encajar en la cerradura. Al final, os habrá conducido hasta partes de vuestra conciencia que nunca hollasteis, igual que habéis llegado al corazón de este pantano. Ese viaje a lo más íntimo estará lleno de peligros, y puede carecer de retorno si no se sabe desandar el camino. No debéis emprenderlo sin un guía experto.

—¿Y quién puede ayudarme en ello?

—Esos secretos, los de vuestra conciencia, deberéis averiguarlos en otro lado, en la Casa del Sueño.

—¡Dios! —exclamé con desesperación—. ¿Aún he de viajar a otro lugar?

—Será el último.

—¿Podré regresar, después, a mi patria?

—Así es.

—¿Dónde está esa casa? —pregunté—. ¿Más acá o más allá de estos ríos? Mirad que hice promesa solemne de no pasar más allá de ellos.

—Más acá. Podéis visitarla de regreso a vuestra nación. Yunán os conducirá. Y ahora, excusadme. Si estáis dispuesto a proseguir vuestras averiguaciones, yo he terminado mi cometido.

Ese mismo día en el que terminé mi aprendizaje, embarqué de nuevo con Yunán, emprendiendo así el camino de vuelta. Acabábamos de alcanzar el canal principal, cuando se volvió hacia mí para interrogarme:

—¿Queréis ver lo que queda de ETEMENANKI?

Me asombró su pregunta. Tanto, que sólo acerté a decirle:

—¿Nos desviaremos de nuestro camino?

—Apenas.

Asentí, y continuamos remontando el río, hasta llegar a la vista de lo que parecían unas ruinas. Allí nos aproximamos a la orilla y escondimos la embarcación entre los juncos gigantes. Echamos pie a tierra, y nos internamos en la desolada llanura. El aspecto era inquietante, sembrado el suelo de sal y azufre. Se veían rocas, algo sobremanera extraño en las marismas. También hornos de ladrillo, fragmentos de cerámica, algunos idolillos semienterrados, figuras de mujer con el pecho desnudo, piezas de plomo... Restos, sin duda, de una antiquísima civilización.

La luz, intensa y dorada, vibraba entre el polvo con un raro espesor. Y las sombras subrayaban una vasta cicatriz cárdena. La llanura mostraba una herida que debía de haber sido mucho más profunda, pero había terminado por ceder a las tormentas de arena, a los desbordamientos del río y al propio limo negruzco que rezumaba aquella inmensa sutura. En su centro se alzaba una extensión de tierra reseca, rodeada por un foso. Era poco más que un leve montículo. Sin embargo, la regularidad de las formas —un cuadrado perfecto—, los intencionados desmontes que lo rodeaban y los adobes esparcidos por doquier permitían adivinar la mano del hombre. Noté que todavía se conservaban los cimientos y que, aun mellados como estaban, se podía reconocer en ellos una forma en todo semejante al laberinto.

—¿Qué es esto? —pregunté a Yunán.

—ETEMENANKI.

—¿Las ruinas de la Torre de Babel?

—Así las llaman algunos. Pero su verdadero nombre es ETEMENANKI, la Piedra Angular de la Fundación o Llave Maestra.

—¿No es éste el modelo del laberinto?

—Ésa es su forma original, la que conoció Abraham antes de abandonar estas tierras de Ur y Babilonia para marchar a Jerusalén y La Meca llevándola consigo. El que vos tenéis, el que hay en la Kaaba y el que habéis visto en la Cúpula de la Roca son copias de éste.

—¿Y cualquier otro?

—También cualquier otro que se encuentre —confirmó.

—Esta torre debió de ser enorme.

—Dicen que su cima se perdía entre las nubes, que en lo alto había una habitación cúbica, y dentro sólo un trono vacío... —añadió Yunán—. Porque en un principio los hombres podían oír dentro de sí la voz de Dios, y la entendían, pues era aquella Lengua Primordial. Pero cuando ésta se fue de su lado, con la confusión de los diversos idiomas, sólo podían escucharla en sueños, al cesar en sus parloteos diurnos. Por eso pusieron ese trono en lo alto, para que Él siguiera bajando y hablándoles cada noche. Y por eso registraron esos dictados suyos, y cuando esta torre fue destruida los guardaron lejos del valle, en la Casa del Sueño.

Me acerqué hasta el foso. Era demasiado hondo y ancho para salvarlo. De haberlo intentado, habría sido engullido por una sustancia espesa y bituminosa. Una brea de olor acre y penetrante, que la rodeaba por completo.

—Se está haciendo tarde... —me dijo mi acompañante.

Regresamos hasta el lugar donde habíamos dejado los caballos y pasamos allí la noche. Pero no podía dormir. Los pensamientos y emociones se agolpaban en mi cabeza. Salí de la casa y me senté junto al río. Las estrellas se reflejaban en el agua oscura, parpadeando como mecidas por el croar de las ranas. De vez en cuando, éste se veía interrumpido por un gemido lastimero, indicando que alguna serpiente había atrapado a una de ellas. Luego, aquel inmenso latido de los pantanos se reanudaba, como el agua se cierra sobre un ahogado. Al volverme, vi a Yunán, que había permanecido tras de mí, en silencio.

—Mañana partiremos hacia la Casa del Sueño —anunció—. Descansad ahora. Lo vais a necesitar.

Así lo hicimos. Cabalgamos río arriba durante varias jornadas. Al cabo de ellas, el calígrafo me anunció que al día siguiente dejaríamos el Éufrates para internarnos hacia el oeste. Pasamos la noche en una de las muchas cuevas que se abrían en las paredes rocosas, y que en su día debieron de albergar eremitas.

Cuando apenas despuntaban los primeros rayos del sol, Yunán me despertó y proseguimos nuestro camino. Entramos en un cauce seco, que se fue estrechando cada vez más. Pensé al principio que aquel congosto no tenía salida, pero me equivoqué. Al fondo del valle, apenas visible tras grandes piedras cubiertas de plantas espinosas, se escondía una hendidura muy estrecha, por la que entramos a duras penas, llevando nuestros caballos de la mano. No tardamos en percibir humedad y, poco después, el ruido del agua que caía desde lo alto. Me pareció ver en las paredes de piedra pinturas de color rojo, negro y blanco, sobre un fondo ocre.

Dejamos allí las caballerías, en un prado que se abría bajo una pequeña cascada, y ascendimos por la pared de la hendidura, pisando sobre peldaños tan regularmente labrados que bien habrían podido tomarse por una escalera tallada en la roca. Cuando llegamos a la cima, me conmovió la soledad de aquel oleaje de piedra, herido por la luz violácea. No crecía ni una brizna de hierba, como si el tiempo se hubiera detenido, sin sucesión alguna de estaciones.

Al doblar un recodo, apareció ante nosotros un enorme farallón, aislado de la cordillera que lo rodeaba. Tenía un aspecto imponente, enigmático, reverberando con una luz cegadora que lo impulsaba hacia lo alto. A primera vista, todo en él parecía obra de la Naturaleza. Sin embargo, el camino que nos condujo hasta allí revelaba la mano del hombre. Y así llegamos hasta una galería que se internaba en la montaña, dando paso a un corredor donde se alineaban las viviendas excavadas a uno y otro lado. Me extrañó que sus habitantes apenas repararan en nosotros. Llegamos hasta el extremo y allí Yunán me señaló una entrada mucho mayor que las que habíamos visto hasta entonces.

—Es la Casa del Sueño —dijo.

Al entrar en ella, sus paredes producían admiración. Eran un gran columbario. Cientos de nichos llenos de objetos que no logré identificar.

Nos recibió un anciano de grandes barbas blancas, seco y avellanado. Era el guardián de aquella casa, a quien Yunán explicó el motivo de mi presencia allí. Asintió el anciano, y a mi pregunta por el contenido de aquellos nichos o columbario contestó:

—Sueños. Son sueños.

Sonrió al advertir la sorpresa en mi rostro, añadiendo:

—Relatos de sueños. Restos de lenguajes muy antiguos, rescatados de esa región inmersa de la memoria humana que son los sueños. Contenidos en tabletas de arcilla, de madera, papiros, pergaminos, papel... Algunos soñados hace miles de años.

—Hacen falta muchas tabletas de arcilla para contener tantos.

—No lo creáis. Se repiten. Sólo se sueñan unos pocos sueños. Bastará que me digáis los vuestros para que yo pueda guiaros.

—¿Es ésa vuestra función? —le pregunté.

—Puedo ayudaros a explorar los vuestros —me contestó—. Habréis de desechar los que no conducen a ninguna parte, para llegar a donde pretendéis.

—¿Cómo puede ser eso?

—¿Nunca habéis soñado que estabais dentro de vuestros sueños, y os veíais a vos mismo, dirigiéndolos? —me preguntó.

—Algunas veces. Pero ese estado es fugaz, y pronto se desvanece.

—Porque no sabéis cómo prolongarlo y gobernarlo. Cuando aprendáis, podréis elegir los caminos que aparezcan ante vos, seguir por uno o por otro, o despertar, o volver al mismo lugar que estabais soñando, si así lo deseáis. ¿Hay algún sueño en particular que queráis explorar?

—Sí. Antes veía a mi esposa y era como estar con ella. Pero hace ya mucho tiempo que no la encuentro, ni siquiera en los más escondidos rincones de mis pesadillas.

Asintió el anciano, paciente, y preguntó:

—¿Algo más?

Le mostré el pergamino, con los gajos en buen orden.

—Esto es el mapa de un sueño muy antiguo —dijo con toda naturalidad—. Tan antiguo como el mundo. Dicen que el sueño de quien lo originó. Y que, por eso, yace debajo de todo lo creado.

De modo que andará en algún lugar dentro de vos. Quizá esté muy abajo en vuestro interior y nos cueste dar con él. ¿Conocéis los peligros que encierra su búsqueda?

—Los conozco.

—Y, a pesar de ello, ¿estáis seguro de que deseáis hacerlo?

—Lo estoy.

—En ese caso, empezaremos esta noche.

E hizo una señal a Yunán para que nos retiráramos.

Volvimos a la caída del sol. Me acomodó en una yacija, se sentó a mi lado y me dio a beber de un cuenco que contenía una sustancia cálida y dulce, fuertemente especiada.

A pesar de su aspecto enjuto y severo, era aquel anciano muy paciente y socarrón. Su sentido del humor contrastaba con la tiesa doctrina de cañaveral que había intentado inculcarme el calígrafo Gabbeh. Y le agradecí que fuera muy a tiro derecho. Conocía todos los sueños, en sus líneas generales, pues sabía distinguir las variantes y ramificaciones sin importancia, y reconducirlos hasta su tronco principal. Seguramente era esta familiaridad con la vida secreta de las gentes, y sus fantasías más recónditas, lo que le había llevado a aquella tolerante y amigable actitud.

Él me enseñó que no importaba interrumpir los sueños si se sabía mantener la continuidad de sus imágenes, retomándolas allí donde se las había dejado. Si yo soñaba que iba por un bosque y ante mí se abrían dos caminos, me preguntaba al despertar:

—¿Qué os ofrecía cada uno de esos senderos?

—En uno de ellos sólo he visto árboles, mientras que en el otro había unas ruinas —le contestaba.

—En ese caso, cuando volváis a vuestro sueño, tomad el camino de las ruinas, porque quizá por ellas podáis reconocer el lugar, mientras que los árboles por sí solos poco os dirán.

También me instruyó sobre el modo de desatascar los reiterados enredos en pasajes que a nada conducían. Y, más importante aún, a distinguirlos de aquellos de sustancia en los que, por el contrario, era necesario perseverar. Por ejemplo, llevaba varios días cayendo por un pozo, cada vez más insondable y oscuro, donde nada veía. Por lo que yo deseaba pasar adelante, abandonando aquel lugar.

—Insistid —me aconsejó.

Así lo hice. Hasta que empecé a vislumbrar al fondo, lejano y remoto, un laberinto. Al cabo de no pocos intentos, reparé en que recordaba al del pergamino.

—Os estáis acercando a vuestro objetivo —me advirtió—. Pero es peligroso hacerlo antes de tiempo. Tratad de ascender. Para iros acostumbrando.

Al subir, no tardé en cruzarme con otro hombre, que caía. Sus ropas y aspecto eran muy extraños. Cuando se lo conté al anciano, me preguntó:

—¿Quién es?

—No lo sé.

—Pues preguntádselo —me aconsejó—. Conversad con él y averiguad su nombre y país.

Me costó varias noches ponerme a la altura de aquel desconocido y poder hablar con él. Al fin lo logré, y me sorprendió que entendiera mi idioma. Así se lo hice saber al guardián de los sueños:

—Se llama David, y dice ser de la ciudad de Antigua —dije—. Es donde yo nací. En España —le expliqué.

—Volved a vuestro sueño y preguntadle qué hay arriba, a la entrada del pozo. Así sabréis cómo encontrar ese lugar cuando regreséis a Antigua.

—¿Es eso posible? Volver al sueño en el punto exacto en que lo dejé, quiero decir. ¿Estará aún ese hombre?

—Probadlo y veréis.

Reingresé en el sueño. Busqué a aquel hombre llamado David, y se lo pregunté.

—Arriba de este pozo está la Plaza Mayor de Antigua, la fuente que se halla en el centro de sus edificios —me contestó.

Desperté y se lo conté al anciano.

—¿Y bien? —dijo él—. Ya tenéis una pista sobre lo que buscabais: la entrada a ese lugar donde está el laberinto.

—Es que en Antigua no hay ninguna Plaza Mayor —objeté.

El anciano pareció meditar largo rato. Al fin dijo, sin ocultar su preocupación:

—Estáis entrando en una dimensión peligrosa. Tenéis que extremar las precauciones al acercaros a ese laberinto que hay en el fondo del pozo. Podríais extraviaros en un sueño ajeno, y no acertar a salir de él, sino desembocar en otro sueño, y luego en otro, y en otro... Y si no es un sueño ya soñado, tampoco yo podría ayudaros, por quedar fuera de mi jurisdicción.

No tardé en experimentar aquellos angustiosos extravíos. Y cada vez me costaba más volver a mi ser y conciencia. Vi muy intranquilo al guardián del sueño. Pero el laberinto parecía tan al alcance que no quise abandonar. Hasta que un día lo logré rozar con mi mano. Experimenté entonces una conmoción que me desorientó por completo. Se empezaron a abrir puertas ante mí, una detrás de otra, succionándome, hasta verme arrojado en un lugar que parecía suspendido en el vacío. No contaba con nada donde apoyarme, y reinaba la oscuridad más absoluta. Trataba de salir, pero ¿por dónde?

Me contó luego el guardián que estuvo sacudiéndome largo rato con ayuda de Yunán, para hacerme abandonar aquel estado, en el que llegó a creerme muerto. Yo sólo recuerdo que al cabo de algún tiempo empecé a oír una voz que me llamaba por mi nombre. Y que tras escucharla una y otra vez conocí que era la de Rebeca. Hasta que la vi ante mí. Su imagen era muy débil, aunque bastaba para iluminar aquellas tinieblas pavorosas, y parecía indicarme un camino. Traté de seguirla. No resultaba fácil. Aquella efigie suya era fugaz, iba y venía, la perdía de vista. Sin embargo, logró llevarme de vuelta al pozo, y pude encontrar la salida.

Ahora que por fin la tenía ante mí, no quería dejar allí dentro a Rebeca, sino que me acompañara. Había esperado largo tiempo para poder verla, y no estaba dispuesto a separarme de su lado. Estuve esperando largo rato, tendiéndole la mano. Pero no podía seguirme, se desintegraba, desvaneciéndose, cuando trataba de abandonar aquel lugar, al que parecía sujeta. No sólo eso. Las paredes se desmoronaban a mi alrededor, y si no escapaba de allí me quedaría encerrado para siempre en aquellas tinieblas. Me acometió una angustia infinita cuando vi que su imagen aún parpadeaba levemente, antes de extinguirse para siempre, junto con su voz, que susurraba una despedida.

Y Randa cesa en su relato al advertir el llanto silencioso de su hija.

—Ella también dijo haberos visto así en su larga agonía —le informa Ruth, entre sollozos—. Y extendía su mano hacia vos, llamándoos. Lo achacamos a sus fiebres y delirios.

—Para mí todo aquello era como si lo estuviese viviendo. Rompí a gritar, y de ese modo desperté, sintiéndome igual de baldado que si hubiera regresado de entre los muertos.

Cuando me hube recuperado pregunté al guardián del sueño qué me había sucedido y le hice saber mi decisión de dejar aquel lugar cuanto antes. Éste movió la cabeza con consternación, y dijo:

—Es una lástima que abandonéis vuestra búsqueda cuando la acabáis de rozar con las manos. Pocas veces vi a nadie con tales condiciones naturales. Ahora ya sabéis que correréis grandes peligros si alguna vez entráis en ese laberinto, al no haber completado el aprendizaje. Cuando llegue esa ocasión, no lo hagáis sin haber practicado este sueño. Quizá logréis concluirlo. Recordad que deberéis memorizar este laberinto del pergamino de tal modo que se acople con el que hay dentro de vos, y los dos sean uno y el mismo. Sólo así esa fuerza que ha estado a punto de mataros pasará a vuestro través sin haceros daño, convirtiéndose en vuestra aliada.

Pero yo me sentía sin fuerzas. Aquella visión de Rebeca me había parecido tan real que no quise seguir allí ni un momento más. Deseaba regresar junto a vosotras sin esperar un solo día, pues estaba seguro de que algo terrible os sucedía.

No fue posible emprender el viaje de inmediato, por mi debilidad. Pero sí la siguiente jornada. Tras recuperar nuestros caballos, Yunán me acompañó hasta un refugio caravanero, donde apalabré el transporte hasta el puerto de Jaffa, en la costa de Palestina, para tomar la primera nave que me condujera de vuelta a España.

Antes de que su hija se vaya, Randa le pregunta:

—¿El encuentro será en el Barranco del Moro?

—Allí será. Os esperaremos ocultos entre los cañaverales.

—No olvides traer el tapiz en tu visita de mañana.

—Descuida. Pero ¿cómo conseguiréis convencer a Artal?

—Ahora lo verás.

Cuando el Espía Mayor abre la puerta, Randa se acerca a él y parece ceder. Acepta, pues, el reto y le dice:

—Deberíais entregarme esa mano, para que os la arregle. Si mañana por la noche me la dejáis, y también mis tenacillas de orfebre, la tendréis lista al día siguiente.

—¿Y qué hago yo sin ella?

—Sólo será una noche. Y os habréis librado de ese martirio.

—¿Qué es lo que pretendéis? —le advierte Artal—. No lograréis ablandarme. Os dije que el próximo día será el último en que podría visitaros vuestra hija, y así será. Pasado mañana comenzará el procedimiento inquisitorial ordinario. No dependeréis ya de mí.

A pesar de las palabras que acaba de pronunciar, Artal vacila. Baja la cabeza, con un gesto de aceptación. Pero antes, se revuelve y encara a Raimundo para preguntarle:

—¿Qué andáis buscando? Porque vos buscáis algo.

—Sólo os pediré una merced.

—¡Ya sabía yo!

—Dejad que mi hija Ruth me traiga un tapiz para evitar la humedad y dureza de ese poyo de piedra en el que duermo. Me duelen todos los huesos.

Artal guarda silencio. Sigue desconfiando. Pero ahora la duda se ha asentado en él. Randa señala la celda y le dice con sarcasmo:

—¿O teméis que sea una de esas alfombras voladoras que ofenden el sentido común en las patrañas de los moros? ¿Receláis que me escape sobre ella a través de ese tragaluz de ahí arriba? Mirad que no se llega a él ni a hombros de cinco hombres bien talludos.

El Espía Mayor guarda silencio. Randa sabe que ahora no debe estarse callado por nada del mundo. Pero, también, que cada palabra que diga debe dirigirse hasta su diana a tiro derecho. No puede permitirse errores.

—Os estoy hablando del tapiz que mi mujer estaba tejiendo para mí hasta el mismo momento de su muerte, y que ahora ha terminado mi hija. Me sentiré mucho mejor arropado con ese paño en el que ella dejó sus últimos alientos.

Artal le mira, con una mezcla de sorpresa y, quizá, de respeto. O de envidia. La de quien sólo ha tenido amores mercenarios, y no cuenta con nadie que le alivie las soledades de su vejez. Y sólo acierta a decir, con voz más ronca y desfallecida que nunca.

—Lo pensaré. Mañana os daré una respuesta.

11

EL TRONO VACÍO

CUANDO el comisario John Bielefeld pasó a recogerla al hospital, Raquel Toledano aún le daba vueltas a la llamada de James Minspert. Mientras subía al automóvil pensó en todo lo que ella misma se jugaba en el envite. No le era posible seguir ignorando las amenazas poco veladas de aquel individuo, viniendo de alguien que tenía tras él a la Agencia de Seguridad Nacional. Y eso la situaba ante un dilema inevitable, hacia el que había venido deslizándose a medida que vinculaba su suerte a la de David Calderón. Llevaba razón Minspert: nada valdría su carrera si se enfrentaba a ellos. Ni, quizá, su vida. Pero, ¿qué le importaba ahora su carrera, con la que estaba cayendo? Y, en cuanto a su vida, ¿tenía sentido llevar la misma después de todo lo sucedido, y lo que había ido descubriendo?

La sacó de sus cavilaciones la bocina del coche, y el irritado comentario de Bielefeld:

—Vamos a llegar tarde. A ver si nos cobra este hombre.

Se refería al vigilante del parking, que no estaba en su cabina.

—Espera, John, voy a ver qué pasa.

Raquel bajo del automóvil y salió en su busca. Lo encontró en la parte de atrás de la garita, enfrentándose a dos operarios municipales parapetados tras sus monos verdes de Parques y Jardines. Discutía a gritos con ellos, intentando sobreponerse al estruendo de la motosierra.

—¡Si cortan el árbol me voy a achicharrar ahí dentro! —protestaba.

La joven se acercó a él, y a duras penas consiguió arrastrarlo hasta su puesto para que les cobrara y abriese la barrera. Él se empeñaba en hacerles partícipes de su problema:

—¿Cómo se va a secar el árbol en un día? —mascullaba—. Eso es que no ha llovido esta primavera, y tenían que haberlo regado o dejar que ahora le dé un poco el agua.

Cuando consiguieron salir, alejándose de la inhóspita mole del hospital, se encaminaron hacia la parte histórica de la ciudad, y poco después entraban en el patio de la Facultad de Filosofía y Letras.

—Tengo cita con la profesora Elvira Tabuenca —informó Raquel al bedel que guardaba la conserjería.

—¿De parte de quién? —y descolgó el auricular de la centralita.

—De Raquel Toledano.

La profesora no tardó en aparecer al fondo del vestíbulo. Era una mujer vivaracha, que caminaba a largas zancadas.

—O sea, que usted es hija de Sara —saludó a la joven—. Me pillan en mal momento. Alguien ha entrado en mi despacho.

Raquel y Bielefeld se miraron, alerta, pero nada dijeron.

Les condujo hasta el fondo de un pasillo, donde chirriaba el taladro del cerrajero que se afanaba en el quicio de la puerta.

—¿Tiene para mucho? —le preguntó la profesora.

—Por lo menos media hora —contestó él sin quitarse el cigarro de la boca.

Elvira Tabuenca echó un vistazo a su mesa y pareció pensárselo. Frunció el ceño al oír el taladro, abrió un cajón, cogió una llave y dijo a Raquel y Bielefeld:

—Aquí no podremos hablar. Vengan conmigo.

Salieron de nuevo al pasillo. Entró en otro despacho para advertir a la secretaria del departamento:

—Estaré en el Seminario VII.

Se encaminaron hasta el extremo opuesto del corredor. Cuando hubieron llegado, el comisario indicó a Raquel que él se quedaría fuera, sentado en un banco, esperándola.

Entraron en una habitación muy holgada, revestida de vitrinas y estanterías, con amplias mesas en el centro.

—Tiene que disculparme —le informó la arqueóloga sentándose en una silla e indicándole que hiciera otro tanto—. He estado fuera, y cuando vuelvo me encuentro con que han entrado en casa y en el despacho. ¿Qué le parece?

—¿En el mismo día? —se alarmó Raquel.

—Pues creo que sí.

—¿Ha echado en falta algo?

—De momento, no. Aunque es difícil saberlo. Estaba todo muy revuelto.

—Tenía usted exámenes, ¿no?

—Sí, pero no creo que sea eso. Los chicos son serios. Quien haya sido ha estado husmeando en mi ordenador y disquetes, y en las memorias de excavación que tengo en el despacho.

—¿Memorias de excavación en Oriente Medio?

—Sí. La zona en la que yo me muevo.

—Es lo que financiaba mi madre a través de la Fundación, ¿me equivoco?

—No se equivoca. Aunque con Sara ha habido sus más y sus menos. No sé si está usted al corriente...

—¿Desde cuándo conoce a mi madre?

—Ella se puso en contacto conmigo hace ya varios años, cuando publiqué un avance de este trabajo en una revista de arqueología. Lo leyó, me escribió y se ofreció a estudiar una subvención.

—¿Cuál es el nombre del proyecto?

—Qasarra. Así es como se llama un pabellón de caza del período omeya, la dinastía árabe que reinaba en el momento de ser invadida España por los musulmanes. Cuando apareció su madre yo trataba de localizar ese edificio.

—Quiere decir que desconocía dónde estaba exactamente.

—Sólo sabíamos que se encontraba bajo la arena del desierto de Siria, en el extremo sureste.

—¿Por qué le interesó a mi madre?

—Porque, según la *Crónica sarracena* que habla de la conquista de España por los árabes, allí era donde estaba el califa Al Walid I en el año 711, cuando sus tropas derrotaron al rey godo don Rodrigo en la batalla de Guadalete. Su madre se puso en contacto conmigo en el momento en que emprendíamos la primera expedición, para encontrar el lugar. La verdad es que apareció en un momento providencial.

—¿Providencial por qué?

—A través de la Fundación dobló las subvenciones y nos allanó el camino para utilizar los satélites americanos. Desde el aire se podían descubrir antiguos cauces de agua y estructuras que están enterradas bajo la arena. Con estos datos, trazamos un círculo de unos ciento cincuenta kilómetros, y empezamos a buscar.

—¿Y mi madre iba con ustedes? —se extrañó Raquel.

—No. Creo que a ella la excavación propiamente dicha no le interesaba demasiado.

—Es que no es arqueóloga, por eso se lo preguntaba.

—Ya. Pero es que ni siquiera le tiraba mucho el arte omeya. Buscaba otra cosa.

—¿No le dijo qué?

—Intenté sonsacarla, y no hubo manera. Al principio eso no me preocupó demasiado, porque con los medios que ella nos conseguía avanzábamos muy rápido. Al terminar la primera campaña, dimos con un edificio enterrado a bastante profundidad, que era un candidato perfecto para el pabellón de caza... Eso fue hace tres años. La excavación resultó bastante laboriosa. Las tormentas habían sepultado el pabellón bajo toneladas de arena, y lo primero que apareció fue una cúpula. Llamé de inmediato a su madre y se lo conté. Se la veía muy excitada e hizo muchas preguntas. Traté de contestarlas lo mejor que supe, le detallé lo descubierto y le mandé unas fotos. Y en cuanto pudo viajar, se nos plantó allí.

Hizo una pausa para abrir un armario y buscar un dossier, que comenzó a hojear a medida que hablaba.

—Fue una visita muy cordial. Sara se interesó por la marcha de los trabajos, e insistió en que se podía acelerar el ritmo incorporando más gente. Yo le di las gracias, le contesté que me lo pensaría, y ella regresó a Estados Unidos... Bueno... Total que en estos tiras y aflojas se fue acercando el final de la campaña. Pero cuando ya estábamos recogiendo nuestras cosas, un buen día apareció un individuo que dijo representar a la Fundación.

—¿Se acuerda de su nombre?

—Anthony Carter. Se presentó como el gerente de la Fundación. Además, venía avalado por la embajada americana. Desde luego, no era un especialista en arte omeya. En cualquier caso, ese individuo quería lo mismo que Sara, acelerar el ritmo de trabajo. Me contó que su madre no me había dicho nada por delicadeza, pero que la Fundación estaba atravesando una mala racha económica, y que había que conseguir fondos por otro lado. Al despedirse, insistió mucho en que no le comentara a Sara lo que me estaba contando, ni siquiera que había venido...

Nueva pausa. Al notar el efecto que producían sus palabras en Raquel, la profesora hizo un inciso para decirle:

—Mi impresión es que quería meter gente que me controlara. Y una ya está muy mayor para esos trotes. Además, íbamos a entrar en la fase más complicada, el interior del edificio, y yo quería trabajar sin prisas y con los míos, con gente de la que puedo responder. Le di largas. Me miró de un modo que me inquietó, y dijo: «Volveremos a vernos».

—¿Cumplió su palabra?

—Ya lo creo que volvió. Espere y verá... Yo tenía un plan que, si todo salía bien, nos permitiría acabar al verano siguiente. Terminaríamos de despejar el pabellón por fuera y podríamos acceder al interior. Como su madre me había vuelto a insistir, y tenía muy presentes las presiones recibidas para acelerar los trabajos, recluté más gente aquí en la facultad. Y en ésas estaba cuando telefoneó alarmado el capataz de allí para decirme que estaba ocurriendo algo grave, y que debía ir cuanto antes. Adelanté el final de las clases, me fui a Qasarra y ¿sabe lo que me encontré...? Espere, que le tengo que mostrar algo para que lo entienda mejor.

Fue hasta un archivador y buscó hasta dar con un mapa detallado de la zona. Lo desplegó y lo puso encima de la mesa.

—¿Ve esta carretera? Es bastante secundaria, y pasa por las proximidades de la excavación. Pues bien, la estaban ampliando para convertirla en una pista de aterrizaje.

—¿Para aviones? —se extrañó Raquel.

—Sí, sí, para aviones. Nada de helicópteros o avionetas. Eso sucede en algunos lugares del país: uno va por una carretera normal y de pronto gana en anchura durante un tramo, y se convierte en una pista de aterrizaje que puede emplearse en caso de emergencia, quizá con propósitos militares... Pero aquello era distinto. Después de la presencia de ese individuo y su insistencia en acelerar los trabajos, me olió mal. Era demasiada coincidencia que acondicionasen la carretera. No era un lugar estratégico. Además, el pabellón de caza estaba asentado cerca de un *wadi*, un lecho normalmente seco, pero que recoge las aguas cuando hay lluvia y mantiene alguna vegetación. Cuando les hice notar que si seguían adelante con la ampliación iban a cargarse aquellos árboles, ¿sabe lo que hicieron...? Los secaron.

—¿Cómo que los secaron?

—Sí, de un día para otro. Una mañana llegamos y estaban secos. Luego supe que les habían inyectado una sustancia tóxica.

Raquel no pudo evitar pensar en lo que acababa de ver aquella mañana en el parking del hospital, el vigilante protestando por el corte del árbol que daba sombra a su garita. Pero no le concedió más importancia. Y hubo de atender a la arqueóloga para seguir sus explicaciones:

—Yo estaba con la mosca detrás de la oreja, y enseguida apareció Sara —continuó la profesora—. A esas alturas no era cuestión de ocultarle la visita de aquel individuo, y se lo dije. Ella se mostró muy sorprendida: «¿Carter, el gerente de la Fundación, ha estado aquí?», me preguntó. Y eso le hizo volver a la carga: quería acelerar los trabajos, poner más gente a trabajar, más aparatos, que traerían directamente en avión, dado que ahora existía aquella pista, etcétera. Pero como yo había tenido la precaución de aumentar la plantilla y les prometí que terminaríamos la excavación en aquella campaña, la dejé sin argumentos. No obstante, su madre se quedó.

—Dice usted que eso fue el año pasado, ¿verdad? —la interrumpió Raquel—. Lo recuerdo, me pidió que de vez en cuando echara un vistazo a la casa que tenemos cerca de Nueva York, mientras ella estaba fuera. Pero creía que había venido aquí, a Antigua.

—Primero fue allí, al desierto, comprobó cómo iban los trabajos y después se vino aquí, a Antigua. Y volvió a la excavación en cuanto le comuniqué que el interior del pabellón ya era accesible.

—¿No tendrá fotos y un plano de ese interior, para hacerme una idea? —le pidió Raquel.

Sin saber muy bien por qué, la joven había comenzado a impacientarse. Tenía un vago barrunto de que algo grave estaba a punto de suceder, y no deseaba estar allí más tiempo del necesario. Instintivamente, deseaba regresar al hospital junto a David, y pensó que habría sido más prudente que el comisario Bielefeld permaneciera al lado del criptógrafo, acompañándolo mientras le hacían el escáner. Durante la exploración con este aparato el paciente se encontraba indefenso del todo, vulnerable frente a cualquier intento contra él...

Salió de su ensimismamiento para atender al detallado plano del conjunto que en ese momento estaba desplegando la profesora.

—Esto es lo que logramos dejar al descubierto. Un gran salón presidido por el trono del califa.

—¿Es el recinto que le mostró a mi madre?

—Sí. La llamé porque íbamos a desarenar y limpiar completamente el interior, y ella me había insistido mucho en que quería estar presente. Enseguida entendí por qué: las paredes estaban cubiertas de pinturas. Y Sara parecía saberlo. —Y ante el gesto interrogativo de Raquel, añadió—: No me pregunte cómo lo sabía. Lo intentaba disimular, pero por algún comentario que se le escapó, era evidente que lo sabía. Y aquí empezaron los problemas.

—¿Por sus comentarios?

—No. Por el estado de los frescos, pintados sobre paredes muy deterioradas. Su madre quería verlos cuanto antes, sin esperar a que vinieran los especialistas. Yo me opuse, y tuvimos una discusión terrible, delante de todo el mundo. Hubo un momento en que creí que me iba a tirar de lo alto del andamio. Me amenazó con suspender las ayudas de la Fundación y me llamó de todo. Pero no cedí. Aquellas pinturas eran valiosísimas y tenían que ser estudiadas con mucho cuidado. Su madre lo sabía perfectamente y yo no entendía su comportamiento. Aquella no era la Sara que ya había conocido. Se marchó, muy indignada. Pero lo peor estaba por llegar.

Sacó un pañuelo y se sonó, antes de continuar. De algún modo, aquello aún parecía afectarla.

—Una noche yo estaba en el campamento, tomando un té. Nos habían permitido alojarnos en un viejo refugio caravanero, acababa de cenar y, como todos los días, estaba dando de comer a unos búhos que había descubierto en un nido, en la grieta de una pared. Eran mis mascotas, me habían traído buena suerte. La madre se había herido en un ala y no podía cazar los ratones y topos del desierto para dar de comer a sus tres polluelos, ni alimentarse ella. Como le decía, les estaba dando de comer, cuando llegó ese individuo.

—Se refiere a Carter —intentó atajar Raquel, para que su interlocutora no se eternizara en detalles no pedidos.

—El mismo. Llegó de malos modos, sin ni siquiera dar las buenas noches. Yo estaba agachada, con los búhos. Se plantó delante de mí y me dijo: «Profesora, creo que habíamos hecho un trato». Levanté la vista hacia él y le contesté: «Le dije a Sara que tendríamos acceso al interior antes de terminar esta campaña, y hoy mismo hemos comenzado a recuperar las pinturas». Y seguí dando de comer a los polluelos, que piaban reclamando su parte. «Escúcheme bien —me dijo, acercándose más, yo tenía sus botas a unos centímetros—. Usted aseguró que terminaríamos este año». No le miré. Me limité a contestarle, con desgana: «Oiga. Los imprevistos forman parte de este trabajo». Ahora alzó la voz para amenazarme: «¡He dicho este año!». Esta vez ni siquiera le contesté. Seguí dando de comer a los pequeños búhos. Entonces, fuera de sí, me dio una patada en la mano con la que sostenía la comida y empezó a aplastar a aquellos animales... Cuando la madre de los polluelos acudió con su ala rota, lanzándole picotazos contra la bota, ese bestia también la aplastó.

Elvira Tabuenca se volvió a sentar e intentó calmarse. Raquel estaba tan sorprendida por lo que le contaba sobre Carter que no quiso interrumpirla.

—Me fue imposible contenerme —prosiguió la arqueóloga—. Debió de ser el revuelo de chillidos, plumas y sangre. O el cansancio. O quizá que me había costado mucho sacar adelante a aquellos animales... El caso es que me levanté fuera de mí y, sin saber muy bien lo que hacía, cogí una pala y me lié a golpes con aquella bestia. No se esperaba algo así, le pilló completamente desprevenido. Empezó a sangrar. Uno de mis ayudantes me quitó la pala y me sujetó. Aquel hombre sacó una pistola.

—¿Una pistola? —preguntó Raquel—. ¿Carter con una pistola? Ya me extraña mucho lo que me cuenta de sus malos modales y todo eso... Pero nunca habría imaginado a Carter con una pistola.

—Tampoco yo voy por ahí con una pala, golpeando a la gente... —aclaró la profesora—. Era como si aquel lugar nos estuviese volviendo locos a todos.

—En fin, siga, siga...

—Gracias a Dios, teníamos un servicio de protección, y al oír nuestras voces se habían acercado a ver qué pasaba. Aquel individuo se dio cuenta y bajó su arma. Pero el jefe del destacamento, un sargento del ejército, un tipo muy majo, no se conformó con eso. Se lo llevó detenido. Por él supimos, al día siguiente, que la embajada americana había exigido que lo soltaran.

Ahora sí que se alarmó Raquel. Aquello olía a servicios secretos. Pero ¿de qué país? ¿Israelíes o americanos? A estos efectos, casi daba lo mismo, pero los israelíes no podrían operar allí con esa manga ancha... Empezó a sospechar quién estaba detrás. Y preguntó a la profesora:

—Antes me ha hablado de un satélite, ¿verdad? Ése que utilizaron para localizar el pabellón de caza desde el aire. ¿No tendrá por ahí la documentación?

—Creo que sí.

—Me gustaría verla. Hay una ley norteamericana que restringe drásticamente cualquier uso de imágenes por satélite que afecten a la seguridad de Israel. Y en esa región, con los problemas que hay, alguien tuvo que dar el permiso.

—Aquí está.

Elvira le pasó una carpeta de anillas. A Raquel le bastó con un somero examen para confirmar sus sospechas.

—¡James Minspert! —leyó la joven—. «¿Qué relación tiene con Carter?», se preguntó. Para contestarse, mentalmente, a continuación: «La que Minspert haya querido establecer. La Agencia dispone de medios para conseguir información comprometida de cualquier persona. Que me lo digan a mí. Luego no hay más que chantajearla. Es evidente que Carter actuaba bajo una gran presión».

Luego retomó el hilo para preguntarle a la profesora:

—¿Y mi madre? ¿Qué pasó luego con mi madre?

—Debió de recapacitar. Cuando supo lo ocurrido me llamó muy compungida, se disculpó, se echó la culpa de todo y se deshizo en amabilidades. Dijo que por supuesto la Fundación pagaría la restauración de las pinturas, etcétera, etcétera. Pero como ya no me fiaba, rechacé su ayuda con firmeza y poco después firmamos un convenio con el Gobierno español para restaurarlas. No fue difícil, porque se estaba preparando en Córdoba una exposición sobre los omeyas, y ya contábamos con ello.

Raquel estaba poniéndose cada vez más nerviosa. Intentaba atar cabos, pero no podía seguir a la vez la historia que le contaba la arqueóloga y analizar con frialdad lo que sólo empezaba a barruntar vagamente.

—Bien —intentó resumir la joven—. ¿Dónde estamos en toda esta historia?

—Estamos ya a principios de este año, que es cuando las pinturas se restauran y se puede ver con claridad lo que hay debajo del humo y la mugre. Su madre ha seguido el proceso día a día, pero después de lo sucedido no se atreve a interferir. Sabe que la podríamos dejar fuera. A medida que vamos poniendo al descubierto esas pinturas, Sara se comporta de un modo cada vez más extraño. Muy a su pesar, seguramente. Yo diría, y perdóneme la expresión, señorita Toledano, que cada vez estaba más histérica, y hasta un poco ida.

—No hay nada que disculpar. Conozco muy bien a mi madre. Y ahora ya sabemos por qué tantas prisas. Le habían dicho que le quedaba poco tiempo. Tenía una enfermedad terminal.

—Lo siento de veras. Ojalá lo hubiese sabido.

—Ojalá lo hubiésemos sabido todos... —Raquel bajó la cabeza. Tras un prolongado silencio, intentó reponerse y la alzó para decir—: Pero continúe, se lo ruego.

—Bueno. Pues llega un momento en que, sintiéndolo en el alma, tengo que prohibirle a Sara que esté allí, porque no nos deja trabajar. Le prometo que, cuando acabemos la restauración, será la primera persona en ver los frescos. Y cumplo mi palabra. La llamo, se los enseño, se pasea de arriba abajo por el salón del trono, y se sube decidida al andamio. Y ahí viene mi sorpresa. ¿Sabe qué es lo que buscaba?

La arqueóloga hizo un hueco en la mesa, puso encima un volumen encuadernado y lo abrió, sujetándolo con un pesado cenicero de cristal.

—Esto es lo que buscaba su madre.

Raquel miró con detenimiento, pero sólo alcanzó a ver unas figuras muy dañadas.

—Son los frescos del salón del trono —explicó su interlocutora—. Aquí, en la cabecera, se ve al propio califa, Al Walid I, sentado bajo un baldaquín con una inscripción en árabe. Y en las paredes laterales, una serie de reyes se dirigen hacia él llevándole una ofrenda que simboliza lo más valioso de su nación. Son los reyes vencidos por sus ejércitos. Ahí se ve al César, o sea, el emperador bizantino, aquí al emperador de Persia, más allá el de China, después el Negus de Abisinia... Y lo que buscaba Sara... el único rey al que se cita por su nombre propio, y no por su título genérico... Rodrigo, el último rey visigodo.

—¿Cómo sabe que es el rey Rodrigo?

—El nombre está escrito debajo. ¿Lo ve? Y junto a él se ha colocado el símbolo que representa lo más valioso de su reino. Eso era exactamente lo que interesaba a Sara.

Raquel se quedó mirando a la arqueóloga, mientras ella juntaba los dedos índices para subrayar sus palabras:

—Un talismán. Lo más valioso que había en el tesoro de los godos, depositado en el Palacio de los Reyes de aquí, de Antigua. En esa pintura no se ve bien, pero se lo mostraré ahora con más detalle, porque está representado en un mosaico a mucho mayor tamaño.

—Quiere usted decir que cuando los musulmanes conquistaron España cogieron el talismán en Antigua y se lo llevaron hasta ese pabellón de caza para ofrecérselo al califa Al Walid I. ¿Tan importante era? —intentó aclarar Raquel.

—La *Crónica sarracena* sostiene que la verdadera razón para invadir la Península en el año 711 había sido apoderarse de él.

—Juan de Maliaño me enseñó un artículo de Sara en el que hablaba de esa historia y del Palacio de los Reyes, que había violado el rey godo don Rodrigo. Pero me pareció una simple leyenda. ¿Tiene alguna base histórica?

—Se dice que los dos cabecillas de la invasión musulmana, Tariq y Muza, se pelearon por el talismán. Y que el califa, al tener noticias de ello, los llamó a capítulo en este pabellón de Qasarra, que estaba recién construido, pero aún sin decorar. Cuando se lo cuentan todo, Al Walid decide incorporar a esas pinturas la nueva conquista de la Península, lo cual le daría un inmenso prestigio, porque nadie, desde el Imperio Romano, había conseguido unir los dos extremos, oriental y occidental, del Mediterráneo. Hay que decir que la simetría entre Oriente y Occidente es muy propia del imaginario islámico: si algo que existe en un extremo está también en el otro, su grado de convicción es extraordinario.

—En su artículo, mi madre hablaba también de la relación entre la Cava que había violado don Rodrigo y la Kaaba de La Meca.

—Bueno, eso ya son teorías de Sara. Pero lo que sí es cierto es que junto al afianzamiento de la conquista de España, otra de las prioridades del califa era contrarrestar la influencia de La Meca, ciudad muy santa y reverenciada, pero muy temida, porque de ella no venían más que problemas dinásticos. Y para ello apuntaló la capitalidad religiosa de Jerusalén. Por eso, Al Walid y su padre construyeron allí la Cúpula de la Roca y la mezquita de Al Aqsa, en la explanada del antiguo Templo de Salomón.

—¿Mi madre sabía todo esto?

—Desde luego. Para ese libro que estaba escribiendo, *De Babel al Templo*. De hecho, su madre pensaba que esas dos estrategias coincidían aquí, en Antigua, porque el tesoro de los godos incluía el del Templo de Salomón, que habían sido llevado a Roma cuando Tito lo saqueó, en el año 70. Cuatro siglos después, en el año 410, Alarico saqueó Roma, y los godos se llevaron el tesoro a Tolosa, y desde allí a Antigua en el 507. Lo más valioso de ese tesoro era el talismán, que aseguraba la permanencia en el trono a quien lo tenía bajo su control. Por eso estaba encerrado bajo veinticuatro candados, en el Palacio de los Reyes, y nadie podía violarlos. Hasta que llegó don Rodrigo, que se atrevió a hacerlo, y perdió su reino a manos de los subordinados de Al Walid I. Y ahí entra la teoría de Sara: la Cava que había violado don Rodrigo no era una doncella, como suele decirse, la hija del conde don Julián, sino un santuario, el equivalente de la Kaaba.

—Lleva razón. Eso es exactamente lo que decía en el artículo que le he comentado —confirmó Raquel.

—Ahora puede entender mejor la importancia que tenían para ella estas imágenes —subrayó la arqueóloga señalando las fotos con el dedo—. Están pintadas en el mismo momento de los hechos, son la única versión de primera mano de aquella historia. Demuestran que no es una simple leyenda a posteriori.

—Me ha hablado de una representación detallada del talismán.

—Sí, un mosaico que había a los pies del califa, rodeando el trono. Se encontraba en muy mal estado, pero como se componía de una serie de azulejos blancos o negros, sin ningún otro motivo decorativo, al final he podido reconstruirlo. Se lo mostraré.

Raquel estuvo a punto de dar un respingo al verlo. Sin embargo, reaccionó de inmediato y se mantuvo callada. No cabía duda. Aquel mosaico reproducía, punto por punto, la imagen completa del laberinto, el mismo representado en el pergamino que les habían robado en el despacho de Juan de Maliaño en El Escorial, y que había costado la vida al arquitecto. Contuvo todas estas emociones encontradas mientras alzaba la vista hacia Elvira Tabuenca para preguntarle:

—¿Tiene idea de lo que significa esto?

—Es un laberinto.

—Ya, eso ya lo veo, pero ¿qué sentido tiene ese mosaico bajo el trono del califa?

—Era la forma de transmitir el valor de un talismán que no debía ser movido de su sitio para asegurar que Al Walid I iba a conservar todas las tierras que se extendían desde una punta a otra del Mediterráneo. Ese talismán le había mostrado su camino y su futuro. Por eso intentó repartir su poder entre Jerusalén y La Meca, repitiendo en los cimientos del Templo de Salomón y en el interior de la Kaaba el laberinto que había encontrado en España. Del mismo modo que encima del trono hay una inscripción en árabe que debe de estar relacionada con todo esto.

Raquel observó con detenimiento la reconstrucción del mosaico con el laberinto y la fotografía que contenía la inscripción en árabe.

«Yo no entiendo nada, esto es un trabajo para David», pensó.

De manera que las puso juntas y preguntó a la arqueóloga:

—¿Me podría hacer fotocopias de esas tres imágenes? Me refiero a la pintura del rey don Rodrigo, el mosaico con el laberinto y la inscripción en árabe que hay sobre el trono.

Elvira Tabuenca sonrió de un modo extraño, y Raquel se temió que le dijera que no. Pero la profesora parecía esperárselo, porque le contestó, mientras se levantaba dispuesta a cumplir su encargo:

—Es curioso, las mismas que me pidió su madre.

Fue al quedarse a solas cuando lo entendió todo de golpe: David Calderón, la vegetación que habían desecado y eliminado los agentes de James Minspert en el pabellón de caza de Qasarra para hacer la pista de aterrizaje, y el árbol del parking que estaban cortando en el momento de salir del hospital. Le dio un vuelco el corazón al darse cuenta del peligro que corría el criptógrafo.

«¡Tenemos que sacar a David de ahí!», se dijo.

Bielefeld se opondría. Decirle aquello sería tanto como hacerle un feo, con todas las preocupaciones que se había tomado, al margen de sus obligaciones. Él había supervisado el dispositivo de seguridad, le había costado lo suyo convencer a Gutiérrez y a las autoridades españolas para que les cedieran aquellos efectivos policiales, frente al criterio del doctor Vergara, nada partidario de tener agentes en el hospital. Si ahora ella se equivocaba y la alarma era infundada, se crearía una situación delicadísima. Comprometería gravemente los permisos en curso para buscar a su madre, que el comisario llevaba trabajándose. Se les cerrarían todas las puertas.

Eso, si se equivocaba. Porque, si estaba en lo cierto, aún sería peor: lo que estaría en peligro sería su propia vida. Como ya se había encargado de sugerirle James Minspert. Las llamadas de teléfono que le había hecho para que no se entrometiera dejaban poco lugar a dudas. El argumento «oficial» era que hurgar en lo sucedido en la Plaza Mayor cuestionaba todo el proceso que debía culminar con la conferencia de paz, y no iban a permitir a nadie que interfiriese. Bastantes dificultades había ya. Pero cada vez parecía más claro que Minspert veía en las investigaciones que ella estaba llevando a cabo con David un peligro para sus intereses personales, tras su apropiación del Programa AC-110. La sola perspectiva le ponía los pelos de punta. Los problemas que iba a tener en España si se entrometía no serían nada al lado de los que la esperarían en Estados Unidos. Si es que ahora lograban sobrevivir.

Y, sin embargo, cuando la arqueóloga regresó con las fotocopias, la decisión de Raquel estaba tomada. Se despidió de la profesora, salió al pasillo, fue hasta el banco en el que la esperaba Bielefeld, agarró por el brazo al sorprendido comisario, y lo arrastró literalmente tras ella, mientras le pedía:

—¡Deprisa, John, tenemos que volver al hospital!

—Pero ¿qué sucede?

—Te lo explicaré en el coche.

—Lo mismo me dijo David Calderón cuando me sacó de la Fundación —protestó el Comisario—, y cada vez entiendo menos lo que está pasando.

* * *

Raquel Toledano se sentó de nuevo ante el ordenador, introdujo el CD y reanudó la lectura de las notas que había escrito Sara. Por lo que llevaba averiguado hasta el momento, no lograba comprender por qué había recurrido su madre a ese soporte. Pero ahora mismo acababa de encontrar la razón. Y entonces todo empezó a cobrar otro sentido, un alcance en verdad inesperado. Algo increíble, que la fue dejando anonadada a medida que se internaba en aquel descubrimiento.

«¿Cómo es posible que me haya mantenido al margen de algo así? —se preguntó—. En realidad, ¿cómo es posible que todos hayamos estado tan ciegos?».

Se trataba de un documento llamado CelLab, y al abrirlo supo que esa abreviatura quería decir Laboratorio de Autómatas Celulares. Al parecer, era el nombre técnico de aquellos extenuantes ejercicios que había estado ensayando Pedro Calderón sobre papel milimetrado. Para ser exactos, el CelLab era su versión informática, modernizada.

—De modo que AC significa Autómata Celular —murmuró entre dientes—. Y aquí dice que se trata de *«un modelo binario que simula la organización, transferencia y flujo de información en el mundo real. Como, por ejemplo, el crecimiento de un cristal a partir de una molécula o el de un organismo vivo a partir de la primera célula».*

El archivo de CelLab era interactivo, estaba lleno de enlaces en internet, y bastaba pinchar en ellos para acceder a las páginas web del Instituto Tecnológico de Massachussetts, el de California, el de Estudios Avanzados de la Universidad de Princeton y otras organizaciones científicas de toda solvencia.

«Mi madre debía de temer que no la creyeran. Por eso va poniendo aquí todas estas direcciones y enlaces, para demostrar que se trata de algo serio. Muy típico de ella».

El CelLab se completaba con una batería de programas que permitían desarrollar las 256 variedades de Autómatas Celulares. Lo que a Pedro Calderón le había supuesto años de trabajo extenuante, podía hacerse ahora en pocos minutos, con la simple pulsación de una tecla. Comprendió entonces mucho mejor la rabia de David. Y la emoción le empañó los ojos al pensar en él.

«Habría bastado que esos bastardos de la Agencia de Seguridad Nacional dejaran a su padre una de aquellas computadoras para ahorrarse el calvario por el que tuvo que pasar», pensó la joven con amargura.

Pero aún había más. Tras presentar los Autómatas Celulares, Sara se lanzaba a contar lo que siempre tuvo que callar Pedro Calderón, por el contrato de confidencialidad de por vida que había suscrito con la Agencia. Y allí aparecía la continuación del Programa AC-110, es decir —tradujo ahora Raquel—, el Autómata Celular 110. Que Pedro había proseguido por su cuenta tras ser apartado de él por James Minspert.

Aquello abría nuevas perspectivas sobre el enigmático lenguaje universal en el que había trabajado a lo largo de casi dos décadas. En principio, con el propósito de señalar los residuos radioactivos. Luego, para enviar mensajes al espacio exterior a través de radiotelescopios y naves espaciales. Y, finalmente, ya por libre, cuando lo desterraron a Antigua. Ahí debieron surgir las verdaderas sorpresas. Ahora se daba cuenta de que había sido esa libertad de movimientos lo que permitió a Pedro hacer un descubrimiento insólito, que nunca le habrían financiado en un organismo oficial.

Tras recapitular todos esos antecedentes, Sara abordaba aquel momento decisivo:

Lo peor de nuestra historia llegó a principios de los años setenta, cuando le visité en Antigua —comenzaba su relato—. Pedro sólo hablaba de Autómatas Celulares, y en concreto de ese AC-110. Le obsesionaba. «Es lo que he estado buscando durante casi veinte años —decía—. He desarrollado todas las combinaciones posibles, en todas direcciones. Y sólo ahora empiezo a comprender por qué la Agencia me apartó del proyecto».

Y digo que llegó lo peor porque la gente empezó a dudar de que estuviera en su sano juicio. Él no podía explicarles en qué trabajaba, y tampoco le importaba que lo tomaran por un chiflado. Se sentía el explorador de un mundo nuevo. «Es demasiado increíble —me aseguraba—. Incluso para mí mismo resulta increíble». Ésa fue una de las razones por las que se le fueron cerrando todas las puertas al Centro de Estudios Sefardíes que él dirigía. Y ésa fue la razón de mi visita, que mi padre, Abraham Toledano, consintió y hasta alentó: para intentar que Pedro volviera al «buen camino».

Dada la importancia de aquellos momentos decisivos, del cariz que iba tomando la situación —y, también, que yo no lograba comprender entonces todo lo que me decía—, guardo las notas que tomé de nuestras conversaciones.

Pedro estaba muy solo. Veía de vez en cuando al arquitecto Juan de Maliaño y mantenía algún contacto con gente que le permitía el acceso a ordenadores, pero siempre con cuentagotas. «Para no levantar la liebre», decía. Aunque, a la hora de la verdad, sólo me tenía a mí. Y hasta yo empecé a dudar. Eso lo sacó de sus casillas y lo bloqueó.

Un día, en uno de sus trabajos para el Centro de Estudios Sefardíes, descubrió en la biblioteca de El Escorial el gajo del pergamino que se llamaba ETEMENANKI *o* La llave maestra. *Eso le permitió atar cabos. De inmediato se dio cuenta de que formaba parte del mismo lote que los otros tres gajos que mi padre había comprado a Albert Speer, el arquitecto de Hitler, y que luego terminaron depositados en la Agencia. Sólo que éste debía de ser más importante. Le impresionó la historia de Felipe II, empeñado en morir con aquel trozo de pergamino en las manos, como si fuera un ariete hacia los cielos. Comenzó a investigarlo, y a partir de él inició una nueva fase del Programa AC-110. Lo más inesperado fue que, intentando reconstruir el resto del laberinto, pareció dar con una clave inédita en criptografía. «Muy inédita —decía—. Cuando creía estar excavando en el pasado, en realidad estaba husmeando en el futuro».*

Yo sospecho ahora, tras conocer el dibujo de la máquina criptográfica de Cardano, lo que intuyó Pedro: que los trazos del pergamino se habían hecho sobre la retícula de un cuadrado de 60 por 60 cuadrículas. Que esa máquina combinatoria no era sino un rudimentario ordenador, concebido a mediados del siglo XVI para hacer algo parecido a lo que él intentaba cuatrocientos años más tarde: reconstruir el resto del pergamino a partir de la pauta que gobernaba el gajo de ETEMENANKI-La llave maestra, *explorando todas las combinaciones posibles de cada cuadrícula y sus vecinas. Quizá fuera un modo de traducir a nuestro sistema decimal el sexagesimal que usaban los babilonios.*

No soy una experta en esas cosas. He llegado a tales conclusiones a lo largo de todos estos años, preguntando aquí y allá, procurando no dar demasiadas pistas ni más información de la necesaria.

Pero no quiero apartarme de lo que estaba contando.

Pedro era consciente de que había entrado en una nueva fase del Programa AC-110, y necesitaba medios, el apoyo y el reconocimiento fuera de Antigua. Sólo la Agencia de Seguridad Nacional podía proporcionárselos, y sólo a ellos podía contárselo, por su compromiso de con-

fidencialidad. Lo tenían atrapado. A través de mi padre, le ayudé para que le dieran una nueva oportunidad, ofreciéndole una opción de compra sobre aquella clave criptográfica. Aceptaron someterla a una prueba, y se la tiraron abajo. Además —le dijeron—, ya contaban con su propio desarrollo del Programa AC-110, y no tenían por qué pagar dos veces por lo mismo. Eso lo destrozó. Porque, sin el acceso a unos ordenadores de gran potencia, aquello implicaba un trabajo agotador. Y, sobre todo, porque no le cupo ninguna duda de que era otra vez James Minspert quien andaba detrás.

Por eso me sorprendió cuando un día, estando yo en Antigua, vino con algo que llamó «la prueba definitiva».

Traía un montón de esos folios de papel milimetrado y estaba muy alterado. Buscó una mesa donde poder extender todas las hojas, pero eran tantas que no cabían en ninguna. «Ponlas en el suelo» —le dije—. A medida que las colocaba, me las iba enseñando. Al principio, parecían componer otro Autómata Celular más, de aquellos que llevaba ensayando años y años: se tomaban esas cuadrículas, los ocho tripletes de siempre, y se indicaba la regla que debía seguir la cuadrícula de abajo, dependiendo de aquellas tres de arriba con las que estuviera en contacto. En apariencia, todo muy simple.

Pero a medida que iba añadiendo hojas y más hojas, en las que se desarrollaba esa regla, empecé a ver la diferencia con lo que había conseguido hasta entonces. La mayor parte de los AC sólo daban resultados simétricos, monótonos y repetitivos. Es decir, previsibles y limitados, cerrados sobre sí mismos, y capaces de servir como modelo a muy pocas formas, naturales o inventadas. Aquél, no. Era completamente imprevisible. Nunca se repetía un mismo patrón en el dibujo, de manera que de allí podía salir cualquier cosa, al menos en teoría. Él debió de leer el desconcierto en mi rostro, porque fue a por reglas y cartabones y, con una sonrisa desafiante, me dijo:

—Prueba a encontrar una sola repetición.

Fui examinando aquel suelo alfombrado de hojas. Lo hice pliego a pliego, cambiando de ángulo, tratando de encontrar cualquier indicio, alguna señal, por pequeña que fuera, algún patrón que guiara el proceso.

—Yo he estado un mes entero y no he conseguido dar con ninguna repetición —aseguró Pedro—. Es completamente aleatorio. Lo cual quiere decir que podría procesar cualquier información, por grande que sea, e imitar cualquier modelo, hasta el más complejo. En ese AC están contenidas todas las formas posibles. De esa regla de computación podría haber salido todo el Universo.

—¿Quieres decir que, aunque se conozca perfectamente el punto de partida y la regla de comportamiento, sin embargo, el resultado final es imprevisible?

—Aunque el punto de partida sea tan sencillo como esos ocho tripletes y la regla de comportamiento tan simple como la que ves ahí, el resultado final es imprevisible. Tan imprevisible, que el único modo de saberlo sería seguir desarrollándolo paso a paso durante siglos, milenios, millones de años —afirmó Pedro—. No hay atajos. Pero, si estoy en lo cierto, quien conozca este AC-110 es como si tuviera el Código Fuente del Universo, su software, su sistema operativo.

—O sea: su fórmula, el mapa de todo lo sucedido...

—Y de lo que sucede, lo que sucederá y sus posibles desarrollos alternativos. Como determinadas partes del genoma de un ser humano te permiten saber si contraerá tal o cual enfermedad.

—No puedo creerme que el Universo sea una gigantesca computadora y que la Naturaleza se dedique a jugar a los Autómatas Celulares.

—Los AC son una representación abstracta, como también lo son los modelos matemáticos —admitió él—. Yo no pretendo que esto explique los detalles uno a uno. Para eso haría falta conocer todos los procesos físicos, químicos y biológicos. Esto que ves aquí es una forma de representar los mecanismos que están en su base, los que son comunes a la Física, la Química o la Biología. Bastaría con que en vez de cuadrículas se utilizaran átomos, moléculas, células, genes, neuronas..., para poder crear mediante él todo el Universo: los cristales de nieve, las nubes, las flores, las conchas, las manchas del jaguar, los pensamientos...

—Si esa regla es tan simple, alguien debería haberla descubierto antes que tú.

—Y seguramente ha sido así. Los AC se pueden detectar en determinadas formas y proporciones naturales, como la sección áurea. Y podrían estar en las pirámides de Egipto, en los laberintos griegos, en los mosaicos bizantinos, en los entrelazos de los manuscritos celtas, en las yeserías y azulejos árabes, en las vidrieras de las catedrales, en las alfombras y tapices...

—Pero antes no había ordenadores...

—No se necesitan ordenadores, sino mucho tiempo y paciencia. Estos experimentos podrían haberse hecho hace milenios, a mano, igual que yo ahora. Bastaría con agrupar piedras de un determinado modo. Lo podría hacer un niño. Y tampoco son complicados desde el punto de vista *conceptual. Esto no son matemáticas. Son modelos computacionales, reglas muy simples que se repiten una y otra vez. Pura mecánica. De modo que quizá se hayan buscado muchas veces, e incluso encontrado, y nos hayan pasado desapercibidos. Herón de Alejandría inventó la máquina de vapor en el siglo I, pero se consideró un juguete sin importancia, y no se difundió hasta el siglo XIX. ¿Qué habría sucedido si alguien hubiese sacado las consecuencias en la Antigüedad? Quizá un atajo de mil ochocientos años.*

—Los caminos no tomados.

—Exactamente. Y yo tomé el menos transitado. Pues lo mismo podría haber pasado con esto. ¿Por qué no va a estar en ese pergamino? Es posible calcular la antigüedad del soporte, pero no de la información que ahí se representa. No sabemos de dónde procede.

—Por eso te parece tan importante.

—Claro —me contestó—. Alguien pudo intentar en el pasado lo mismo que yo ahora, un lenguaje universal para dejar un aviso a las gentes de otras épocas. Es pura lógica. ¿Qué mejor lenguaje universal que el que ha venido utilizando la Naturaleza para construir nuestro Universo, desde sus orígenes hasta nuestros días? La prueba es que yo estoy reconstruyendo el laberinto completo a partir de ese gajo llamado ETEMENANKI-La llave maestra. *Eso significa que debajo del laberinto está esa clave. Sólo que alguien la tapó añadiéndole otra serie de cuadrículas, y ahora esa clave maestra anda mezclada con otra información irrelevante. Habría que separarlas para tener algo así como el Código Fuente del Universo. Ése será mi próximo paso.*

—Pero es imposible que en ese laberinto esté todo eso.

—Que sea su Código Fuente no quiere decir que ahí esté todo. Para que de él surgiera el Universo que conocemos habría que desarrollar esa regla durante miles de millones de años, dejándola evolucionar e interactuar para que emergiese toda la complejidad que hoy tenemos. Y dejando que pereciesen todas las formas inviables, por su incapacidad para la supervivencia. Lo que cuenta es el tiempo. ¿Qué es lo que vale en el carbón o el petróleo? La energía solar empaquetada por las plantas a lo largo de miles o millones de años. Pero no es la única encerrada en ellos. También hay energía nuclear, que es aún más potente, y si se aprovechara toda la que hay en un pedazo de carbón se podría mover un transatlántico en su viaje de ida y vuelta entre Europa y América. Esa energía atómica es la razón por la que nos metimos en esto, para dejar un aviso a las futuras generaciones.

—*Pero no creo que en el pasado se conociese la energía atómica. ¿De qué peligro tratarían de avisar con ese código?*

—*Hay una energía mucho más poderosa que la nuclear: la Información. La Información Pura, la verdadera materia prima del Universo. Sólo que la conocemos mezclada, diluida en la materia. Ninguno de nosotros conservamos los mismos átomos con los que nacimos, pero seguimos siendo nosotros. Y eso se debe a la Información. En cualquier organismo vivo está comprimido lo que su código genético ha logrado averiguar de su entorno a lo largo de millones de años, para pasar la prueba de la supervivencia. ¿Qué sería, entonces, si pudiéramos aprovechar la Información en estado puro? No habría energía que se le pudiera comparar. Podríamos entrar en ese esqueleto interno del Universo, movernos por ese andamiaje de Información que lo sustenta. Quizá sea ése el peligro del que tratan de prevenirnos. De que no hurguemos ahí...*

Recordé entonces que en muchas tradiciones culturales existe la creencia en una escritura secreta, con la que Dios creó el mundo, y que Él quiso preservar de tal modo que llegara hasta el fin de los tiempos. Por eso la puso a la vista de todos, pero sin que nadie supiera dónde, ni en qué lenguaje. De modo que aun las cosas más pequeñas pudiesen ser espejos secretos de los más grandes misterios.

—*¿Lo ves?* —me dijo Pedro—. *¿Por qué no iba a encontrarse esa clave secreta en el modo en que distribuyen sus formas los cristales de nieve, o se ramifican los árboles, o despliega sus dibujos una caracola marina, o en las circunvoluciones del cerebro humano? Del mismo modo que sólo hace un siglo hemos descubierto la energía nuclear, pero eso no significa que la radioactividad exista únicamente en nuestros reactores nucleares, sino también en el mineral que llamamos radio. Pues igual puede suceder con la Información en estado más o menos puro. Quizá esos coágulos existan también en la propia Naturaleza y no sólo en los ordenadores. Es cuestión de buscarlos.*

—*¿Y esa clave podría esquematizarse en un simple laberinto?*

—*Desde luego. El laberinto es una forma perfecta, porque soluciona uno de los grandes problemas en el almacenamiento de la información: lograr el máximo de recorrido con el mínimo espacio...*

Raquel interrumpió la lectura y levantó la vista para atender al comisario Bielefeld, quien se acercaba hasta la mesa de la sala de reuniones para decirle:

—Estoy preparando café. ¿Te apetece una taza?

—Gracias, John. Creo que voy a necesitar más de una taza para asimilar todo esto.

El relato de Sara continuaba. Sin embargo, Raquel ya tenía bastante, por el momento. Iba a cerrar el archivo, cuando le llamó la atención una nota a modo de coda final:

Después de este encuentro con Pedro Calderón, yo aún tenía algunos trabajos pendientes en Europa, pero cancelé los que no eran imprescindibles para regresar cuanto antes a Estados Unidos. Inmediatamente, fui a ver a mi padre y se lo conté todo. Creía que cambiaría de opinión. Y lo hizo. Pero su reacción fue muy distinta a la esperada. Abraham palideció, alarmado. Dijo algo sobre la violación de la Obra Divina, y se opuso con todas sus fuerzas. En cuanto a Pedro, ya se sabe lo que pasó, aunque los detalles no los conozca nadie. Sólo puedo decir que lo último en lo que estaba trabajando antes de ser internado en el hospital de la Agencia era un AC circular, con una forma que recordaba extrañamente a un cerebro. Cuando aún me dejaban visitarle, intenté averiguar algo más. Tras restringirse las visitas, le pregunté a Jonathan Lee, que también estaba ingresado. Sólo supo decirme que a menudo Pedro hablaba de un modo ininteligible. Y después, ya de regreso a Antigua, cuando se dio cuenta de que su salud se iba deteriorando, decidió bajar a los subterráneos. Me temo que había ido demasiado lejos, que estaba utilizando su propia mente como filtro para separar la información válida de la que alguien había añadido en aquel laberinto, y como consecuencia su cabeza había entrado en barrena. Aquello empezaba a darme miedo. Más tarde le pregunté a Gabriel Lazo, el conserje del Centro de Estudios Sefardíes. Me contestó que Pedro le había encargado que quemase todos sus papeles, para que no se repitiese aquella desgracia…

—Eso, al menos, sabemos que no es cierto —oyó que decían detrás de ella—. Lazo me enseñó y prestó esos papeles.

Raquel se volvió, y vio a David Calderón que le traía la taza de café.

—¿Qué tal estás? —le preguntó, tomándole de la mano.

—Bien, muy bien. Mucho mejor de lo que me encontraría si me hubierais dejado en el hospital. Además del escáner, me habrían hecho un agujero en la cabeza. No sé por qué te empeñas tanto en salvármela.

—No teníamos a mano ningún criptógrafo de repuesto. ¿Cómo va lo tuyo?

—Lo acabo de repasar por última vez y creo que ya lo tengo. Lo he podido leer.

Raquel se quedó asombrada. ¿Qué validez tenía, entonces, todo lo que acababa de ver en el CD escrito por su madre?

—¿Leer, dices? —preguntó al criptógrafo—. ¿No es un laberinto, entonces?

—Sí, pero no sólo es eso. Prefiero que lo veas con tus propios ojos. Vamos a esperar a Bielefeld.

Raquel señaló la pantalla de su ordenador y le preguntó:

—¿Por qué crees tú que mi madre no nos dice en este CD por dónde pensaba entrar en los subterráneos y lo que podemos encontrarnos ahí abajo?

—Quizá no lo supiera todavía cuando lo escribió. O quizá es que no quería que la siguiéramos. No, al menos, hasta que hubiésemos averiguado lo necesario para sobrevivir.

—¿Y ya lo sabemos?

—Sabemos bastantes cosas, pero el único modo de averiguarlo es bajar ahí. De todos modos, ella podía jugar algunas bazas de las que no disponía mi padre. Y nosotros tenemos varias con las que no contaban ninguno de los dos. Además, podemos ir juntos.

—No creo que te encuentres en condiciones —dijo Raquel.

—Claro que lo estoy. Me encuentro perfectamente. Otra cuestión será que nos deje Bielefeld. Ya sabes cómo es este hombre.

Y señaló en dirección al comisario, que se acababa de sentar junto a ellos. David tomó las fotocopias de Qasarra que la arqueóloga había entregado a Raquel, señaló la inscripción que había encima del trono del califa y dijo:

—Esto es muy fácil de leer, árabe clásico en caligrafía cursiva: «*¡Dios!* —tradujo—. *No hay más dios que Él, el Viviente, el Eterno. Ni la somnolencia ni el sueño se apoderan de Él. Suyo es cuanto está en los cielos y en la tierra. ¿Quién intercederá ante Él si no es con su permiso? Sabe lo que está delante y detrás de los hombres, y éstos no conocen nada de su ciencia, excepto lo que Él quiere. Su Trono se extiende por los cielos y la tierra y su preservación no le fatiga. Él es el Altísimo, el Inmenso*».

—¿Y eso qué es? —preguntó Bielefeld.

—He consultado las correspondencias del Corán y son unos versículos de la sura segunda, llamados la aleya del Trono. Es un pasaje muy conocido, que se recita en momentos de apuro y se utiliza en amuletos, talismanes y otros objetos protectores. Por lo que veo, le han añadido una coletilla para que haya doce versículos. Una coletilla que significa algo así como «*Dios ha dicho*» o «*Palabra de Dios*».

Y ahora, vamos a compararlo con el laberinto que hay en la otra fotocopia, la que tiene el mosaico situado bajo el trono del califa:

الله لا اله الا هو الحي القيوم
لا تأخذه سنة ولا نوم له ما في
السموات وما في الارض
من ذا الذي يشفع عنده
الا باذنه يعلم ما بين
ايديهم وما خلفهما
ولا يحيطون بشي من علمه الا بما شا
وسع كرسيه
السموات والارض
ولا يرد حفظهما
وهو العلي العظيم
صدق الله

—No pretenderás que ahí dice lo mismo —le atajó Raquel.

—Por muy increíble que parezca, la respuesta es sí. Se trata del mismo texto en escritura cuadrangular.

Y fue colocando cada versículo en ambas versiones caligráficas, la una al lado de la otra:

الله لا اله الا هو الحي القيوم

لا تأخذه سنة ولا نوم له ما في

السموات وما في الارض

من ذا الذي يشفع عنده

الا باذنه يعلم ما بين

ايديهم وما خلفهما

ولا يحيطون بشي من علمه الا بما شا

وسع كرسيه

السموات والارض

ولا يود حفظهما

وهو العلي العظيم

صدق الله

—Desde luego, sin tener delante el texto en cursiva es absolutamente imposible reconstruir ese laberinto, ni descifrarlo —hubo de admitir David—. Sólo un ojo muy entrenado podría hacerlo. Se trata de escritura cúfica, de la variedad *al banna'i*, que es de donde viene la palabra española *albañil*. El cúfico de albañil es la caligrafía más cuadrangular, la más arquitectónica, porque se utiliza para «escribir» con ladrillos en las paredes de los edificios. De hecho, es un híbrido de las técnicas del calígrafo con las de los alarifes.

—La escritura y la arquitectura, la herencia de Babel... —observó Raquel.

—Vamos a ver, vamos a ver... —intervino Bielefeld—. Explíquemelo clarito, de modo que yo lo pueda entender. ¿Qué relación hay entre todo eso de Babel, el laberinto, los farfullos y los Túneles de la Mente?

—Dicho un poco a la pata la llana, lo que ahí se contiene viene a ser la fórmula de la que procede el Universo —le contestó David—. Y dado que todo se origina a partir de ella, pues es como un paquete de información que se conserva a lo largo del proceso en cada uno de nosotros, los que poblamos este mundo. Inevitablemente, algunos han debido de descubrirla en diversos momentos a lo largo de la historia de la humanidad, y han tratado de preservarla, en los dos sentidos de la palabra: que no se pierda, y que sólo la conozcan quienes puedan hacer buen uso de ella. Esto que nosotros hemos estado persiguiendo parece proceder de la época de los babilonios. Del mito de la Torre de Babel, para entendernos. De ahí deriva este laberinto, que contiene la fórmula, y por ello puede activar el mismo paquete de información que hay en nuestros cerebros. Seguramente lo hace utilizando las conexiones más primarias en las que se basa el lenguaje, comunicándose con él aprovechando nuestros Túneles de la Mente. Y a partir de ahí ya conoce la historia.

—Y ¿cómo salió ese texto en árabe de un talismán que estaba en el tesoro de los godos?

—Debió de suceder cuando en el año 711 lo encuentran aquí en Antigua los cabecillas de la invasión de España, Tariq y Muza. Al ser llamados al pabellón de caza de Qasarra para informar al califa Al Walid I, éste debía de saber que la virtud del talismán no estaba en su soporte material, por muy opulento que fuese, sino en la información que contenía, en el diseño del laberinto. Por eso debió de ordenarles que lo dibujaran con toda fidelidad, sin moverlo ni molestarlo, evitando repetir la imprudencia cometida por don Rodrigo. Y, una vez tuvo ese diseño en su poder, encargó a un calígrafo excepcional una versión para construir un laberinto que preservara aquel lugar de Antigua de extraños e infieles. El calígrafo hizo lo más lógico, según su fe y mentalidad: ese talismán encerraba la palabra de Dios durante la creación del mundo, y la palabra de Alá sólo podía estar en árabe. Fue entonces, al trasladarla al estilo cúfico, cuando enmascaró esa clave.

—Seguramente, sin pretenderlo —terció Raquel.

—O quizá sabiendo muy bien lo que hacía, porque así conservaba la virtud del talismán pero preservaba el secreto del código que había dado origen al Universo. Y de ella salió el modelo para el mosaico de Qasarra y el laberinto de ahí abajo, donde ahora está la Plaza Mayor. Sólo los creyentes que lo recorrieran en un orden muy preciso, siguiendo la aleya del Trono del Corán, podrían llegar hasta el talismán, que de ese modo permanecería intacto y guardaría todo su poder. Un laberinto que serviría, además, para trasladar esa virtud a quien tuviera otro igual. Y que le aseguraría el dominio de la península Ibérica. Por eso mandó poner ese mosaico bajo su trono.

—¿Y cómo logró reconstruir tu padre el laberinto a partir de un solo gajo?

—Había estudiado sus pautas. Y a partir de ese gajo descubierto en El Escorial, que lleva por detrás la inscripción ETEMENANKI-*La llave maestra* fue probando distintas reglas de Autómatas Celulares hasta encontrar una capaz de generar esos trazos hasta coincidir punto por punto.

—¿Y no podía reconstruirlo de adelante hacia atrás?

—Es imposible hacer ingeniería inversa. No se puede encontrar la regla simple de inicio a partir de un desarrollo complejo. Por eso resultaba tan laborioso. Pero a base de probar una y otra vez distintas reglas, logró encontrar una que le daba la forma del resto del laberinto, los demás gajos. Y se dio cuenta de que ese talismán contenía el Autómata Celular que él andaba buscando. Entonces pensó que quizá alguien, en el pasado, había dejado un mensaje para el futuro, como el que él estaba tratando de hacer para señalar los residuos nucleares. Y ese alguien tenía los suficientes conocimientos como para saber que el código más seguro era el del propio Universo, su Código Fuente.

—¿Y mi madre?

—Sara debió de seguir otra pista, estudiando el archivo del convento de los Milagros. La pista de Raimundo Randa y el proceso de *La lluvia de los viernes*. Randa sabía que, antes de la expulsión, los judíos de Antigua, al frente de los cuales se encontraban los Toledano, habían señalado con los doce versículos de la aleya del Trono otros tantos edificios por los que se podía acceder a los subterráneos. La mayor parte de ellos se fueron perdiendo, como pudo comprobar ese hombre cuando mandó a unos albañiles que los buscaran por todos los lugares de Antigua, procurando no despertar sospechas. Pero alguien los denunció, y ahí empezó el proceso que nos contó Juan de Maliaño contra una cuadrilla de albañiles que no trabajan los viernes porque dicen que llueve. El juez sospecha, y establece que son criptomoriscos que guardan el día de fiesta musulmán. Los detienen, los interrogan, registran sus casas y descubren que cuatro de ellos tienen otros tantos gajos del pergamino.

—Los que te envió mi madre.

—Eso es. Sara sigue estudiando el archivo, y se encuentra con que el juez que instruye el proceso va examinando los libros de fábrica de las construcciones en las que han trabajado los alarifes encarcelados. Creo que eso es lo que nos interesa ahora. Porque por una de ellas entró Sara.

—Juan de Maliaño nos habló de los edificios que forman un cuadrado bastante regular en torno a la Plaza Mayor —recordó Raquel—. Y dijo que de todas esas obras aún quedan en pie el cimborrio de la catedral, el ábside de la iglesia del convento de los Milagros, la torre del Alcázar y la Casa de la Estanca.

—Sí, pero la catedral no nos vale —aclaró el criptógrafo—. La entrada a los subterráneos desde ella fue cegada durante la construcción de la Plaza Mayor. Por ahí no pudo entrar Sara.

—¿Y la iglesia del convento de los Milagros?

—Las monjas niegan que Sara haya podido entrar por ahí —advirtió el comisario Bielefeld—. Otra cuestión es que digan la verdad. En cualquier caso, a nosotros no nos dejarán entrar.

—Está luego la torre del Alcázar.

—Tu madre no puede haber entrado por el Alcázar —intervino de nuevo Bielefeld—. Ahí se aloja ahora la guarnición que refuerza la seguridad y está muy vigilado.

—Queda la Casa de la Estanca —concluyó Raquel—. Además, la construyó un antepasado de Juan de Maliaño.

—Lo que construiría es el palacio que la rodea —precisó David—. La Casa de la Estanca es muy anterior. Hay decoraciones geométricas en ladrillo, pero están muy afectadas por la humedad. La verdad es que nunca se me ocurrió que pudieran ser un texto en árabe. Y aún tengo dudas. Ahora bien, es el único lugar sin control ni vigilancia. Por ahí sí se podría entrar.

—Entonces, ya lo tenemos —dijo Raquel.

—No es tan sencillo —le advirtió David—. No creo que su estado actual permita el acceso a los subterráneos.

—¿Por qué?

—La única entrada posible son los sifones conectados al antiguo sistema de distribución de agua. Y son muy peligrosos. Sobre todo con tormentas e inundaciones, como ahora. Incluso sin agua es muy fácil asfixiarse o ahogarse.

—A propósito —intervino el comisario—, mis contactos me han dicho que James Minspert ha pedido equipos de buceo y espeleología.

—Eso significa que ha decidido bajar ahí —afirmó el criptógrafo—. Tenemos que adelantarnos, ahora que estarán ocupados preparándose. Si lo hacemos después de él, no habrá nada que investigar.

—Hay que entrar ya —le apoyó Raquel—. No sabemos lo que puede haberle pasado a mi madre con lo que haya encontrado ahí abajo. Ni siquiera sabemos bien de qué estamos hablando. El único modo de averiguarlo es bajar.

—Os doy toda la razón, hay que entrar —admitió Bielefeld—. Pero por ese agujero de la Plaza Mayor. Y ya estamos trabajando en ello.

—Llevamos una semana pendientes de que nos den el permiso. No podemos esperar más —insistió Raquel.

—Están terminando. Me han dicho que es cuestión de un día o dos. Y mientras, lo prepararemos todo con cuidado. Eso no es ninguna broma. Además no podéis meteros en esos subterráneos sin avisar al inspector Gutiérrez.

—Si nos ponemos en contacto con él, no nos dejarán —se opuso David—. Y encima los habremos puesto en guardia. Bajaremos nosotros, Raquel y yo.

—¿Vosotros solos? ¡Ni hablar! ¿Cómo vamos a hacer el seguimiento desde la superficie? —preguntó el comisario—. Para eso tenemos que ponerlo en conocimiento de la policía española. Si entráis sin avisarles a ellos, no os podremos ayudar, ¿no os dais cuenta? Y no sabéis lo que os espera ahí abajo. Acordaos de lo que sucedió cuando Calatrava exploró la Plaza Mayor con el radar. Me opongo rotundamente a que os metáis ahí sin todo el equipamiento y cobertura desde la superficie.

XI

EL AÑO DEL TRUENO

EN la penumbra de su celda, Raimundo Randa se pregunta qué sucede ese día, el último de la tregua que le han concedido. Hay gritos y nervios. Mucha destemplanza. Espera con impaciencia la visita de su hija, y no se calma hasta escuchar el rebullir de la guardia en el pasillo y oírla llegar a la puerta. La llave está ocupada largo rato en la cerradura. Se le hace más interminable que nunca el rechinar de los resortes. Cuando, al fin, ceden, se abre la hoja de hierro y aparece Ruth. Tras ella, Artal de Mendoza, cuyo malhumor no se le escapa. Al Espía Mayor le cuesta separar la llave de su mano postiza. Está encasquillada. Y el prisionero comprende que han aumentado los fuertes dolores que le provoca el metal al pinzarle los nervios del muñón.

Desconoce por completo lo que sucederá a continuación. Ni siquiera sabe si han permitido a su hija traer el tapiz. Se alarma cuando ve entrar a la muchacha con las manos vacías. La interroga con la mirada. Pero ella rehuye sus ojos, por razones que no acierta a comprender. Y se pregunta, angustiado, por qué ese día Ruth no le ayuda y orienta, cuando más lo necesitaría.

Nota que Artal les observa, para detectar cualquier asomo de complicidad entre ellos. El más mínimo indicio haría recelar al Espía Mayor, dando al traste con sus planes. Y entiende entonces la sequedad de la muchacha, dándole a entender que no deben delatar sus intenciones.

Si ha traído el tapiz consigo, deben de haberlo retenido y estar ahora examinándolo, por si contuviera algo sospechoso, y ella no quiere provocar más suspicacia de la necesaria.

Cuando Artal abandona la mazmorra, tras un tiempo que se le hace eterno, corre a preguntar a su hija:

—¿Dónde está el tapiz?

—Lo traje conmigo —le responde Ruth—. Quedó en el cuarto donde dejé mi ropa. Pero me temo que ese hombre lo va a inspeccionar hebra a hebra.

—No sólo él. Quizá llame a un tejedor, por si advirtiera algo extraño. ¿Has tenido buen cuidado de que parezca en todo un tapiz común?

—Sí, padre, claro que sí.

—Entonces, sólo nos queda esperar a esta tarde. ¿Qué pasa en la ciudad, hija?

—Anda la gente muy revuelta y asustada por el cambio del calendario.

—¿Es mañana, entonces, cuando se lleva a cabo?

—Comenzará esta misma medianoche. Se perderán los últimos doce días. Como si nunca hubieran existido. Por eso andan tan temerosos, pues dicen que nada se sujetará ya a su estado anterior. Que éste es el año del trueno. Se trasiegan también muchos pronósticos sobre lo que sucederá esta noche, pues quedará fuera del tiempo, a la deriva, mezclándose los vivos con los muertos y con los que estén por venir.

—Sólo son fechas y números, pero así es la superstición.

—¿Pensáis seguir adelante con vuestros planes?

—Desde luego, si Artal me deja su mano de plata y me entrega ese tapiz que habéis tejido entre tú y Rebeca.

—¿No os asusta lo que pueda sucederos ahí abajo con semejante trastorno de las horas, los días y los tiempos?

—Hay otras cosas que me preocupan más. Y si esto no sale bien, al menos sabrás por qué obré como lo hice, y tú y Rafael podréis proceder en consecuencia. Ahora debemos proseguir, como todos los días, para que no haya ninguna sospecha sobre nuestros planes. Tenemos mucho tiempo hasta que Artal regrese.

—En ese caso, terminad de contarme lo que sucedió a vuestra vuelta aquí.

—Pero hija, ¿qué te puedo decir que no sepas? Una vez que hube vuelto a Antigua, tú conoces la historia mejor que yo. Me embarqué para España en Palestina, viaje que tú ya has hecho. Aunque esta vez fue distinto. Reposada la navegación, demasiado para mis ansias de llegar y, por eso mismo, muy tormentoso mi ánimo. Me angustiaba la visión que había tenido en la Casa del Sueño, tan real y tangible, cuando tu madre se despedía de mí con aquella apesadumbrada tristeza. Me asaltaban los recuerdos y me corroían los presentimientos a medida que me acercaba aquí y tenía que cambiar mi lengua, la ropa, los gestos, el modo de mirar las cosas. Y, sobre todo, me asustaba lo que iba descubriendo sobre aquel pergamino y el laberinto trazado en él, su alcance e importancia para negocios tan altos. Pues a mi regreso habría de enfrentarme de lleno con todas las codicias que aquel asunto había suscitado desde siglos atrás. Cuando llegué, dudé que fuera el mejor momento para el regreso. Aunque eso, como tantas otras cosas, tampoco me lo dejaron elegir. Y, dado que debía hacer el camino sin levantar sospechas —con gran tacto y discreción, y cualquier apresuramiento despertaría recelos—, apuré mis dineros para pagar un correo que se adelantara a mi persona y os trajera un mensaje avisándoos de mi regreso.

—Lo recibimos, padre. Y fue para madre motivo de revivir durante algunos días. Al saber que estabais de camino, pidió su telar, e intentó terminar el tapiz que tejía para vuestro regreso. Pero no contaba ya con fuerzas para ello. Hubo de dejarlo, y me pidió entonces: «Hija mía, ve a comprar unas ramas de canela».

—¿Canela en rama? ¿Para qué? —se extraña Randa.

—Eso mismo me dije yo. Y, sobre todo, me preguntaba de dónde iba a sacar el dinero para algo tan caro. Pedí de prestado e intenté complacerla, para animarla a seguir con vida. Porque mi madre habría sobrevivido de no haberla molestado de continuo Artal de Mendoza y sus esbirros. Los cuales, con sus interrogatorios y el secuestro de nuestros bienes, adelantaron su muerte, sin ningún miramiento para el estado en que se encontraba.

—¡Maldito bastardo!

Por la reacción de Raimundo teme Ruth que no pueda contenerse en sus tratos con Mano de Plata, que el odio pueda más que el cálculo y la astucia. Y se sienta junto a él para trata de calmarle:

—Padre, sosegaos y bajad la voz. Si alguien viene a vernos notará vuestra alteración, y hoy debemos evitarlo más que nunca. Seguid contándome vuestra historia. Os lo pido por la memoria de mi madre. No flaqueéis ahora, cuando más necesario nos resulta mantenernos en el surco que nos hemos trazado.

—Llevas razón, hija, como de costumbre. Llegué a esta ciudad con un aspecto tan cambiado que apenas necesité disfrazarlo para no ser reconocido. Había oído hablar por el camino de la mala racha de Antigua, siempre en declive. Pero no pensaba que las cosas hubiesen ido tan lejos. Vi mendigos en cada esquina, y cuando al fin llegué ante la Casa de la Estanca, donde esperaba encontraros a ti y a Rebeca, la hallé vallada. Y tan abandonada que dudé si me había equivocado de calle o de ciudad.

Un hombre que vivía cerca me contó lo que había sucedido. Me indicó que la casa llevaba así mucho tiempo y que estaba prohibido traspasar la valla que la circundaba, bajo penas severísimas. Pregunté la razón. Me dijo que intentaron entrar por allí unos hombres en una expedición bien organizada, y que todos perecieron, excepto uno que salió trastornado, contando graves y amenazadores hechos. Que después brotaron de ella humores como de peste, una epidemia. Por lo que la habían tapiado, por no ser el agua para usar. Me interesé por la gente que allí vivía. Me informó que había muerto don Manuel Calderón, y me dio noticias de dónde se habían acogido su esposa doña Blanca y su hijo Rafael. Hacia allí me dirigí. Llamé a la puerta, y cuando ésta se abrió, me costó reconocer a Rafael. También a él reconocerme a mí.

—Sois Raimundo, ¿verdad? ¡Cuánto tiempo! —dijo tras largo examen.

—Siento mucho la muerte de tu padre, que me acaban de comunicar. Sabes bien cuánto le apreciaba, y espero que tu madre se encuentre bien.

—Lo está, señor, muchas gracias. Pasad, por Dios, pasad.

En cuanto entré, no pude esperar más para preguntarle aquello que me quemaba en la boca:

—¿Dónde están mi mujer e hija?

—Vuestra hija está aquí.

—¿Y mi mujer?

Calló Rafael, y su silencio hizo que me saltara el corazón en el pecho. Entonces viniste tú. Cuando me abrazaste y rompiste a llorar de aquel modo, me temí lo peor. Y cuando me contaste cómo fue la muerte de Rebeca, todo se me vino abajo. Siempre desconfié de aquellas fiebres mal curadas en Tiberíades.

—Creedme, padre —le insiste Ruth—, ella habría resistido si hubiésemos dispuesto de alimentos, alguna medicina y tranquilidad. Repito que fueron las continuas molestias y disgustos ocasionados por Artal de Mendoza y sus sicarios lo que acabó con ella. Al ver que vos no regresabais, ese hombre empezó a hacer nuevas rebuscas en la Casa de la Estanca y en la obra del Artificio de Juanelo.

—Siempre ese canalla, como una sombra...

—También le pesó a Rebeca la soledad de saberse en un país extraño. Y vuestra ausencia. Cuando ya deliraba de muerte, repetía una retahíla de nombres y de cifras que apenas llegaba yo a entender. Hasta que, rebuscando en los cajones algo de dinero para comprar la canela en rama que me había pedido, encontré lo que aquello significaba.

—¿Te refieres a aquellas cifras y nombres que deliraba tu madre?

—Sí. Eran nuestras deudas. Las deudas contraídas para poder sobrevivir, apuntadas en un papel. Se las sabía de memoria, y durante la fiebre le subían a las mientes hasta impedirle cualquier otro pensamiento. A pesar de lo cual apuró los últimos préstamos con el objeto de tejer ese tapiz para vos, con la mejor lana que encontró.

Randa está sobrecogido, y se cubre el rostro con las manos, al lamentarse:

—¡Cuánta soledad, angustia y noches de insomnio pasaría Rebeca repasando esas cuentas! ¡Ella, que en su juventud había nadado en la abundancia! ¿Por qué compraste, entonces, la canela en rama, que tan cara va, si no teníais dinero?

—Porque ella me lo rogó con lágrimas en los ojos, diciéndome: «Es para ponérmela en la boca. No quiero que cuando llegue Raimundo, al besarme, sienta el hedor de la enfermedad. No quiero oler a muerta».

—¡Dios mío! —suspira Randa.

—Para cuando ella murió, ya habíamos tenido que poner nuestros bienes en almoneda. Todo se lo llevó la trampa, incluso las camisas y otros ajuares más íntimos. Hasta el telar y el tapiz que tejía para vos hubimos de verlos en la calle. Aún estaba allí, atravesada en la lana, la lanzadera con la que Rebeca lo trabajaba. No le dejaron terminarlo.

—¿Todo eso se subastó estando viva ella?

—Por decisión de Artal, se hizo estando viva, y aun moribunda. Hubo de oír desde el lecho como eran voceadas sus prendas por el pregonero. Y saber de la curiosidad malsana de los vecinos en la puja, revolviéndolas con sus manos. Aquella vergüenza de ver a las comadres, siempre tan caritativas, examinar los costurones, los remiendos que por fuerza hubimos de hacer en nuestras ropas, dadas las penurias que padecimos. Yo me mordía los puños al ver a los soldados vigilando los bienes que se exponían en la calle, e ir saliendo a la venta acá un brasero, allá un mortero, una rueca, un espejo de buena hechura que se vendió muy por debajo de su precio...

—¿Todos nuestros bienes se vendieron?

—Y lo que no se vendió, porque nadie lo quiso, quedó depositado, por orden de la justicia, en casa de un banquero. Como os dije, este hombre sólo ha permitido rescatar el telar, y eso tras mucho rogarle y hablar con él Juan de Herrera.

Hay un largo silencio, cargado de pesadumbre. A Randa le cuesta retomar el hilo, recordar el momento de su regreso a Antigua, su desesperación al saber la muerte de Rebeca. Y, sin tiempo para reponerse, el conocimiento de las gravísimas acusaciones que pesaban sobre él, la necesidad y urgencia de esconderse como una alimaña antes de que alguien le reconociese.

—¡Había pensado tanto en la llegada aquí durante mis viajes! ¡Me había servido tantas veces de acicate...! Y, de pronto, me encontraba contigo, solos los dos, sin tu madre, ni apenas tiempo para abrazarte. Y tú y Rafael explicándome, atropelladamente, que os habíais casado...

—Al morir don Manuel, él y doña Blanca hubieron de dejar la Casa de la Estanca, que quedó así muy abandonada y mal mantenida. Juanelo nos ofreció vivir a los tres bajo su techo. Y entonces decidimos casarnos. ¿Dónde íbamos a ir? Además, de ese modo, podíamos ayudar a Turriano en sus economías, porque no tenía ni para comer y, por el contrario, sí que disponía de sitio.

—¿Y el Artificio? ¿No se lo pagaron? —se extraña Randa.

—Juanelo logró terminarlo, y cumplió todo lo que era obligado de su parte. En cambio, la ciudad no le correspondió. Le habían ofrecido ocho mil ducados. Pero nada se le dio, aunque les requirió después muchas veces. Se excusaron diciendo que el beneficio del agua era, sobre todo, para el Alcázar de Su Majestad. Se dirigió entonces a la gente de palacio, pero, como luego hemos llegado a saber por Herrera, todos sus escritos fueron intervenidos por Artal de Mendoza, que era mortal enemigo suyo, pues tampoco le había pagado en su día la mano de plata que Juanelo le hizo. Discutieron mucho por ello, y por eso nunca quiso arreglársela cuando se le descomponía. Seis años anduvo Turriano en esos pleitos. Y como sus acreedores le fatigaron hartas veces, hubo de tomar prestados esos ocho mil ducados para pagar sus deudas. Y por no haber podido cumplir, se los cambiaron, recambiaron y rehicieron los intereses, con gran perjuicio. Hasta quedar completamente arruinado.

—¿No se pudo hacer nada contra tales atropellos?

—No sólo eso, sino que le fueron dando de lado en otros encargos, con los que podrían haberle compensado. Luego intentó Turriano que el arcediano al que había arrendado unas casas suyas le pagara los alquileres. Pero el clérigo se encastilló en sus privilegios eclesiásticos. Llegó a suplicar un empleo al rey, ofreciéndose a volver a Madrid con un mínimo sueldo de criado, aun sabiendo que si el Artificio dejaba de funcionar ya podía irse despidiendo de cobrar, pues se escudarían en eso para no pagarle nunca. En esos pleitos murió, dejando a sus herederos muy desamparados. Sólo Herrera le ayudó. Le costó mucho recuperar esas demandas que Artal bloqueaba. Tuvo que hablar para ello con Felipe II, y éste ordenó que se recogieran los papeles y trabajos de Juanelo, haciendo con ellos un inventario con el que tasar lo que se le debía, de modo que sus herederos no quedaran en la miseria y no murieran de hambre. Ésa es la razón por la que está Herrera en Antigua, además de ocuparse del trazado de la Plaza Mayor que se disponen a edificar.

—¡Dios mío, qué amargura!

Reflexiona Raimundo sobre lo sucedido desde entonces, y pregunta al cabo a su hija:

—Así pues, Juan de Herrera ha sido el único capaz de enfrentarse a Artal. ¿Por qué me denunció, entonces?

—Ya os lo dije: para salvaros la vida —responde Ruth, perfectamente seria—. No es fácil de explicar, padre. A vuestro regreso, los acontecimientos se precipitaron y había que ganar tiempo. Fue pendencia larga y enrevesada, pero Rafael me lo ha confirmado. Y todo vuestro plan de fuga de esta noche lo ha concertado él con Herrera.

—¿Pues cómo fue eso?

—Recordaréis que, cuando os hubisteis repuesto de vuestro dolor por la muerte de mi madre, os contamos las acusaciones que pesaban contra vuestra persona, debido a los informes de Artal, que os daban como renegado. Y se os acusaba en ellos de ser amigo muy estrecho de dos de los más grandes enemigos del rey, el *Tiñoso*, Alí Fartax, y su lugarteniente Alcuzcuz, con quienes os habían visto en Argel en buena armonía. Y cuando vos os hubisteis hecho cargo de tan graves noticias, hablamos luego sobre el modo de encontrar ese tesoro de los godos. Vos nada queríais saber de él, pues era grande el abatimiento en que os encontrabais. Aunque al fin os repusisteis.

—No sólo por el dinero, que tan necesario nos era y es, sino por hacer justicia, dándole alguna utilidad a tanto esfuerzo y dolor. Además de demostrar mi inocencia y la vuestra, y desenmascarar a Mano de Plata. Pues, ¿cómo iba a creerme nadie, si no podía aportar pruebas tangibles de mis andanzas? Pero si encontraba ese tesoro tendría una moneda de cambio de gran valor, con la que rescataros a vosotros y a mí mismo.

—Lo sé, padre. Lo que no entiendo es por qué razón seguisteis vuestro extraño plan.

—Porque la Casa de la Estanca era impracticable. Eso nos obligó a buscar otras entradas a los subterráneos. Es decir, los otros edificios de la ciudad donde hubiera marcas y señales que coincidieran con el pergamino que yo había traído.

—¿No fue eso una imprudencia?

—Era lo menos arriesgado. Hallamos que el único modo de hacer esto sin levantar sospechas era contratar a una cuadrilla de albañiles que conociesen el modo en que trabajaban antiguamente los moriscos, y podían reconocer aquellas señales dejadas por los Toledano antes de partir el pergamino en doce gajos y ser expulsados del país. Además, con el mucho trajín de reparaciones que estos albañiles hacen aquí y allá, podían buscarlas de modo discreto por toda la ciudad. Entonces, para no comprometeros con mi presencia y tener noticia y control de sus averiguaciones, yo me escondí en casa de uno de ellos, el jefe de la cuadrilla, donde cada día me daban parte y consulta. Supe así en qué edificios había trazos en ladrillo como los del pergamino. Y resultaron ser los que rodeaban la plaza del mercado: el Alcázar, el convento de los Milagros y la catedral. Recordé lo que me dijera Rubén Cansinos en Fez sobre aquel pasadizo bajo tierra que unía esos lugares, hasta dar en un gran pozo que había en el centro, por donde se descendía hasta el tesoro. De donde dedujimos que por allí venía un conducto desde la Casa de la Estanca, y que tomándolo se llegaría desde el Alcázar hasta el convento, y desde éste a la catedral, y desde ésta al pozo. Y que este último se ha de comunicar con el río, por donde dicen que halla salida el agua de la Casa de la Estanca a través de un cauce subterráneo, que es el que salva este pasadizo.

—Entiendo —concede Ruth—. Dejadme ahora volver a las razones de Herrera para denunciaros. Los problemas empezaron con los albañiles de los que habláis. Con su mucha labor y rebusca, levantaron éstos el recelo de los espías e informantes de Artal, quien puso tras ellos a ese soldado fanfarrón, Centurio, para que siguiera sus pasos. Y notó éste que todos ellos eran familia entre sí. Y que nunca trabajaban los viernes, que es el día de fiesta de los musulmanes, como el domingo para los cristianos. Pidió este sicario noticias a otros contables de lugares donde habían obrado, revisó los libros de fábrica, y vio ser esto fijo y cierto: que los tales nunca iban a su tajo los viernes. Porque decía en el libro de obras: «*El viernes no vinieron, pues llovió, y fue esto impedimento para su desempeño*». Nunca parecía llover los jueves ni los sábados ni cualquier otro día de la semana. Lo que le hizo entrar en sospechas. Fue siguiéndolos Centurio y reparó en que había uno cabecilla o principal. Y que los viernes se reunían en su casa. La registraron en su ausencia, y hallaron una habitación oculta con mucha maña. Y en ella toda una librería morisca y los útiles de un taller de encuadernación, con su prensa, cuchilla, alisador y hierros para las molduras de la pasta. Y vieron que era un escritorio para copiar el Corán en letras arábigas, y que había allí una mezquita clandestina con muchas alfombras, donde se juntaban para orar en secreto.

—Allí estaba yo —recuerda Randa—. Ese día del registro de Centurio y sus secuaces tuve que esconderme en un falso doble suelo, y sentí sus pisadas sobre mí. Pues me tenían prevenido este escondite auxiliar, ya que ratón que no sabe más que un agujero, presto es cogido. Y yo bien sentí que algo se estaba torciendo, y por eso, cuando fuisteis a verme tú y Rafael os entregué aquellos gajos del pergamino que espero conservéis.

—Así ha sido, padre, estad tranquilo. Lo que sucedió después, bien podéis imaginároslo. Artal detuvo a los moriscos, y les encontraron los otros gajos que vos les habíais prestado para reconocer las señales. Les sometió a interrogatorio Rengifo *el Bárbaro,* hombre cruel, así llamado porque se precia de haber dado tormento a más de mil personas. No tardó en dejarlos convertidos en guiñapos de carne renegrida, tullidos de brazos y piernas por la mancuerda, y sonsacarles dónde os escondíais. Con todas estas noticias en su poder, dudó Artal qué hacer, pues si erais detenido y terminabais en manos de la Inquisición escaparíais a su jurisdicción, podríais hablar, y contar sus traiciones y otras noticias muy comprometidas para él. Estaba pensando este canalla en otros planes, cuando Centurio se fue de la lengua en una de sus historiadas rondas por las tabernas. De ese modo, la detención de los moriscos, hasta entonces secreta, llegó a oídos de un familiar del Santo Oficio, quien lo puso en conocimiento del inquisidor, para que reclamase a los prisioneros. Entonces, temiendo que vuestra detención fuera cosa de horas, Artal decidió mataros para que no hablarais, haciendo los preparativos muy en secreto. De nada le valió, porque para entonces ya se había enterado Herrera de todo el percance.

—¿Y cómo lo logró?

—Gracias a Borrasquilla.

—¿El bufón enano?

—El mismo. Es gran amigo de Herrera, a quien presta su casa en El Escorial, como sabéis. Pues veréis lo que le sucedió. Es Borrasquilla muy galante, dado a faldas y amoríos. Estaba esos días en una alcoba del Mesón de la Encomienda, entretenido con una criada revolcadera que allí sirve. Le atendía ella con el mayor esmero, y ya estaba el enano desabrochándose los calzones, cuando oyó que la dueña la llamaba a grandes voces mientras subía la escalera para dirigirse a aquel aposento en el que estaban ambos. Salió la moza a toda prisa y se topó con la señora. Le preguntó ésta dónde se metía y le ordenó que preparase aquella misma habitación para unos caballeros que deseaban almorzar en privado. Volvió a entrar la criada, y no se le ocurrió otro modo de tapar su falta que esconder a Borrasquilla en un armario, que cerró con llave. Apenas lo había hecho, entraron los comensales.

—Quedó agazapado Borrasquilla en su armario. En cuanto oyó hablar al primero de ellos, que parecía llevar la voz cantante, no le costó al enano reconocerla desde su escondrijo. Era ronca e inconfundible: Artal, el Espía Mayor del rey. Conoció luego la de Centurio, que habló a continuación. Y notó que había, además, otros dos sicarios. Supo luego que uno era un tal Fragoso, mozo de mulas y forajido de muchos delitos, cuatrero que pasaba caballos de una comarca a otra. Dijo éste que contaba con una ballesta chica, de dos palmos, de las que se usan en Cataluña para matar hombres, que son más silenciosas que un pistolete, y aun mejores en el exterminio. Y que tenía doce flechas con sus hierros, y no las había usado para delito alguno, con lo que no era arma ni munición conocida de nadie. Y el otro era un matarife muy hábil con el cuchillo, que había violentado a su hermana y la había ahogado luego en el pozo de su casa, por lo que hubo de huir de su pueblo. Artal los había librado de la horca, colocando al uno en las caballerizas del Alcázar, y al otro de pinche en la cocina del rey. Y ambos le profesaban una fidelidad perruna. En esta conversación que se llevaban, insistió finalmente el Espía Mayor en que debían esperar a que él estuviese en Alcalá, donde invitaría a gente de calidad, para que le sirvieran de testigos. Y tendría buen cuidado en que se hicieran notar los correos que iban y venían al rey, para —llegado el caso— dar a entender que aquello se hacía con conocimiento de Su Majestad, aunque así no fuera. Y con todo esto quedó trazado el plan para asesinaros, y la muerte tendría lugar esa misma noche. Pero ni Artal ni Centurio dijeron en este conciliábulo del Mesón dónde os encontrarían, con lo que Borrasquilla y Herrera no tenían modo de poder avisaros. Porque, en cuanto hubieron almorzado aquellos bellacos y acudido la moza para sacarle del armario, Borrasquilla fue a buscar a Herrera y le hizo saber aquella conspiración. Éste le dio muchas vueltas al asunto, ya que sabía que era aquélla gente muy peligrosa. Él y Borrasquilla hablaron con Rafael y conmigo para saber dónde estabais escondido. Fue a buscaros Rafael, por avisaros, y no os encontró.

—Es que, tan pronto como detuvieron a los albañiles moriscos, mudé de lugar, a otro aún más recóndito que me habían enseñado en caso de extrema gravedad.

—¿Cómo lo supieron Artal y los suyos, entonces?

—Debieron de sonsacárselo a los albañiles mediante el tormento.

—El caso es que Herrera —continúa contando Ruth—, a medida que iban pasando las horas y no os encontraba, se desesperaba más y más. Y sólo vio una salida. Sólo había una persona capaz de parar los pies a los sicarios del Espía Mayor sin que éste pudiera hacer nada: alguien que se adelantara a él, os detuviera y os pusiera bajo la protección de la justicia regular, aunque fuera en una cárcel. Eso, de momento, os salvaría la vida, y luego ya se vería cómo preparar la fuga. Pero debía ser alguien no sujeto a papeles, covachuelas y chupatintas, que harían interminable el trámite, sino capaz de intervenir pronto y de improviso. Y ese hombre era el alguacil Espinosa, un cazador de recompensas que trabaja, como quien dice, a destajo. Me informó Herrera: «Hablad a Espinosa de mi parte. Id a tal sitio y le encontraréis. Es un hombre bajo y regordete, muy templado, cachazudo y paciente, honrado, temeroso de Dios y de su conciencia, quitado de ruidos y cuestiones, pero gran preguntador y de eficacia probada. Muy experimentado, pues vive de las recompensas que cobra por hallar a los forajidos con los que nadie logra dar. Tiene sus propios sistemas de información y es el único capaz de medirse y aun adelantarse a los movimientos de Artal y sus espías». Así lo hicimos.

Espinosa tomó gente de su confianza, siguió a estos matachines, los rodeó cuando se disponían a penetrar en el lugar donde estabais escondido, y los puso en fuga. En la refriega, les quitaron las capas y una ballestilla. Sabedor el rey de todo esto, mandó llamar a su Espía Mayor, quien se deshizo en excusas. Don Felipe le dijo: «Todas ellas me sobran, porque voy a daros ocasión de demostrarme vuestra fidelidad y competencia. Como sé que no son raras las fugas mediante soborno de los guardianes, os encomiendo a vos personalmente la custodia de ese Randa en tanto se instruye el proceso. Juan de Serojas os proporcionará una cerradura nunca usada, que fabricó en tiempos Juanelo. Es sobremanera segura, como nunca se hizo otra, y sólo hay esta llave. Yo os la encomiendo. Nadie más deberá tocarla, bajo ningún concepto. Vos mismo abriréis y cerraréis cada vez que la puerta deba franquearse. Si algo le pasara al preso, bien que muriera, o bien que desapareciera, o cualquier otro pretexto, me responderéis con vuestra cabeza. Y esta vez no habrá excusa alguna». Todo esto lo conocimos Rafael y yo por Herrera. Sabía bien éste que Juanelo hizo sus diseños de llaves mediante una plantilla y máquina combinatoria, de modo que teniendo la maestra se pudieran abrir todas. Y ésa es la que tenía el rey, y encomendó a Artal. Era, pues, cuestión de encontrar ese diseño y plantilla entre sus papeles, pues con ellos podríamos franquear esa cerradura que tenéis ahí en la puerta. Y aun añadió Herrera que él tenía los planos de cuando reformó este edificio, y que tras ese pasillo que hay al otro lado de esa puerta comienza un pasadizo que conduce hasta los subterráneos. Pasadizo que nadie se ha atrevido a tomar por los continuos desplomes. Y que allá no habrá guardia, aunque sí peligros que sólo un desesperado se atreverá a afrontar.

—¿Cómo encontraré ese diseño en el tapiz? —pregunta Randa.

—Está en las dos esquinas que rematan la alfombra, en aquel final de ella que dejó mi madre sin concluir y yo he terminado. En una veréis el esquema de la llave maestra, y en la otra el plano que debéis seguir una vez en el pasillo, para entrar en esos subterráneos. No se ve a simple vista, por estar disimulado en la trama, sino que he colocado un hilo más grueso, para que podáis seguir el trazo con vuestros dedos cuando dispongáis de poca luz.

—Aprenderé ese plano de memoria. El pasadizo del que hablas ha de ser el que llega a las cárceles secretas de la Inquisición, continúa bajo el convento de los milagros y la catedral y accede hasta el pozo, el tesoro y la corriente de agua que desemboca en el río.

—Y con la llave, ¿qué pensáis hacer?

—Cuando Artal me deje su mano de plata, yo fabricaré con ella esa llave, a modo de ganzúa, siguiendo las instrucciones y trazo de Juanelo que tú has puesto en ese tapiz junto a los planos de Herrera. Esta noche, tan pronto la haya aparejado, abriré esa cerradura, tomaré ese pasadizo, entraré en el pozo, atravesaré el laberinto y bajaré hasta el río.

—Recordad que nosotros os estaremos esperando al otro lado, entre los cañaverales del Barranco del Moro. Rafael ha buscado con gran discreción caballos muy ligeros. Ha acudido también a un herrero de confianza para que ponga las herraduras al revés, y despistar así a quienes pudieran seguir nuestras huellas. También tendremos prevenidas monturas de refresco. Un amigo de Rafael, con el pretexto de unos amoríos, ha recorrido antes el trayecto de nuestra fuga y apalabrado las postas, para tenerlas seguras...

Aún siguen hablando padre e hija largo rato. Hasta que les gana la ansiedad, callan, y sólo esperan que Artal aparezca, que traiga aquel tapiz y no haya cambiado de parecer. El tiempo se les hace interminable. A veces se miran, sin saber si volverán a verse nunca más. O bien desvían los ojos, por no toparse las intenciones y entrechocarse las angustias. Hasta que se oyen pasos en el corredor. Se abre la puerta, y aparece Artal con la guardia. Pero no trae el tapiz consigo. Randa y Ruth se aprietan las manos, sin atreverse a respirar.

Entonces, dos soldados se acercan al Espía Mayor y cuchichean en su oído. Él les pregunta algo en voz baja, y entre ambos lo gruñen largo rato.

Nueva ronda de preguntas y respuestas, inaudibles desde abajo, donde se encuentran padre e hija con el alma en vilo. Gestos del Espía Mayor. Órdenes que Randa y Ruth no alcanzan a entender. Con la mirada perdida en sus zozobras, ven cómo uno de los soldados se aleja por el pasadizo.

Vuelve luego aquel hombre. Y en sus manos trae el paño tejido por Ruth y Rebeca. Cuando baja hasta el poyo junto al que se encuentra Randa y lo deposita en él, el guardián toma a la muchacha por el brazo para que le acompañe hasta la puerta. Sube la joven las escaleras, tratando de adivinar las intenciones de Artal. Éste espera a que ella llegue hasta arriba para descender a su vez. Baja los peldaños con parsimonia, llevando consigo un farol. Camina hasta el lugar donde se encuentra el prisionero y se lo entrega. Echa luego mano a una faltriquera y extrae de ella las tenacillas de orfebre de Randa, que deposita sobre el tapiz.

Luego, el Espía Mayor derriba el cabo de la capa de modo que pueda dirigir su mano izquierda hasta la derecha y saca lentamente el guante de piel de perro, dejando al descubierto el postizo metálico. Hace un esfuerzo para desencajarlo de su lugar. Queda el enrojecido muñón al descubierto, con gran alivio por su parte. Avanza un paso hacia Randa, le tiende su mano de plata. Y, con ella, le entrega la llave de su salvación.

12/XII

LOS CAMINOS NO TOMADOS

RAQUEL Toledano y David Calderón habían vigilado el lugar desde la caída de la tarde. Y ahora estaban seguros: no se veía ni un alma en el patio trasero del derrengado caserón de la calle Roso de Luna. Tras el asesinato de Gabriel Lazo, el palacio yacía abandonado a su suerte, sumido en la desolada calma nocturna, apenas rota por los espaciados ladridos de los perros que parecían barruntar una nueva tormenta.

La Casa de la Estanca se alzaba en el centro del patio, rematada por un tejado a cuatro aguas. Mientras Raquel controlaba el único acceso, David se acercó hasta el edificio, encendió su linterna y fue dando la vuelta alrededor de todo su perímetro, en busca de los entrelazos de ladrillo que señalaban la entrada a los subterráneos. Incluso de cerca costaba verlos. Estaban bajo el alero, carcomidos por la humedad, con su apariencia de simples adornos. Tan anodinos, que sólo sabiéndolo de antemano podía identificarse aquella inscripción.

La puerta se cerraba con un candado que apenas aguantó dos asaltos. De su interior arrancaba una brusca y accidentada escalera, cuyos desgastados peldaños la sumían en una rápida pendiente. A David le bastó bajar unos pocos para encontrárselos completamente inundados. Imposible entrar por allí. Ni siquiera podrían llegar a los sifones del fondo. Para eso tendrían que haber venido bien equipados. Pero habrían levantado sospechas. El comisario Bielefeld no los habría dejado. Y James Minspert, tampoco.

Entornó la puerta y volvió junto a Raquel, para informarla:

—Habrá que buscar otra entrada.

—Tú conoces el palacio —dijo ella señalando la inhóspita mole—. ¿Tiene sótanos?

—Ahí no nos dejaban bajar de niños, pero creo que se entra por el ala izquierda.

Dieron un rodeo. La puerta principal mantenía los precintos policiales. Sin embargo, no resultó difícil acceder por una lateral. Por allí debían de haberse colado los asesinos de Lazo, y la ausencia de éste, y la tormenta, habían producido estragos. Los desagües estaban cegados. Sin nadie que los limpiara, el agua había entrado en el sótano, inundando la carbonera y la sala de calderas. Tuvieron que andar encharcados a media pierna en aquel líquido negruzco, esquivando las botellas de plástico, las latas y la basura que flotaban en él.

Al topar con el extremo del pabellón notaron un olor intenso. A fermentación. Brotaba de una escalera de piedra, encaminada al piso inferior. Los peldaños resbalaban debido al agua y al barro. Y el panorama que les esperaba al llegar al final aún era más desalentador. David retuvo a Raquel cogiéndola por el brazo, y señaló la hilera de grandes cubas que se extendía hasta el fondo, bajo los costillares de las bóvedas de ladrillo.

—No entres ahí.

Encendió un mechero. La llama era vacilante, pero lo bastante intensa para garantizar la respiración. Fue al caminar hacia el fondo cuando descubrieron aquel extraño fenómeno.

—En esta bodega el nivel del agua es más bajo que en el semisótano de arriba —observó Raquel—. No tiene sentido.

Avanzaron sobre un poyo de piedra que servía de pasillo, resaltando por encima del suelo inundado en el que se asentaban los estribos de las cubas alineadas a ambos lados. Incluso tumbadas, éstas eran tan enormes que sobrepasaban holgadamente la altura de cualquiera de los dos, y habían tenido que ser reforzadas por un travesaño a modo de diámetro frontal.

Al llegar al último tonel, al fondo de la bodega, Raquel señaló con su linterna el remolino que lo rodeaba, perdiéndose contra el rincón.

—El agua se cuela por ahí.

Examinaron la gigantesca cuba. La golpearon de arriba abajo. Parecía estar hueca. A pesar de su enorme envergadura, casi flotaba sobre los estribos, manteniéndose en una posición inestable.

—Está vacía. Ayúdame a tirar del travesaño —le pidió David.

El tablón que apuntalaba la tapa frontal estaba reforzado por unos herrajes laterales, que la convertían en una puerta. Al tirar de ella, cedió con un crujido, abriéndose de par en par y dejando ver el interior del barril vacío.

Apenas tuvieron que agacharse para atravesar aquel singular túnel de madera. El lado opuesto, empotrado contra la pared, no contaba con tapa alguna. Y allí era donde aparecía la misma señal en ladrillo que en el alero del tejado de la Casa de la Estanca.

—Mira esto —dijo David—. No me extraña que nadie encontrara la entrada.

Tanteó la cenefa de ladrillo, pero no sucedió nada. Volvió a hacerlo, teniendo buen cuidado de presionar ordenadamente aquellas piezas. Esta vez se hundió un estrecho lienzo de la pared. Y al hacerlo girar sobre sí mismo se abrió ante ellos la entrada a un pasadizo. Por allí era por donde desaguaba la bodega. David y Raquel se agacharon para atravesar el muro, salvando el umbral. Y cuando pudieron enderezarse apuntaron con sus linternas hacia su interior, intentando adivinar adónde les conduciría. Apenas se veía más allá de unos pocos metros.

El pasadizo no tardaba en emprender un brusco recodo, desviándose hacia el subsuelo del Alcázar, como pudieron comprobar consultando la brújula. La desviación continuaba, para evitar un muro ciclópeo ensamblado en ángulo recto, una de las defensas subterráneas de la Plaza Mayor. De su esquina noreste.

Fue allí donde se toparon con una hornacina excavada en la roca. Contenía un mono de trabajo y una caja de cinc. Al abrirla, encontraron tres linternas, pilas envueltas en un aislante, algunas herramientas y un plano con anotaciones, protegido por un plástico. No cabía duda: era la letra de Gabriel Lazo.

—O sea que entraba por aquí —dijo David desplegando el mapa—. Y éste debe de ser el recorrido donde hizo esas fotografías que me enseñó poco antes de que lo mataran.

—Hemos hecho bien en entrar —afirmó Raquel—. Si hubiéramos esperado, se nos habrían adelantado, arrebatándonos ese plano.

Lo estaban consultando cuando oyeron un ruido prolongado, algo que caía, rodando.

—Parece una piedra de gran tamaño —dijo David.

—¿Crees que viene hacia nosotros?

Miraron alrededor, pero no había ningún lugar donde guarecerse. Apagaron las linternas y se mantuvieron en silencio, pegados a la pared.

Seguían oyendo aquel estrépito, pero más débil. No parecía venir hacia ellos, sino alejarse, retumbando, hacia las profundidades que se disponían a explorar. Y en la misma dirección, allí delante, se adivinaba un tenue resplandor, una luz irreal. Procedía de abajo, como de otro mundo, de otro tiempo.

* * *

Tras salir de la celda y tomar el pasadizo que conduce a los subterráneos, Raimundo Randa ha colocado el farol en el hueco de la pared. Ha examinado el plano que hay entretejido en la alfombra que lleva sobre él a modo de alforja, y tanteado el muro para encontrar el lugar donde las piedras deben ceder. Ha empujado con las dos manos, luego con el hombro, hasta que uno de los sillares se ha desencajado y caído al otro lado. Ahora lo oye rodar cuesta abajo. Todavía escucha sus rebotes.

El hueco dejado por el bloque le ha permitido entrar en el pasadizo. Sabe bien que su única posibilidad de escape es bajar, siguiendo el camino que le señala la piedra. Habrá de esquivar los desplomes y las cárceles secretas de la Inquisición, para pasar desde ellas a los sótanos del convento de los Milagros. Deberá arriesgarse a que la caída del sillar haya alertado a la guardia. O quizá no oigan nada, o lo tomen por uno de tantos desprendimientos.

No tarda en llegar a los dominios de aquel siniestro gremio. Le previenen de ello las argollas, los hierros oxidados, los grilletes y las cuerdas enmohecidas. La luz del farol resbala por las verdugadas rojas de ladrillo y se alza hasta las saeteras de drenaje por las que supura una humedad tumefacta. Descubre una jaula de hierro. En su interior se desmadeja un esqueleto.

A medida que avanza van apareciendo poleas, cabrestantes, cepos, rastrillos, pinzas, látigos, uñas de gato, sierras, hachas, embudos, pesas, aplastacabezas, rompecráneos, quebrantarrodillas, sillas erizadas de pinchos, hierros de marcar... Las manchas de la sangre desvaída salpican suelos y paredes.

Luchando contra el malestar que le invade, Randa intenta mantener la cabeza fría. Debe encontrar la comunicación con el convento sin tropezarse con la guardia, explorando la sala palmo a palmo hasta encontrar el paso.

Es al examinar el último rincón cuando tropieza con los restos de la bóveda que se ha desplomado en aquel punto sobre el ángulo que forman los dos muros. Arriba, en el techo, hay un gran hueco, y los escombros caídos casi llegan hasta él, obstaculizando el paso. Mientras ilumina los cascotes, Randa oye un ruido. Un desesperado arañar sobre el suelo.

Dirige la luz hacia el lugar donde suena. Pero no ve nada. Es al mover un pie cuando escucha un chillido agudo, y una rata intenta morderle. Está furiosa, porque pisa su cola. Levanta el pie y el animal desaparece huyendo entre las ruinas.

«No se metería ahí de no haber una salida», piensa Randa.

Vuelve sobre sus pasos, recoge algunos de los hierros que ha ido encontrando, y se dispone a excavar en los escombros. A medida que cede la acumulación de ladrillos, mortero y cañizos, va quedando al descubierto la bajada a una escalera.

«Si consigo deslizarme al otro lado y cerrar detrás de mí, no sabrán que he pasado por aquí. Nadie me seguirá».

Así lo hace. Abre un hueco, que apuntala con las barras de metal. Pasa a través de él. Y, cuando ha comprobado que no es una trampa y puede continuar hasta el convento de los Milagros, vuelve sobre sus pasos para retirar los puntales metálicos. Los escombros se desploman tras él levantando una nube de polvo. Y cerrando de nuevo la comunicación.

* * *

Raquel y David estaban examinando los hierros oxidados de los antiguos instrumentos de tortura, cuando oyeron aquel nuevo ruido, delante y debajo de ellos. Un seco derrumbamiento de ladrillos, cascotes y maderos. Sonaba a hueco, bien distinto del anterior.

—Parece un desplome... —dijo Raquel—. Y es cerca de aquí. ¿Crees que puede ser mi madre?

—No lo sé —David consultó el plano de Gabriel Lazo, sobre el que había colocado la brújula—. Acabamos de encontrarnos con la esquina sureste de la Plaza Mayor. La estamos bordeando en el sentido de las agujas del reloj. Siempre hacia abajo, como un sacacorchos. Y siempre nos topamos con ese muro que nos impide entrar bajo ella. Según esta anotación, ahí delante empiezan los subterráneos del convento de los Milagros.

Entraron en una amplia estancia. La cruzaron en diagonal, para examinar los escombros de la esquina opuesta.

—Ten cuidado, parecen recientes —le advirtió Raquel apuntando con su linterna hacia lo alto—. Ese techo se encuentra en mal estado. Es peligroso.

Al examinar los cascotes que cubrían el rincón, la joven descubrió un pequeño frasco de plástico.

—Es el colirio que usa mi madre.

—Eso quiere decir que ha pasado por aquí —David le apretó la mano, y notó que la tenía helada—. Quizá entró directamente desde el convento.

Empezaron a retirar los escombros. No les costó mucho dejar libre el acceso a una escalera. Descendieron por ella hasta el piso inferior. Un largo pasillo les condujo a una gran nave, techada por una amplia bóveda de cañón rasgada en el centro por mínimos tragaluces. Pudieron sentir la corriente de aire, que mecía las telarañas, hinchándolas como velas desplegadas. Se tropezaron con una escalera de mano, con la madera medio podrida, abandonada contra la pared. En sus recios travesaños se destrenzaban cuerdas carcomidas, con restos ocres y rojizos de lo que quizá fuera sangre reseca.

Olía a letrinas. Y se oía el correr del agua resonando en la interminable red de alcantarillas de la ciudad, tan complicada que —según les había advertido el arquitecto Juan de Maliaño— no había un croquis ni siquiera aproximado de aquel cúmulo de afloraciones, aljibes y desagües.

En otros tiempos las monjas debían de haber utilizado aquella nave como lavandería. En uno de los flancos sobrevivían los pilones, adosados a los robustos contrafuertes que contenían la corrosiva labor del agua. Y en ellos se acumulaban restos de barreños y cántaros de barro, trébedes oxidados y tablas de lavar.

Se percibía en el ambiente el lento goteo, el rezumar de paredes y techumbre, verdosas de musgo y mucílago, tenuemente iluminadas por la escasa luz que se filtraba desde lo alto. El ruinoso estado del suelo, plagado de obstáculos, obligó a David y Raquel a extremar las precauciones mientras caminaban hacia el fondo de la nave. Los pilares estaban resquebrajados de arriba abajo, y la bóveda tenía sus sillares desencajados, amenazando con derrumbarse en cualquier momento.

Ante ellos se perfilaba la tercera esquina de la Plaza Mayor, la del suroeste, cerca ya de la catedral. Tan pendientes estaban del techo y las paredes, que al dirigirse hacia aquel ángulo no advirtieron dónde pisaban. Y cuando intentaron agarrarse al borde del agujero, ya era demasiado tarde. Se hundían.

Trataron de mantenerse muy juntos, apretándose el uno contra el otro, para protegerse. Estaban precipitándose desde lo alto de una cúpula. Era en su mismo centro donde se abría aquel embudo a modo de tolva, como el cráter de un volcán que los escupiese hacia abajo.

La caída pareció durar una eternidad.

«Es como el sueño que tuve en el hospital», pensó David.

El aire le zumbaba en los oídos y los cabellos de Raquel se le enredaban en el rostro, mientras sentía el intenso calor del cuerpo de la joven, pegado al suyo.

La altura era tan grande que primero temió que se mataran, sin más. Luego, en sus vagas conjeturas, abrigó algunas esperanzas. Y se preguntó cómo iban a apañárselas para salir de allí si quedaban malheridos.

* * *

El impacto es terrible. Un escalofrío recorre el cuerpo de Randa, entre un chasquido prolongado e interminable de docenas de huesos convirtiéndose en astillas. Después, la negrura de la noche.

Cuando abre los ojos, lo primero que ve allá arriba, muy lejos, es el lugar desde el que ha caído. Los gallones de la cúpula, que se cierran convergiendo en el centro, como los gajos de una naranja, hasta culminar en la clave de la bóveda, que ha cedido bajo sus pies. Se sorprende de estar aún vivo.

Al limpiarse la sangre de la cara puede ver lo que le ha salvado. Está sobre un enorme montón de huesos. Calaveras, tibias, omóplatos, clavículas, costillares. Restos humanos. El osario de Antigua. Las catacumbas de la catedral.

Intenta ponerse en pie. Rueda entre un corrimiento de huesos, y cae dando tumbos por una de las laderas del montículo, para quedar tendido en una meseta más baja y asentada. Desciende hasta pisar suelo firme. Busca el farol, que se ha roto, pero aún conserva la llama. Hay un pebetero con antorchas y enciende una de ellas.

Ante él se abre un pasillo con huesos cuidadosamente apilados del suelo al techo. Hay tantos que no dejan ver las paredes. Incluso los pilares que se abren en el centro de una gran sala están revestidos de fémures y calaveras bien igualados. La luz de la tea, al bañarlos, desencaja los cráneos en una macabra travesía de risas desdentadas.

Por suerte para él, hay indicaciones grabadas al fuego, en flechas de madera. Calcula que se encuentra bajo la plaza del mercado, donde los pasadizos están cegados, y que debe seguir bordeándola en busca del nivel inferior, del agua que le conducirá hacia el río y, con él, hasta la libertad.

Lo que en modo alguno se espera es lo que se encuentra al doblar la última galería de las catacumbas.

El espacio se abre, se vuelve inmenso e inabarcable. Y hay un lago. Cuando baja la antorcha, comprueba que se halla sobre un embarcadero. Y un esquife se mece sobre las aguas, amarrado a él. Lo tantea para comprobar su estado. Aceptable. Sube, sujeta la tea a las argollas de la proa, y se pone a los remos. Sólo así podrá cruzar aquella masa de agua, profunda y negrísima cuando está lejos de la luz, azulada o verdosa cuando es herida por ella. El efecto es, a la vez, vertiginoso y de una aterradora belleza.

Al avanzar lago adentro, su sorpresa no conoce límites. Se encuentra navegando entre arcos de herradura cuajados de yeserías. Sostenidos por un nutrido bosque de columnas, rematadas por capiteles tallados tan delicadamente como una colmena. Aquel palmeral atrapado en piedra se abre en cualquier dirección que alcanza la luz y la vista. Las arquerías se entrecruzan sosteniendo una profusión de pequeñas estalactitas de yeso, una maraña de geometrías hipnóticas. Desde cada columna salen cuatro arcos que se despliegan en otras tantas direcciones, hasta unirse a otra, de la que salen otros cuatro arcos, y así hasta el infinito, creando un espacio inacabable.

No hay duda: se halla entre los restos de la Gran Mezquita de Antigua. Convertida ahora en una gigantesca cisterna, de la que se provee la ciudad en tiempos de sequía, tras cebar los conductos de la Casa de la Estanca.

Al internarse en el corazón del antiguo templo musulmán, los arcos y yeserías cabrillean en el agua, confundiéndose con su reflejo, siempre cambiante, y se trenzan y destrenzan en un calidoscopio inagotable. La luz, rebotando en la neblina, produce un efecto mágico. Ganado por el momento, deja de remar y se detiene en aquel espacio irreal, revestido de una infinita melancolía.

La quilla del esquife tropieza con un obstáculo y el bosque de columnas cesa bruscamente. Una sombra opaca y maciza irrumpe al fondo, violando el delicado encaje. Son los cimientos de la catedral. Se le encoge el ánimo al pensar que tiene encima aquella mole pétrea, cerrándole el paso. El único camino libre conduce hasta un abismo, la gran grieta que le impide seguir, y en cuyo fondo lejano resuena el agua, despeñándose y marcándole la salida. Pero, ¿cómo atravesar aquel precipicio?

Navega pegado junto al muro que sirve de presa al lago, bordeando la sima que se abre ante él. Tantea con la antorcha, el brazo extendido, buscando algún modo de salvar aquel tajo. No parece haber ningún paso. Vuelve sobre su rumbo, se acerca a la orilla de la que surge el muro de contención y amarra el esquife a una roca.

* * *

Tras caer sobre el osario de las catacumbas, que amortiguó el impacto, David y Raquel tomaron las galerías atestadas de huesos. Terminaban éstas a la orilla de una enorme cisterna. Bordearon sus aguas, conteniendo el asombro, hasta encontrar una lancha neumática. Subieron a ella y remaron atónitos mientras atravesaban las alucinadas ruinas de la antigua Mezquita Mayor. Se toparon con la torva mole de los cimientos de la catedral, en cuyas piedras se empotraba el muro que servía para contener la oscura masa de agua. Detrás de él, vieron la ancha y profunda grieta, y oyeron la corriente subterránea que resonaba en su fondo lejano. Y al navegar pegados a aquella pared, buscando algún lugar por donde atravesar el abismo, se tropezaron con una barca de madera que allí estaba amarrada.

—Si la lancha en la que vamos es la de Lazo, ¿de quién es esta barca? —se preguntó David.

—La que utilizó mi madre —respondió Raquel mostrando los objetos abandonados por Sara en su interior—. Aligeró aquí la mochila antes de seguir.

—Pero ¿hacia dónde? —insistió David señalando el tajo que les cerraba el paso.

—Tiene que haber algún modo de cruzar ese precipicio.

Descendieron de la lancha neumática y echaron a andar sobre el muro que cerraba el aljibe, al borde de la sima. Para evitar el vértigo, y cualquier tropiezo, mantenían los haces de las linternas delante de sus pies, ceñidos al estrecho remate de la presa.

David se detuvo e hizo un gesto a Raquel, que venía tras él, para advertirla de aquel obstáculo inesperado. El muro de contención estaba roto en su parte superior, interrumpido por un desplome que había caído sobre él. Al acercarse, pudieron comprobar que se trataba de la base de una torre de gran antigüedad, cuyos cimientos descansaban en centenares de pilotes de madera, para asentarla sobre el cenagoso fondo inestable. Y que, al ir cediendo al cabo de los siglos, la habían hecho caer sobre el profundo tajo. A juzgar por su aspecto, se había ido inclinando lentamente hacia el precipicio, hasta caer sobre él, sin llegar a quebrarse. Y allí había quedado, en posición horizontal, tumbada sobre el abismo, tendiendo un puente sobre él.

A primera vista, parecía bastante entera. Sólo tenía desmochado el chapitel de su puntiagudo remate, que debió de actuar como freno, resbalando a lo largo de la techumbre bajo la cual se abría el despeñadero. Y ahora, aquel remate estaba resquebrajado, soportando el anclaje al otro lado de la sima.

—Ya veo por qué aligeró mi madre su mochila —dijo Raquel—. ¿Tú crees que esa torre aguantará nuestro peso si nos subimos encima para cruzar?

—También yo tengo mis dudas —respondió David—. Pero me temo que no hay otra opción, y que el único modo de averiguarlo es montar sobre ella.

Observaron que tenía tres cuerpos. El primero era la sólida base cuadrangular de piedra, que había actuado como un ariete contra el muro de contención del aljibe. El segundo, ya sobre el precipicio, consistía en un cuerpo octogonal en ladrillo más liviano. Hacia la mitad, ese octógono se convertía en una esbelta estrella de dieciséis puntas, dando lugar al tercer cuerpo, rematado en aquel airoso chapitel, ahora quebrado, que la sujetaba al otro lado del tajo. Las esquinas estaban reforzadas por salientes que recorrían las aristas del octógono a todo lo largo, formando un espinazo que había contribuido sin duda a mantener el formidable aparejo. Y que ahora les sería muy útil para sujetarse, pues formaban unos amplios surcos de ladrillo por los que podrían caminar.

Treparon hasta lo alto de la torre tendida sobre el abismo, y comprobaron que se mantenían sin dificultad cabalgando sobre su lomo. Y así, encaramados en el improvisado puente, empezaron a gatear sobre las prolijas filigranas, las historiadas ventanas y los adornos de cerámica.

Pronto comprobaron que lo más complicado iba a ser el paso del cuerpo octogonal hasta el siguiente, la estrella de dieciséis puntas. Ahí cesaban los contrafuertes, para dar paso a una cenefa con una decoración en ladrillo. Ése sería su único agarradero. Al explorarla, en busca de sujeción, David se dio cuenta del alcance de aquellas inscripciones. Imposible no reconocer algunos de los versículos de la aleya del Trono.

«Ojalá nos traigan suerte, como es su obligación», pensó.

Se refugió en el hueco de una ventana, esperando a Raquel. La joven estaba paralizada, sujetándose a un contrafuerte con las manos agarrotadas.

—¿Qué te pasa? —le preguntó David.

Ella no contestó. Señalaba hacia abajo con su linterna.

—¿Tienes vértigo? —insistió él.

—Mira eso —le dijo la joven con voz entrecortada.

David se asomó al borde de la torre, siguiendo el haz de luz. Y vio el pañuelo que colgaba de uno de los estribos.

—Es de mi madre.

—Pero eso no quiere decir que haya caído en este precipicio —trató de animarla, tendiéndole la mano.

Fue en ese momento cuando oyeron voces lejanas. David alzó la cabeza y le pareció percibir una luz al fondo de la cisterna.

—Creo que viene alguien. ¡Dame la mano, deprisa!

Al acercarse a ella, pisando sobre la cenefa de ladrillo sin contrafuertes, notó el crujido de la estructura y la primera sacudida de la torre. Desequilibrado por este imprevisto, estuvo a punto de rodar hacia al abismo, y hubo de sujetarse con fuerza a un saliente de la ventana.

—Por favor... No lo conseguiremos —se lamentó Raquel.

Se agarraba al contrafuerte más cercano, y gruesas gotas de sudor le resbalaban por la frente. David intentó animarla aparentando una calma que estaba lejos de sentir.

—Ya casi estamos. Agárrate bien.

Al mirar hacia atrás, por encima del hombro de la joven, advirtió que la luz del fondo de la cisterna había crecido. Poco después, pudo ver con claridad la lancha neumática que se acercaba hacia ellos, con un foco en la proa. Rezó por que no les hubieran visto. Alguien movía el reflector en todas direcciones, tratando de orientarse. Cuando la luz rebotó en una de las columnas semihundidas en el agua, e iluminó la lancha, David alcanzó a distinguir tres hombres. Reconoció de inmediato a Kahrnesky, su inconfundible y ganchudo garabato de perfil. El que remaba le pareció el matón que les había abordado en los sótanos de El Escorial. Y le costó un poco más identificar al tercero, que manejaba el foco.

—¡Es James Minspert! —exclamó, sin poder contenerse—. Pero ¿por dónde han entrado?

Quizá lo hubieran hecho por el convento. O por los sifones de la Casa de la Estanca, si tenían equipos de buceo. Un nuevo crujido de la torre le puso en guardia, haciéndole volver al peligro más inmediato.

—Voy a tirar de ti —previno a Raquel.

Sujetó a la joven con tiento, ayudándola a avanzar centímetro a centímetro, mientras sentían bajo ellos la inestable vibración de aquel improvisado puente tendido sobre el abismo. Hasta que resultó imposible seguir adelante.

—Espera, me he enganchado —le pidió ella.

El reflector de la lancha neumática hizo una pasada en horizontal, a lo largo de la torre. Y se detuvo al llegar a su altura. Los habían localizado. David observó cómo se acercaban y oyó a Minspert dar órdenes para arrimarse al muro donde estaban amarradas las otras dos embarcaciones. Cuando bajaron de la lancha, dejaron encendido el foco, apuntando hacia ellos.

—¡Lo que nos faltaba! —maldijo David, cubriéndose los ojos con una mano, para evitar el deslumbramiento.

James y el sicario encendieron las linternas sujetas al cañón de sus armas largas y se dirigieron a la base de la torre. Ahora estaban a unos pocos metros. Desde allí, gritó mientras les apuntaban:

—¡Volved aquí, y entregadme ese plano!

David ayudó a desengancharse a Raquel, hasta que la joven pudo avanzar de nuevo y unirse a él para reanudar su angustiado gatear sobre la torre. Y, de pronto, sonó un disparo. El eco de la detonación repercutió largo rato en las paredes antes de perderse en lo más hondo del tajo.

Minspert no había tirado a dar. El impacto de la bala se había producido varios metros por delante de ellos, a modo de advertencia. Pero lo sabían capaz de todo. David avanzó un poco más sobre la torre, y se acercó a la parte superior de la ventana en la que se apoyaba para tender la mano a Raquel.

—¿Estás preparada? —le preguntó cuando la joven hubo llegado hasta el alféizar.

—¿Preparada para qué?

—Vamos a meternos aquí... —y señalaba la ventana que les permitiría refugiarse en el interior de la torre.

—¿Estás seguro?

—Te ayudaré a descolgarte.

Sonó un nuevo disparo. Éste mucho más cerca. Era el sicario, que se había encaramado al dorso de la torre, al apercibirse de lo que trataban de hacer.

—¡Aprisa! —la apuró David—. Este tipo es el que mató a Juan de Maliaño, y está tirando a dar.

Mientras Raquel se descolgaba por la ventana, se oyó la voz de James Minspert. Primero, abroncando al agente por haber disparado tan cerca. Y, luego, dirigiéndose a ellos:

—¡No podréis pasar al otro lado!

—Este James, tan simpático y oportuno como siempre —murmuró David.

Vio cómo se acercaba el sicario, de pie sobre la torre, y se dejó caer en el interior para evitar que le alcanzase. «Demasiado brusco», pensó mientras doblaba las rodillas para atenuar el impacto. Pero ya no tenía remedio. Estaban en el centro, y cualquier movimiento resultaba allí crítico. El improvisado puente acusó el suyo con una fuerte sacudida.

Oyeron un grito, que se perdió sima abajo. Las amenazas de Minspert les hicieron comprender que su agente había caído en el abismo. La estructura del minarete experimentó un nuevo crujido, algunos ladrillos del remate se desprendieron y cayeron tras él.

—No podemos quedarnos aquí —dijo David—. Tenemos que seguir.

—No sabemos lo que hay delante. Puede no tener salida y quedarnos atrapados —objetó Raquel.

—Hemos de arriesgarnos. Esto no va a aguantar mucho.

Avanzaron, agachados, por el angosto eje hueco. El aire estaba enrarecido, el ambiente era cada vez más agobiante y, para acabar de arreglarlo, no tardaron en sentir pasos encima de ellos. David pidió silencio a Raquel con un gesto, señalando hacia arriba. Alguien caminaba por el exterior de la torre. Minspert y Kahrnesky, sin duda. Y, a pesar de la cautela con que se movían, estaban sobrecargando el maltrecho edificio.

—Ya llegamos —la animó.

Ahora se encontraban casi al final y podían ver el chapitel en el que se apoyaba el minarete.

Otro tanto debían de pensar Minspert y Kahrnesky, quienes habían acelerado la marcha, en su afán por alcanzarles desde su recorrido en paralelo por el exterior.

Fue al salir del tercer cuerpo y entrar en el remate cuando comprobaron que se trataba de la parte más endeble y castigada. Estaba muy resquebrajado, y al acercarse se abrieron nuevas grietas en los bajos. A través de ellas podían ver el otro lado, la pared que caía a plomo sobre el abismo, y el lecho de piedra donde se asentaba el estribo de la torre. Apenas les quedaban tres metros.

Pero el edificio no parecía dispuesto a soportar aquel último esfuerzo que se le pedía. Empezó a vibrar a todo lo largo de su estructura. Una sacudida lo estremeció, en un espasmo convulso, y David y Raquel comprendieron que estaba a punto de ceder y caer a la sima, arrastrándoles consigo.

En ese momento oyeron la voz de Minspert, detrás y encima de ellos:

—¡Aquí están!

Un haz de luz cayó desde lo alto del remate. James les apuntaba a través de una brecha, mientras Kahrnesky, a gatas, se agarraba al borde. Estaba temblando y su rostro tortuoso tenía un aspecto más agónico que nunca. El minarete comenzó a resquebrajarse por su parte inferior, y a través de la abertura pudieron ver una roca que sobresalía por debajo del nivel en el que se asentaba el chapitel.

—¿Ves ese saliente? —susurró David a Raquel—. Prepárate para saltar.

Al ser tomada como trampolín por los dos jóvenes, la torre experimentó una nueva sacudida, que estuvo a punto de descabalgar a Minspert. Kahrnesky se agarraba a la grieta, aterrado.

Desde la seguridad del saliente rocoso, David se volvió hacia él.

—¡Salte! —le gritó tendiéndole la mano—. ¡Y tú también, James, no seas idiota!

Pero Minspert, una vez recuperado el equilibrio, les apuntaba de nuevo con el arma. Kahrnesky no se lo pensó dos veces, y saltó hacia a ellos. Se oyó un disparo, que le alcanzó en la espalda, haciendo que se doblara con una mueca de dolor. Y habría caído al vacío de no sujetarle David y Raquel.

Fue lo último que hizo Minspert. Un crujido recorrió de arriba abajo la torre, que se rompió en pedazos, formando quiebros en el aire hasta plegarse sobre sí misma. Las esquirlas saltaron en todas direcciones, y los fragmentos del edificio empezaron a desplomarse contra el tajo de piedra con gran estrépito. Cuando éste se hubo apagado, aún alcanzaron a escuchar los gritos de James y su último alarido, al golpearse contra un saliente de las rocas. Luego, se oyeron los sucesivos rebotes de su cuerpo en las paredes del precipicio y el chapoteo final del agua en el fondo del barranco. Y después, el silencio.

Un silencio que recibieron con un suspiro de alivio.

Kahrnesky estaba malherido. David le dio a beber de su cantimplora y buscó en el botiquín.

—No se moleste, esto ya no tiene remedio —dijo—. Les envidio, porque van a poder ver lo que he buscado toda mi vida. Escúchenme... Ahora es cuando deben llevar más cuidado... Tienen que protegerse de eso que hay abajo, antes de que les afecte de un modo irreversible...

—Protegernos ¿cómo?

—Por de pronto, recorriendo ese laberinto en orden.

—¿Siguiendo la aleya del Trono?

—Eso es... Sin desviarse del recorrido que marca, porque fuera de él habrá trampas... Pero también sin saltarse un solo paso, porque debajo está esa clave que deben componer en una secuencia muy precisa... Es difícil de explicar... Digamos que, para entrar en fase con ese artefacto, deben interiorizar esa secuencia, absorberla, magnetizarse ustedes mismos, de manera que al acoplarse con la radiación que emite, no les afecte... Porque entonces estarán en la misma onda y pasará a su través...

Respiraba con gran dificultad y perdía sangre en abundancia.

—Protéjanse de esa radiación... De lo contrario, les desintegrará...

—¿Qué tipo de radiación? —preguntó Raquel, sosteniéndole la cabeza.

Kahrnesky estaba al límite de sus fuerzas. Hizo un último acopio de ellas para decir:

—Más potente que cualquiera de las que conocemos... Es un agujero blanco de... Información Pura, con tal grado de concentración que destruye la estructura de cualquier organismo...

Raquel iba a hacerle otra pregunta. Pero David la atajó, tomándola de la mano para ayudarla a levantarse:

—Es inútil insistir. Ha muerto. Tendremos que enfrentarnos por nuestros propios medios a lo que haya ahí abajo.

* * *

Raimundo Randa toma aliento tras atravesar el precipicio a lomos de la torre. Se sienta en el suelo de piedra y considera la situación.

Sabe que ha llegado la hora de la verdad. Que va a entrar en la gran ciudad subterránea, donde es más fácil extraviarse que salir. Y donde habita aquella fuerza destructora. Si la despierta, su suerte estará echada. Ahora ya no le valdrán planos ni guías. Sólo cuenta con aquellas trazas que evocó en su interior, en la Casa del Sueño, y que deberá oponer al laberinto hasta encajar con él en perfecta coincidencia, como una llave en una cerradura, para pasar a través suyo sin forzar ni una sola de sus piezas.

Se levanta y encamina hacia la gruta que se abre a su paso. Cuando entra, le sirve de orientación aquel ruido que viene de lo más hondo. Siguiéndolo, toma un pasadizo que le conduce hasta una cámara de grandes dimensiones. Al mirar hacia arriba, se queda anonadado: la altura es enorme. Le sorprende la curvatura de las paredes. Húmedas y resbaladizas, cuando las toca. Una baba espesa chorrea de ellas. Cree estar en la guarida de una alimaña. Ha oído hablar de un dragón. Pero aquello hace pensar más bien en la sustancia pegajosa que segregan algunas arañas para sujetar las presas en sus telas.

El centro está atravesado por un hermético cilindro, que le recuerda el Pozo de las Almas. Porque de allí procede aquel sonido estremecedor, como de miles y miles de alma en pena. Sin embargo, también lo siente reverberar en su propio interior, en aquel agazaparse de todos los antepasados que lo han hecho posible. Y, quizá, de los que aspiren a sobrevivirle, irrumpiendo en su descendencia como una torrentera para alcanzar, de su mano, nuevas vidas. Sabe que sólo acoplando el laberinto que hay en su interior con aquel externo, que ha de recorrer, se apaciguarán esas fuerzas que en él duermen. Y al ponerse en armonía con las que aguardan, al encajar y soldarse con ellas, podrá navegar sin peligro por aquel océano de generaciones, sin que su flujo desmesurado le desmorone, aplaste y engulla.

Tales sensaciones no son sino un modo tosco de intentar expresar lo inexpresable. De reducir al pensar ordinario lo que ha dejado de ser común, abolidas las leyes que rigen y separan los contrarios. Porque aquel pozo parece comunicarlo todo, en la doble dirección de cada una de las tres dimensiones: lo alto con lo bajo, lo diestro con lo siniestro, lo anterior con lo posterior, engarzando los espacios que se abren en las vueltas y bifurcaciones del camino. De ahí la luz que cae desde arriba como una lluvia benigna, hasta unirse al resplandor lechoso que brota del fondo inaccesible, rodeado por un despeñadero.

Desciende con tiento. Y pronto se encuentra en el centro de un hipogeo perfectamente labrado, que continúa en sucesivos dinteles de piedra, desembocando en un largo corredor trapezoidal, iluminado de trecho en trecho por el resplandor que irradia del pozo central. Al caminar por él, la alternancia de luz y sombra produce un efecto hipnótico. Mantiene los ojos entornados, hasta toparse de nuevo con el muro circular del Pozo de las Almas, del que se aleja en cada giro, para retornar a él en el siguiente. Vuelve de nuevo aquel sonido que empieza a ser obsesivo, las paredes vibrando estremecidas como los tubos de un órgano. Prueba a taparse los oídos, pero es inútil, porque brota también de su interior, intentando acoplarse al margen de su cuerpo, que se alza en medio como un obstáculo.

Introduce la cabeza en una leve ventana abierta en las paredes externas del cilindro y mira hacia abajo. Es mucha su hondura, el trecho que le queda. Pero ahora le bastará con descender por la rampa helicoidal que discurre pegada a su hermética pared y encontrar la entrada a los restos del Palacio de los Reyes.

Aquel ruido sigue surgiendo de las entrañas de la tierra y reverbera en las paredes del pozo. Experimenta un ahogo que le perfora la cabeza y le nubla la vista. En su descenso, bordeando el estricto muro curvo, se asoma a las troneras que lo acribillan de luces frías e insidiosas, cada vez más densas, hasta adquirir una textura lechosa. Barrunta el talismán allá abajo, el cubo aposentado en el centro del laberinto, rodeado por el tesoro innumerable. Se adivina a través de los agujeros que le taladran los ojos con sus alfilerazos de luz, aquel potentísimo resplandor que se propaga a través del cilindro de piedra.

Cuando llega al fondo y mira hacia arriba, comprende la magnitud del artefacto que pende sobre su cabeza. Lo que ve, hasta donde se pierde la vista, le produce un vértigo indescriptible. Arcos y más arcos se entrecruzan en todas direcciones, confundiéndose con los arbotantes que los sustentan, en un caótico desconcierto, entre atrios, pórticos, columnas, torres, aras y obeliscos... Hay pasarelas, pero muchas no parecen conducir a ningún lado. O dan directamente al vacío. Otras, vuelven sobre sí mismas al punto de partida, sin que sea fácil establecer si el camino es de subida o de bajada. En aquella intrincada barahúnda de edificios sinuosos y bastiones quebrados, hay pozos dentro de los pozos, pasadizos dentro de los pasadizos, pasarelas dentro de las pasarelas, baluartes que sujetan otros estribos, contrafuertes que nada parecen sujetar, cúpulas que en su vano afán de altura parecen alzarse sobre el vacío, sin otro propósito que el extravío.

Más arriba, distingue otras luces, bien distintas de la más lechosa que brota del fondo. Son dos personas que se asoman, hombre y mujer.

Y también se ve a sí mismo. Puede reconocerse, todas y cada una de las veces que se ha asomado al pozo, a medida que descendía. ¿Dónde está, exactamente? ¿En qué tiempo y espacio habita aquella búsqueda?

Pero ahora ya no es posible seguir bajando. Ante él se alzan los restos del Palacio de los Reyes. Y en una meseta, tendido sobre el abismo, aparece el laberinto. Ha llegado la gran prueba. Sólo podrá ganar la salida atravesándolo en un orden muy preciso, tal como se lo ha de ir dictando la retícula que hay en el interior de su mente, sin errar un solo paso, para no despertar aquella fuerza desconocida.

Al poco de penetrar en él, arrecia imparable el vasto lamento que le impide invocar el itinerario salvador, el laberinto que ha de desplegarse en su interior y deberá oponer a éste, en coincidencia perfecta, como un cedazo y escudo protector. Nota la pugna de quienes le precedieron y habitan, intentando aflorar hasta su conciencia. Le fallan las fuerzas. Se siente incapaz de conjurar los ímpetus que le rebrotan desde lo más hondo de su ser. Le atormenta el recuerdo de Rebeca, atizando la desazón que le acomete. Evoca su presencia benéfica en la Casa del Sueño, y se pregunta por qué no sale a su encuentro ahora y le ayuda a ahuyentar los fantasmas del pasado. ¿O es que aún no le ha perdonado su larga ausencia?

Al volver una esquina, algo le hace retroceder. Piensa en la bestia que custodia el tesoro. Pero quizá la bestia no sea otra que el propio tesoro, deslumbrándole con sus codiciosos reflejos. Está a punto de tomar aquel camino, que le conducirá a su perdición, cuando siente la presencia de Rebeca, la misma que le amparó en la Casa del Sueño, reclamándole a su lado. Y a su paso se abren los espacios, rebotan los sonidos, sin alcanzar su torturador efecto. Ahora camina seguro, investido de su perdón como un bálsamo protector. Así reconciliado, su marcha se torna ligera. Atraviesa el laberinto, inmune al tesoro que se extiende a ambos lados, para alcanzar el camino que le conducirá hasta el río, unirse a su hija y ganar la libertad.

* * *

El pasadizo era tan estrecho que apenas cabía una persona. A David y Raquel les bastó tantear los primeros tramos para intuir cómo funcionaba aquel peligroso y claustrofóbico artefacto, con sus tabiques de un indefinible y denso material, de pulidos reflejos metálicos. Atento a la brújula y al diseño que les servía de mapa, el criptógrafo dudaba qué camino seguir, cuando descubrió el extremo de una fina cuerda. Asomaba algunos pasos más adelante, y se dirigió hacia allí directamente, sin comprobar la ruta que le separaba del inesperado hallazgo. Al hacerlo, pisó fuera del espacio acotado por la secuencia de la aleya del Trono. De inmediato, el suelo cedió, abriéndose bajo sus pies y precipitándolo en el vacío.

Gritó para prevenir a Raquel, agarrándose, por instinto, a aquel cabo. Pero éste no parecía estar sujeto a parte alguna. Y de no haber sido por la rápida reacción de su compañera, la cuerda le habría acompañado en su caída. La joven la sujetó, apoyándose en las esquinas del laberinto para absorber el impacto. Luego, la ciñó alrededor de su cuerpo y tiró de ella, ayudando a David a izarse hasta el nivel del suelo.

El criptógrafo se sentó a su lado, mientras ambos recuperaban el aliento, señalando el pasadizo de acceso. Éste se había cerrado tras ellos al ceder el pavimento, impidiéndoles retroceder. Ahora estaban atrapados y sólo podían seguir adelante, internándose en aquella ratonera.

Contaban, a cambio, con la guía que les proporcionaba la cuerda. Pues, como pudieron comprobar, se hallaba tendida sobre el camino que debían recorrer. La siguieron un buen trecho, hasta que David empezó a reconocer sus inconfundibles señales:

—Estos nudos los hizo mi padre —informó a Raquel—. Fue dejando marcas cada vez que completaba una vuelta. Y creo que nos estamos acercando al centro.

Pero la cuerda terminaba por interrumpir su itinerario. Poco después, al doblar un recodo, alcanzaron a ver una mochila. Raquel se abalanzó sobre ella:

—¡Es de mi madre! Se la regalé hace muchos años... Pero creía que no le gustaba.

—Pues fíjate, no se la quitaba de encima.

A medida que se habían ido internando en las entrañas del laberinto, éste pareció detectarlos con una tenue vibración de sus paredes, que fue aumentando hasta perturbarles de un modo cada vez más hondo, absorbiendo sus energías. Quizá por eso David tardó en comprender la inesperada reacción de la joven, que había echado a andar apresurada, olvidando cualquier precaución. Sólo la entendió al observar las vendas y manchas de sangre que se prolongaban dejando un largo rastro en las paredes. De Sara, sin duda. Al consultar el mapa, vio que estaban a punto de llegar al núcleo. Y se lanzó tras ella, para intentar alcanzarla y prevenirla.

Por su parte, Raquel sentía una opresión indefinible, que le golpeaba el pecho y las sienes. Experimentaba la presencia de su madre, la percibía allí dentro, atrapada. Intentando emerger de aquella construcción, vencer la resistencia del artefacto voraz, forcejeando por abrirse paso entre sus tabiques. Y el laberinto centuplicaba su atenazadora angustia. Imposible saber dónde terminaban sus paredes y empezaba su propio cuerpo. Aquel reconocimiento parecía brotar de su interior, amenazándola con eclosionar desde lo más íntimo de su ser, diluyéndola en una vorágine de formas cambiantes.

David también temía que la confusión se apoderase de él. Trató de comunicarse con su compañera. Pero las palabras le brotaban dispersas, en un lenguaje incomprensible, desarticulándose en oleadas confusas sobre la rítmica algarabía de aquel ruido cada vez más perturbador. Siguió adelante, intentando no perder su precaria integridad. A medida que se acercaba al centro, aumentaba la intensidad del sonido. Los oídos le zumbaban, y experimentó un vértigo tal que empezó a tambalearse, mientras intentaba a duras penas sortear las equívocas bifurcaciones. Hasta que, al doblar un ángulo, irrumpió en un espacio súbitamente abierto. Bañado en una luz cegadora, que borraba todo indicio alrededor. Las paredes habían desaparecido, tragadas por una niebla escarchada, tan brillante que desorientaba por completo.

Raquel apenas podía ver en torno suyo, extraviada en aquella deslumbrante blancura que dejaba un rastro de vidrio en el cuerpo. Luchaba con todas sus fuerzas por asirse al anclaje que parecía ofrecerle la proximidad de su madre. Sin ella, se perdía en un torbellino de tanteos, de confusas combinaciones nunca resueltas. Trató de pensarla de arriba abajo, esforzadamente, cabello a cabello, rasgo a rasgo, hasta componer una emanación que pudiera guiarla.

En cuanto a David, ya no sabía dónde se encontraba. El espacio se había esfumado alrededor. Un dolor insoportable le oprimía los tímpanos. Perdió toda noción del tiempo y cayó de rodillas, abatido. Hasta que al alzar los ojos vio a Raquel pasar a su lado, casi rozándole. Marchaba sonámbula, atraída por la cegadora luz que parecía surgir del núcleo del laberinto. Arrastraba los pies mecánicamente, y tuvo la certidumbre de que se encaminaba hacia aquel blanquísimo orificio radiante, que la desintegraría.

Hizo un último acopio de fuerzas para levantarse, gritando su nombre. Oyó cómo le respondía, y se buscaron a tientas entre la niebla densa y tenaz, gravitando en torno a aquel núcleo. Todo parecía desprenderse de él, y a él parecía remitir todo, convergiendo en su luz, que aumentaba de intensidad en cada parpadeo, como si les hubiese detectado. Hasta eclosionar, solarizándolos en una dilatada sobrecarga de energía. Se sintieron traspasados por un brutal impacto, acerado y frío, acribillados por miles de diminutas flechas, inmersos en una abstracta sintaxis de yertas geometrías.

Imposible asumir los inacabables procesos simultáneos, los desarrollos alternativos, los caminos no tomados. Sólo dos seres podían avalarles en el tejer y destejer de aquella noria de sangres que bullían hasta desembocar en las suyas. Sólo un acoplamiento de destinos les anclaría en aquella ruleta genética. Y entonces los vieron, allí abajo, en el cogollo mismo del laberinto. Los dos vieron a Sara Toledano y Pedro Calderón, aferrados en un ascua de luz, reunidos en el abrazo final, por encima del tiempo y de la muerte.

Sólo aquel entrechoque de anhelos les sujetaba en tan vasto y oscuro dominio, corroborándoles desde todos sus ancestros. Y fue mucho más que el engarce de dos cuerpos. Se sintieron arrastrados por una marejada de siglos, soñados y presagiados desde una edad antigua, aventados hacia la osamenta del espacio y del tiempo. En otra dimensión paralela, en el envés de un orbe poblado de presencias.

Advirtieron dentro de sí un pálpito de venas y nervaduras, hasta configurar el raro estremecimiento de la vida, la vibración de membranas y cartílagos, que se materializaban hasta concretarse en el soplo de un latido unánime. Matrices que se abrían, tejidos desplegándose en todas direcciones con la atareada obstinación de la sangre. Dejaron de sentirse traspasados por aquel hormigueo de formas y distancias. Sus miembros parecieron volver a pertenecerles, desentumeciéndose célula a célula, y la energía volvió a ellos entre los jirones del reconocimiento. Y sobre ese precario andamiaje, el centelleo mínimo de la conciencia, la certidumbre de habitar un cuerpo.

Para David y Raquel fue como el despertar de un sueño. Les costó advertir que aquella luz del núcleo había empezado a oscilar, mientras la vibración que les envolvía se concentraba en un silbido ronco, como si estuvieran desconectando un enorme generador. El laberinto temblaba, sacudido de arriba abajo. Y comenzó a contraerse y hundirse, amenazando con arrastrarlos en su vertiginosa caída.

A medida que aquella luz se apagaba, alejándose, sumiéndose en el subsuelo entre un retumbar ominoso, todo volvía a ser clamorosamente tangible. Las ciclópeas paredes que cedían y se derrumbaban con estrépito. El suelo que se abría, tragándolo todo. La roca que se resquebrajaba y estaba a punto de engullirlos también a ellos.

Raquel y David se abrazaron con fuerza. Una luz les rodeó, cayendo desde lo alto. Una luz muy tangible, que llevaban hombres igualmente tangibles, con arneses, cascos y focos, que les decían palabras tranquilizadoras. Ellos les sujetaban, manteniéndoles suspendidos en el aire. Hasta que empezaron a izarlos. Estaban ascendiendo. Subían y subían, mientras abajo continuaba la hecatombe, el lento y majestuoso derrumbe. Que ahora percibían diminuto, desde muy arriba.

Una transitoria oscuridad. Luego, aquel amplio embudo y el estrecho orificio a través del cual se sintieron bañados por la luz del sol, el bendito sol. El aire que acariciaba sus rostros en medio de la Plaza Mayor de Antigua. Los gritos de quienes les tendían las manos. Y entre ellos John Bielefeld, sonriendo aliviado.

Epílogo

EL correo de los Taxis alcanza a ver la casa, el blanco de la cal recortándose contra el resplandeciente azul del mar, al fondo del umbrío corredor de moreras. Al pie de una de ellas, Rafael Calderón va depositando en la cesta de mimbre las hojas para los gusanos de seda. El correo echa pie a tierra, toma el caballo por las riendas, saluda a Rafael destocando el sombrero y le muestra el sobre lacrado.

Atendiendo sus indicaciones, llega junto al olivo milenario de anchas y hondas raíces, a cuyo resguardo está Raimundo Randa. A su vera, el sol dora la uva moscatel entre un revoloteo de avispas. En la pared que hay tras él, el quicio de una ventana le sirve de improvisada estantería. Allí tiene a mano los libros que consulta, ayudando su cansada vista con unos anteojos. En una tosca mesa de arenisca ha dispuesto la salvadera y el tintero, en el que moja la pluma para tomar sus notas.

Randa es un hombre ya muy entrado en años, con las manos membrudas, de dedos largos, que se manejan aún con agilidad por entre las hojas del libro que consulta. Parece feliz. Viste un jubón de ajado terciopelo granate y un chaleco de cuero, desceñido en el cuello, con la gorguera suelta. Alza la vista cuando se le acerca, al oír el relincho del caballo. Se levanta, cortés, y el correo trata de retenerle en su asiento con un gesto:

—Sólo vengo a traeros un mensaje —le advierte tendiéndole la carta.

—Sentaos —le responde Randa señalando una banqueta de madera—. Sé bien lo dura que es la vida de un correo. ¿Desde cuándo no coméis caliente?

Y vuelve la cabeza hacia la ventana abierta. La de la cocina, donde se adivina un trajín de pucheros.

—Gracias, huele que da gloria —responde el mensajero—. Pero, ¿no leéis la carta?

—Más tarde. Si he esperado casi dos años desde la última, bien puedo hacerlo ahora, hasta haber almorzado. ¿Qué os parece bajo este olivo?

Despejan la mesa. Su hija Ruth acude con los platos, una garrafa de vino y una hogaza de pan. Da un grito y no tarda en sumárseles Rafael Calderón, que trae con él dos niños. Sus dos hijos, a los que se añade una muchacha más crecida. Entre los tres disponen, con graciosas reverencias, agua y unos paños para que se laven las manos.

Y mientras dan cuenta de unos tiernísimos capones cocidos, con su carnero y sopa, Randa se las arregla para poner orden en mesa tan nutrida y encaminar la conversación de tal modo que el correo le ponga al día de lo que sucede en la lejana Antigua.

Con la misma llaneza, cuando observa que su invitado ha dado buena cuenta de las viandas, pide a Ruth que les saque una mistela para acompañar los postres, a base de gileas de membrillos, orejones y naranjas dulces.

—Espléndidas conservas —celebra el correo—, ¿dónde las conseguís?

—Yo mismo las preparo. ¿Veis aquel manzano? Pues tengo comprobado que las frutas que se arriman al pequeño destilatorio con el que cuento en la pieza de arriba maduran más y mejor que las de otras ramas. —Y añade, tras una pausa—: Debéis de estar rendido. ¿Por qué no echáis una siesta mientras yo leo esta carta y escribo la respuesta?

El correo va a protestar, pero Raimundo le ataja:

—Me llevará su tiempo. Y no os preocupéis por vuestro caballo. Rafael se hará cargo de él.

Randa se cala los anteojos y se dispone a leer la larga carta que Juan de Herrera le envía de tarde en tarde, crónica puntual de cuanto le interesa en la distante España. Para su sorpresa, comprueba que esta vez no es del arquitecto, sino del prior del monasterio de El Escorial, fray José de Sigüenza:

Os envío esta carta por indicación de Juan de Herrera, quien me lo encomendó antes de morir. No he tenido tiempo de poner en orden mis cosas hasta ahora, en que me dispongo a escribir la verdadera crónica de la fundación del monasterio de El Escorial. Pues también murieron Benito Arias Montano y el rey Felipe II. Y lo hicieron los tres en tan corto plazo de tiempo el uno del otro que se dirían sus destinos muy acordes.

Dejó concluida Herrera la Plaza Mayor de Antigua, en la que no escatimó esfuerzos, y que hoy es el orgullo de la villa, amén de salvaguarda contra sucesos como los que siguieron a vuestra desaparición. Y su fallecimiento fue seguido con gran sentimiento por todos. Felipe II, que había perdido cuatro mujeres y muchos hijos pequeños, sintió la muerte de su arquitecto más que ninguna otra, pues fue entre sus súbditos quien más satisfacciones le dio con sus empresas de edificación, muy por encima de las militares, como ya dejó dicho en su día el maestro Montano.

Tuvo el monarca habitaciones repletas de diseños de templos y todo tipo de edificios, realizados por los más hábiles constructores del mundo. Todo lo leía, todo lo veía en lo tocante a estas materias, para conocer en su integridad tanto las construcciones de su tiempo como las de los antiguos. Y algo de lo que buscaba se colige de un libro que publicaron dos jesuitas en Roma, donde muestran muy por extenso cómo era el verdadero Templo de Salomón, y cómo se siguió su esencia y ejemplo en esta obra de El Escorial.

Fueron las muertes de Herrera y Montano sosegadas, como sus vidas. Pero no la del rey, larga y terrible. Durante ella tuvo tiempo de rememorar sucesos en que vos os visteis implicado. Y, por encima de todos esos acontecimientos, vuestra fuga, que le costó la cabeza a Artal de Mendoza. Se ha venido a saber más tarde que fue estrangulado en vuestra misma celda, con una mala cuerda y un trozo de madera para hacer el garrote vil. Mientras le estrechaban el cuello protestó por no ser esta muerte de gentes nobles, como él se pretendía. Pero le contestó el verdugo que apenas si llegaba a bastardo, condición que bien había mostrado en su conducta.

No sé si sabéis cómo recibió Felipe II la noticia de vuestra desaparición. Que más furia no creo que tuviera el Minotauro en su laberinto. Yo bien le vi a horas extrañas con aquella llave maestra que sólo valía para algunas de las cerraduras que llegaron a instalarse en ciertas puertas de El Escorial, probándolas, como si no diese crédito a lo que le habían contado de vos. Creía yo que todo eso lo había olvidado. Pero nunca se sabe lo que de veras importa a un hombre, por muy rey que sea, hasta que le llega la hora postrera.

Y os digo esto porque, con ser tantas y de tanto rango aquellas reliquias que a lo largo de su vida fue acopiando, ninguna acababa de contentarle en aquel trance. Y mucho tuve que averiguar hasta saber qué buscaba. Era aquel trozo de pergamino donde decía ETEMENANKI, *y él había escrito de su puño y letra* La llave maestra. *Pues con él en la mano tenía para sí que le sería más cierto y propicio el tránsito final...*

Estaba ya por entonces don Felipe en lo más penoso de su enfermedad...

Continúa largo trecho la carta, en la que Sigüenza le informa de la atroz agonía de Felipe II, de su obsesión por morir con aquel trozo de pergamino entre las manos. Hasta concluir:

...Os pido que me digáis si tras la desaparición de Montano y Herrera siguen siendo de vuestro interés estas noticias. Pues con esas dos muertes y la del rey ya no quedan quienes estén en vuestros secretos. Y pienso que a pocos importará ya negocio que en su día armó tanto revuelo, y que tantos desvelos causó a don Felipe. Aunque yo ahora, con el transcurso de los años, voy recogiendo papeles que antes estuvieron a buen recaudo y que en este momento importan menos y andan más accesibles, pues me propongo escribir la crónica de cuanto sucedió en este monasterio, declarando unas cosas y callando otras, pero procurando entenderlas todas.

Y remata con aquel piadoso epitafio para con el rey ya difunto:

«*Estuvo, en fin, su vida llena de cuidados. Siempre trabajó con manos, pies y ojos. Con las manos, escribiendo; con los pies, caminando; con los ojos, como un tejedor que tiene la tela repartida en diversos hilos. Que así tenía él el corazón. Y su muerte fue como cuando se corta la tela del telar*».

—El poder y la podre... Descansemos en paz —suspira Randa.

Cuando despierta el correo y se sienta junto a él, repara en aquellos garfios de metal que penden de un clavo, detrás de Raimundo. Es costumbre que, en su trotar de aquí para allá, ha visto en otros desterrados de España. Guardan éstos, y tienen a la vista, la llave de la casa de sus antepasados, ganados por la nostalgia de Sefarad y la esperanza del retorno. Pero nunca ha visto una tan extraña como aquélla, que más parece ganzúa.

—¿Pensáis regresar? —le pregunta el correo, señalándola.

—Nunca se sabe —responde Randa—. Sólo espero no hacerlo para volver tras la puerta que guardaba esa llave de plata.

* * *

Cuando hubo cesado la música, David Calderón abandonó el corro de los hombres, pasó junto al de las mujeres, atravesó la Plaza Mayor y se detuvo bajo el balcón, engalanado para las fiestas de la patrona. Se cuadró, ceremonioso, mirando hacia arriba a la espera de que asomase Raquel Toledano. La joven se levantó, recogiendo el amplio vuelo del vestido tradicional de las mozas solteras, y se ajustó el corpiño, para inclinarse en señal de reconocimiento. Él le mostró la banderilla con los colores de su divisa, alzándola como un trofeo y solicitando la venia. Raquel se volvió hacia Marina, que se había prestado a asistirla como guardesa, y recogió la llave que le tendía el ama de Juan de Maliaño. Llevaba una cinta con los mismos colores que la divisa. Se la lanzó al criptógrafo, y éste la cogió al vuelo.

Para cuando llegó al lado de Raquel, Marina ya se había retirado discretamente. Sentado junto a la joven, se preguntó por qué siempre había abominado de aquel ritual, sin molestarse siquiera en conocerlo. ¡Qué injusto había sido! Desde allí arriba, el espectáculo resultaba memorable. Las gentes de Antigua se habían volcado como nunca, orgullosas de recuperar su Plaza Mayor, que ahora empezaba a animarse con la presencia de miles de vecinos, uniéndose a las parejas recién formadas durante el cortejo. Y componían de ese modo un bullicioso cuadro, bajo la luna de aquella espléndida noche de verano.

—¿En qué piensas? —preguntó a Raquel, quien se había puesto súbitamente seria.

—En esa vieja foto de este lugar. Y en que estoy aquí, con el mismo vestido que mi madre se puso hace tantos años.

—Lo de Sara ha tenido que ser terrible para ti.

—A ella le habría horrorizado morir en la cama, y la suya fue una elección muy consciente. En la carta de despedida que me escribió decía que había venido aquí *to join the majority.* ¿Cómo se diría en español?

—«Dormir con sus mayores», decimos nosotros.

—No es lo mismo. «Unirse a la mayoría» supone reconocer que nuestros antepasados son muchos más que nosotros, los vivos. Quienes estamos ahora aquí sólo somos una minoría provisional, la punta del iceberg… Mi madre adoraba esta ciudad. Y ahora comprendo por qué —añadió la joven.

—Es como si cada generación tuviera que descubrirla por sí misma, ¿no? Igual que eso que nos sucedió ahí abajo.

—Quizá la próxima tenga más suerte, o sea menos imprudente.

David llenó las copas de vino y le preguntó:

—¿Qué planes tienes?

—De momento, he de ir a Nueva York.

—¿Vas a volver al periódico?

—No creo. Le he dedicado demasiado tiempo y energías.

—¿Regresarás aquí, entonces?

—Sí. Con más calma.

—Juan de Maliaño decía que cuando desapareciese Sara serías la propietaria del solar más codiciado de la ciudad.

—Ésa es una de las razones. Pero antes quiero ver cómo está la Fundación allí, poner un poco de orden. Y después pensar en ese proyecto que quería hacer aquí mi madre. Quizá venga a vivir a Antigua una temporada. Ahora no hay nada que me retenga en Nueva York, ni nada que temer aquí. Y es el mejor modo de que el trabajo de mi abuelo, y el de tu padre y Sara, no caiga en saco roto, retomando ese centro de estudios sobre Oriente Medio… Es sólo una idea. Un granito de arena en este mundo tan desquiciado.

La joven le miró directamente, y susurró, cogiéndole de la mano:

—Y tú, ¿qué piensas hacer?

—Tengo que digerir esto. Todo lo que hemos descubierto.

—¿Y por qué no lo digerimos juntos? —le propuso la joven—. Necesitaré ayuda.

—¿Me estás ofreciendo un trabajo? —y en el rostro de David apareció aquel gesto que en otros momentos podía parecer burlón, y ahora sólo buscaba disimular su alegría.

—Si no es mucho rebajarse para un Calderón...

—Empiezo a sospechar que el destino de los Calderón ha sido y será siempre estar bajo la bota de los Toledano. Me lo pensaré...

—Querrás decir que me pensaré yo lo que hago con un criptógrafo.

—La duda ofende.

Y Raquel bromeó, imitando aquel tonillo de vieja película de gánsteres que usaba Minspert para darse importancia en su despacho de la Agencia:

—No me fío de usted, señor Calderón.

—Usted, señorita Toledano, tampoco resulta muy de fiar —le siguió el juego.

—Bueno —rió ella—. Eso parece una buena base para una asociación.

David alzó su copa proponiendo un brindis:

—Y ahora, ¿me permites un ruego? Si vas a hacer aquí algo, una fundación o lo que sea, no hables de Oriente Medio, sino de Oriente Próximo.

—*Próximo* es la clave, ¿verdad? —dijo Raquel.

—La clave maestra.

Nota del autor

L A *LLAVE maestra* es una novela escrita a lo largo de los últimos diez años, y cuya génesis se remonta todavía más atrás. De manera que ha seguido su propia evolución, al margen de las circunstancias más coyunturales que puedan haberse producido durante ese tiempo. En consecuencia, cualquier parecido con personas, instituciones y sucesos reales —o con otras obras de ficción— es pura coincidencia, salvados los personajes o situaciones históricos y las excepciones que se irán indicando.

El sistema más convencional y aséptico para acreditar las fuentes de un libro suelen ser las bibliografías. Pero no es el más adecuado para una obra como ésta, construida con materiales de tan variada procedencia. Y que no pretende demostrar ninguna tesis, sino recuperar la magia del género de aventuras, aquellos fascinados ojos infantiles con los que leíamos los tebeos del Capitán Trueno, el Príncipe Valiente o Flash Gordon y las novelas de Julio Verne, Rudyard Kipling o H. G. Wells. El mismo espíritu que más tarde reconoceríamos en películas como *Tron, Alien, El hombre que pudo reinar* o los seriales de *Indiana Jones* y *La guerra de las galaxias* (tras los cuales alienta ese proceso de maduración al que se refiere Robert Louis Stevenson), edificado sobre aquella seriedad que de niños teníamos al jugar.

Quizá lo que más haya nutrido este libro sean los viajes. Por ejemplo, ninguna otra experiencia podría suplir lo que siente un español de a pie al descubrir en pleno desierto de la actual Jordania la efigie de don Rodrigo. Allí, en el pabellón de caza de Qusayr 'Amra —en el que se inspira el Qasarra de la novela— está representado el último rey godo de la famosa lista de nuestros años escolares. Aparece como tributario del califa Al Walid I, cuyos subordinados —los moros Tariq y Muza— acababan de conquistar la lejana Al Ándalus. Y basta con visitar Toledo para impregnarse de las leyendas que lamentan la pérdida de España, en un reflejo simétrico de lo celebrado al otro extremo del Mediterráneo.

Sin esas reverberaciones no existiría esta novela, pues constituyen su misma razón de ser. Ahora bien, tampoco tiene sentido pormenorizar aquí los incontables lugares recorridos para «localizar» sus escenarios, en busca de esa vivencia física y arquitectónica de la que surgen sus principales asuntos y secuencias. Pero sí debo hacer constar la procedencia del laberinto en escritura cúfica. Está tomado de la mezquita del Sultán Al Muayad en El Cairo, donde tuve ocasión de admirar por vez primera esta obra maestra de la caligrafía. He introducido en ella algunas variantes necesarias para la trama, inspirándome en los trabajos por ordenador de Mamoun Sakkal. Y he de agradecer a mi colega Federico Corriente, catedrático de Filología Árabe de la Universidad de Zaragoza, su ayuda para transcribir la aleya del Trono. Aunque —al igual que a otras personas que iré citando—, para nada deben endosársele otras responsabilidades o incursiones en el terreno de la ficción, que asumo en exclusiva. Son muchos los excelentes profesionales a los que he consultado detalles concretos, y su bien ganado prestigio no tiene por qué verse involucrado en mis personales delirios.

Me he valido también de las relaciones escritas por algunos infatigables viajeros que frecuentaron las tierras, gentes y culturas protagonistas de este libro, desde Benjamín de Tudela o Ibn Batuta hasta don Juan de Persia o Wilfred Thesinguer. Y he de destacar por encima de cualquier otro a Domingo Badía, que adoptó el nombre de Alí Bey, y cuyos *Viajes* son una de las guías que inspiran las peripecias de Raimundo Randa. Tampoco quiero olvidar la magnífica biografía novelada que le dedicó Ramón Mayrata. Ahora bien, dado que algunos de los citados son anteriores a Felipe II y que Alí Bey fue un espía posterior, de la época de Godoy, he contextualizado a Randa con toda una serie de testimonios rigurosamente contemporáneos. Entre ellos me ha sido de particular utilidad la «Descripción de África» de *León el Africano* y el *Viaje a La Meca del Peregrino* de Puey Monçon, cuyo conocimiento debo a mi colega de Literatura Española y buen amigo José Luis Calvo Carilla. Conmueve leer esta peregrinación de un morisco que vive en un remoto pueblo aragonés y afronta incontables riesgos para cumplir con el precepto musulmán de venerar la piedra negra de la Kaaba. Sus ojos han sido a menudo los míos para entender lo que debió de sentir al acometer ese empeño en pleno siglo XVI.

En otras ocasiones, la documentación procede de exposiciones temáticas. Podría citar muchas, porque soy un adicto a ellas. Pero sólo mencionaré tres: la que se celebró en 1998 en el Pabellón Villanueva del Jardín Botánico de Madrid sobre *Los ingenios y las máquinas en la época de Felipe II;* la dedicada a las relaciones entre arte y ciencia en el Grand Palais de París en octubre de 1993, con el título de *L'âme au corps;* y, sobre todo, la que en 1992 se organizó en Bruselas sobre el servicio de correo de los Taxis, *De post van Thurn und Taxis.* Ver allí sus itinerarios, desplegados por toda Europa, vertebrando sus comunicaciones como un sistema nervioso, cambió de modo radical mi percepción espacial del continente, del mismo modo que lo hizo con el mar *El Mediterráneo y el mundo Mediterráneo en la época de Felipe II* de Fernand Braudel.

Otra fuente inagotable de inspiración han sido los debates científicos, y en particular los relacionados con la conciencia, el cerebro, los fundamentos genéticos del lenguaje, los sueños, la teoría unificada de la información, la criptografía, la cibernética y la inteligencia artificial. Resultó impagable poder escuchar en vivo y en directo las discusiones de Roger Penrose, Murray Gell-Mann o Lynn Margulis, durante el congreso sobre *Cajal y la consciencia* organizado en 1999 por Pedro C. Marijuán. A Pedro he de agradecerle, asimismo, que me incluyera en las listas de Foundations of Information Science. Mientras escribía esta novela me he desayunado a menudo con el intercambio de opiniones en internet de científicos de los cuatro rincones del planeta y de las más variadas disciplinas, tratando de establecer el papel que desempeña la Información en el Cosmos. Y ello ha ampliado las perspectivas que en su día me abrió la lectura del visionario libro de Tom Stonier *Information and the Internal Structure of the Universe.*

A los citados debates sobre la conciencia tendría que añadir el libro de Terrence Deacon *The Symbolic Species. The co-evolution of Language and the Human Brain.* Y también las teorías de Julian Jaynes, que tuve ocasión de conocer en 1987 durante mi estancia como profesor visitante en la universidad estadounidense de Princeton, donde él era una figura muy respetada. De su libro *The Origin of Consciousness in the Breakdown of the Bicameral Mind* y del número monográfico que en 1986 le dedicó la revista *Canadian Psychology* he tomado los farfullos en glosolalia de la novela, la comparación con los textos homéricos y el trono vacío de Etemenanki.

En cuanto a los sueños, he tenido en cuenta todo lo que me ha sido accesible, desde las anotaciones en tabletas de arcilla babilonias hasta el tratado que les dedicó Girolamo Cardano. Pero también muchos otros testimonios. Si tuviera que elegir un autor, me quedaría con el francés Michel Jouvet. Sus libros científicos son apasionantes, muy preferibles a su novela *El caballero de los sueños,* decididamente menor, sobre todo si se compara con esas grandes epopeyas oníricas que son *Peter Ibbetson* de George du Maurier y los diarios de Hervey de Saint-Denys titulados *Les Rêves et les moyens de les diriger. Observations pratiques,* que constituyen lo que su nombre indica: una bitácora o manual para dirigir los sueños, escrito por un profesional de los mismos, dedicado a ellos casi en exclusiva durante veinticinco años.

Y al referirme a estas cuestiones he de citar al doctor Vergara, el único personaje moderno que se interpreta a sí mismo, como neurofisiólogo que es. Porque el doctor Txema Vergara existe, y él me ha mostrado cómo funcionan las actuales unidades del sueño. Algunas de las palabras que pronuncia le pertenecen. Otras no, como sus explicaciones sobre los Túneles de la Mente, mezcla de las investigaciones de los psicólogos cognitivos Amos Tversky y Daniel Kahneman con las de Massimo Piatelli Palmarini y el conocido test de Gregory. He estudiado este último con detenimiento, pero la descripción que hago se inspira en la puesta en escena de dicho test dentro del parque tecnológico de La Villette, en París.

A Txema Vergara he de agradecerle, además, que me instigase a pronunciar la conferencia inaugural de la XI Reunión de la Asociación Ibérica de Patología del Sueño. Fue muy enriquecedor poder contrastar mis conocimientos con los mejores especialistas de nuestro país. Su respuesta fue tan generosa que me pidieron el texto para publicarlo en su revista, proporcionándome la tranquilidad de que no andaba del todo extraviado.

Por el contrario, tuve que excusarme con mi colega José Pastor por no haber podido hacer lo mismo en el Congreso Internacional de Criptografía al que me invitó, pues no me sentía en absoluto preparado para hablar ante las máximas autoridades mundiales en la materia. José Pastor está hoy felizmente jubilado y sigue siendo una figura señera dentro del mundo de la Criptografía. Por aquel entonces era el primer catedrático de esta especialidad en la universidad española, tras una experiencia de treinta años de trabajo en Estados Unidos. Justamente por ello, deseo insistir una vez más en que ni a él ni a ninguno de los aquí acreditados deben transferírseles mis ficciones y opiniones, que ellos no tienen por qué compartir.

Y como seguir pormenorizando tales detalles haría este apartado interminable, diré que a menudo se han proporcionado en el texto de la novela los indicios para localizar algunas de las procedencias de sus materiales o, al menos, de su inspiración. Se han indicado en clave, claro, y quienes las descifren y se internen en ellas podrán acceder a niveles de lectura que les sorprenderán, ya que constituyen una subtrama paralela. Suelen aparecer como meros indicios laterales, para que no estorben la fluidez de la acción.

Dichas claves son muy variables. Por ejemplo, el nombre del impresor alemán Meltges Rinckauwer es un anagrama de Miguel de Cervantes, por la inspiración para algunos ingredientes argumentales y ambientales en la historia del cautivo del *Quijote* u otras obras cervantinas como *La Gran Sultana* o *Los baños de Argel*. Sin ir más lejos, el título del capítulo «El bizcocho y el corbacho» se toma prestado de la frase con la que Maese Pedro —es decir, Ginés de Pasamonte— se refiere a su vida en galeras. Aunque me apresuro a añadir que para los capítulos de Estambul el libro que más he tenido en cuenta ha sido el *Viaje de Turquía,* que algunos han atribuido a Andrés Laguna.

En otros casos el texto proporciona varias claves, pero hurta la más esencial. Y no para despistar, sino para no cerrar en exceso las equivalencias, cayendo en mecanismos poco menos que alegóricos, siempre enojosos. Así sucede con el nombre adoptado por el protagonista de las historias antiguas, Raimundo Randa, de cuyo apellido se indican todas las acepciones menos la decisiva: el monte Randa, de Mallorca, en el que Raimundo Lulio —o sea, Ramon Llull— tuvo su particular iluminación, que le llevó a predicar a los musulmanes y a descubrir en Argel las ruedas combinatorias de su *Ars Magna,* en las que se ha querido ver un precedente de la cibernética.

Las obras de mayor entidad inspiradas en las doctrinas lulistas supongo que siguen siendo El Escorial y el *Discurso sobre la figura cúbica* de su arquitecto, Juan de Herrera. Ahora bien, a partir de ellas, quien esté familiarizado con la relación que guardan con la informática podrá desarrollar una serie de lecturas que no dejarán de inquietarle. Por el contrario, los interesados por la vertiente que conecta a Ramon Llull con las artes de la memoria y las investigaciones de Frances A. Yates o Paolo Rossi se encaminarán por otros derroteros.

En cualquier caso, la máquina combinatoria que se atribuye a Girolamo Cardano no es un diseño suyo —aunque bien podría serlo—, sino que se ha tomado de los *Viajes de Gulliver* de Jonathan Swift, donde éste la emplea para caricaturizar el *Ars Magna* de Llull. De modo que, al rescatarla y ponerla aquí en manos del relojero e ingeniero Juanelo Turriano, se propone una reivindicación en toda regla de ese artefacto, capaz de cifrar y descifrar la ciencia y la fe, hasta conseguir una lengua universal que ponga concordia entre las tres religiones monoteístas que pleiteaban el Mediterráneo.

Por lo demás, quizá convenga decir que tanto Turriano como el matemático, criptógrafo, médico y tratadista de los sueños Cardano son personajes históricos y que Juanelo hizo casi todo lo que se le atribuye en esta novela, como el famoso Artificio que lleva su nombre y cuyo mecanismo puede verse en una maqueta que se exhibe en la Diputación de Toledo.

A estas alturas, quizá haya quien se cuestione qué hay, entonces, de real en este libro y qué de inventado. Una pregunta difícil de contestar, porque en ningún momento me he propuesto escribir ni un libro de divulgación científica ni una novela histórica, sino un relato de intriga y aventuras. Y a menudo lo que puede parecer más inverosímil es rigurosamente cierto, mientras que muchos detalles de apariencia nada dudosa pertenecen de lleno al terreno de la ficción.

En términos generales, los datos científicos e históricos suelen ser bastante exactos, por más que se hayan novelado para ponerlos al estricto servicio de la trama que los arropa. Cualquier lector puede comprobar por sí mismo que la descripción actual de El Escorial se atiene a los hechos, y reconocerá sin demasiados problemas toda una serie de personajes y sus circunstancias, tales como los califas Al Walid I y Al Hakam II, el emperador Carlos V, el rey Felipe II, el militar y arquitecto Juan de Herrera o el erudito biblista Benito Arias Montano. Pero también son reales muchos otros, tales como el canciller Ibn Saprut, el morisco Alonso del Castillo, el corsario Alí Fartax y su anciana madre Pippa del Chico, los secretarios Martín de Gaztelu o Van Male e incluso las lavanderas Hipólita e Isabel que aparecen brevemente camino del monasterio de Yuste. E histórico es el proyecto de estado judío patrocinado por potentados sefardíes desde Estambul, con su asentamiento en Tiberíades, que ha reconstruido con todo pormenor Cecil Roth en sus dos libros sobre la Casa de Nasi.

Del mismo modo, resultan ciertos en su práctica totalidad los ingredientes científicos manejados, como los Autómatas Celulares. Y también la existencia de un programa del ejército americano sobre este modelo computacional, cuyos detalles se mantienen hasta la fecha clasificados como alto secreto. O el proyecto militar estadounidense para señalar los residuos nucleares con un lenguaje universal que pudiera ser entendido en un hipotético futuro, así como el mensaje enviado al espacio exterior en las naves *Voyager I* y *II* y desde el radiotelescopio de Arecibo, en Puerto Rico.

Varios de los Autómatas Celulares, como los números 30 y 110, proceden de *A New Kind of Science* de Stephen Wolfram, un extraordinario libro donde se reescribe el paradigma científico de un modo tan radical que sólo puede equipararse con lo que en su día supusieron las teorías de Newton, Darwin o Einstein. Sus ilustraciones se incluyen aquí a modo de homenaje, y he de agradecer a Wolfram Research Inc. su cesión desinteresada de los derechos de reproducción. A petición suya hago constar expresamente que eso no implica que suscriban o avalen esta novela, ya que ni siquiera conocen su contenido.

No quiero terminar estas palabras sin evocar lo que debe el capítulo «Los caminos no tomados» al aguerrido y temerario grupo de espeleología que tuve la suerte de integrar junto con Luis Vicente Elías, Javier Cordón, Vicente Martínez Sánchez y, ocasionalmente, Lorenzo Izquierdo. Todos ellos vivos, a excepción de Vicente Martínez, cuya muerte, al despeñarse, supuso la disolución del grupo. *In memoriam.*

Este libro se acabó de imprmir
en los talleres gráficos de Unigraf S. L.
(Móstoles, Madrid)
en el mes de abril de 2005